How-nual Shuwasystem Industry Trend Guide Book

図解入門 業界研究

最新 電力・ガス業界の動向とカラクリがよ～くわかる本［第7版］

業界人、就職、転職に役立つ情報満載

Energy Shift編集マネージャー
afterFIT研究所 シニアリサーチャー
本橋 恵一 著

秀和システム

はじめに

２０１１年３月11日に発生した、東日本大震災と福島第一原発事故は、言葉に尽くしがたい深刻な出来事でした。今なお、事故の処理は終わることはなく、避難生活をされている方もいます。また、２０１９年末から世界的に拡大した新型コロナ感染拡大は、電力・ガス事業のみならず社会全体に大きな影響を与えました。いずれも、危機管理の面で、大きな教訓を残しています。

こうしたことに加え、２０２２年２月末には、ロシアがウクライナ侵攻を開始しました。先進国においても侵略戦争が今なお発生し、多くの人々が犠牲となっていますが、同時にエネルギー市場にも大きな影響を与える出来事でした。

さて、本書は電力・ガス事業という公益事業を紹介した本です。しかし、この事業の姿は、大きな変化の途上にあります。福島第一原発事故はその変化の大きなきっかけの１つですが、他にもデジタル化や地球環境問題など、変化を促す要因はたくさんあります。全国10社の電気事業者が地域独占で電気を供給していた時代は終わり、２０１６年から小売全面自由化となりました。しかし、この変化で大事なことは、見かけではなく、少しでも電気やガスを使う顧客にとって、よりよい事業となっていくための変化です。

多くの家庭に太陽光発電や蓄電池が設置されれば、電力・ガス事業の役割はこれらを安心して使えるようにすることとなるでしょう。また、たくさん電気やガスを使ってもらうのではなく、省エネを進めながら快適な暮らしをしてもらうことにもなるでしょう。その意味では、これからの電力・ガス事業は、エネルギーを供給するのえではなく、「総合エネルギー事業」であり「暮らし丸ごとサービス」になるのではないでしょうか。これはまさに、事業のコペルニクス的転回だともいえます。

こうした視点から、第7版は次の点を特徴としています。まず、第1章で東日本大震災と原発事故について書きました。この事故はこれからの事業を考える上で忘れてはいけないものです。さらに、近年のエネルギー価格高騰についても言及しました。また、進行中の電力・ガスシステム改革については、最新の内容を反映させたものとなっています。同時に、改革を支える技術についてもページをさきました。ただし、実際にこれからどのようなビジネスが展開されるのかは、読者にゆだねたいと思います。

本書は、電力・ガス会社に就職を希望する学生や若い社員をはじめ、この事業に係るすべてのビジネスマンを対象として執筆しました。読者の皆さんには、事業環境や事業のあり方が大きく変化する時代において、限りなくあるビジネスチャンスを現実化し、豊かな社会を実現する公益事業を展開していただきたいと願っています。

2022年10月　afterFIT研究所　シニアリサーチャー　本橋恵一

How-nual 図解入門 業界研究

最新電力・ガス業界の動向とカラクリがよ〜くわかる本［第7版］●目次

第5章 原子力発電

第6章 化石燃料と再生可能エネルギー

第7章 電力・ガス各社のポジションと戦略

第1章

東日本大震災と福島第一原発事故

2011年3月11日の東日本大震災とこれによって起きた福島第一原発事故は、電力業界のあり方を大きく変える要因となりました。むしろ現在の電気事業は、ここから再スタートしたといってもいいでしょう。

すでに10年以上が経過していますが、今なお、現在の問題でもあります。あらためて、震災をはじめとする災害と事故についてふり返り、問題点を明らかにしておきたいと思います。

東日本大震災

2011年3月11日に発生した東日本大震災（東北地方太平洋沖地震、およびこれを原因とする津波）は、東北・関東地方に甚大な被害を与えました。そもそも日本は、地震や火山などが活発に起こる地域に位置していることは、忘れるべきではありません。

1

地震大国日本

日本は地震大国といわれており、過去、さまざまな大地震が発生しています。

地球の表面は、いくつもの**プレート**と呼ばれる岩盤におおわれています。このプレートは、長い年月をかけて移動しています。そして、移動のときにプレートの境界部やプレート内部に大きな力が加わり、そこがずれたときに地震が発生するといわれています。日本列島は、4つのプレートが複雑にぶつかり合う場所に位置しているため、地震が多い地域となっています。

日本列島では、これまでにも大規模な地震が数多く発生しています。1995年の**阪神大震災**（阪神淡路地震）は、内陸部の直下型地震だったため、M7・3でしたが震度7を観測し、都市部で大きな被害をもたらしました。しかし、この地震と比較しても、**東日本大震災**はM9・0とはるかに規模が大きく、とりわけ大規模な津波が大きな被害をもたらしました。

今後も日本で大規模な地震は起こるでしょう。とりわけ首都圏直下型の地震や、関東から四国までの太平洋沿岸で想定される東海・東南海地震は、最も警戒されており、震災対策の整備が求められています。

東日本大震災の被害

東日本大震災が発生したのは、2011年3月11日午後2時14分でした。震央は仙台市から70km離れた

【プレート境界は超巨大地震の震源】 地震が多い国は、日本だけではありません。1960年に三陸地方に津波の被害をもたらしたのは、チリ地震でした。また、2004年のインドネシア・スマトラ沖地震は、マグニチュード9.1もありました。

三陸沖ですが、震源域は広く、岩手県沖から茨城県沖まで、およそ500kmにも及んでいます。さらに、震災後もかなり長期にわたって大きな余震が起こりました。最大震度は7で、宮城県栗原市で観測されました。また、震度6強は宮城県、福島県、茨城県、栃木県で観測されています。

地震以上に大きな被害をもたらしたのが、太平洋沿岸を襲った**津波**でした。10m以上の高さの津波は、沿岸地域に壊滅的な被害をもたらしました。

この他、首都圏などでは、**液状化現象**によって家屋が傾くといった被害も起きています。また、震源から遠い場所で大きな揺れが起きたため、**長周期振動**となり、耐震性の高い建物でも被害が起きました。

震災直後の避難者は40万人以上、被害にあった建造物は110万戸以上、停電世帯は800万戸以上です。また、2021年3月の時点で、1万8500名近い死者・行方不明者、4千人近い震災関連死となっています。避難者は2022年4月の時点でも、福島第一原発事故の影響から、3万5000人を超える方々が避難を続けています。

日本の主な大地震

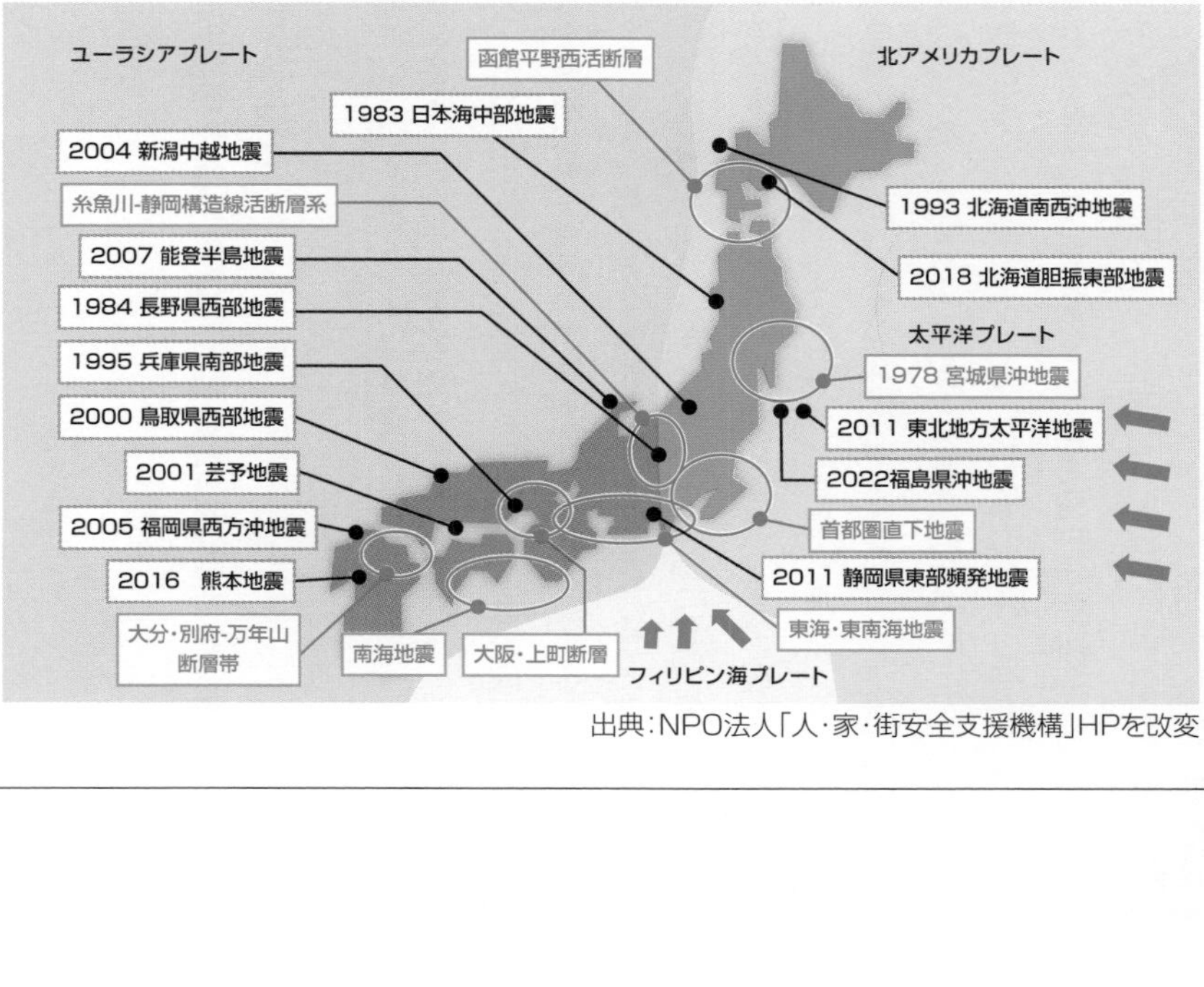

出典：NPO法人「人・家・街安全支援機構」HPを改変

震災直後の電力供給

2

東日本大震災は、電力をはじめとするさまざまなインフラに被害を与えました。中でも、発電所や送電線などの被害を受けた電力設備は、広範囲な停電をもたらしました。

地震と停電

地震は**発電所**だけではなく、**送電線**や**変電所**など、さまざまな**電力流通設備**に対しても被害をもたらします。東日本大震災では、東北地方・関東地方の太平洋岸にあるほぼすべての火力発電所・原子力発電所が被災し、電力供給ができなくなりました。

電力を供給する設備のうち、送配電設備の復旧は迅速に行われています。東京電力管内では、震災後およそ1週間で地震による停電は解消しています。

一方、火力発電設備の復旧には、数カ月単位で時間がかかったものもあります。また、被災した原子力発電所については、10年後の現在でも、復旧・再稼働はまだ時間がかかりそうです。2007年の**新潟県中越沖地震**では、東京電力柏崎刈羽原子力発電所が大きな被害を受け、一部は修理が終わっていません。

なお、一般的に、地震で被害を受けた送配電設備の復旧は1週間、都市ガス導管は1カ月くらいかかるといわれています。都市ガス導管は近年、地震に強いポリエチレン管が普及していますが、一度被害にあうと、埋設されたガス管の交換やガス漏れがないことの確認に手間がかかります。また、LPガスの場合は、ボンベを運んで供給するため、災害直後でも検査の上で使用可能となるので、災害対策として評価が高まりました。

いずれの場合も、電力・ガス会社や協力会社の必死の復旧作業があってはじめて、早期の復旧が実現しているということは、忘れてはなりません。

ワンポイントコラム

【テナントビルの電力供給】　震災後、BCP対策として非常用・常用自家発電設備の設置が進みましたが、テナントビルにおいては、発電設備がない物件には入居者が集まらなくなったともいわれています。また、設置場所は震災前は地下が主流でしたが、現在は津波や水害対策として屋上の設置が一般的です。

災害対策とBCP

震災の教訓から、各事業所では**BCP**（事業継続計画）が求められるようになりました。これは、災害時に、必要な事業を継続して行うための準備をしておくということです。震災だけではなく、台風や大雪など、さまざまな災害が予想され、エネルギーの供給が途絶えることがあります。とりわけ、停電は、さまざまな機器が使えなくなるなど、影響が大きいため、**非常用・常用自家用発電設備**、**蓄電池**、**太陽光発電**などをＢＣＰ対策として準備する事業所は増えています。

また、**計画停電**などに備えるため、非常用と常用を兼ねた発電設備や、備蓄しておく石油と計画停電時でも供給される都市ガスの両方を燃料として使える**デュアルフュエル型発電機**の需要も高まっています。

災害対策として、電気とガスのいずれが優位ということはなく、震災に強いＬＰガスも、大雪のように交通網が遮断されると供給が困難になります。

こうしたＢＣＰ対策も、電力・ガスを含めたエネルギーサービスの一つとして、重要性が増しています。

発災当日の停電発生状況

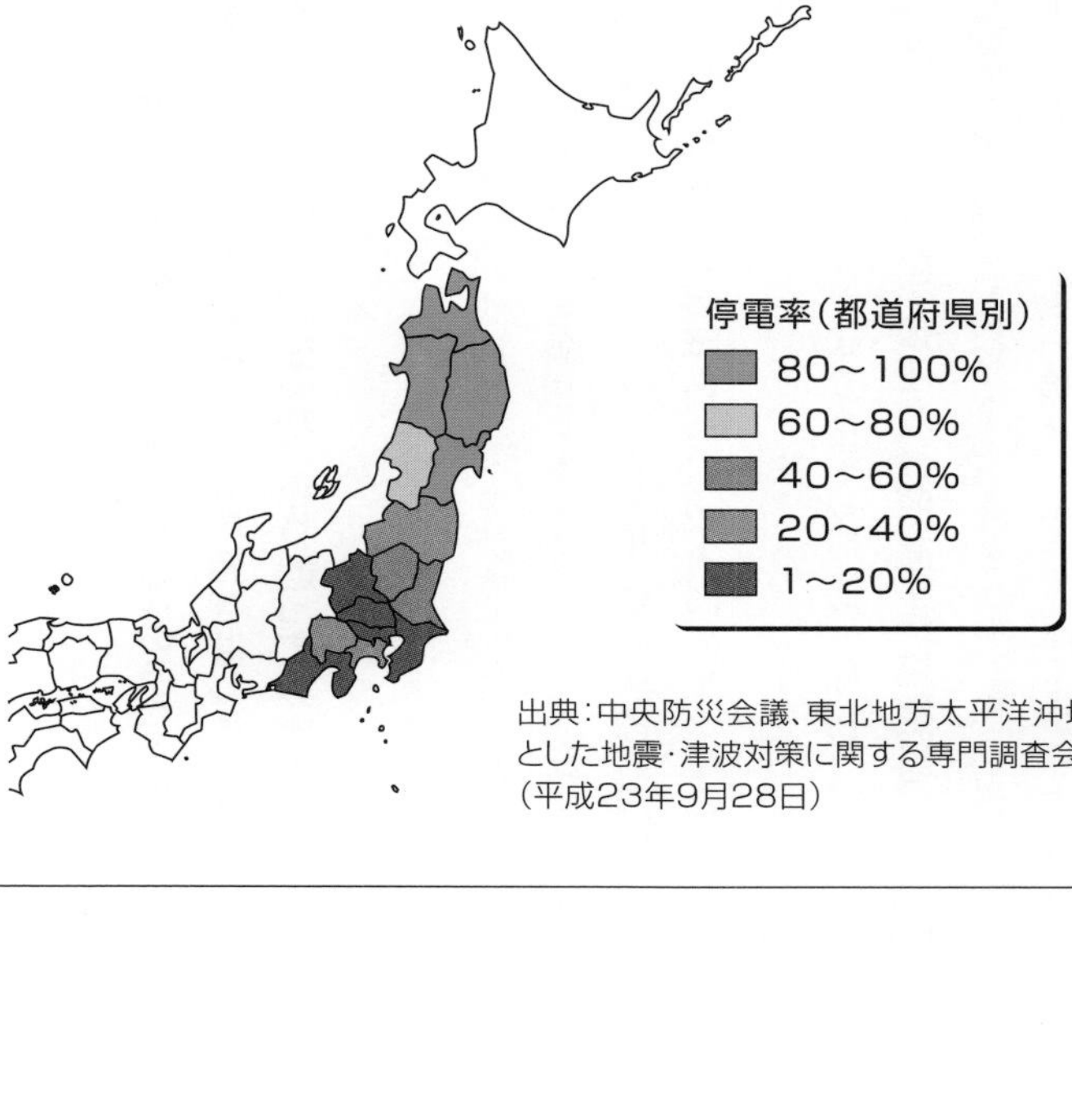

出典：中央防災会議、東北地方太平洋沖地震を教訓とした地震・津波対策に関する専門調査会報告（平成23年9月28日）

3 福島第一原発事故

東京電力福島第一原子力発電所には、1号機から6号機までの6基の原子炉がありました。このうち1号機から4号機が、地震、および津波によって事故を起こし、放射性物質が福島県の浜通り地方をはじめ、東北地方、関東地方に拡散しました。あらためて、この事故がどういったものだったのか、ふり返ってみます。

福島第一原子力の事故概要

原子力発電のしくみについては、第5章で詳しく説明してありますので、ここではそれを前提に、事故の概要を説明していきます。

福島第一原子力の事故は、次のようなプロセスで発生しました。

原子炉は地震などに備えて、多重の安全対策を備えています。まず、強い地震が発生すると、**核燃料**の**核分裂反応**を起こす働きを抑制するため、制御棒が挿入され、原子炉が停止します。

続いて、原子炉内の水や**使用済み燃料プール**の水などを冷やすために、冷却のための水を循環させるポンプが動きます。しかし、福島第一原子力では、ポンプを動かす非常用発電機が津波によって浸水し、外部から電力を供給する送電線も破損したため、ポンプを動かすことができませんでした。その結果、原子炉内の温度が上昇し、核燃料の溶融・損傷や水素の発生が起こりました。

また、原子炉は事故が起きた場合に、放射性物質が拡散しないように、**原子炉圧力容器**、**原子炉格納容器**、**原子炉建屋**など、何重もの壁があります。しかし、核燃料の溶融や発生した水素の爆発によって、原子炉圧力容器や原子炉建屋などが破損し、放射性物質を閉じ込めることができませんでした。

1号機から3号機までは、地震発生時は運転中でし

1-3 福島第一原発事故

福島第一原子力発電所に到達した津波の大きさと浸水状況

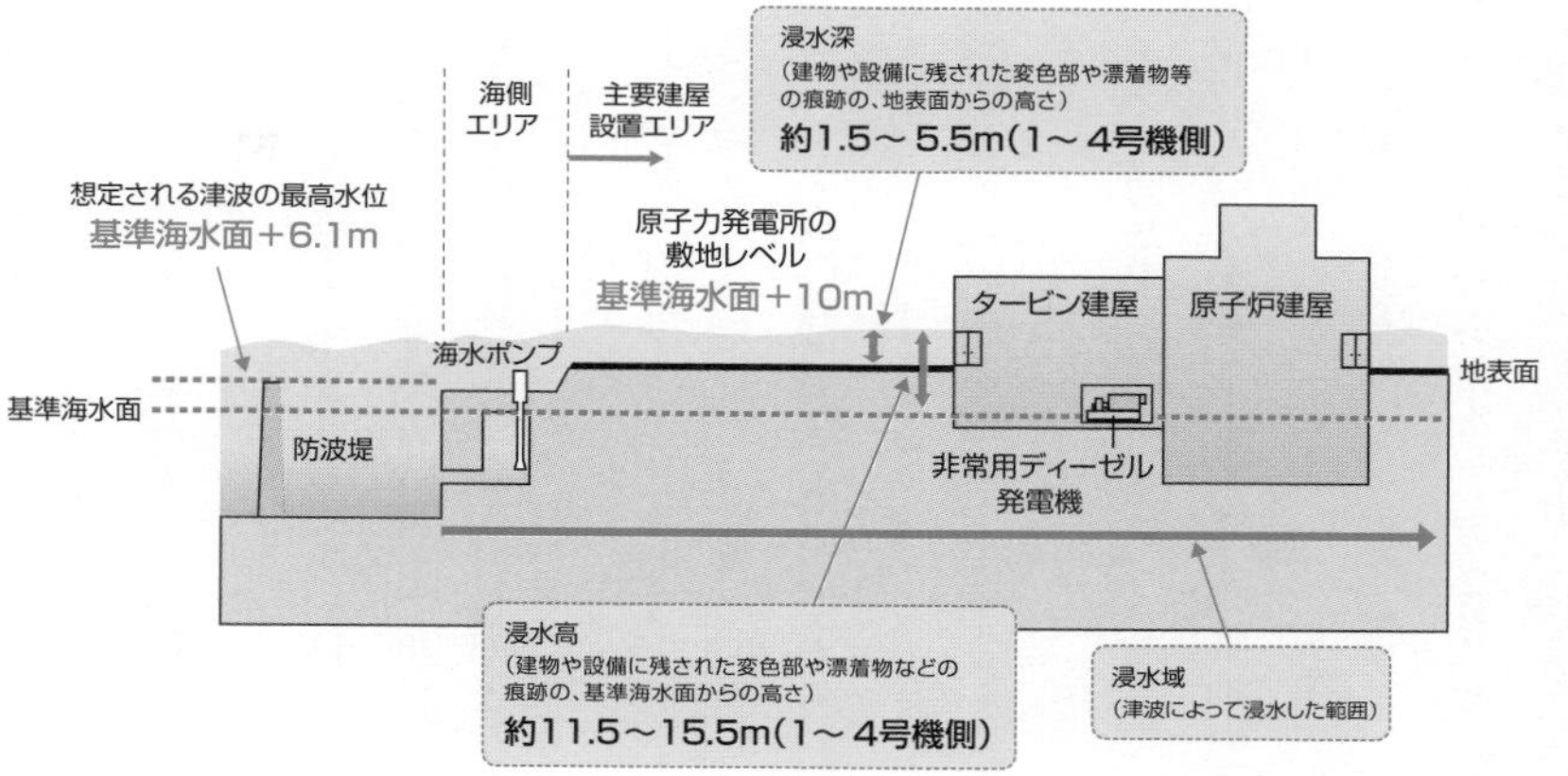

出典：電気事業連合会「原子力図面集」

福島第一原子力発電所の事故概要

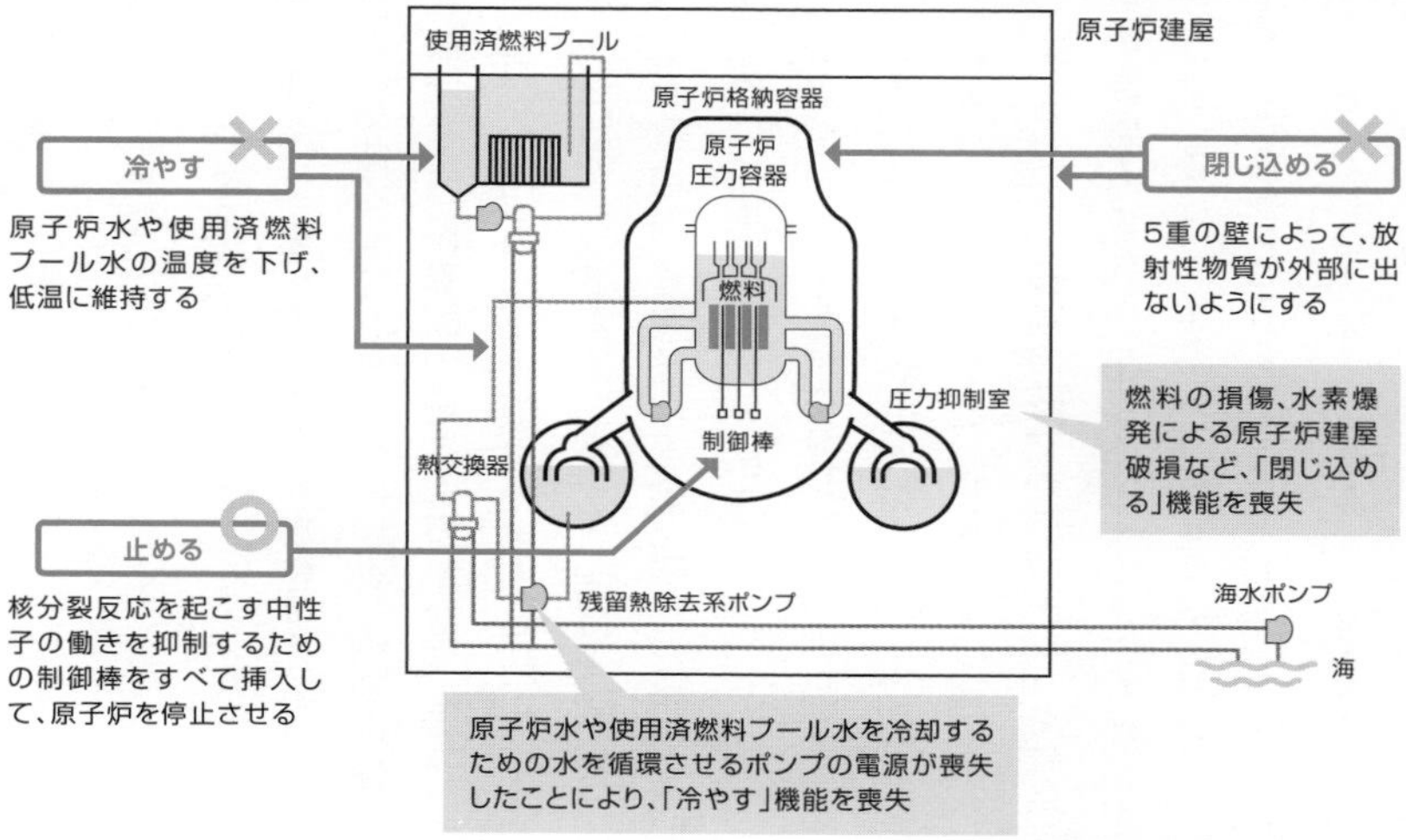

出典：電気事業連合会「原子力図面集」

たが、4号機は定期点検中のため、運転を行っていませんでした。しかし、原子炉建屋内には大量の使用済み核燃料がプールに貯蔵されており、危険な状態は同じでした。

事故発生後、原子炉を冷却するための注水などの必死の作業が行われ、原子炉内が安定した低温を維持できるようになるまでには、かなりの日数がかかりました。また、この事故の結果、福島第一原子力の1号機から6号機は**廃炉**になることが決まりました。しかし、事故の終息に向けて、破損した核燃料の取出しや使用済み燃料プールからの核燃料の取出し、さらに廃炉の作業など、まだまだ時間がかかりそうです。

事故はさまざまな原因が重なって発生したといえますが、最大の原因は「想定外」の津波だったといってよいでしょう。福島第一原子力発電所では、想定される最大の津波の高さを6・1mと考え、敷地の高さを海面から10mの高さにしていました。しかし、発生した津波の高さは最大約16mというものだったため、原子力発電所の敷地が浸水しました。なお、津波の高さが本当に想定外だったのかは、疑問が持たれています。

廃炉作業

福島第一原発は、事故を起こした1～4号機に加え、5、6号機も廃炉になりました。

廃炉の作業は、原子力発電所を解体撤去していくものですが、事故を起こした原発の場合、内部の様子がわからないため、作業は困難なものとなります。

まず、原発周辺の汚染の除去や拡大の防止ですが、**がれき**などの撤去は進んでいますが、**汚染水問題**は、原子力発電所敷地内を通る地下水の流れの遮蔽《しゃへい》や回収した汚染水の処理に苦労しています。

4号機の燃料プールにある核燃料の取出し作業は進められていますが、1～3号機のメルトダウンした燃料（**燃料デブリ**）については、原発内部の様子がわからない上、ロボット技術の確立や燃料デブリ処分の技術などの課題も多く、取出し開始までまだ時間がかかりそうです。さらに、作業員の被ばく量と必要な人数は、作業を進める上で大きな課題です。一定量以上の被ばくをすると、その年内は作業ができなくなり、人員の不足にもつながります。

国際原子力事象評価尺度（INES）

	レベル	基準			参考事例（INESの公式評価でないものも含まれている）
		基準1：人と環境	基準2：施設における放射線バリアと管理	基準3：深層防護	
事故	7（深刻な事故）	●広範囲の健康および環境への影響を伴う放射性物質の大規模な放出			●旧ソ連チェルノブイリ発電所事故（1986年） ●東北地方太平洋沖地震による福島第一原子力発電所事故（2011年）
事故	6（大事故）	●放射性物質の相当量の放出			
事故	5（広範囲な影響を伴う事故）	●放射性物質の限定的な放出 ●放射線による数名の死亡	●炉心の重大な損傷 ●公衆が著しい被ばくを受ける可能性の高い施設内の放射性物質の大量放出		●アメリカスリーマイルアイランド発電所事故（1979年）
事故	4（局所的な影響を伴う事故）	●軽微な放射線物質の放出 ●放射線による少なくとも1名の死亡	●炉心の全放射能量の0.1%を超える放出につながる燃料の溶融または燃料の損傷 ●公衆が著しい大規模被ばくを受ける可能性の高い相当量の放射性物質の放出		●ジェー・シー・オー臨界事故（1999年）
異常な事象	3（重大な異常事象）	●法令による年間限度の10倍を超える作業者の被ばく ●放射線による非致命的な確定的健康影響	●運転区域内での1Sv（シーベルト）*/時を超える被ばく線量率 ●公衆が著しい被ばくを受ける可能性は低いが設計で予想していない区域での重大な汚染	●安全設備が残されていない原子力発電所における事故寸前の状態 ●高放射能密封線源の紛失または盗難	
異常な事象	2（異常事象）	●10mSv（ミリシーベルト）を超える公衆の被ばく ●法令による年間限度を超える作業者の被ばく	●50mSv（ミリシーベルト）/時を超える運転区域での放射線レベル ●設計で予想していない施設内の域内の相当量の汚染汚染	●実際の影響を伴わない安全設備の重大な欠陥	●美浜発電所2号機蒸気発生器伝熱管損傷事故（1991年）
異常な事象	1（逸脱）			●法令による限度を超えた公衆の過大被ばく ●低放射能の線源の紛失または盗難	●「もんじゅ」ナトリウム漏えい事故（1995年） ●浜岡原子力発電所1号機余熱除去系配管破断事故（2001年） ●美浜発電所3号機二次系配管破損事故（2004年）
尺度未満	0（尺度未満）	安全上重要ではない事象		0+　安全に影響を与える事象 0−　安全に影響を与えない事象	
評価対象外		安全に関係しない事象			

※シーベルト（Sv）：放射線が人体に与える影響を表す単位（ミリは1,000分の1）

出典：「原子力・エネルギー」図面集2012

福島第一原子力発電所 1 ～ 4 号機の廃止措置に向けた中長期ロードマップ

2011年12月（ロードマップ策定）　2年以内　10年以内　30 ～ 40年後

安定化に向けた取組

〈冷温停止達成〉
・冷温停止状態
・放出の大幅抑制

第 1 期

使用済燃料プール内の燃料取り出しが開始されるまでの期間（2年以内）

- 使用済燃料プール内の燃料の取り出し開始（4号機、2年以内）
- 発電所全体からの追加的放出及び事故後に発生した放射性廃棄物（水処理二次廃棄物、ガレキ等）による敷地境界における実効線量1mSv/年未満
- 原子炉冷却、滞留水処理の安定的継続、信頼性向上
- 燃料デブリ取り出しに向けた研究開発及び除染作業に着手
- 放射性廃棄物処理・処分に向けた研究開発に着手

第 2 期

燃料デブリ取り出しが開始されるまでの期間（10年以内）

- 全号機の使用済燃料プール内の燃料の取り出しの終了
- 建屋内の除汚、格納容器の修復及び水張り等、燃料デブリ取り出しの準備を完了し、燃料デブリ取り出し開始（10年以内目標）
- 原子炉冷却の安定的な継続
- 滞留水処理の完了
- 放射性廃棄物処理・処分に向けた研究開発の継続、原子炉施設の解体に向けた研究開発に着手

第 3 期

廃止措置終了までの期間（30 ～ 40年後）

- 燃料デブリの取り出し完了（20 ～ 25年後）
- 廃止措置の完了（30 ～ 40年後）
- 放射性廃棄物の処理・処分の実施

要員の計画的育成・配置、意欲向上策、作業安全確保に向けた取組（継続実施）

出典：エネルギー白書 2014

原子力発電所事故と放射性物質の拡散 4

福島第一原発事故は、放射性物質を広く拡散させました。その結果、多くの人々が避難を強いられており、この状況は除染が進む今も続いています。

拡散した放射性物質

福島第一原子力の事故によって、放射性物質が広く拡散しました。特に年間で多くの放射線を受けることが予測される地域については、**避難指示区域・警戒区域**として指定されています。また、これ以外の区域にも、放射性物質が運ばれており、首都圏でも高い放射線量を示す場所が点在しました。

除染活動は現在も進められていますが、森林など除染が難しい地域も多く、震災前の状況に戻るのは、場所によってはかなり遠い将来となるでしょう。

また、大気中への放射性物質の放出・拡散はほぼ落ち着いていますが、発電所の地下を流れる地下水の汚染は深刻さを増しています。汚染された地下水はそのままだと、発電所敷地内を通過して海に流れ込むため、処理することが必要です。

放射性物質の人体への影響と除染

放射線は生物に有害な影響を与えます。放射線の場合、強さによって有害な影響を与える確率が高くなりますが、弱い放射線であっても悪影響があると考えられています。したがって、年間100ミリシーベルト以下ではがんの過剰発生は見られないとされていますが、自然放射線を除いた一般の年間線量限度は1ミリシーベルトとなっています。

一方、拡散した放射性物質のうちでも、注目された物質は、**ヨウ素131**と、**セシウム137**です。ヨウ素は事故の初期に多量に放出されましたが、体内に取り込ま

ワンポイントコラム

【日本人とヨウ素】 チェルノブイリ原発事故でも、未成年の甲状腺がんの発生率は上昇しました。ヨウ素剤の服用によって、放射性のヨウ素の取り込みを少なくすることができます。日本人は海藻を食べる習慣があるため、ヨウ素131を取り込みにくいと考えられていますが、それでも甲状腺がんの発生率は上がりました。

れると甲状腺と呼ばれる部位に集まりやすくなります。この内部被ばくにより、**甲状腺がん**が発生する確率が高くなりますが、特に子供が影響を受けやすく、被災地では甲状腺がんの発生率は高まりました。ヨウ素131は壊れやすく、約8日で半分に減少します（半減期）。そのため、事故直後の数十日以降は問題となりません。

セシウム137はもっとも多量に拡散した放射性物質です。壊れにくく、半分になるにはおよそ30年かかります。除染は主にセシウム137など、長く残る放射性物質を除去する作業となります。

福島県内では、年間の被ばく量が20ミリシーベルトを超えるような地域は人が避難・除染し、それ以外の地域でも除染が進んでいます。避難区域以外でも、放射線の影響を受けて一般公衆の年間線量限度の1ミリシーベルトを超える区域では、放射線の影響を受けやすい子どものいる家族が県外に避難しているケースもあります。また、放射性物質の拡散によって、関東地方の一部の地域まで、年間線量限度を超える量の放射線が検出されたため、生活に支障はないものの、そうした場所も除染が行われました。

避難指示区域と警戒区域の概念図

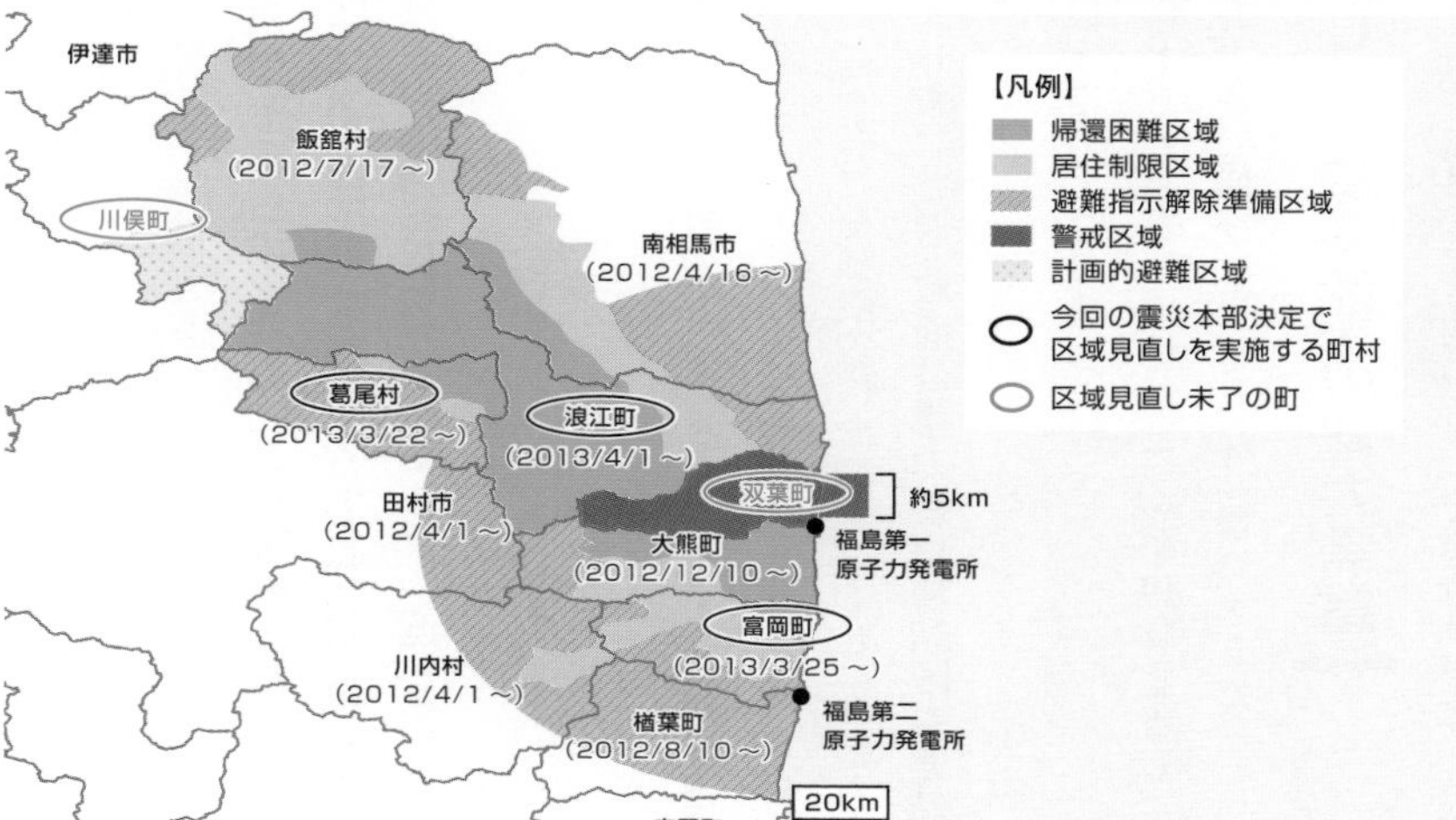

出典：エネルギー白書 2013

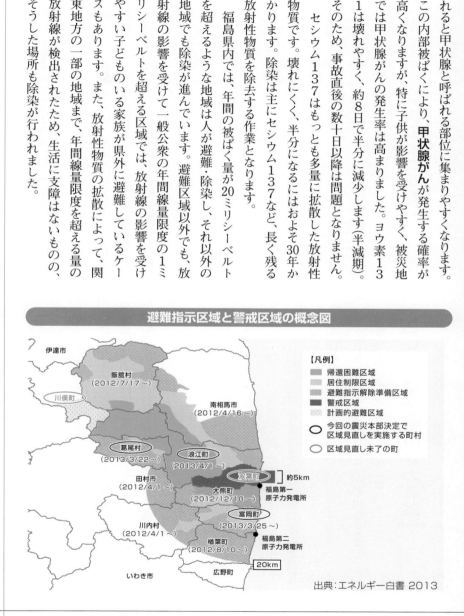

5

計画停電と需給調整

東日本大震災直後は、発電設備の被災により、電力の供給力が不足し、東京電力管内で計画停電が実施されました。また、2011年夏は、東日本で被災した発電所の復旧が間に合わないなどから、電力需給がひっ迫し、2012年夏以降は全国の原子力が停止したため、他の電力会社でも需給がひっ迫しました。

計画停電

計画停電は、震災直後の3月に東京電力管内で実施されました。実施予定は4月まで続きましたが、節電と供給力確保によって実施はされませんでした。

このときの計画停電は、東京電力管内を5つのグループに分け、交代で電力供給を停止するというものでした。そのため、停電中は信号機などが点灯せず、交通に支障をきたしました。また、病院など命にかかわる施設では、自家用発電機などで対応しました。

2011年夏期の電力需給

2011年夏は、東日本大震災の直後ということもあり、東北電力と東京電力の管内で電力需給がひっ迫しました。

そこで、夏に向けて緊急対応として、**長期計画停止中**だった火力発電所の再稼働、新たなガスタービン発電所などの緊急電源設置に全力を尽くし、供給力を確保しました。一方、政府は電力使用の制限を要請し、過去の平均ピーク需要の6000万kWを大幅に下回る最大電力となりました。

このときの事業所の節電は、翌年以降定着し、大幅な電力需要の伸びは見られなくなりました。

2012年夏期の電力需給

2012年夏は、全国の原子力発電所がすべて停止

ワンポイントコラム

【でんき予報】　震災後、電気の需給ひっぱく対策として、夏季や冬季の需要期に、電力会社はその日の電力の使用状況の予測をするようになりました。これがでんき予報です。この予報をもとに、需要家が節電することで、停電などを防ぐことができます。

震災直後(2011年3月14日)の需給状況

東日本大震災直後の2011年3月14日は、周波数変換装置(FC、設備容量:100万kW)を通じ、中部及び西日本から東京電力に電力融通をしても、供給力が▲1,000万kW不足する見通しだったため、初めて計画停電を実施(中部及び西日本は、東京電力へFCを通じた電力融通を行っても実績ベースで+1,428万kWの余力)。

3月14日以降、東京電力管内において計10日間で延べ32回計画停電を実施。

(万kW)	東京(3/14見通し)	中部及び西日本(3/14実績)	中部	関西	北陸	中国	四国	九州
供給力	3,100	8,095	2,191	2,445	506	1,128	470	1,355
需要(注)	4,100	6,667	1,836	2,037	400	836	398	1,160
供給-需要等(予備力)	▲1,000(FC融通後)	1,428	355	408	106	292	72	195
予備率	▲24.4%	21.4%	19.4%	20.0%	26.5%	34.9%	18.1%	16.8%

(注)計画停電等により3月14日の東電管内の電力需要実績値は2,914万kWとなり、予備力186万kW、予備率は6.4%となった。

出典:経済産業省調べ

2012年度夏期の需要減少状況

	北海道	東北	東京	中部	関西	北陸	中国	四国	九州
節電目標(7月26日~)※1	▲75%以上	数値目標を伴わない節電	数値目標を伴わない節電	数値目標を伴わない節電	▲10%以上(生産活動に支障が生じる場合▲5%以上)	数値目標を伴わない節電	数値目標を伴わない節電	▲5%以上	▲10%以上
定着節電(需給検証委想定)	▲2.8%	▲3.4%	▲10.2%	▲3.6%	▲3.8%	▲3.7%	▲2.5%	▲2.7%	▲7.0%
最大需要の対2010年比 ()は一昨年との気温差	▲4.6%(▲2.0℃)	▲12.4%(▲0.2℃)	▲15.4%(▲0.7℃)	▲8.5%(▲1.0℃)	▲13.3%(▲0.1℃)	▲8.2%(▲0.4℃)	▲9.7%(▲1.0℃)	▲11.9%(▲0.5℃)	▲13.1%(▲1.3℃)
〈今夏〉①最大需要 ②最大需要日 ③最高気温	①483 ②9/18 ③30.5℃	①1,364 ②8/22 ③34.8℃	①5,078 ②8/30 ③35.0℃	①2,478 ②7/27 ③36.6℃	①2,682 ②8/3 ③36.4℃	①526 ②8/22 ③35.9℃	①1,085 ②8/3 ③35.0℃	①526 ②8/7 ③35.5℃	①1,521 ②7/26 ③33.5℃
〈一昨年度〉①最大需要 ②最大需要日 ③最高気温	①506 ②8/31 ③32.5℃	①1,557 ②8/5 ③35.0℃	①5.999 ②7/23 ③35.7℃	①2,709 ②8/24 ③35.6℃	①3,095 ②8/19 ③36.5℃	①573 ②8/5 ③36.3℃	①1,201 ②8/20 ③36.0℃	①597 ②8/20 ③35.0℃	①1,750 ②8/20 ③34.8℃
(参考)需要減少の対2010年比(期間平均※2) ()は需要減少量	▲8.9%(▲43)	▲5.2%(▲75)	▲12.7%(▲762)	▲6.1%(▲155)	▲11.1%(▲306)	▲5.7%(▲30)	▲5.0%(▲53)	▲8.6%(▲45)	▲9.5%(▲146)

※1)関西、四国、九州電力管内は7月2日(月)~9月7日(金)まで、北海道電力管内は7月23日(月)~9月14日(金)までが数値目標付節電期間。
※2)7月2日から8月31日まで(土日祝日等を除く)の一昨年と今夏の同一気温等の需要の平均を比較などしたもの。

出典:エネルギー白書2013

ワンポイントコラム

【長期計画停止】　電力会社では、古い火力発電所などで、年間を通じて運転する機会がなさそうなものについては、予備の設備として残すことがあります。これを長期計画停止といいます。震災後、長期計画停止の発電所を運転するにあたって、あらためて入念な整備が必要でした。

した中で迎えようとしていました。その結果、原子力発電の比率が高い関西電力と九州電力の需給がひっ迫しました。とりわけ関西電力の需給が厳しい状況となっていたため、政府は緊急措置として大飯原子力3、4号機の再稼働を認めました。ただし、節電の目標は示したものの、前年のような電力使用の制限を要請することはありませんでした。

2012年冬期の電力需給

２０１２年から２０１３年にかけて、需給が厳しい状況となったのは、北海道電力でした。前年の冬には泊原子力3号機が稼働していましたが、このときは停止していました。北海道と本州を結ぶ送電線の容量は当時は60万ｋＷしかなく、さらに大型火力発電所が停止することがあれば、一気に電力不足に陥る危険性がありました。

幸いにも、火力発電所が順調に運転を続けることができたため、冬を乗り切ることができました。

消費が拡大した化石燃料

２０１３年夏以降は、省エネ・節電の目標は示されていません。電力の供給力が十分にあるということではありませんが、それでも各電力会社は多少なりとも供給量を拡大しましたし、事業所などの需要家の節電も定着したといってよいでしょう。こうしたことから、電力使用の制限や節電の目標設定はしていません。ただし、供給力が十分とはいえないので、政府はあらためて節電を呼びかけています。

２０１３年以降、電力需給のひっ迫よりも問題となったのは、化石燃料の消費の拡大です。長期計画停止中だった古い火力発電所の燃料である石油をはじめ、増設したガスタービン発電所などでも利用できる天然ガスの消費が拡大しました。そのため、電力各社とも燃料費が負担となり、決算が悪化し、一部電力会社の電気料金値上げにもつながっています。電源別発電電力量の実績を見ると、２０１１年度は天然ガス火力と石油火力の発電量の増加がわかります。

我が国の電力消費量の推移

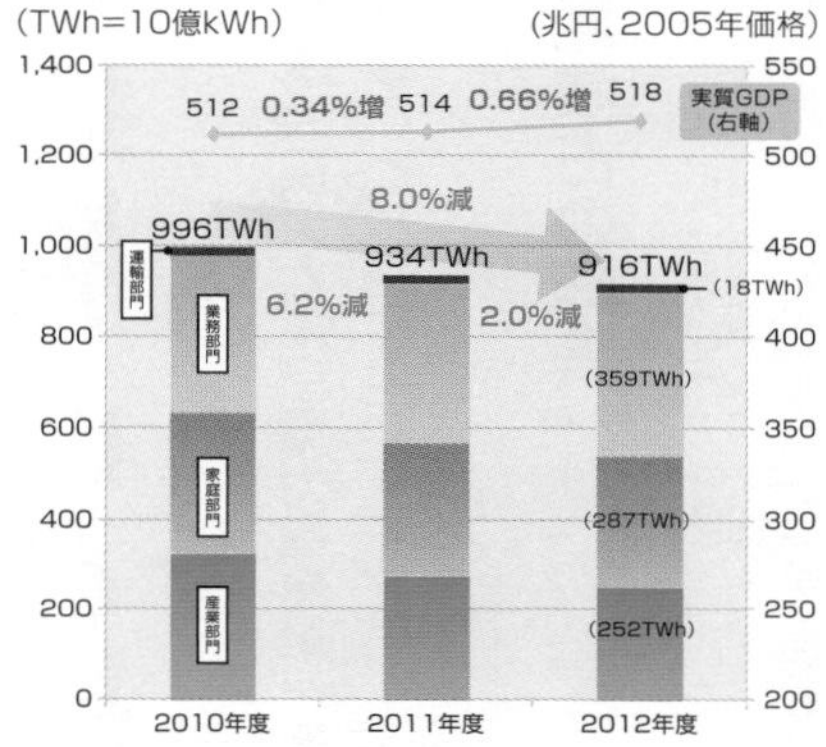

(注)部門別最終エネルギー消費のうち、業務部門及び産業部門の一部(非製造業、食料品製造業、他業種・中小製造業)については、産業連関表及び国民経済計算等から推計した推計値を用いており、統計の技術的な要因から、業務部門における震災以降の短期的な消費の減少は十分に反映されていない。

出典:総合エネルギー統計(最終エネルギー消費のうちの電力)、国民経済計算年報を基に作成

夏期(7〜9月)の定着節電量の推移

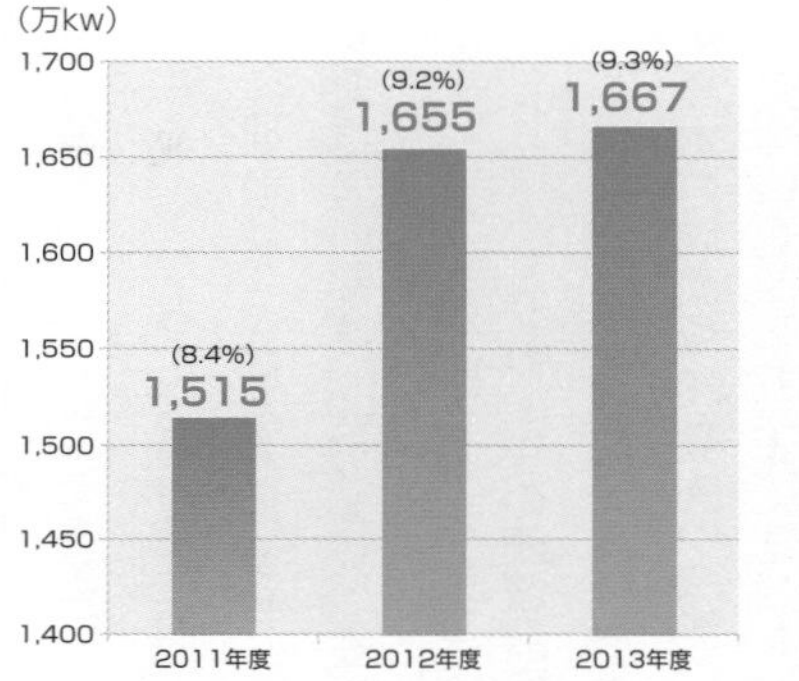

※定着節電:ストレスが小さく、かつ、コストが少ない、もしくは投資回収ができる節電※()内の数値は定着節電量を2010年度夏季最大電力需要量(17,987万kW)で除した値

出典:総合資源エネルギー調査会基本政策分科会第5回電力需給検証小委員会(H26.4.17)資料を基に作成

電源別発受電電力量の推移

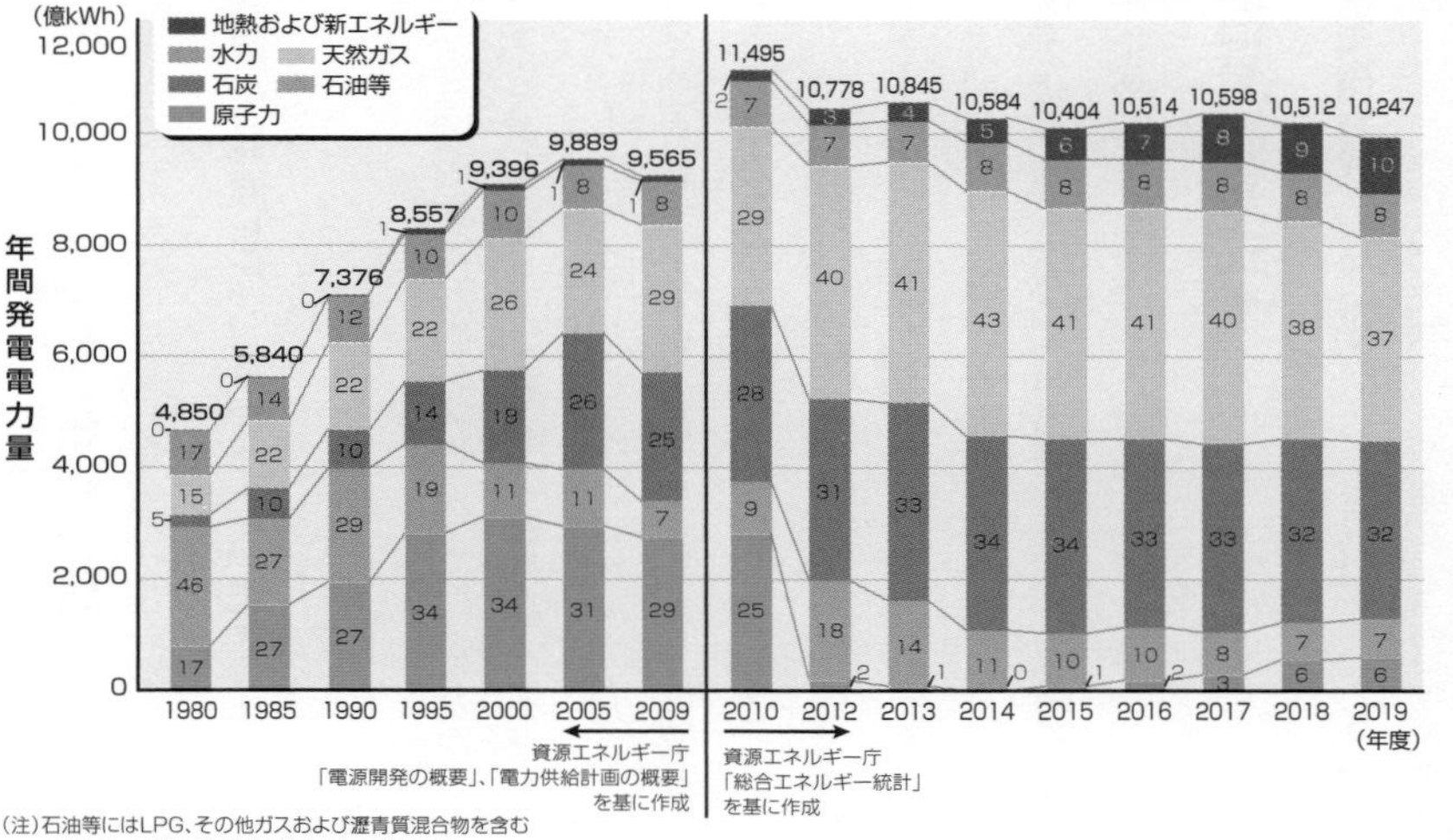

(注)石油等にはLPG、その他ガスおよび瀝青質混合物を含む
四捨五入の関係で合計値が合わない場合がある。
グラフ内の数値は構成比(%)

出典:「原子力・エネルギー」図面集2021

6 地域独占と総括原価方式の課題

東日本大震災と東京電力福島第一原発事故は、電気事業制度の見直しにつながっています。それはどのようなことだったのでしょうか。

地域独占の弊害

震災直後、電力需給がひっ迫したときに、電力会社に対して指摘された問題の一つが、**地域独占**です。

2011年3月に東京電力管内で**計画停電**が実施されましたが、実は日本全体では、電力の供給力に余力がありました。ところが、電力会社間で電力を融通する送電線には十分な容量がありませんでした。北海道電力と東北電力の間は、60万kWの**直流海底ケーブル**があるだけでした。また、東京電力と中部電力の間には、3カ所合計100万kWの**周波数変換所**しかありませんでした。周波数変換所とは、西日本の周波数60Hzと東日本の周波数50Hzの交流の電気を互いに周波数を変換して送電する設備です。

電力会社間の送電設備の容量が十分ではなかった理由の一つとして、電力会社の地域独占というしくみが指摘されました。東京電力であれば関東1都7県と伊豆地方に独占して電気を供給することで、地域として独立した送電系統になりやすかったということです。

もう一つの指摘は、遠隔で電力供給を制御できる**スマートメーター**の設置が遅れていたということです。各戸にスマートメーターが設置されていれば、病院など停電させるべきではない施設を除き、遠隔で電気の供給を止めることができたということです。

総括原価方式

総括原価方式とは、電力会社を経営するためのすべての費用に、一定の報酬割合を加えて、料金を決めるしくみです。この方式によって、これまで電力会社は安心して投資することができました。これは、電力の供給区域において、安定して電気を供給するためのしくみです。しかし、地域独占によって競争がなく、投資がすべて料金に転嫁されるため、高コスト構造の原因になっているのではないか、と指摘されました。

イノベーションの阻害

地域独占で行われなかった競争は、価格の競争だけではありません。サービスの競争もありませんでした。このことが、スマートメーターをはじめとする、**スマートグリッド**関連技術の発達を阻害していたということも指摘されました。

海外では、効果的な節電や再生可能エネルギーの大量導入を行うため、スマートグリッド関連技術の開発が進められ、スマートシティなどの実証事業もさかんに行われていました。しかし、こうした状況に対し、震災前の電力会社は、十分な対応をしませんでした。そのため、日本の電機メーカーは実証事業のサイトを海外に求めざるを得ませんでした。

地域間連係線等の現状

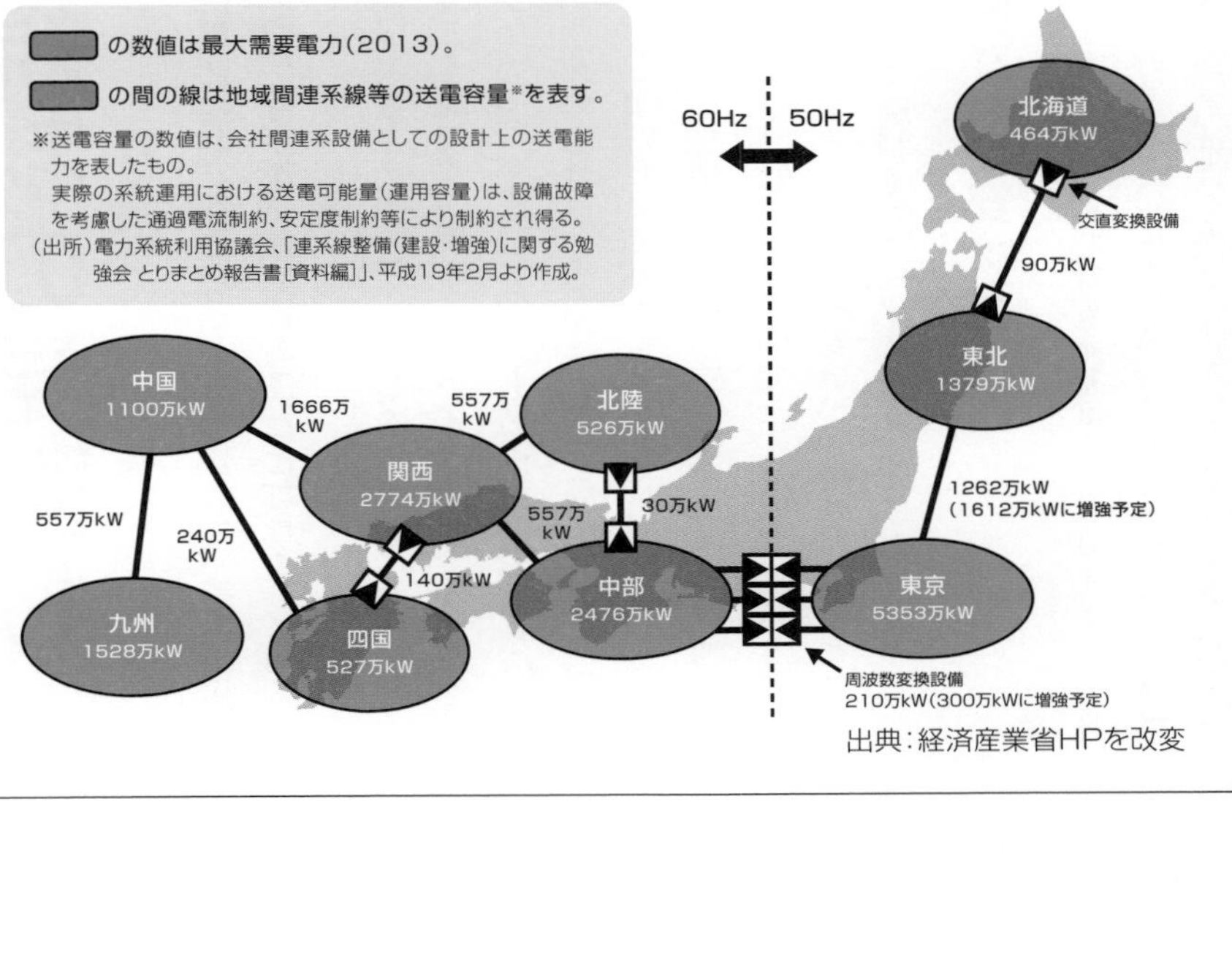

出典：経済産業省HPを改変

原子力発電所の安全規制の見直し 7

福島第一原子力発電所の事故を受けて、原子力発電の安全対策が見直されることとなりました。そのため、定期検査に入った原子力から順次停止し、再稼働にあたっては新たな安全審査を経ることとなりました。

原子力規制委員会

かつて、日本における原子力の計画は**原子力委員会**＊が担当し、安全規制は、**原子力安全委員会**＊と、**原子力安全・保安院**＊という2つの行政組織による「ダブルチェック」で行われてきました。しかし、原子力安全・保安院は、実質的に原子力を推進する資源エネルギー庁＊とともに経済産業省の外局であり、規制能力がないのではないか、と指摘されました。また、原子力安全委員会も、十分な職員がいないことや、電力会社からの出向者を受け入れるなど、能力も独立性も疑問が持たれました。

こうした批判を受けて、2012年に、**原子力規制委員会**と**原子力規制庁**が設立されました。これは、米国の原子力規制委員会（NRC）をモデルにしており、事務局こそ環境省が担当していますが、独立性の強い組織となっています。また、**ノーリターンルール**という、上級クラスの職員は経済産業省など元の省庁に戻ることができないきまりも導入されました。

この原子力規制委員会が、原子力発電所の稼働にあたって、新たな安全基準を策定し、この基準に基づいた審査をクリアした発電所だけが、地元自治体と合意の上で、再稼働できるということになりました。

見直された安全対策

原子力発電所の新たな安全基準は、2013年7月に施行されました。これに基づき電力会社は、再稼働に向けた安全審査を申請し始めました。安全基準は、

用語解説

＊**原子力委員会**　1955年に原子力基本法のもとに設置されました。現在は内閣府に所属しており、原子力研究・開発計画の策定などを行っています。

＊**原子力安全委員会**　1978年に原子力委員会の役割のうち安全規制を独立して担当する組織として設置されました。2012年に、原子力規制委員会の設置にともない廃止されました。

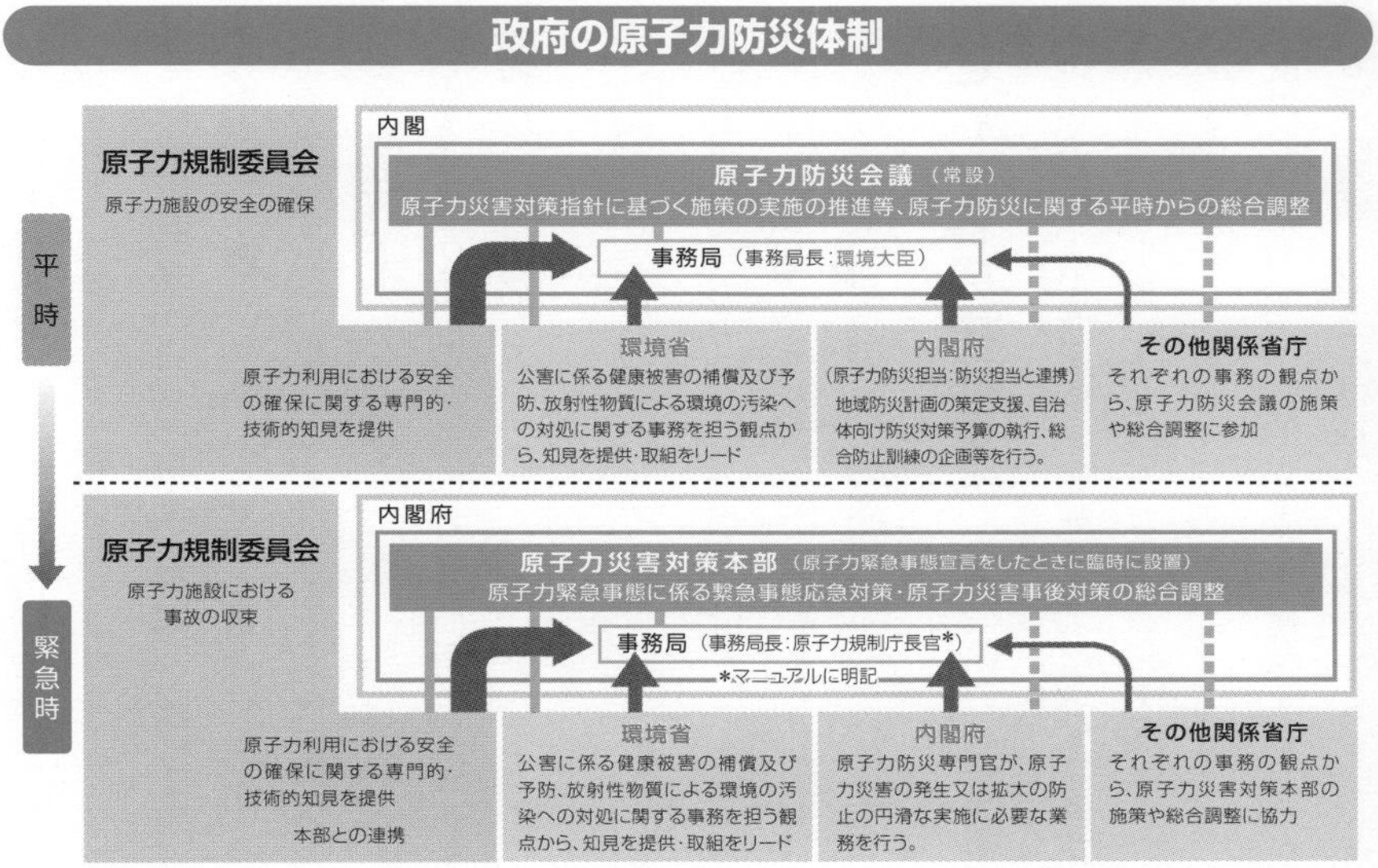

出典：エネルギー白書 2012

これまでの基準と比較して、厳しい内容となっています。たとえば**活断層**については、これまで過去12〜13万年の間に活動したことがないという基準が、40万年に引き上げられました。また、想定される津波の高さを見直し、防潮堤を設置することや、万が一の事故のときに蒸気を逃がすベントに放射性物質を排出させないフィルターの設置なども盛り込まれています。

一方、避難計画については、新基準による審査の対象となっていません。福島第一原発事故の経験から、半径30km圏内の自治体は原子力防災計画（避難計画）を策定し、これを政府が承認すればよいということになっています。NRCの基準では、避難計画が必須となっています。したがって、NRCの基準では、日本の原発再稼働はまだまだ難しいということになります。この点は大きな問題として残されています。

活断層と老朽化炉

原子力発電の再稼働にあたって、ポイントとなるのが、**活断層**の再調査です。活断層については、定義が厳しくなった上に、原子力発電所の建屋の直下にある場

用語解説

＊**原子力安全・保安院**　原子力をはじめとするエネルギー施設や産業活動の安全確保のために、2001年の省庁再編に伴って設置されました。2012年に、原子力規制委員会の設置にともない廃止されました。

＊**資源エネルギー庁**　経済産業省の外局の一つで、金属やエネルギー資源を所管しています。1973年の第一次石油ショックを契機に設置されました。

合は、原子力規制委員会としては再稼働を認めないとしています。

また、運転開始から40年以上が経過した原子力発電所は**老朽化**しており、新しい安全基準をクリアするのは容易ではないといえるでしょう。これは、設備そのものが老朽化しているということだけではなく、より古い安全基準で設計されているため、新しい安全基準に適合させる追加対策が難しいということもあります。

また、新しい安全基準に対しては、BWR（沸騰水型）の原子力発電所の方が、フィルター付ベントの工事に猶予がないなど、安全基準に適合させるための対策が多くなるため、再稼働まで時間がかかっています。

これからの再稼働

全国の原子力発電所と運転年数および稼働状況を見ると、40年を超えているものや、40年近いものは少なくありません。

既設の原子力発電所は、安定して運転することができれば、安価な電力を供給することができます。そのため、再稼働が求められています。

しかし、安全は多くの人の命や生活にかかわるものです。したがって、政府は、原子力規制委員会が安全だと認めた原子力発電所についてのみ、順次再稼働をさせていくとしています。

では、現在運転中の原子力発電所33基と建設中の3基のうち、どのくらいが再稼働するのでしょうか。老朽化や活断層、地元の同意が得られないなどの理由で、再稼働できない発電所が半分以上でしょう。

一方、原子力発電所の新増設はどうでしょうか。現状では、新たな原子力発電所の建設工事に着手することは難しいでしょう。最大の理由は、自民党政権が原子力推進を示したとしても、国民の多くが原子力推進に否定的なことから、政権交代で推進が止まる可能性があることです。こうした政治的リスクを考慮した上で、初期投資が高い原子力発電の新増設を行うという経営判断は難しいでしょう。ただし、ほとんど完成している中国電力島根原子力3号機は、新たに運転開始する可能性があります。また、Jパワーの大間原子力の工事も進められています。

ワンポイントコラム

【避難計画は可能か？】　原子力規制委員会の新しい安全基準に、避難計画が対象となっていない理由として、日本の原発では避難が難しいケースが多いからではないかという見方もあります。海外と比較しても人口密度が高いことや、中には半島の付け根にある四国電力伊方原発のようなケースもあるからです。

全国の原子力発電所とその運転状況（2022年8月23日現在）

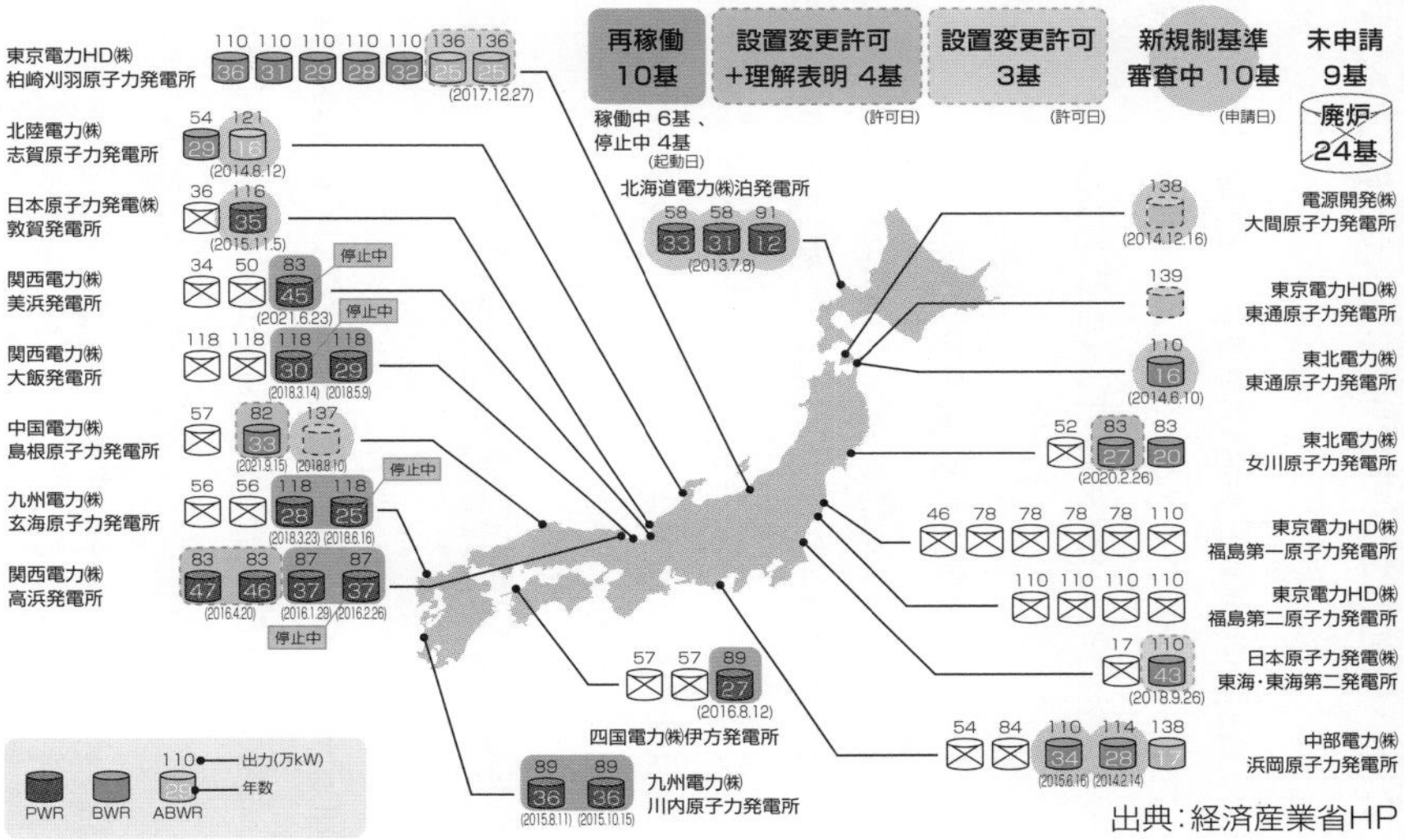

出典：経済産業省HP

原子力の規制基準

従来の規制基準

シビアアクシデントを防止するための基準
（いわゆる設計基準）
（単一の機器の故障を想定しても炉心損傷に至らないことを確認）

- 自然現象に対する考慮
- 火災に対する考慮
- 電源の信頼性
- その他の設備の性能
- 耐震・耐津波性能

新規制基準

- 意図的な航空機衝突への対応 ― 新設（テロ対策）
- 放射性物質の拡散抑制対策 ― 新設（シビアアクシデント対策）
- 格納容器破損防止対策 ― 新設（シビアアクシデント対策）
- 炉心損傷防止対策（複数の機器の故障を想定） ― 新設（シビアアクシデント対策）
- 内部溢水に対する考慮（新設） ― 強化又は新設
- 自然現象に対する考慮（火山・竜巻・森林火災を新設） ― 強化又は新設
- 火災に対する考慮 ― 強化又は新設
- 電源の信頼性 ― 強化又は新設
- その他の設備の性能 ― 強化又は新設
- 耐震・耐津波性能 ― 強化

出典：原子力規制委員会資料より引用

ワンポイントコラム

【テロ対策】　原発の新規性基準では、テロ対策も含まれています。2001年に米国で起きた同時多発テロ事件では、ハイジャックされた4機の航空機のうち1機は原発をねらったと考えられています。こうした経験から、テロ対策支援施設の建設が必要となりました。しかし、すぐに建設できないので、工事計画認可後5年以内という猶予が与えられました。しかし工事は1～3年遅れる見込みで、再稼働した原発も停止する可能性が高まっています。

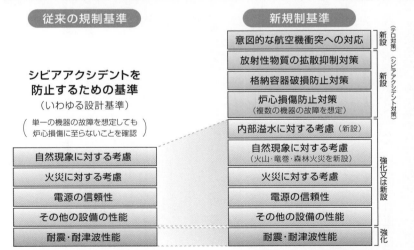

8 原発事故の損害賠償

福島第一原発事故によって、多くの人が住む場所や仕事、財産を失い、さらに困難な生活によって命を失った方もいます。こうした損害の賠償は、東京電力と国が背負っていかなくてはいけない、大きな負債です。

福島第一原発事故の損害賠償スキーム

福島第一原発事故の被災者は、住んでいた場所から非難を余儀なくされ、あるいは仕事を失った人もいます。農産物などの**風評被害**もありました。さらに、安心して暮らすために、放射性物質を除去する除染作業も必要です。こうした被害に対する賠償や、除染作業を円滑に行うため、**原子力損害賠償支援機構**の設立などが行われました。

２０２１年３月の時点では、東京電力による損害賠償の総額は9兆７１６４億円となっています。さらに、除染費用、廃炉費用を含めると20兆円という規模になります。

賠償の費用は、原子力損害賠償支援機構から交付される資金でまかなわれますが、これはいずれ返済されることになります。東京電力は**総合特別支援事業計画**を策定し、コスト削減などでねん出するとしています。しかし、これだけの金額を返済するのは難しいでしょう。また、電力自由化による競争のため、値上げも簡単ではありません。そこで、発電所や送電線などの資産の売却や発送電分離後の子会社の売却が必要だという考え方もあります。

また、除染については、政府が費用を負担することになりましたが、重い国民負担となりそうです。

２０２２年8月の時点で、福島県から県外への避難者数は約２万２７００人以上もいます。また、除染によって避難区域指示を見直した自治体は11市町村ですが、なお除染が各地で進められており、広い範囲に避難区域が広がっています。

原子力損害賠償支援機構

福島第一原発事故を受けて設立されたのが、**原子力損害賠償支援機構**です。2011年9月に設立されました。

機構の役割は、原発事故が起きたときに、1社だけでは円滑に賠償などに対応できないため、資金援助を行うことと、そのための業務の費用として、原子力事業者から負担金を収納することです。

また、福島第一原発事故のような大きな被害をもたらした事故では、特別資金援助が行われます。これは、原子力事業者（東京電力HD）と機構が一緒になって、「**特別事業計画**」を作成し、経済産業大臣の認定を受けることで、資金援助を受ける仕組みです。多額の資金は、政府が機構に国債を交付し、必要に応じて国債を現金化することで調達します。また、原子力事業者が、機構から融資を受けたり、株式を引き受けてもらう場合には、機構は金融機関からも融資を受けますが、政府が債務保証をします。原子力事業者が援助された資金は、特別負担金として返済します。

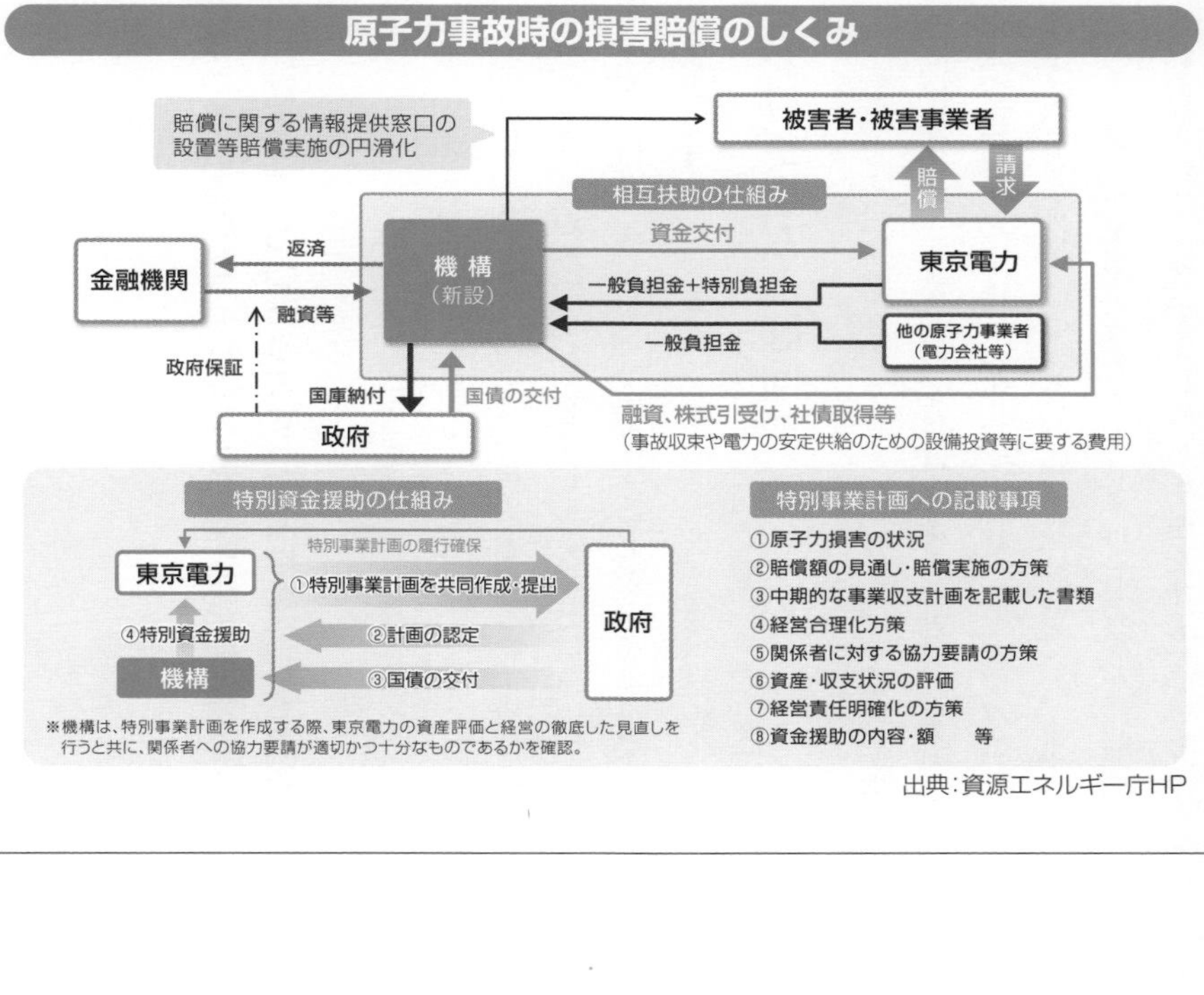

出典：資源エネルギー庁HP

9 トリチウム汚染水

福島第一原発事故の廃炉作業において、大きな問題となっているのが、トリチウム汚染水の問題です。たまる一方で処分方法が決まらないため、保管スペースがなくなりつつあります。政府は希釈して海洋放出する方針ですが、課題は残っています。

トリチウム汚染水とは何か

福島第一原発の地下では、山側から海側に向かって、地下水が流れています。地下水は原子炉の下を流れるときに、放射能汚染されるため、直接海に流れ込むことを防がなくてはなりません。そこで、なるべく原子炉の下に流れる水を防ぎ、流れてきた水は回収した後、**ALPS**（多核種除去設備）という装置で放射性物質を取り除きます。そして、除去できない**トリチウム水**を含んだ水を、タンクで保管しています。

ALPSでは、セシウムなどほとんどの放射性物質が除去できるのですが、水と同じ化学的性質を持ったトリチウム水は除去できないのです。そのため、海洋に放出せずにタンクで保管しています。

とはいえ、ALPSがトリチウム水以外を十分に除去できているかというと、必ずしもそうとは言い切れません。再度、ALPSで処理する必要がある汚染水もあります。

トリチウムとは何か

トリチウムは別名三重水素といいます。水素の放射性同位体です。水素の原子核は陽子1つだけですが、重水素は陽子と中性子を1つずつ、そして三重水素は陽子1つと中性子2つを含む原子核になっています。このうち三重水素すなわちトリチウムのみが放射性を持ち、β（ベータ）線という放射線を出して、ヘリウムに変化します。また、半減期は約12年です。

トリチウムが出すβ線はとても弱く、人間の皮膚を通過できません。そのため、トリチウムによる外部被ばくの影響は少ないと考えられています。しかし体内に取り込んだ場合、内部被ばくの影響を受ける可能性が指摘されています。

トリチウム水とは、水（H_2O）の水素原子のうち1つないし2つがトリチウムに置換された水のことです。化学的性質は水と似ており、沸点や融点がわずかに高い温度になっています。また、わずかに物質に吸着しやすい性質があります。

汚染水の処分

トリチウム汚染水はタンクにたまる一方で、敷地が不足したため、処分が必要とされていました。一般的に、トリチウム汚染水は、希釈して排出濃度基準以下にして放出しています。原子力発電所や放射性物質を扱う研究所ではこのような処分をしています。しかし、福島第一原発に保管されているトリチウム汚染水は膨大な量で、海洋放出するとしても、年間で原子力発電所の100倍くらいになります。また、近海の魚介類が汚染されるのではないかという風評被害も問題です。早ければ2023年にも放出が開始されますが、課題は少なくありません。

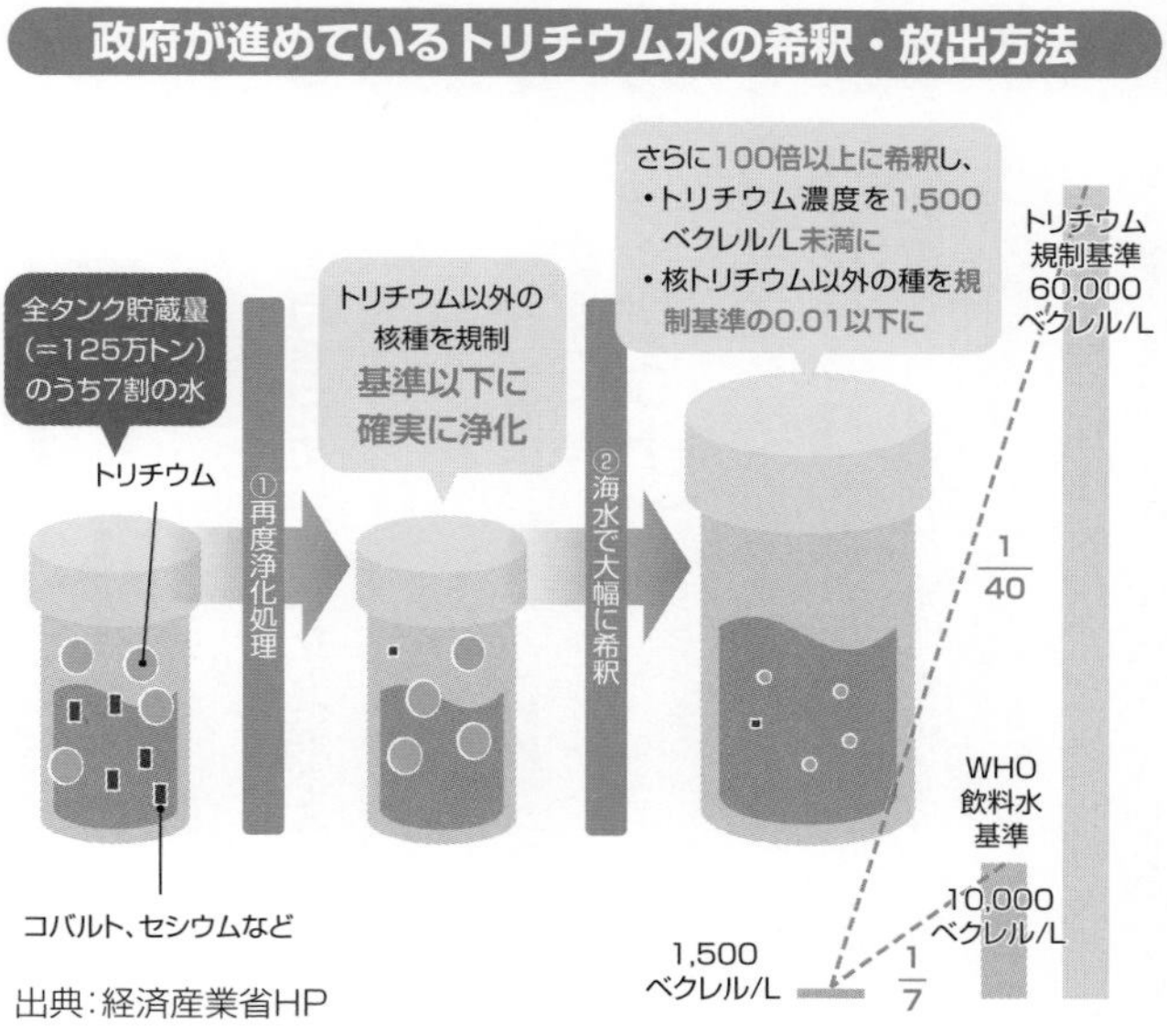

出典：経済産業省HP

10

北海道地震とブラックアウト

震災によって大規模な停電が起きたケースとして、2018年9月6日に発生した北海道全域でのブラックアウト（大規模停電）があります。

北海道地震と苫東厚真火力発電所

2018年9月6日に発生した、北海道胆振東部地震は、北海道中東部を震源とする地震で、最大震度は厚真町の震度7で、札幌市東部など広い範囲で震度6以上になっています。

厚真町には、北海道電力の苫東厚真火力発電所があります。地震によって、この発電所が被害を受けました。当時、1、2、4号機が運転していました（3号機は廃止）。最初に、2号機と4号機が停止しましたが、この影響により、他の発電所が停止したため、北海道全域が停電する事態になりました。

1か所の発電所の停止だけで、全体が連鎖的に停電し、大規模な停電になることを**ブラックアウト**といいますが、こうした事故は、日本では初めてでした。

ブラックアウト

なぜ、ブラックアウトが起きたのでしょうか。

第一の理由は、当時、北海道での電気の供給のかなり多くの部分は、苫東厚真発電所が担っていたことによります。

当時の北海道での電力需要はおよそ300万kWでした。このうち苫東厚真火力全体で、146万kWと約半分を担っていました。ところが、2号機と4号機が地震で停止し、116万kWが供給できなくなりました。電気が足りなくなると、交流の電気の周波数が下がります。そのため、他の発電設備も発電機やそれにつながるタービンの回転が遅くなります。これによる発電設備の故障を防ぐため、火力や風力の発電設備も供給を停止します。こうしたことが連鎖的に発生し、ブラックアウトとなりました。

その後、節電をする中、発電設備が順次復旧し、9月19日に需給を安定化させています。

ブラックアウト対策

ブラックアウトを防ぐためには、発電設備を分散し、1地点が災害に逢っても対応できるようにしておくことが必要です。北海道の場合、当時はまだ、石狩湾新港火力発電所が建設中だったことも災いしました。しかし、1号機56・94ｋＷは２０１９年２月に運開しています。今後、３号機まで建設する予定です。また、本州とつながる送電線は、２０１９年３月に新たに30万ｋＷが運用を開始し、合計90万ｋＷとなっています。

ブラックアウト対策としては、電源を1か所に集中させないことや、送配電網の一部が切れても対応できること、急な立ち上げが可能な火力発電や揚水式水力などの発電設備を整備することなど、さまざまな対策をあらためて考えることになるでしょう。同時に、分散している再生可能エネルギーなどが停電時も稼働できるようなしくみを整備しておくことも求められます。

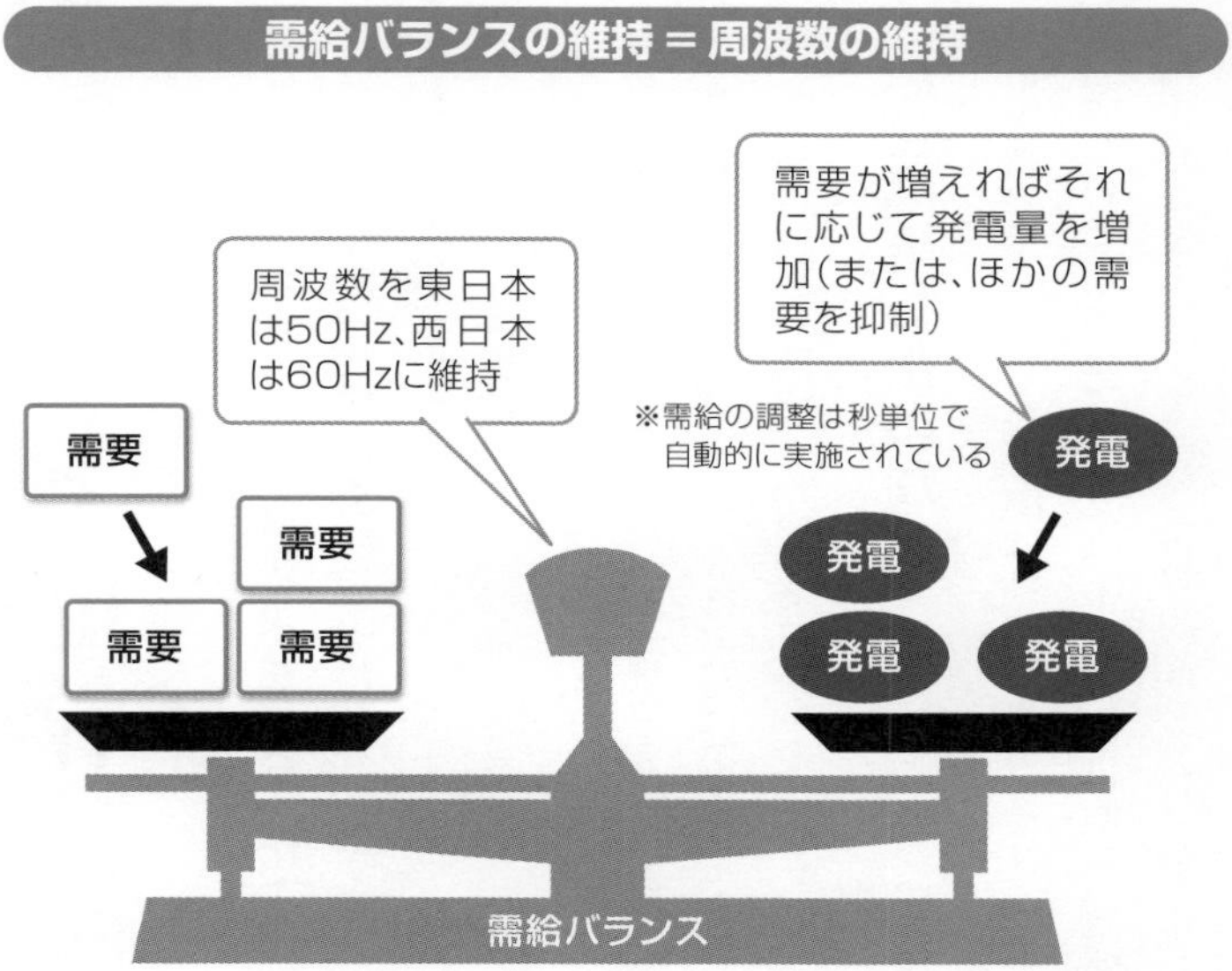
需給バランスの維持＝周波数の維持
需要が増えればそれに応じて発電量を増加(または、ほかの需要を抑制)
周波数を東日本は50Hz、西日本は60Hzに維持
※需給の調整は秒単位で自動的に実施されている
需要
需要
需要
需要
発電
発電
発電
発電
需給バランス
出典：経済産業省HP

ワンポイントコラム

【北米大停電】　ブラックアウトとしてよく知られたケースが、2003年8月14日に発生した北米大停電(ニューヨーク大停電)です。オハイオ州の電力会社が適切な運転をしなかった上に、送電線が樹木と接触し、送電線の遮断と、これにともなう200以上の発電所の停止が連鎖的に起こり、米国8州とカナダ1州に停電が拡大しました。小規模の電力会社が多く、広域的運用ができていなかったことが原因だといわれています。

11 厳冬と卸電力取引所のスポット価格高騰

電気事業のリスクを考える上で、最新のトピックのひとつは、2020年12月から2021年1月にかけて、日本卸電力取引所のスポット市場価格が高騰したことでした。さまざまな理由がありますが、いずれにせよ、電気の安定供給にはさまざまな課題があることだけは明らかです。

スポット市場の価格高騰とは

電気にも、野菜や魚、あるいは石油のような取引市場があります。それが、**日本卸電力取引所**（ＪＥＰＸ）です。詳しくは第2章で紹介しますが、発電事業者と小売事業者との間で電気を取引している市場です。

一般的に、新規参入の電力会社は、ＪＥＰＸを通じて電気を仕入れ、それをお客様に販売しています。以前は平均して10円／ｋＷｈを切る価格で電気を仕入れ、送電線の使用料（託送料金）などの費用と自社の利益分を上乗せして、一般家庭向けには25円／ｋＷｈから30円／ｋＷｈ程度で販売していました。

ところが２０２０年12月から翌年1月までは、市場価格が高騰し、一時は２５０円／ｋＷｈを超えることもありました。こんな高い値段で電気を仕入れ、25円／ｋＷｈで電気を売っていては、大きな赤字となります。実際に経営が破綻した電力会社もありました。

なぜ高騰したのか

市場価格が高騰した理由はいくつかあります。第一に、厳しい冬の寒さによって、予想以上に電気の需要が増えたことです。第二に、世界的にＬＮＧが不足し、ＬＮＧ火力発電所が十分な運転ができなかったことです。第三に、電気が必要であるにもかかわらず、トラブルでいくつかの発電所が停止したことです。そして第四に、日本海側の太陽光発電に雪が積もり、十分な発電ができなかったことです。長期的な問題として、第五に、電力小売り自由化の影響で、採算の合わない古い火力発電所を休廃止してしまったことで、非常時に運転できる発電所が少なかったことです。

こうしたことは日本だけではなく、天然ガスが高騰した英国や、厳しい寒波に見舞われた米国のとりわけテキサス州でも起きています。

電気を安定して供給すると同時に、二酸化炭素を排出しない再生可能エネルギーを増やしていくことは、これからの重要な課題だといえるでしょう。

高騰しないための取組み

再エネの増加にともなって、とりわけ太陽光発電の稼働が少ない厳冬期は、電力の供給が不足するという懸念があります。そのため、直近では、エネルギーの需要側の管理に加え、予備となる火力発電所の維持が必要だという意見があります。ドイツでは褐炭火力発電所に一定のお金を払って予備の電源になってもらう、戦略的予備力というしくみを取り入れています。

2020年12月1日～2021年1月26日の取引価格（スポット市場）

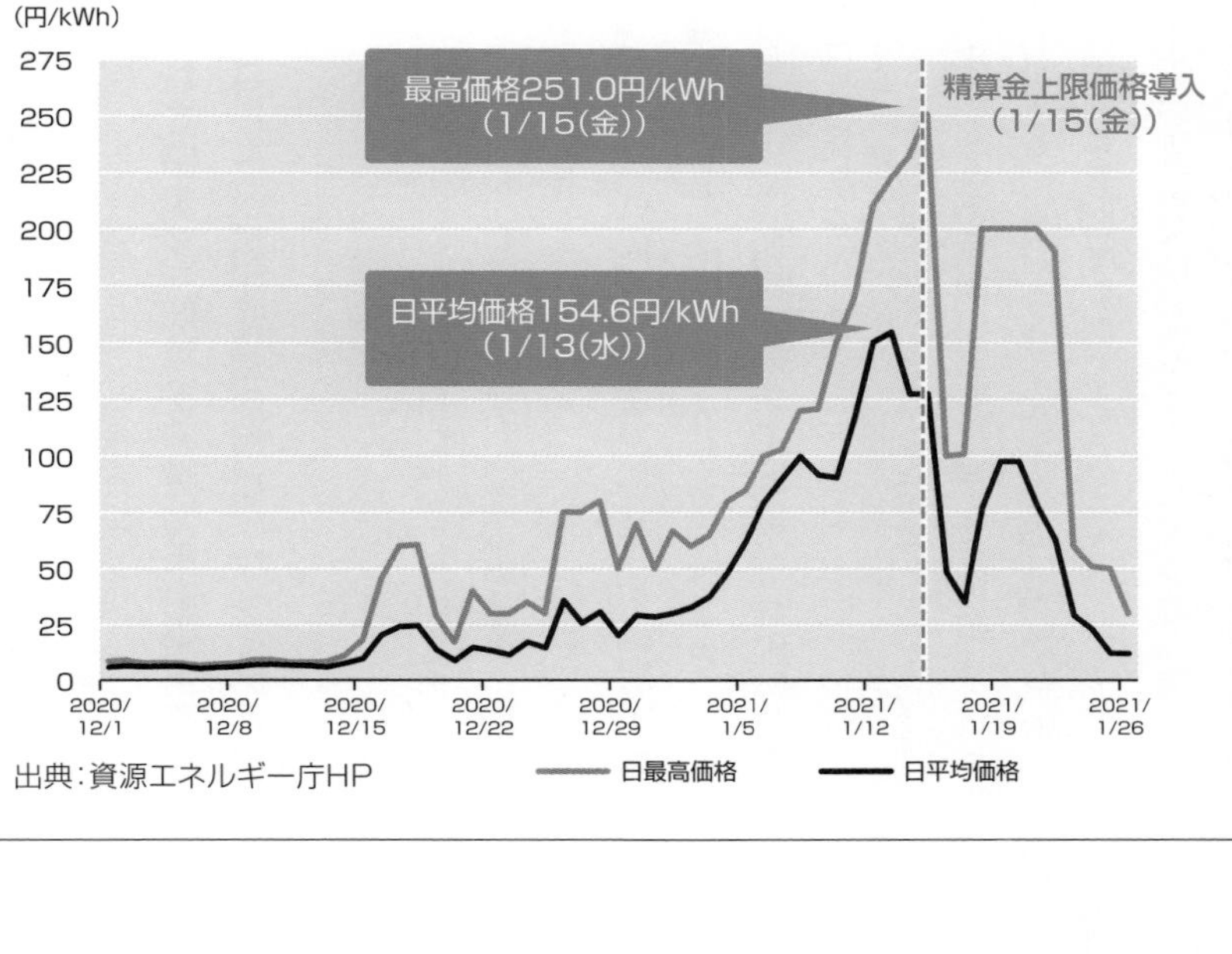

出典：資源エネルギー庁HP

12 化石燃料価格高騰とウクライナ侵攻

2022年も前年に引き続き、電力の市場価格は高値で推移しています。前年冬の電力市場価格高騰時以上に、化石燃料の価格高騰が大きな影響を与えています。これには、気候変動対策とウクライナ侵攻が大きく影響しています。

気候変動対策と化石燃料

2021年後半から、電力市場価格は再び値上がりしており、平均価格は15円/kWhから20円/kWh近くとなりました。インバランス料金の上限が設定されたことで、200円/kWhを超えるようなことはなくなりましたが、それでも小売電気事業者の経営を圧迫しています。

2022年3月22日に、経済産業省は電力需給ひっ迫警報を発令しました。このときの価格高騰は、福島県沖地震などで東北・関東地方の火力発電所の一部が停止していた時期に、急激な寒波が訪れたことによります。

とはいえ、恒常的な市場価格の高値の原因は別にあります。それは、化石燃料全体の国際市場価格が値上がりしていることです。

その背景には、気候変動対策があります。**国際エネルギー機関(IEA)**は、2050年カーボンニュートラルを目指す上で、新規の炭坑や油田、ガス田に投資しないという見解を示しました。また、実際に投資したとしても、採掘する期間は短くなるということです。他方で、中国など新興国の需要は増加しており、再エネの開発がさらに進む2030年までは需給が厳しくなることが予想されます。

国際市場の価格では天然ガス/LNGの高騰が目立ちますが、日本の場合はむしろ石炭の価格高騰が影

ワンポイントコラム

【グリーンフレーション】 カーボンニュートラルを目指すことで、油田、ガス田、炭坑への新規投資が抑制された結果、化石燃料価格が上昇し、世界的に悪いインフレーション=スタグフレーションが発生しています。これをグリーンフレーションとよんでいます。

響をしています。これは、ＬＮＧのほとんどが長期契約であることによります。

ロシアによるウクライナ軍事侵攻

２０２２年２月24日、ロシアがウクライナに侵攻を開始しました。ロシアが戦争を開始したことを批難した欧州各国はロシアからの輸入を停止ないしは削減することとしました。とはいえ、欧州のエネルギー、とりわけ天然ガスのロシアへの依存度は高いため、天然ガス／ＬＮＧの欧州での価格が高騰しました。ロシアの代替として米国のシェールガスなどの輸入拡大にもつとめていますが、十分な量の確保ができていません。また、ロシア側もこれに応じる形で欧州への供給を減らしています。

日本でもＬＮＧの約９％がロシアのサハリンからの輸入となっており、これが途絶える可能性もあります。

ロシアによる軍事侵攻は長期化しており、とりわけ天然ガスの需給が厳しくなっています。

直近の天然ガス価格の動向

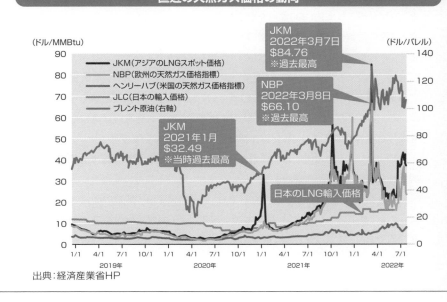

出典：経済産業省HP

column

高コスト化した原子力発電

福島第一原発事故がきっかけとなって、日本だけではなく世界で、原子力発電所の建設が停滞しています。その理由は、安全対策がより強く求められるようになったため、そのコストがかさんでいるということです。

実際に、原子力発電所の建設コストはどのくらいでしょうか。東京電力柏崎刈羽原子力発電所では、6号機と7号機はそれぞれ135.6万kWで、1基当たりの建設費用はおよそ4000億円でした。この2基は、ABWRという炉形で、それまでのBWRよりもコストダウンをしており、また増設ということもあって、新設よりも建設費用が下がっています。

ただし、この建設費用はあくまで、福島第一原発事故の前の建設費用です。それでも、ガス火力発電所の建設コストの2倍から3倍となっています。ただし、原子力発電所は燃料費の割合が低いため、発電コストは安いとされています。

その後、柏崎刈羽原子力発電所では、安全対策として、防潮堤の建設やテロ対策など、追加費用として約6800億円を計上しています。これは7基全体に対する費用ですが、当面の再稼働は6号機と7号機の2基で、そのためにこれだけかけているともいえます。さらに、費用が膨らむのではないかとも指摘されています。

今後、新設する場合は、さらに費用がかかると見られています。英国ヒンクリーポイントの原子力発電所建設計画では2基で約2兆8500億円で建設が進められていますが、同じく英国のアングルシー島で計画されている原子力発電所は同じく2基で3兆円を超すと試算されており、日立製作所は計画を凍結しています。

このように、安全対策で建設費用が増加することは、米国や中国でも同様です。中国こそ、原子力発電所の建設を進めていますが、建設そのものは減速しています。

日本企業は、トルコやベトナムなどでも、原子力発電所の建設の受注を目指していましたが、高コスト化により、断念しています。原子力発電所の高コスト化は世界的な傾向であり、発電設備として競争力を失っているといえます。

第2章

電力・ガス業界の変遷と現状

　エネルギー産業のうちでも、電力・ガス事業は、公益事業というユニークな存在でした。企業間競争とは無縁である一方、急激な成長もない、安定した事業でした。しかし、それゆえに非効率などの指摘がなされ、現在の小売り全面自由化を迎えました。しかし、自由化、脱炭素化、デジタル化に加え、化石燃料の短期的な需給ひっ迫で、大きな変化が続いています。

　一方、地域の経済や社会に密着した事業であるという点では、ユニークな事業だと言えるでしょう。

1 エネルギー産業と電力・ガス業界

エネルギー資源は、我が国の経済活動を支える極めて重要なファクターです。エネルギー産業のすべてを民間にまかせるということではなく、国の政策として安定供給を目指すことになります。とりわけ、供給のために送電線やガス導管などのインフラを必要とする電気事業・ガス事業は「公益事業」と呼ばれ、規制に守られてきました。

エネルギーの供給

日本が資源小国だということは、よくいわれています。石油をはじめとするほとんどのエネルギー資源を輸入に頼っているからです。こうしたエネルギーを市場経済にすべてゆだねてしまっては、供給が不安定になりかねません。したがって、政府はエネルギー産業に規制をかける一方で保護し、また自らも**油田開発**や**石油備蓄**、**原子力発電**や**再生可能エネルギー**の開発支援などを行ってきました。もちろん、そのすべての取り組みが成功したかどうかは、別の話です。

エネルギー産業は、大まかに「石油」と「電力・ガス」に分けることができます。それは、エネルギーの供給のしくみとして、何を重視するのかという違いがあるということです。

石油産業の場合、もっとも重要なことは、国内に安定して供給していくということです。したがって、国内における販売は市場競争にゆだねられています。かつては国内資本の民族系石油会社と、海外資本の外資系石油会社がそれぞれ競争していましたが、現在は統合が進み、3グループ体制になっています。

その一方で、安定供給については、特殊法人だった**石油公団**（現**独立行政法人石油天然ガス・金属鉱物資源機構**＝ＪＯＧＭＥＣ）と**経済産業省**の外局である**資源**

各燃料の熱量当たりの価格推移

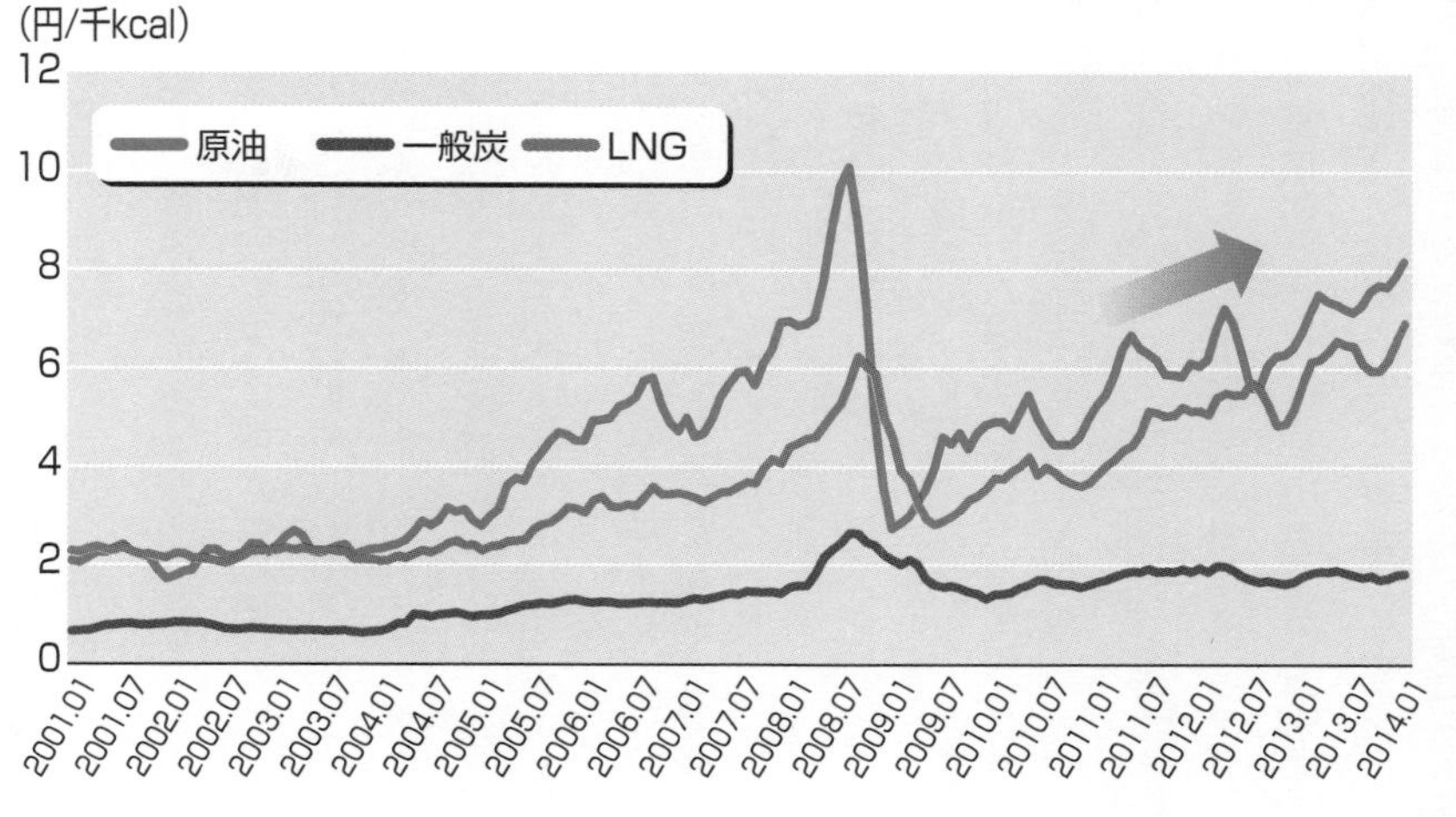

出典:資源エネルギー庁「エネルギー白書2014」

先進国のエネルギー自給率

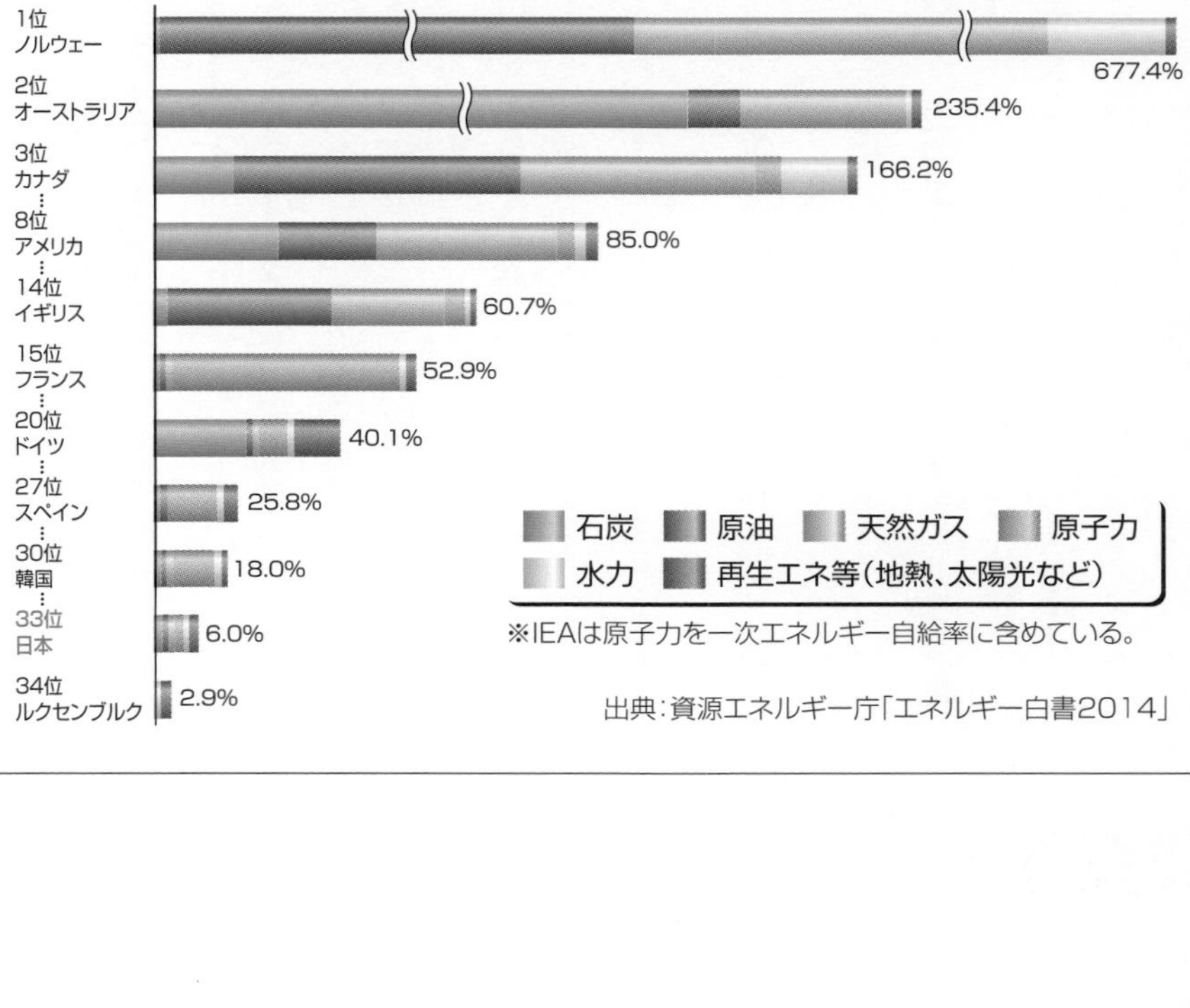

※IEAは原子力を一次エネルギー自給率に含めている。

出典:資源エネルギー庁「エネルギー白書2014」

エネルギー庁を中心とした**石油開発政策・石油備蓄政策**が推進されてきました。

これに対し、電気事業とガス事業は、ひとくくりで**公益事業**といわれています。それは、電気や都市ガスの供給のためには、送電設備やガス導管といったインフラが必要だからです。その点が、ガソリンスタンドに行って車に入れてもらうガソリンや、ボンベ(シリンダー)に入れて家庭まで運ばれるLPガスとは大きく異なっています。

なお、公益事業には、他にも通信事業や鉄道事業などが含まれます。

公益事業とは何か

電気事業や都市ガス事業など、公益事業とはどのようなものでしょうか。

それは、社会公共の利益のために行う事業だということです。すなわち、私たちの日常生活に不可欠なサービスを提供する一連の事業であり、電気事業も都市ガス事業もまさにそれにあてはまるものです。

また、公益事業の特徴の一つとして、**ユニバーサルサービス**が求められます。これは、お客様の状況にかかわりなく、誰にでも平等にサービスを提供するということです。そして、このことと引き換えに、**地域独占**が認められていました。

ユニバーサルサービスとは、具体的にどのようなものでしょうか。もしあなたが山奥に住んでいたとして、電気を使いたいとすれば、その供給区域を担当する電力会社に供給義務が発生することになります。しかも、「山奥だから料金を高く」するということにはなりません。事実、離島の多くでは電力会社は赤字を出してでも、島に小さな発電所を建設して、電気を供給しています。

都市ガスの場合は、供給区域が限られていることと、LPガスという代替手段があることから、事情は異なりますが、基本的な考えとしては同じです。

このように公益事業ではユニバーサルサービスを義務付けられる一方、独占が認められれば、他社の参入は許されませんでした。かつてはすべての需要家が、電力会社や都市ガス会社を選ぶことはできませんでした。

ワンポイントコラム

【公益事業と公共事業】 何となく似た言葉です。どちらも社会の利益のための事業である点は同じです。結論を言うと、道路の整備などの建設事業を公共事業とよび、サービスの提供を公益事業とよんでいます。

ユニバーサルサービスと独占がセットになることで、市場での競争が回避される一方で、安定供給という義務を負ってきた、というのが、公益事業である電力会社や都市ガス会社です。

こうした公益事業には、この他にも水道事業や通信事業、鉄道事業などの分野があり、その多くは電気事業や都市ガス事業と同じく、**規制緩和・市場自由化**の流れの中で事業形態が変化してきました。

たとえば、かつての**電信電話公社**（NTTの前身）や**日本国有鉄道**（JRの前身）が、そうした事例となります。また、付け加えると、現在では**NTT**も**JR**もエネルギー事業に何等かの形で参入していることも指摘できます。この他、**郵政事業**の民営化なども近年は進められてきました。

ただし、市場自由化・民営化が進むことは、効率化が進むと同時にユニバーサルサービスが保証されなくなる可能性もあるということです。その結果として、JRとなった鉄道は多くの路線を廃線とし、郵便局は日本郵便株式会社となる過程で数を減らしてきました。

主な公益事業の自由化前後の変化

	電力	ガス	水道	通信	郵便	鉄道	航空
自由化前	民間・独占	民間（一部公営）・独占	公営	国営（電電公社）	国営（郵便事業→日本郵便公社）	国営（国鉄）・民営・公営	国営（日本航空）・民営（全日空、日本エアシステム）
自由化後	民間・新規参入者	民間（一部公営）、電気事業者などの参入	公営（民間による運営も可能）	民営（NTT、KDDI他）	民営化中（日本郵政グループ）、メール便などに新規参入者	民営（JR＋私鉄）・公営・第三セクター	民営・新規参入者

注：自由化の時期はそれぞれ異なる

これまでの電気事業

電気事業とは、発電した電気を需要家に届けるというシンプルな事業です。しかし、そのために、発電・送電・配電という事業の流れがあり、一貫したサービス・ユニバーサルサービスとして地域独占が認められていました。

電気事業はどんな事業か

電気事業とは、発電所で発電した電気をお客様（需要家）に届ける、という事業です。一般の事業と異なるのは、生産から流通、販売までを1つの会社で行ってきたということです。したがって、小売店や流通事業者は存在しませんでした。電力会社は自ら原料を調達し、発電所を建設・運営し、送電線や変電所を整備し、電気を届けているのです。また、この電気事業を主に担ってきた会社が、**旧一般電気事業者**と呼ばれる、北海道電力から沖縄電力までの10の電力会社です。

もう一つ、**地域独占**ということも重要な要素です。一般電気事業を行う電力会社は、**供給区域**が決められており、その区域には**供給義務**がありました。その一方で、他社が参入することはありませんでした。

一般電気事業者は、十電力体制といわれているように、10社の電力会社があり、それぞれ供給区域が決められています。したがって、東京電力を除く9社は、本社を東京に置くことはありません。どんな大企業となっても、その地域の会社なのです。このことは、電力会社のもう一つの特徴である「地域のリーディングカンパニー」という側面につながっています。こうした構造ゆえに、電力会社は社是として**地域貢献**をしばしば強調しています。

地域独占には負の側面もあります。お客様が電力会社を選ぶということがないため、電力会社はなかなか

「顧客の視点」に立った業務ができていませんでした。また、「お上」体質も改善されていません。その意味では、「お殿様」の会社だともいえます。

　電力需要が伸びている時期は、それでも良かったのですが、需要が頭打ちになってきた２０００年代以降、地域経済が浮揚しないことには、地域の電力会社は利益を増やすことができません。その意味では、電力会社にとって「地域貢献」は相変わらず重要なテーマとなっています。

電気事業の変遷

　電力業界の最も主要なプレーヤーは、いわゆる十電力体制の下にある各社です。**新電力**など新規参入者による供給は２０２２年３月には電力量で約21・３％まで拡大しています。

　十電力体制を構成する電力会社は、地域ごとの10社と、この10社に電気を卸している**日本原子力発電**、**Jパワー**（電源開発）の合計12社でした。

　各社の販売電力量は、**東京電力グループ**が最大です。これに**関西電力**、**中部電力**を加えた３社を「中３社」と

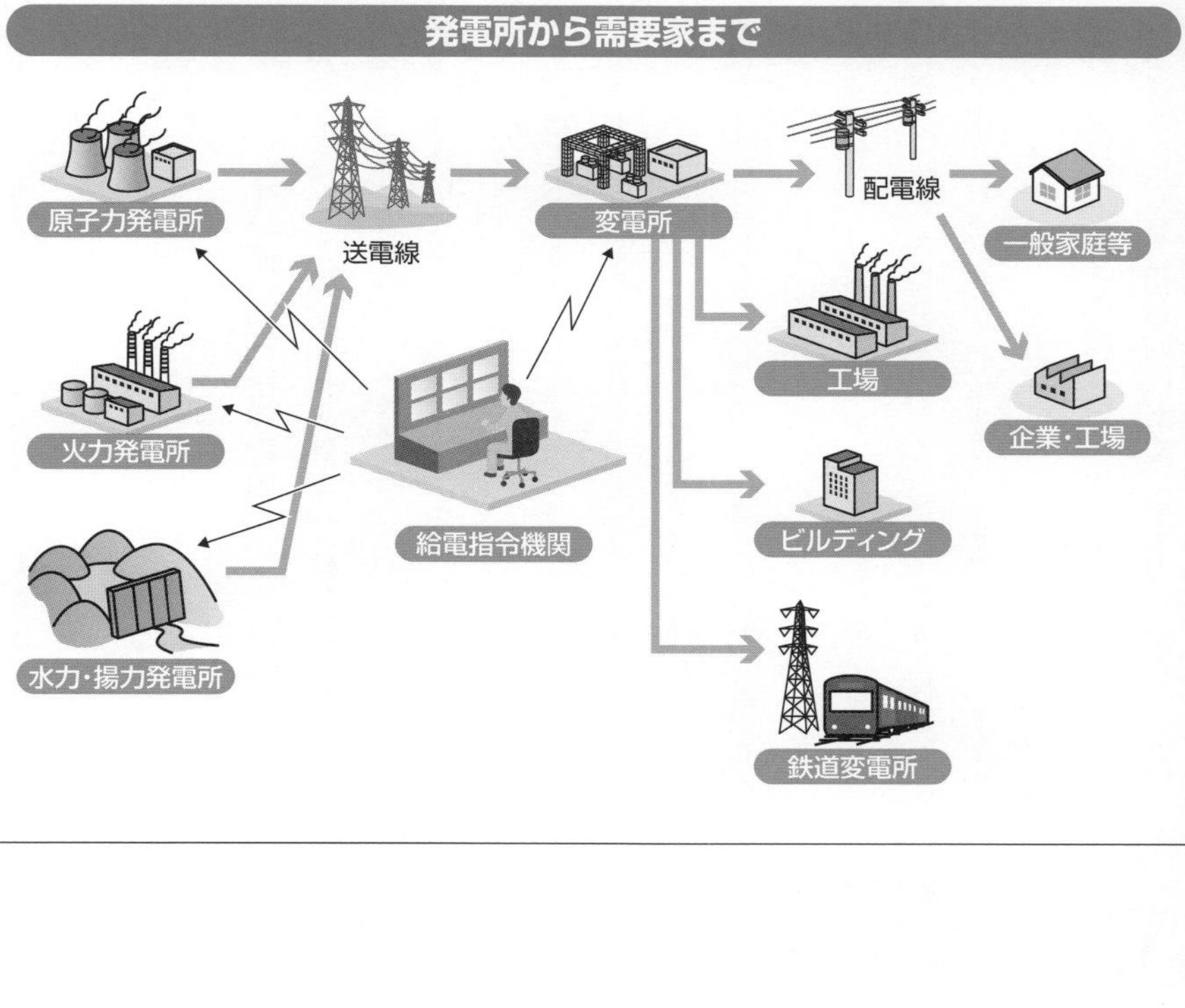

呼び、十電力体制の中枢を担っていました。また、業界団体である**電気事業連合会**の会長も、この中3社の社長が交代で就任してきました。ただし、2020年3月からは九州電力社長です。電力需要はバブル経済崩壊時期も堅調に伸びており、震災前までは小幅な増加が続く傾向にありました。しかし震災を契機に、節電が定着し、電力需要は大きく落ち込みました。その後、再び増加するのか、節電が拡大するのかは、見方が分かれるところです。

エネルギー源については、震災前は、化石燃料がほぼ半分、原子力が3分の1、残りのほとんどが水力発電という構成でした。しかし原子力は震災以降、ほとんど稼働しておらず、その不足分を火力と太陽光発電などの再生可能エネルギー、節電でおぎなっています。

火力発電所の燃料の主力は、石炭と天然ガスです。石油火力は石油危機以降、建設されていません。石油は発電以外にもさまざまな用途があることと、石油依存度を下げていく社会的要請があるからです。

また、震災以降、化石燃料の消費が増加しており、燃料代の安い石炭火力の増設を計画する電力会社があるなど、地球温暖化対策としては、大きな課題を残していました。

新規参入者の状況

2000年以降の**電力市場自由化**によって、多くの新規参入事業者（**特定電気事業者***、**特定規模電気事業者***）がありました。しかし、震災前までは大きくシェアを獲得することはありませんでした。とはいえ、大口電力を値下げする効果はあったのではないかという評価もできます。

電気事業は20兆円産業と、国内でも大きな産業となっていますが、その一方で需要が大幅に伸びる見込みはなく、参入にあたっても送電線の使用料（**託送料**）が高いことや電源の確保が難しいことから、新規参入に継続的で大きな利益はなかったといえるでしょう。その結果、ほとんどの新電力が経営に苦しみ、撤退、ないしは限られた範囲での事業に徹することになりました。

震災後は一転して、電気料金を値上げする旧一般電気事業者に対し、相対的に安く、原子力を保有してい

用語解説

＊**特定電気事業者**　特定の地域に電気を供給する事業者。六本木ヒルズに電力を供給している六本木エネルギーサービスが例。

＊**特定規模電気事業者**　一般の大口需要家に電力を供給する事業者。いわゆる新規参入者。新電力。

ない新電力が注目され、シェアはわずかずつ拡大していきました。ただし近年は、ほとんどの発電所を持つ旧一般電気事業者が巻き返しています。

電気事業の今後の方向

電気事業そのものは、電気をつくって届けるだけの事業であり、けっして利幅の大きい事業ではないことは事実です。そこで、かつての電力会社は需要拡大を目指して、**オール電化住宅**の推進をめざしました。これに対し、ガス会社も家庭用燃料電池（**エネファーム**）などで応戦しています。しかし、これだけでは、限られたパイの奪い合いにしかなりません。しかも、省エネや家電などの効率化も進んでいます。

事業の収益が「付加価値」をもたらすことによって得られるのだとすれば、まさにそれをつくりだす「**総合エネルギーサービス事業**」さらには「**総合生活サービス事業**」を確立することが、電力・ガス会社や新規参入者をはじめとするエネルギー業界のこれからの方向性ということになります。

電力契約のスイッチング申込件数の推移

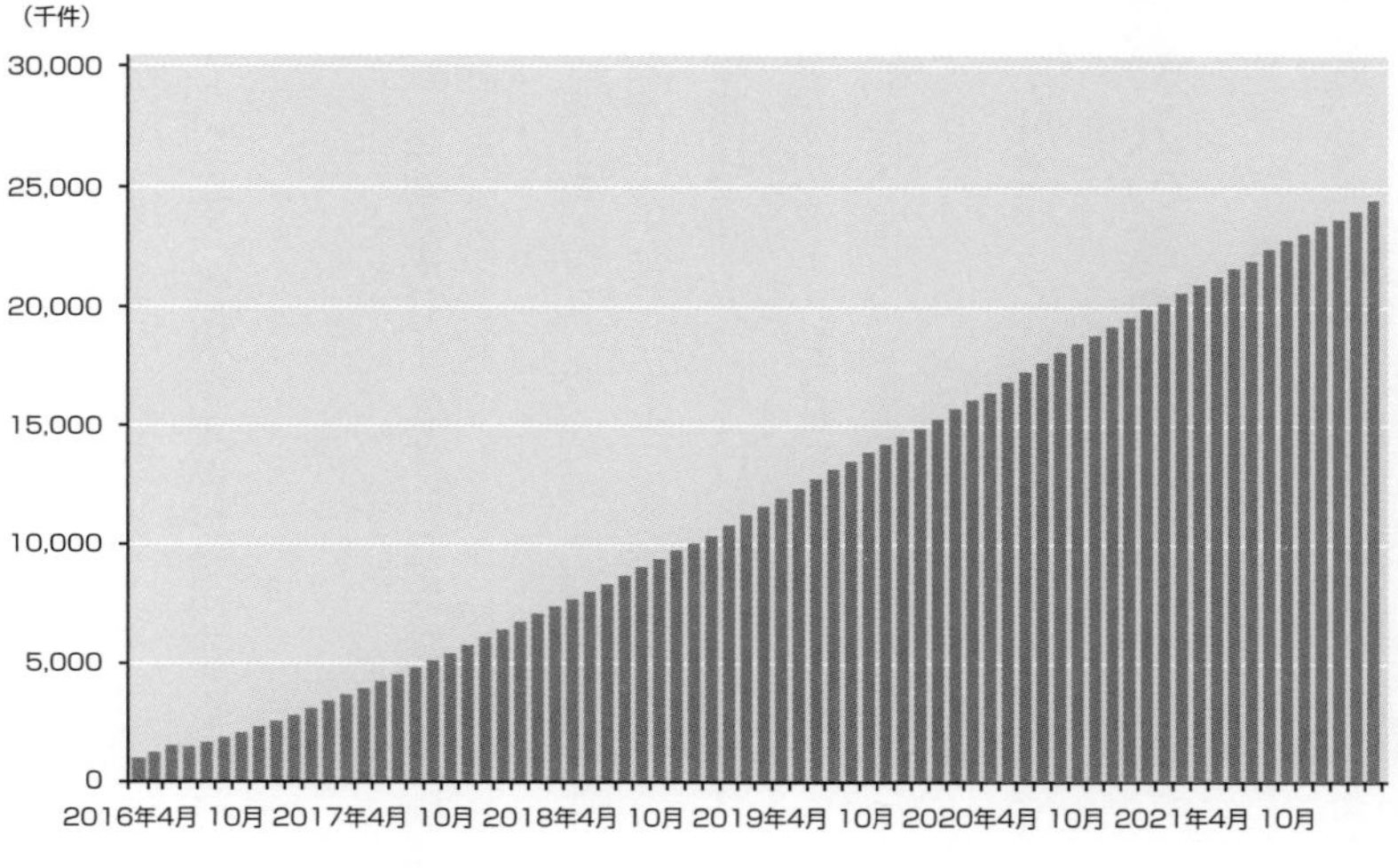

出典：資源エネルギー庁「エネルギー白書2022」

3 全面自由化後の電気事業

電気事業の姿は、電力システム改革を通じて、大きく変化しています。新規参入者が増加する一方で、旧一般電気事業者は2020年には送配電分離を実施します。

旧一般電気事業者

十電力を構成する**旧一般電気事業者**の姿は、大きく変化しつつあります。

会社の姿としては、2020年には、送配電部門を別会社として分離しました。**東京電力**はこれに先行して、2016年に、持ち株会社の**東京電力ホールディングス**（東京電力HD）、発電会社の**東京電力フュエル&パワー**（東京電力FP）、送配電会社の**東京電力パワーグリッド**（東京電力PG）、小売り会社の**東京電力エナジーパートナー**（東京電力EP）に分割されました。さらに、東京電力と中部電力の火力発電所は経営統合し、**JERA**という会社になりました。

法的には送配電部門を別会社として分離すればいいのですが、**中部電力**は小売部門も別会社の**中部電力ミライズ**にしました。

ただし、東京電力グループの原子力発電所は東京電力HDの所有となっています。また、再エネについては、**東京電力リニューアブルパワー**（東京電力RP）という新会社を設立しています。

事業としては、都市ガス事業への進出が目立ちます。ただし、東京電力グループ、中部電力、関西電力、九州電力の4社が先行して参入した状況です。

新規参入の電力会社

電力システム改革を通じて、電気事業のライセンスが変更され、電気を販売する場合は小売電力事業者として登録することが必要になりました。2022年6

月末現在で、738事業者が登録しています。ただし、すべての事業者が電気の販売を開始しているわけではなく、さらに一般家庭に電力供給をしている事業者は限られます。

こうした中にあって、**東京ガス**をはじめとする都市ガス会社、LPガス会社、石油会社、通信会社、鉄道会社などが、電気事業に参入し、一般家庭の顧客を獲得しているのが目立ちます。また、太陽光発電事業者が次のビジネスとして電気事業に参入するケースや、自治体密着型でエネルギーの地産地消を目指すケースなどもあります。さらに生協のように、消費者運動として、再生可能エネルギーの電気を中心に販売する事業者もいます。

価格だけではなく、セット販売などの新たな電気の販売方法も拡大しています。

その一方で、欧米の電力会社と比較すると、省エネ・節電といったことへのインセンティブを与えるようなサービスの提供は少なく、日本の電気事業の脱炭素化における課題となっています。

電力小売全面自由化の現状

電力会社	スイッチング件数（万件）	割合（%）
北海道電力ネットワーク	90.03	26.6
東北電力ネットワーク	49.54	12.8
東京電力パワーグリッド	949.86	33.0
中部電力パワーグリッド	207.75	19.6
北陸電力送配電	11.95	5.6
関西電力送配電	404.5	30.1
中国電力ネットワーク	56.14	10.4
四国電力送配電	36.35	13.0
九州電力送配電	131.15	15.2
沖縄電力	6.12	6.8

2021年2月末現在

主要な新規参入者	
東京ガス	大阪いずみ生協
大阪ガス	北海道ガス
KDDI	サミットエナジー
ENEOS	ハルエネ
丸紅新電力	Looop
東急パワーサプライ	イーレックス
J:COM	静岡ガス&パワー
ケイ・オプティコム	ミツウロコ
SBパワー	楽天モバイル

4

都市ガス事業の現状

都市ガス事業もまた、電気事業と同様に「地域独占」が認められた公益事業でした。しかし、都市ガス事業を担っているのは、全国約200社におよぶ都市ガス事業者です。また、供給区域は国土の6%しかカバーしていません。

都市ガス事業はどんな事業か

都市ガス事業もまた、電気事業と同じく、ガスを製造し、ガス導管を通じてお客様（需要家）に供給する、製造から販売までを手掛ける公益事業です。

電力会社ほどの設備産業ではありませんが、ガス導管というインフラが欠かせないため、**地域独占**が認められ、**総括原価方式**による料金設定がなされてきました。もちろん、**ユニバーサルサービス**という義務もあります。

電力会社と異なるのは、供給区域が限られているということです。全国200社以上におよぶ都市ガス事業者がカバーしている供給区域の面積は、国土のわずか6%です。これ以外の場所では、一部が**ガス小売事業**（旧簡易ガス事業）でLPガスが供給されているほか、LPガスがボンベ（シリンダー）やバルク（ボンベより大型で設置型の容器）で供給されています。

事業者の数は、電力会社と比較して圧倒的に多いのですが、市場規模ははるかに小さいものです。最大のガス会社である**東京ガス**でも規模は地方電力会社と同程度です。

また、しばしば「電力会社対ガス会社」という競争の構図で語られますが、これは家庭用需要では真実であるものの、東京ガスの最大の需要家は**JERA**であるなど、協調している部分もあります。また、会社の規模としても地方都市ガス会社は圧倒的に小さいとい

ワンポイントコラム

【都市ガスのカロリー】 現在、多くの都市ガス会社では天然ガスを供給しています。といっても、主成分がメタンの天然ガスをそのまま供給しているわけではありません。天然ガスは産地ごとに成分（エタンやプロパンなどの割合）が異なり、カロリーも違います。そこで、プロパンを添加し、カロリーを調整して供給しています。

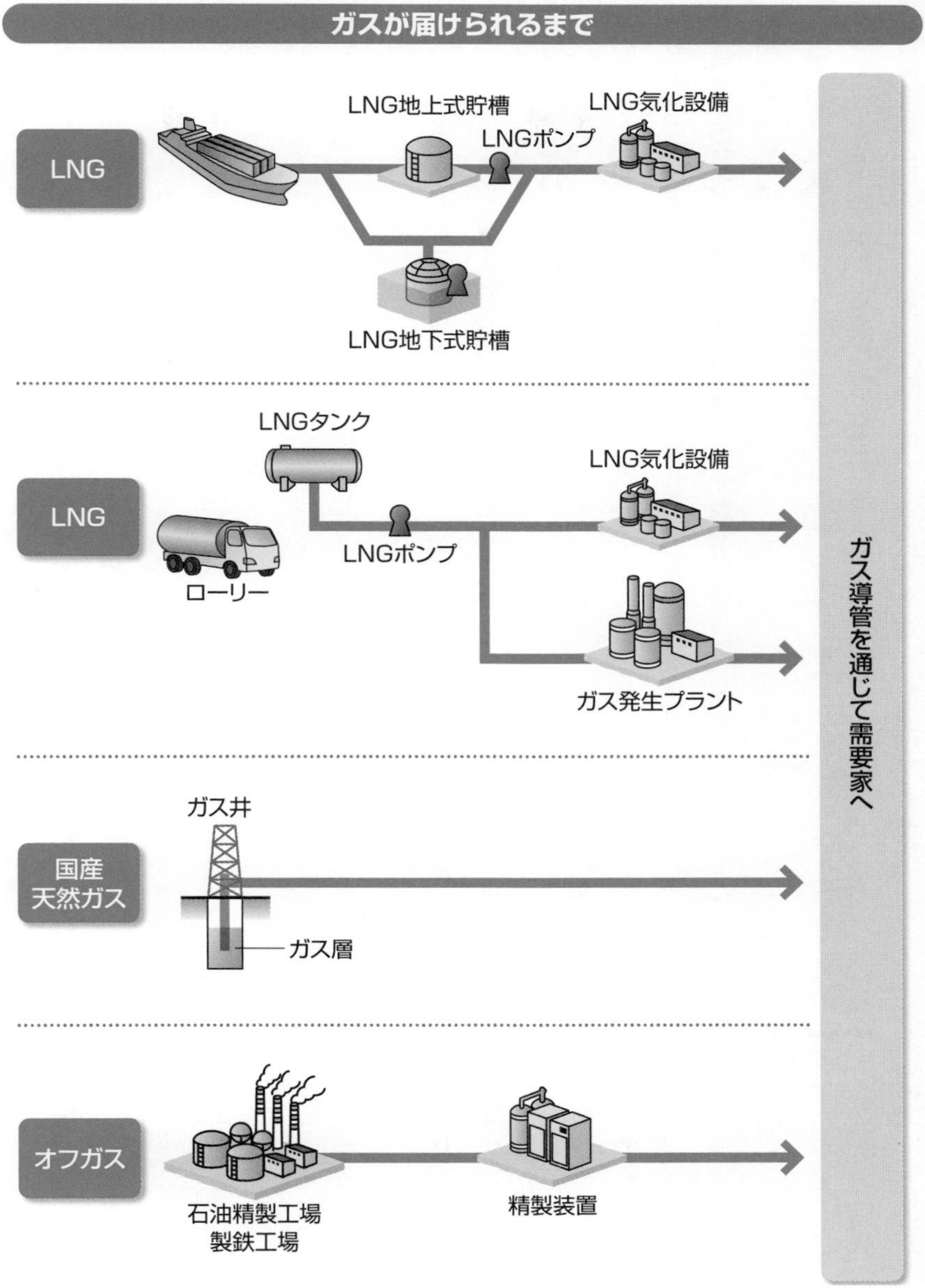

ワンポイントコラム

【LPガス】　液化石油ガス。都市ガス供給地域でもLPガスを使っている需要家がいますが、これはガス導管の敷設が需要家の負担になることと、都市ガス会社がLPガス販売店の既得権益に踏み込むことを遠慮していることによります。

う点も指摘できます。電力会社と熾烈《しれつ》な競争を展開しているガス会社としては、**大阪ガス**があげられます。

地方都市ガス会社は、規模こそ小さいものの、電力会社と同じく市町村レベルでは地域のリーディングカンパニーという側面を持っています。また、一部には**仙台市ガス局**のような公営ガス事業者もあります。これは、水道事業のガス版と考えてよいでしょう。ただし、公営のガス事業は総じて民営化の方向にあります。

ガス事業の変遷

2022年4月には、東京ガス、大阪ガス、東邦ガスの3社は、導管事業を別会社として分離しました。

都市ガス各社の販売量はほとんどが、東京ガスと大阪ガスという2大ガス会社によるものでした。これに**東邦ガス**、**西部ガス**、**静岡ガス**、**京葉ガス**、**北海道ガス**、**広島ガス**などが続きます。

ガス料金は、電気と同じく総括原価方式によって決まっていました。しかし、事業規模などが反映され、大手ガス会社と地方ガス会社との間には大きな格差がありました。また、事業規模を拡大しなくても、地域独占で安心して事業を継続できたため、地方ガス会社には危機感のない経営をしているところがあります。

こうした経営努力を怠ってきたため、電力会社によるオール電化住宅攻勢では、地方都市ガス会社は苦しい状況に立たされることになりました。もともと、体力がない地方ガス会社にとって、経営が厳しくなる状況となることで、ガス市場自由化の流れもあり、吸収合併されるということは、増えていくのではないでしょうか。一方、少なくない地方ガス会社が営業体制を再構築し、経営改善に取り組んでいます。

大手・中堅ガス会社は、体力も競争力もあるため、新しいビジネスの開拓も行っています。東京ガスと大阪ガスは**NTTファシリティーズ**とともに、**エネット**という新電力を設立し、電力市場に進出していました。また、エネルギーサービス会社を設立し、コージェネレーションの導入など、多様なサービスを展開しています。

ガス会社の資源調達

都市ガス会社にとって、経営を続けていくための大

ワンポイントコラム

【一酸化炭素中毒】　一酸化炭素（CO）は酸素よりも血液中のヘモグロビンに結びつきやすいために、中毒を起こします。一方、天然ガスには毒性はありません。また、ガスには独特の臭いがありますが、ガス漏れがわかるように付臭しているからです。

きなハードルとなってきたものとして、**燃料転換**があります。

かつては、都市ガスは石炭を分解することで製造されていました。このガスには一酸化炭素が含まれており、ガス中毒を起こすため、人体に有害でした。

しかし、ガスの原料は石炭・石油から現在は天然ガスにとってかわっています。天然ガスの主成分は、メタンというガスです。大手ガス会社は産出国から**LNG**（液化天然ガス）を購入し、供給しています。また、一部は地方ガス会社に卸しています。一方、一部の都市ガス会社では、地元で産出する国産天然ガスの供給も行っています。今後は脱炭素社会に向けて、さらなる転換が求められています。

ところで、石炭分解ガスと天然ガスでは、成分だけではなく熱量も異なります。そのため、燃料転換にあたっては、需要家のガス機器などの設備を天然ガス用に切り替える必要がありました。その負担が大きいことが、自由化への圧力とともにガス会社にのしかかり、ガス業界の再編へとつながります。

用途別都市ガス販売量の推移

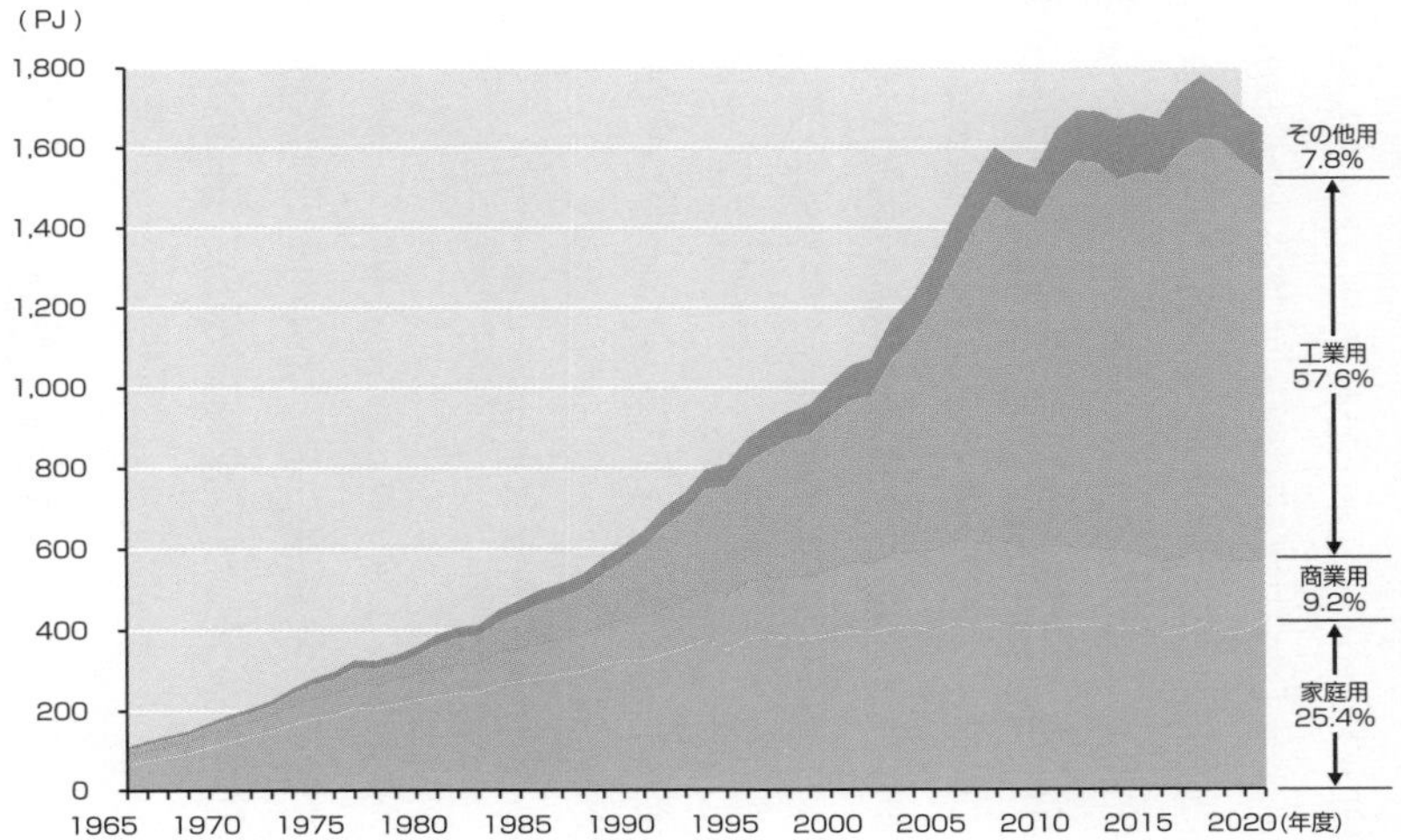

出典：資源エネルギー庁「エネルギー白書2022」

ワンポイントコラム

【簡易ガス事業】　一つの団地など（70戸以上）で、簡易なガス発生設備と導管を通じてLPガスを供給する事業で、公益事業の一種です。供給戸数はほとんどが1000戸未満ですが、最大で7000戸を超える事業もあります。全国に約1500事業者があり、7800地点で供給しています。コミュニティガスともよばれています。ガス市場全面自由化後はこの区分はなくなりました。

5 全面自由化後の都市ガス事業

都市ガス事業もまた、電力小売り全面自由化と都市ガス小売り自由化の影響を受けて、大きく変化しています。ただし、都市ガス事業に参入するためには、ガスの調達が必要ですが、中小事業者には難しいため、新規参入はほぼ旧一般電気事業者に限られています。

都市ガス会社の現況

電力会社が送配電分離を実施するように、大手都市ガス会社である**東京ガス**、**大阪ガス**、**東邦ガス**の3社は、2022年4月に**ガス導管事業**を別会社として分離しました。

これ以外の都市ガス会社は、規模が小さいために、ガス導管分離は実施しませんが、都市ガス小売り全面自由化にあわせて、ガス導管の利用を他事業者に開放しています。

一方、都市ガス事業の新規参入者ですが、これは旧一般電気事業者に限られています。具体的には、東京電力ＥＰ、中部電力、関西電力、九州電力です。大手電力会社は、ＬＮＧ火力発電所を運転しているため、大量の天然ガスを燃料として輸入しています。これを都市ガスとして販売することができるので、ガス事業に参入しやすいということです。

ただし、都市ガスとして販売するためには、プロパンガスなどを混ぜて熱量を調整する必要があります。

この他、電力会社の代理店として都市ガス事業に参入する事業者もあります。特に首都圏では、東京電力ＥＰの参入が遅れたため、その代理店として**ニチガス**（日本瓦斯）、**レモンガス**などのＬＰガス事業者や、**ENEOS**などが先行して東京電力ＥＰのガスを販売しています。また、中部電力と大阪ガスも、**CDエナジーダイレクト**という会社をつくり、首都圏で電気と都市ガスを販売しています。**東急パワーサプライ**は、CDエナジーダイレクトの都市ガスを販売しています。

ガス&パワー化するエネルギー事業

日本ではこれまで、電力会社と都市ガス会社は別の会社でした。しかし小売り全面自由化によって、都市ガス会社が電気も売り、電力会社がガスも売るということになっています。

しかし、海外を見ると、電気とガスの両方を販売する会社は、めずらしくありません。ガス&パワーという名前を持つ会社も多いのです。

日本も今後、電気とガスの両方を扱うのがあたりまえとなっていくでしょう。

都市ガス事業は、天然ガスの調達が中小の新規参入の電気事業者に難しいということが課題です。また、お客様のガス機器の保安業務も求められます。当面は代理店として都市ガス事業に参入し、将来の卸取引市場の整備や、LNG基地の開放などを待つことになるでしょう。

都市ガス自由化の現状

地域	申込件数
北海道	－
東北	－
関東	2,331,422
中部・北陸	385,980
近畿	1,399,529
中国・四国	－
九州・沖縄	159,550

地域	新規参入者
関東	東京電力エナジーパートナー 日本瓦斯（ニチガス） 河原実業 レモンガス CDエナジーダイレクト
中部	中部電力
関西	関西電力
九州	九州電力

2021年3月末現在

6 LPガス事業

LPガス事業は、旧簡易ガス事業（コミュニティガス）を除き、公益事業ではありません。しかし需要家の視点から見れば、都市ガスと同じガス事業ということになります。元売り、卸、小売りといった各段階の事業者があり、特に小売りは小規模事業者を中心におよそ2万社もあります。LPガスの販売だけでは縮小傾向ですが、顧客との強いつながりがあり、家庭用の総合エネルギー産業の可能性もあります。

LPガス事業のしくみ

LPガスとは、Liquefied Petroleum Gas の略で、液化石油ガスという意味です。主成分は、**プロパン**と**ブタン**というガスで、我が国の1次エネルギーのおよそ3％を担っています。家庭用はプロパンが主体ですが、自動車用のLPガスにはブタンも含まれています。天然ガスの主成分である**メタン**と比較すると、二酸化炭素の発生量が多く、カロリーが高いことが特徴です。

55％が海外からの輸入で、油田やガス田からの随伴ガスです。また、45％が国内での石油精製などの副産物ということになります（２０１１年）。

LPガス事業は、**元売り**、**卸**、**小売り**の３つの事業者で成り立っています。この点も、垂直統合していた電力・都市ガス事業と異なっています。

元売りは、石油会社や商社の事業部や子会社が主体です。ただ、本社の事業にとって、大きなウエイトを占めていない上に、販売量が減少傾向にあるため、合併が進んでいます。

卸売り事業者は、LPガスをボンベに入れる充填《じゅうてん》所を持つ事業者です。全国で１０００社以上ありますが、小規模な事業者は吸収・合併され、大規模化が進む傾向にあります。

小売事業者は、全国で約2万事業者があります。そ

ワンポイントコラム

【メタン、エタン、プロパン、ブタン】　いずれも常温ではガス体の炭化水素で、化学式はそれぞれ、CH_4、C_2H_6、C_3H_8、C_4H_{10}です。炭素が多いほど、二酸化炭素発生量とカロリーが高くなります。炭素がさらに多くなると、常温で液体、ないしは固体となります。ガソリンはだいたいC_8H_{18}程度の分子です。

の多くは、かつて薪炭などを販売していた燃料店やガソリンスタンドなどです。地域独占ということはなく、同じ地域でも隣り合った住宅がそれぞれ異なるＬＰガス事業者と契約しているということは普通です。

小売事業者の多くは、既得権益に依存した経営をしており、業界内でも競争が働かず、都市ガスよりも高い料金になっていることが、問題となっています。そのため、料金の透明化が進められています。

LPガス事業の現状

ＬＰガス業界全体で見ると、産業用、家庭業務用、自動車用などあらゆる面で需要が減少する傾向にあります。産業用では、都市ガスなどへの燃料転換や経済状況の悪化、家庭業務用ではオール電化住宅の増加と都市ガス供給区域の拡大、自動車用ではタクシーに代表されるＬＰＧ車の台数の減少が見られます。

こうした状況に対し、一部の卸事業者などは、小売価格を下げて競争力を持たせ、家庭業務用だけではなく、産業用の需要拡大もねらっています。

LP ガスの流通

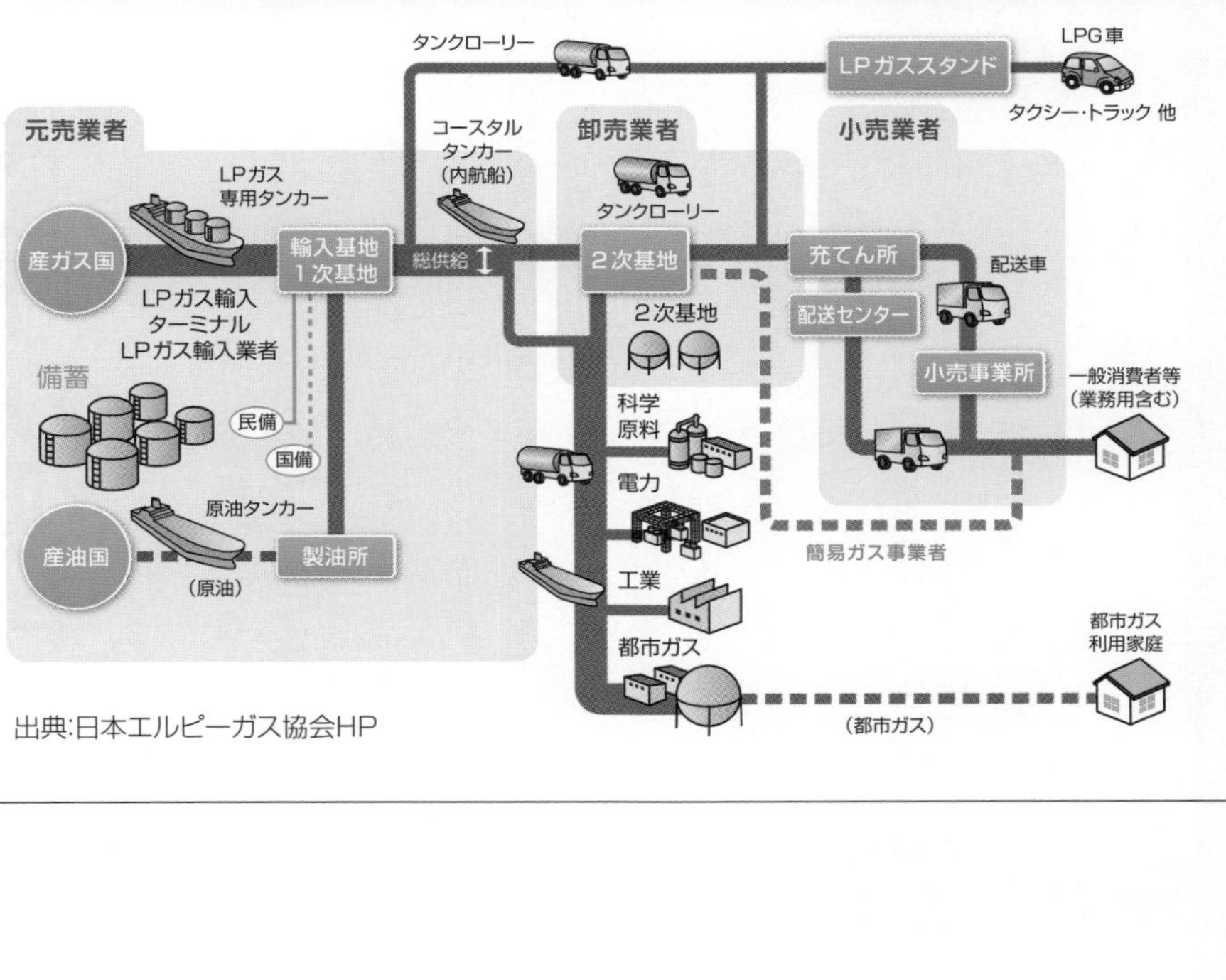

出典:日本エルピーガス協会HP

7 電気事業の変遷① 九電力の誕生

電気事業の現在の体制は、戦後に構築された九電力体制に遡《さかのぼ》ることができます。終戦後、GHQ（連合国総司令部）の意向により、戦前の電力会社は再編され、地域の民営企業として9つの電力会社が誕生しました。

米国型電気事業への再編

戦前は地方にさまざまな電力会社があり、競争を展開していました。しかし戦時中に国家総動員法により国家管理された**日本発送電**と9つの配電会社に再編され、そのまま終戦を迎えました。

戦後、電力会社が再編されるにあたって、直接のきっかけとなったのは、財閥解体にもつながる「過度経済力集中排除法」でした。配電会社はともかく、全国規模の日本発送電が問題だったということです。

そこで**GHQ**（連合国総司令部）は米国型の地域別発送配電一貫の民営会社を求めました。これに対し、政府（商工省＝経済産業省の前身）や労組などは抵抗しましたが、最後は商工省の設置する中央電気委員会の委員であった**松永安左衛門**の提案による、発送配電一貫の9ブロック分割民営化という形に落ち着きました。そして、1951年5月1日に各社が発足しました。

このようにしてできた九電力体制のポイントは、民営会社であることによって、官の関与を少なくし、効率性を向上させるということ。そして、全国1社ではないため、各地域の電力会社が電源開発から配電までを独立採算で行うということです。これは見方によっては、かつての日本国有鉄道（国鉄）がJRに解体され、効率化が求められたことと一致しています。

ですが、皮肉なことに、分割されたにもかかわらず、独占事業体である電力会社は、やはり効率性の問題な

ワンポイントコラム

【松永安左衛門】 電力の鬼とも言われた財界人。戦前は東邦電力社長として電力業界の覇権を争いました。国家総動員法による日本発送電の設立に反対し、一時は引退しましたが、戦後の電力再編に取り組み、九電力の出資による電力中央研究所を設立、晩年は理事長をつとめました。茶人でもあり、号は耳庵と称します。

どを指摘され、後の電力市場自由化という流れにつながります。

国策としての電源開発

民営会社としてスタートした九電力ですが、一方で安定供給のために、国策として電源開発を行っていく必要がある、という考えが残っていました。各電力会社ではリスクが大きい電源開発を行うため、その名の通り**電源開発**（**Jパワー**）という卸電力会社が1952年9月に発足しました。当初は水力発電の開発を中心に手掛け、やがて国内炭による火力発電所の開発、さらには原子力発電所も他社では手掛けられないタイプの開発を目指すようになります。

また、1957年には原子力発電専門の卸電力会社として、九電力などの出資により、**日本原子力発電**（日本原電）が誕生し、1966年には我が国最初の原子力発電所が完成しています。

さらに1972年の沖縄返還に伴い、琉球電力公社を引き継ぐ形で**沖縄電力**が誕生し、1988年に民営化されました。

電気事業の変遷

明治	創業期	明治19（1886）年の東京電灯創立に続き、20年代には各地に電灯会社が誕生。
大正	確立・発展期	日清・日露戦争を経て経済が急速に発展。電気も全国に普及。工業化で需要は飛躍的に増加。事業者数も急増。（明治25（1892）年：11社→明治40（1907）年：116社→大正6（1917）年：573社）
	過当競争期	第一次世界大戦後の電力需要停滞の中、大規模経営による事業能率向上の要請の下、合弁･吸収等カルテル化が進展。5大電力（東京電灯、東邦電力、大同電力、日本電力、宇治川電気）が支配的地位を確立。5大電力会社間で、激烈な需要争奪戦を展開。
昭和14年～（1939）	国家統制期	電気事業を国家管理下に置くことによって広域的な効率的運用を行い、低廉な電気料金を実現すべく、電力国家統制体制が完成。配電事業の統制強化と整理統合（9配電会社）。日本発送電が発足。
昭和26年～（1951）	九電力体制	発送配電一貫の私企業による自主的責任体制を確立し、9社体制が発足。
平成28年～（2016）	発送電分離	小売り全面自由化。発送電小売が分社化されはじめ、送電以外は市場競争下に。

ワンポイントコラム

【日本発送電】　戦前の1938年、政府の国家管理政策に基づいて設立された特殊法人。戦後、九電力体制の発足にともなって解散し、資産は各社に引き渡されました。

8 総括原価方式

電気料金は、基本的には総括原価方式によって決められていました。発電・送電から電力販売までの全ての費用を「総括原価」とし、これに一定割合の報酬を上乗せして料金を決める方式です。

総括原価方式とは何か

これまでの電気事業をビジネスモデルの視点から見た最大の特徴は、電気料金が**総括原価方式**によって決められていたということです。

これは、電力会社を経営するすべての費用に一定の報酬割合を加えたものをもとに、料金を決めるしくみです。電気事業法に基づく方法で計算されていました。

このビジネスモデルは、毎日のようにコスト削減を迫られている一般企業から見たら、とんでもなくうらやましい話だと思えるでしょう。ですが、こうした方式を導入することで、電力会社は安心して電源開発や送配電網の開発などのインフラ整備を進めることが出来ました。この点は、都市ガス事業も同様です。

総括原価方式の功罪

総括原価方式によって、電気事業は極めてリスクの低い事業となりました。

メリットとして、安心して電源開発に投資できたため、常に十分な供給力を確保することが出来たことがあります。また、送電系統についても、質の高い設備となっており、諸外国と比較しても停電時間は極めて短いものとなっています。しかも、安定した品質で、**周波数**（西日本60ヘルツ、東日本50ヘルツ）の乱れもわずかなものとなっています。

マクロ経済的には、政府が行う公共事業のように、所得再分配の機能を持っていました。発電所の建設は

ワンポイントコラム

【総括原価方式のその後①：ヤードスティック】 総括原価方式では、効率化へのインセンティブがはたらかないため、各社の効率化の度合いを共通のものさしで計り、査定するという方式で、1996年に導入されました。このとき、燃料費の価格変動に応じて料金を変更できる燃料費調整制度も導入されています。

公共事業そのものですし、電気料金が多少高くなっても、需要地から電源地域への所得再分配として合理性があります。また、海外炭と比較して価格が3倍程度もあった国内炭の需要も確保してきました。

しかし、こうした体質こそが、「電力会社」＝「お上」という構造を生み出しました。大規模な独占事業ゆえの強い政治力は、日本の産業全体にゆがみをもたらしているという指摘もあります。地域のリーディングカンパニーは、地域貢献もしますが、「お殿様」でもあったわけです。こうしたことが「高コスト体質」となり、諸外国よりも高い電気料金となっていきました。

東日本大震災以降、原子力発電所の再稼働が見通せない中で、多くの電力会社は値上げを経済産業省に申請しましたが、他産業よりも高い平均賃金や、広告費など無駄な費用の削減が求められ、料金の抑制につながっています。

電力自由化によって、現在は送配電事業にのみ、総括原価方式が適用されています。

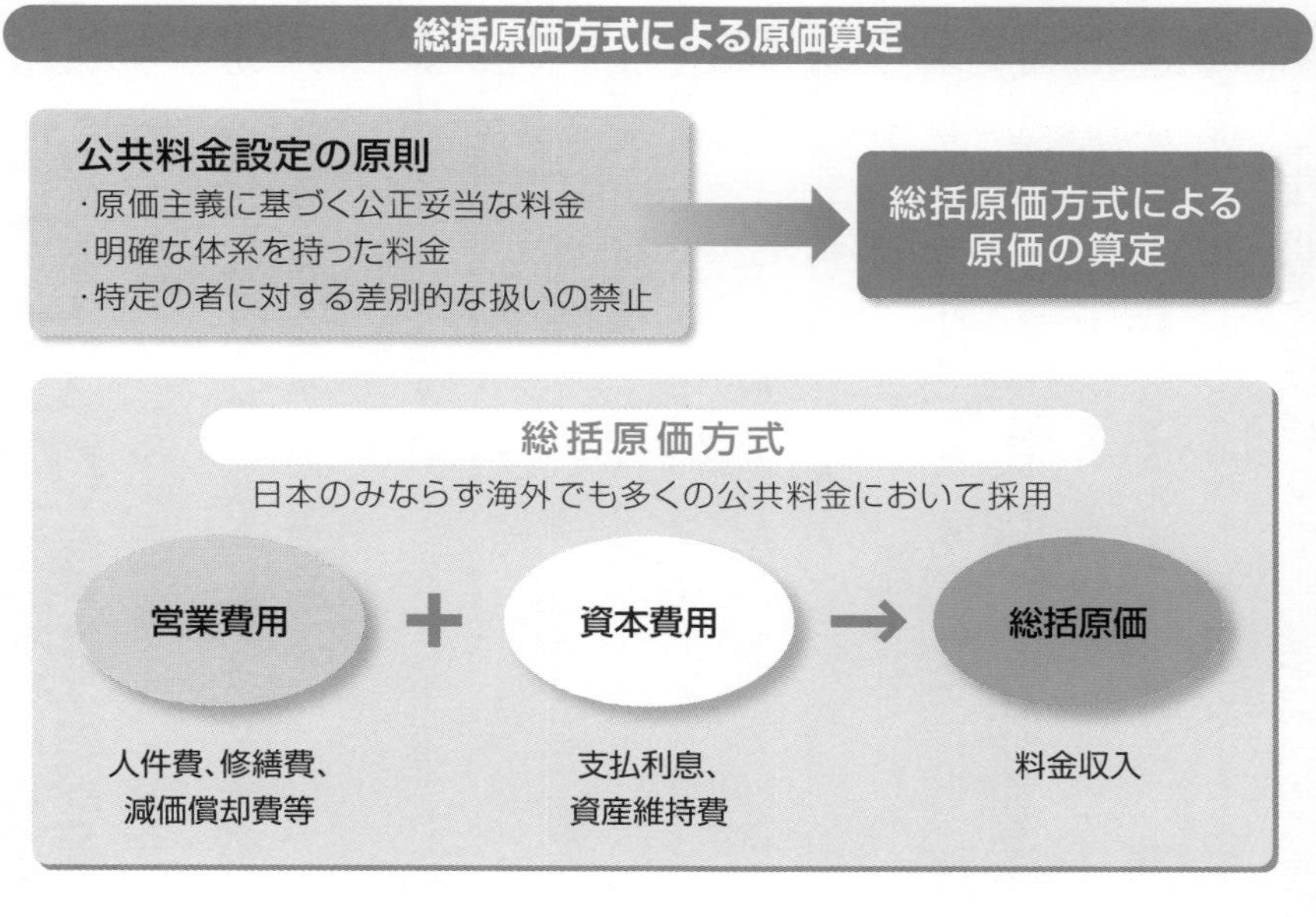

【総括原価方式のその後②：自由化】 その後、電力市場の大口などが自由化されましたが、この自由化の対象となる需要家に対しては料金は自由に設定できるようになっています。規制緩和は確実に自由化市場においては値下げをもたらしました。

9 電気事業の変遷② 国策としての電源開発

発電所の建設は、電力会社の都合だけで安い電源を求めるだけではなく、安定供給に資する電源の開発も求められました。そのため、さまざまな国策とリンクしているのが、電源開発の歴史です。

原子力発電

原子力発電を行う意味として、原子力技術の平和利用と石油代替エネルギーの2つがあります。

原子力といえば、まずは核兵器が思い浮かびますが、これは米国など核保有国が独占しています。一方、平和利用としては原子力発電を核保有国主導で展開し、1960年代以降の飛躍的な発展につながっています。

石油代替燃料として、日本もいち早く原子力発電に参入しました。1954年に政治家主導で原子力発電が国家予算として計上されました。そして1957年には最初の原子力発電設備として英国の原子炉の導入が決められ、その受け皿として民間80%(電力会社40%、その他40%)、政府20%の出資により、**日本原子力発電**(日本原電)が設立されました。1966年には、**東海発電所**が運開(現在は廃炉)し、以降、日本原電は原子力のパイオニアとして、さまざまなタイプの原子力発電所の建設を進めていきます。

我が国で原子力発電所の開発が盛んになったのは、70年代でした。**石油危機**の影響から、石油依存度を下げることを目的に推進されました。

原子力は国策として進められ、電力会社も高い建設コストを**総括原価方式**で吸収できるためにこれを支持してきました。さらに、電気料金には**電源開発促進税***が加算されており、これが経済産業省・資源エネルギー庁などが管轄する**エネルギー特別会計**のうち**電源開発促進勘定**として、立地地域の振興や原子力発電の開発、再生可能エネルギーの開発などに使われてい

用語解説

＊**電源開発促進税**　電力には1000kWhあたり375円の税金がかけられています。以前は電源開発促進対策特別会計として、原子力予算や再生可能エネルギー開発予算に使われていましたが、現在は石油及びエネルギー需給構造高度化対策特別会計とともにエネルギー対策特別会計に統合されています。

ます。

70年当時は、2000年には国内で100基の原子力発電設備が建設されていると予測する専門家もいました。しかし90年代以降、原子力発電所の建設はペースダウンしました。

電源開発（Jパワー）

電源開発（Jパワー）は、まさに国策会社として発足しました。サンフランシスコ講和条約の発効で1952年に占領が解除されると、当時の通商産業省（現経済産業省）の主導でまとめられた**電源開発促進法**が施行され、九電力と政府（大蔵省：現財務省）を株主とするJパワーが設立されました。

当初は水力発電、次いで国内炭火力発電、さらには揚水型水力発電や地熱発電、新型の原子力発電など、建設コストの高い電源の開発をてがけました。また、本州と北海道や四国を結ぶ海底直流送電線なども手掛けています。高コストの電源であっても、安定した電源として電力会社は長期契約を結んでおり、現在のJパワーの経営を支えています。

原子力発電所をめぐる原子力産業

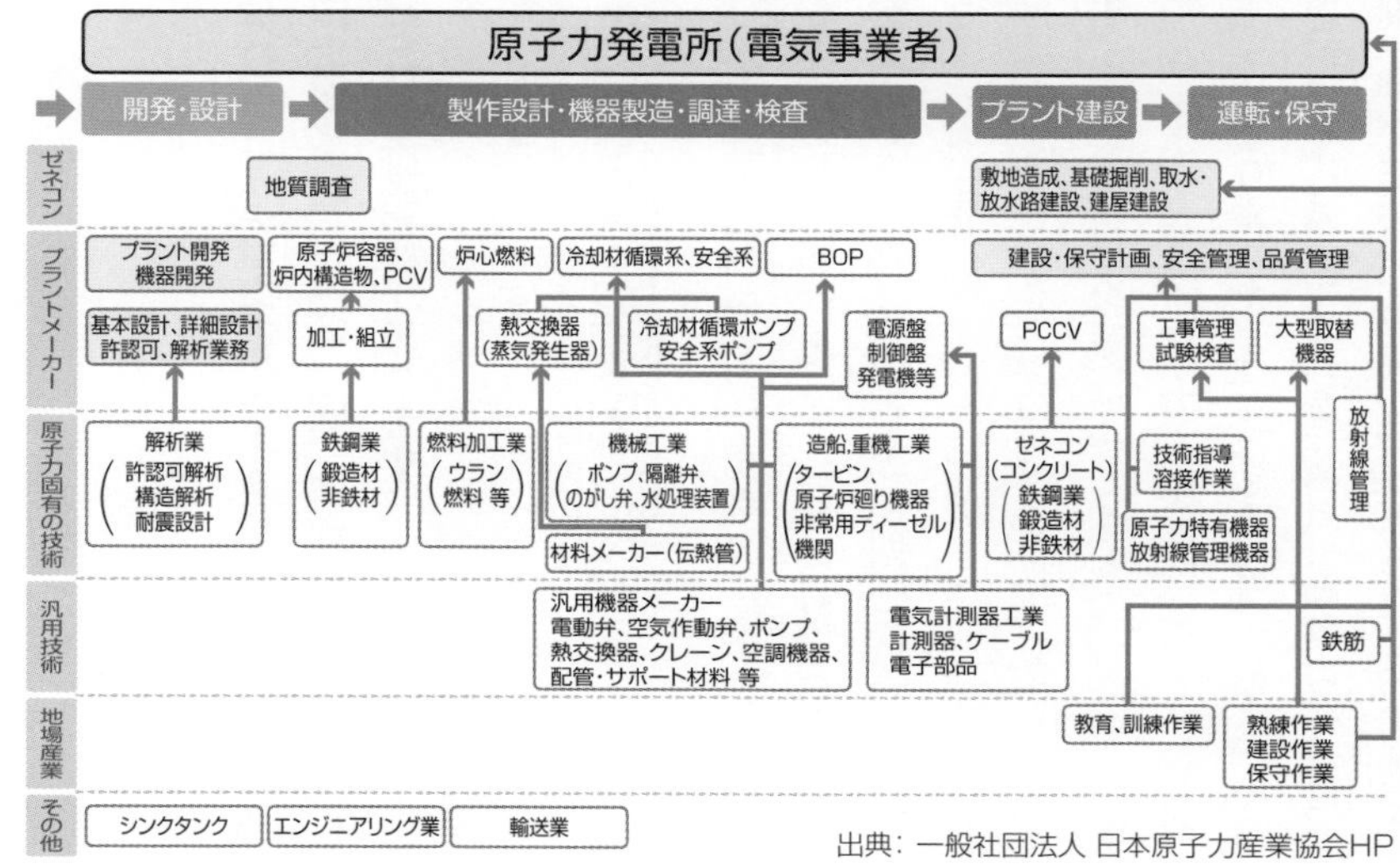

出典：一般社団法人 日本原子力産業協会HP

ワンポイントコラム

【揚水式水力発電所】　上ダムと下ダムを結び、水をくみ上げる方式で電気を蓄える発電所です。発電電力量の調整ができない原子力発電の電気や降雨時の余剰な電力を蓄え、ピーク電源として利用されています。ただし、設備稼働率は10%以下と小さく、発電単価は80円/kWh以上という試算（筆者のヒアリングによる）もあります。ここからも、負荷平準化の重要性がうかがわれます。

10

電力需要の変遷

電力需要は、東日本大震災までは、一貫して伸びており、伸び率は1次エネルギー全体の伸びを上回っていました。しかし、2000年以降は伸び率が鈍化の傾向にあり、震災後は一度、大きく落ち込みました。今後も省エネの定着と少子高齢化によって需要が頭打ちになる可能性があります。

高度成長以降の伸び

1973年の**第1次石油危機**までは、電力需要は右肩上がりで伸びていました。電力化率が高まったこと、家電製品の普及など、さまざまな要因があり、1次エネルギーの伸び率を超えています。

石油危機は省エネを定着させるきっかけとなりました。その結果、大規模事業所でのエネルギー消費は一旦は減少に転じます。その後も**第2次石油危機**やバブル経済とその崩壊など、原油価格や景気の動向を反映させながら、大口需要はゆるやかに伸びていきました。

一方、家庭用および業務用(オフィスや商業施設など)の需要は順調に伸び、バブル崩壊時も減速することはありませんでした。

東日本大震災以降の需要

東日本大震災と福島第一原発事故による全原子力の運転停止の長期化によって、社会に対する省エネの要請が高まりました。その結果、短期的にはこまめな節電などの省エネ活動が活発になり、中長期的にはLED照明などの省エネ機器の普及が拡大しました。その結果、電力需要は大きく減少しました。

その後、電力会社が供給力を確保し、省エネに対する意識が弱まりました。今後は、人口減少によって電力需要がさらに減少するのか、電気自動車の普及などで需要が伸びるのか、意見が分かれるところです。

ワンポイントコラム

【変わるピーク】 近年の需要の傾向としては、電気による暖房が増えてきたことによる冬季の需要増が見られます。エアコンの効率が向上したことや、住宅の気密性が高くなったことなどで、エアコンの暖房が増えたことによります。

2-10 電力需要の変遷

部門別電力最終消費の推移

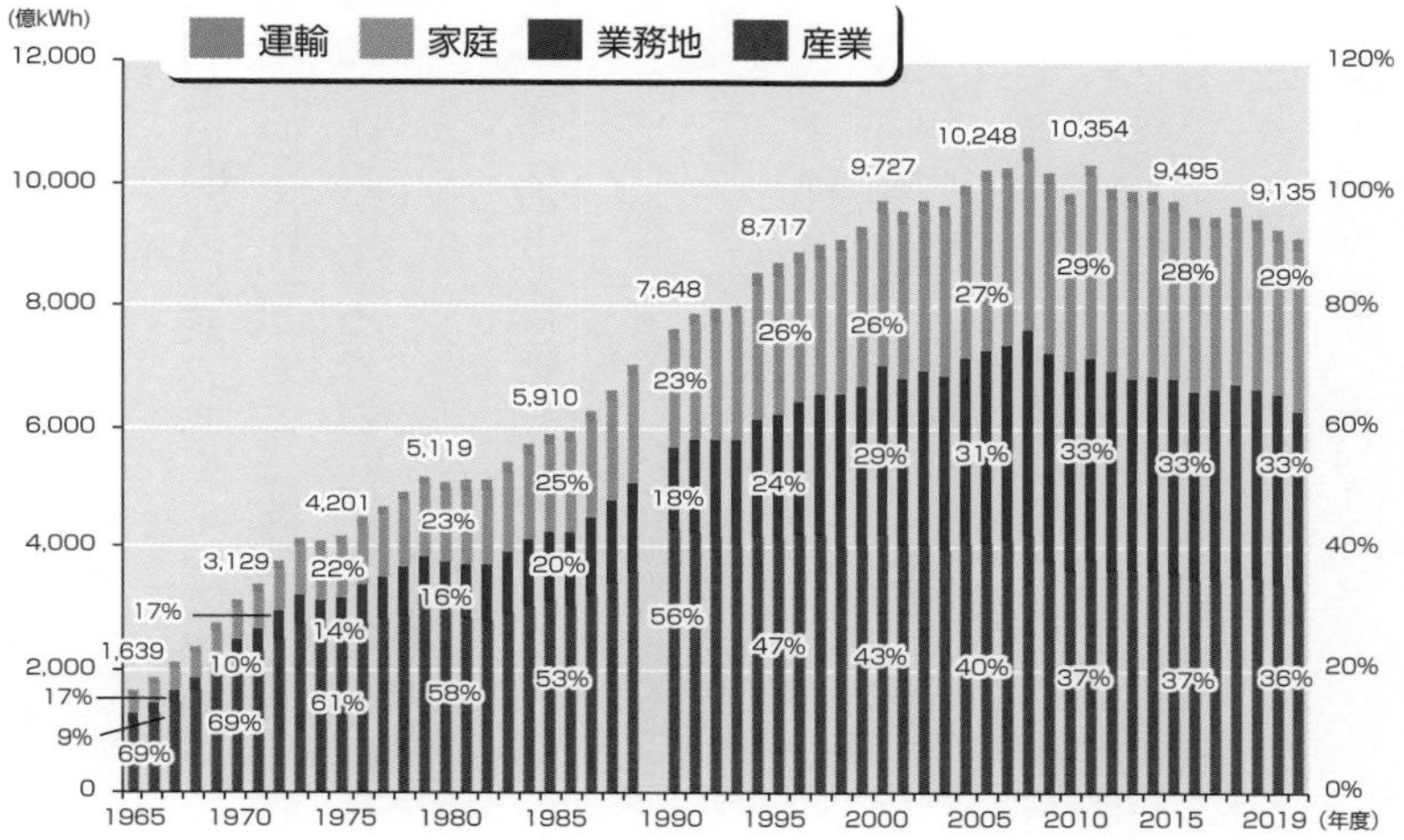

出典:資源エネルギー庁「エネルギー白書2022」

発電電力量の推移

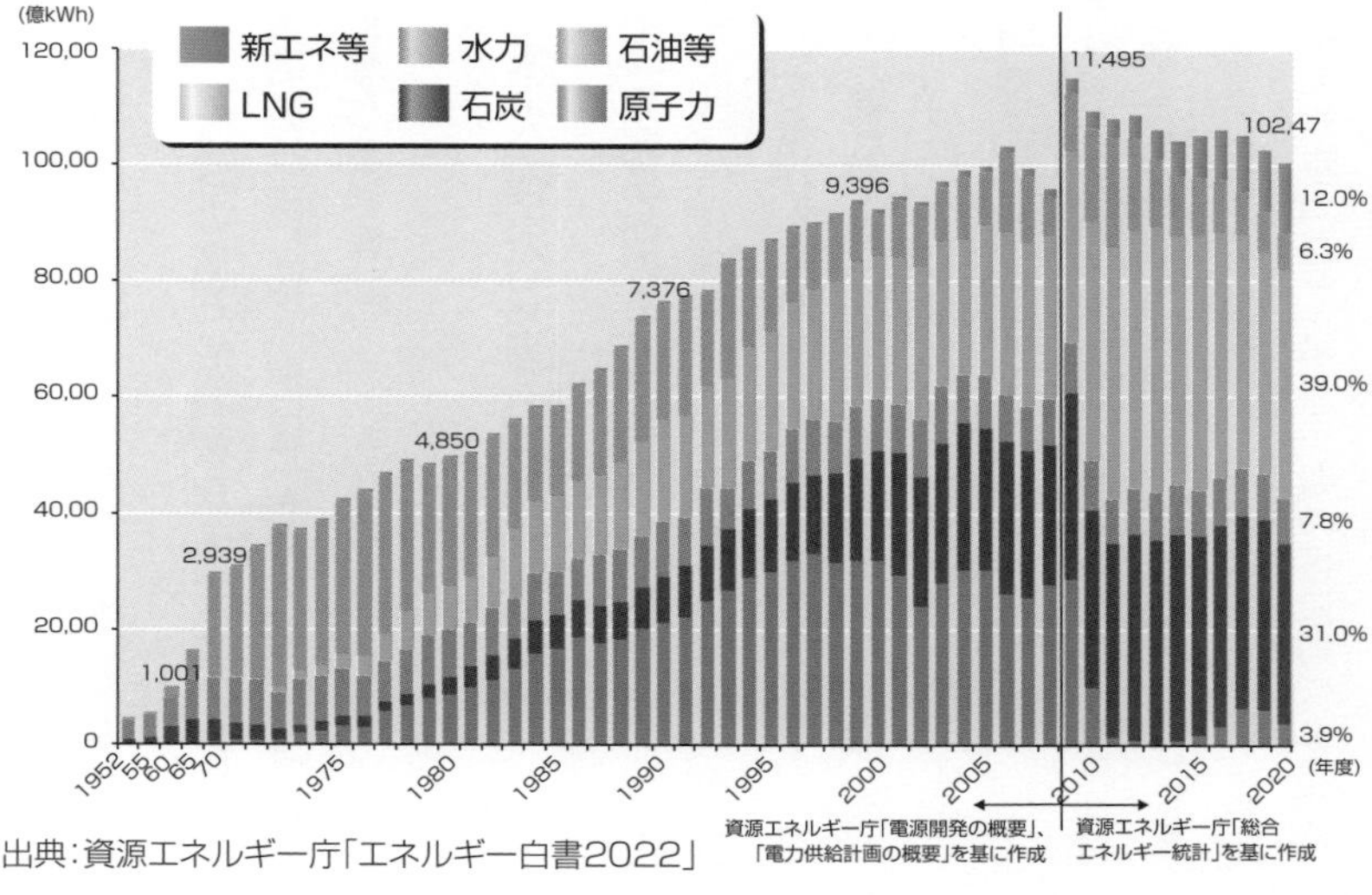

出典:資源エネルギー庁「エネルギー白書2022」

電気料金の変遷

11

電気料金は総括原価方式によって決められてきました。しかし設備の償却や為替レートの変化による燃料価格の低下によって、対購買力平価では値下げという基調にありました。東日本大震災後、原子力の稼働停止と円安によって燃料代が増加し、電気料金は値上げに転じています。

購買力平価と電気料金

電気料金やガス料金がどのように変化してきたのか。**購買力平価***との比較では、価格の優等生ということになります。為替レートと原油価格という要因によって価格が決まりますが、かつての1ドル360円だったものから一貫して円高に進んだことで、燃料費などが低下し、円を基準にすると相対的に電気料金・ガス料金は安くなっていきました。ただし、産業用の電気料金はドル換算で国際比較すると、海外よりも高いということになり、1990年代後半から競争が取り入れられ、一層安くなっていきました。

東日本大震災以降の電気料金

福島第一原発事故の影響ですべての原子力が稼働を停止したため、化石燃料代が増加しました。その後、2021年から円安と化石燃料の国際市場価格の上昇によって、電気料金は値上げに追い込まれています。また、再生可能エネルギーの**固定価格買取制度**も値上げの要因です。

一方、2016年4月1日からの電力小売り全面自由化により、ある程度までの値下げは実現しています。また、石油やLNGの価格低下もあります。さらに、関西電力や九州電力なども、原子力の再稼働によって料金値下げを行いました。

用語解説

***購買力平価**　国や時代によってお金の価値が異なることから、物の値段を基準にして比較する考え方があります。これを購買力平価といいます。もっとも単純な購買力平価の基準として、マクドナルドのビッグマックの価格を使うというアイデアが語られたことがかつてはありました。

電気料金の推移

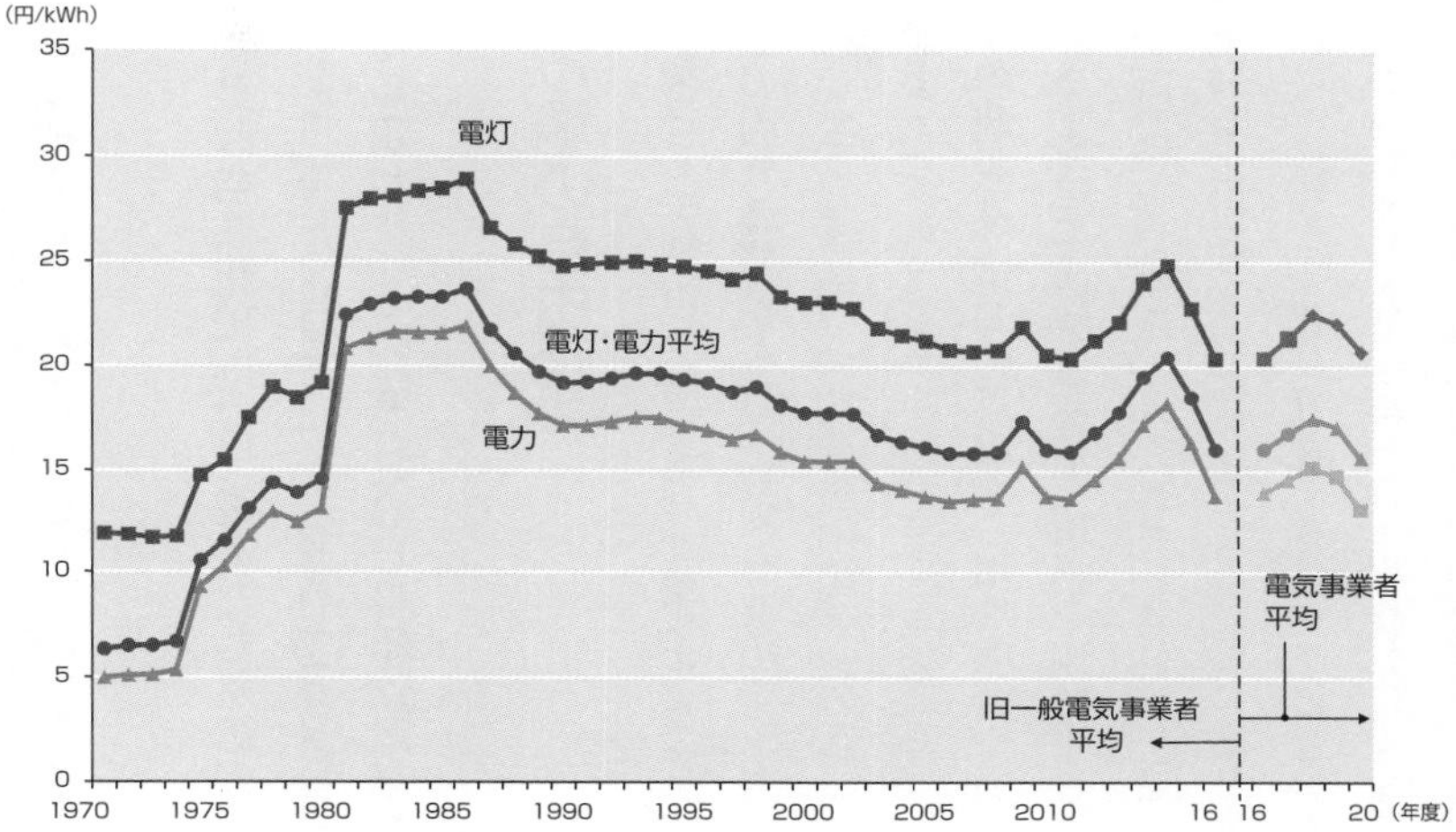

出典：資源エネルギー庁「エネルギー白書2022」

家庭用の電気料金の国際比較

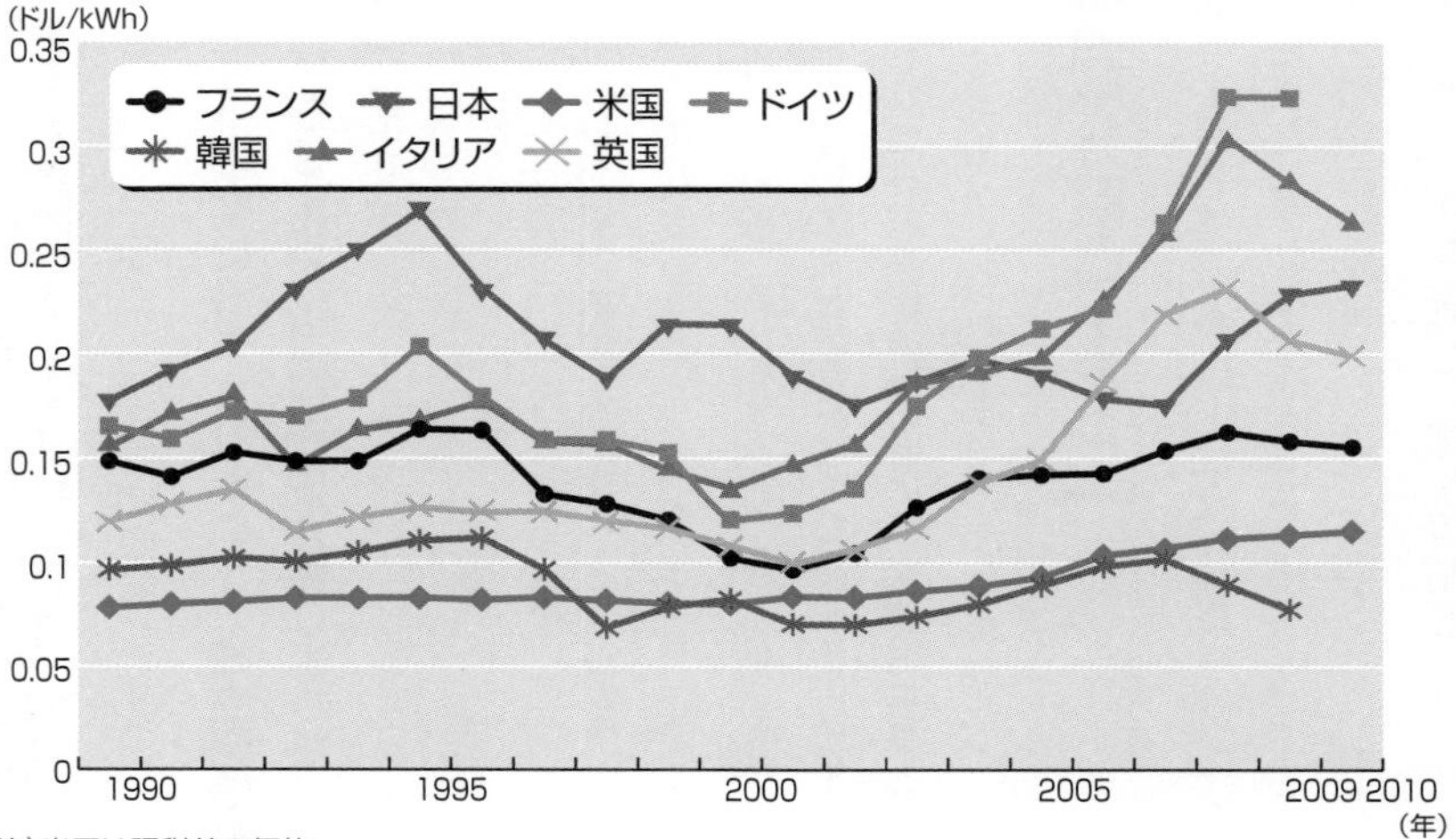

(注)米国は課税前の価格
資料：OECD/IEA, Energy Prices and Taxes, Volume 1999-1/Volume 2005-1/Volume 2011-1

ワンポイントコラム

【為替レートの変遷】　戦後の為替レートは1ドル360円という固定相場制でスタートしました。しかし1971年には1ドル308円に改定され、その2年後には変動相場制となっています。一貫して円高傾向が続き、1985年のプラザ合意を経て、現在は1ドルあたり100円～120円台の価格で推移しています。

12 電気事業の変遷③ 自由化の変遷

電気事業が自由化に向けて進みだしたのが、1990年代です。最初に導入されたのが、独立発電事業者（IPP＝Independent Power Producer）です。民間企業が参入し、当時の電力会社よりも安い価格で発電しました。その後、2000年代となり、新電力が登場します。

発電市場の自由化

公益事業として独占体制にあった電気事業ですが、電気料金の内外価格差が規制緩和を進める圧力となりました。そうした中、最初に自由化されたのが、発電市場でした。

発電所の建設は、電源の計画から用地取得や漁業権交渉などさまざまな段階を経て、運転を開始するまでには、長い時間とコストがかかっていました。このことが電気料金に反映されていました。一方、産業界の需要家には、もっと安価に発電できるのではないかという見方がありました。実際に、工場移転による遊休地活用や、自家発電設備の拡大など、さまざまな電源開発の余地がありました。

1995年の**電気事業法改正**により、**卸電力市場**への参入が自由化されました。これにより、東京電力をはじめとするいくつかの電力会社は、需要計画に基づいた新たな電源の入札を行いました。その結果、日本全体で約660万kWの電源が独立発電事業者（IPP）のよってまかなわれるまでになりました。

発送電分離とIPP

初期のIPPは、予想以上に安い価格で電力会社に応札しました。新たな土地取得がなく、場合によっては安価な残渣《ざんさ》油を燃料とすることで、コストダウンが可能でした。しかし、厳しい環境規制をクリアできず、断念した案件もありました。

その後、火力発電の建設にあたっては、電力会社自身も入札するという制度が取り入れられ、電力会社は自社設備とIPPのうち安い方を選ぶことになったのですが、このしくみが実際に行われたのは震災後でした。原子力の稼働停止で電力会社に投資余力がなくなったことも理由の一つです。

2000年代に入り、震災後まではIPPの建設は活発化しませんでしたが、これは大口需要家を対象に電力小売り自由化が導入され、IPPよりも**新電力**（特定規模電気事業者、**PPS**）の事業に関心が移ったためです。しかし、2016年の電力小売り全面自由化にともなって、電気事業のライセンスが発電、送電、小売の3つに分けられることになりました。さらに、送配電分離となれば、すべての発電所は基本的に発電事業者として、同じ条件で競争することになります。そこで、あらためて発電事業者の戦略などが問われることになります。

これを背景に、電力会社や新規参入者が協力し、新たな電源開発に取り組むケースが増えています。

2016年までの電気事業の姿

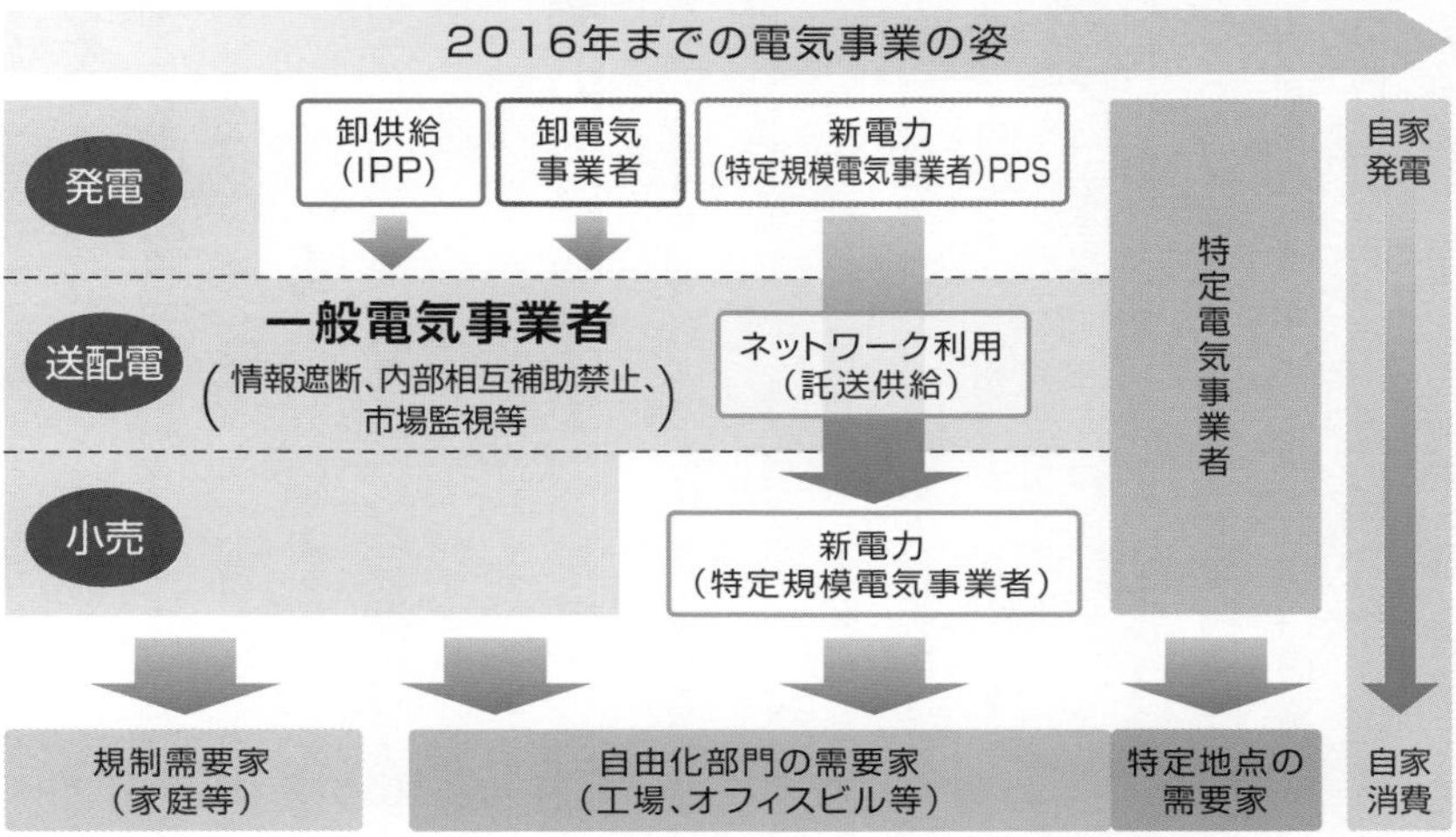

出典：資源エネルギー庁HP

ワンポイントコラム

【PPS】　新電力は以前はPPSとよばれていました。PPSとは、Power Producer and Supplierの略です。

また、東京電力と中部電力の火力部門は、後に新会社のＪＥＲＡを設立して、火力発電部門を統合し、効率化を進めました。

大口電力市場自由化

１９９９年の電気事業法改正により、２０００年から大口需要家への電力供給が自由化されました。あわせて送電線も解放され、託送料金を支払うことで需要家に電気を送り届けることができるようになりました。

これを受けて、当時は三菱商事の子会社だった**ダイヤモンドパワー**（現在は中部電力の子会社）をはじめ、日本短資（現在セントラル短資）を母体とする**イーレックス**、ＮＴＴファシリティーズ・東京ガス・大阪ガスの出資で設立された**エネット**など、数多くの新電力が参入しました。

こうした新規参入を推進したのが、当時の通商産業省（現　経済産業省）でした。真っ先に電力入札を実施し、供給事業者を東京電力からダイヤモンドパワーに変更しました。

新電力がねらった市場は、主に業務用の大口需要家や公共施設でした。実は１９９９年当時、工場など産業用の電気料金は比較的安かったのですが、オフィスビルなどの業務用は高く設定され、そこに新電力が参入する余地があったのです。また、新しいビジネスとして、マンション１棟を大口需要家とみなして、安価な電力を一括供給する**マンション一括受電サービス**も登場しました。

新電力の課題

新電力の強みは、当初は自家発電の余剰電力という安い電源にありました。したがって、大型の自家発電設備を所有する製紙会社も参入しました。とはいえ、こうした電源は限られており、事業拡大には新たな電源開発が不可欠です。しかし、そのリスクを背負える事業者はごく一部でした。

その後、**託送料金**や**アンシラリーサービス**（周波数や電圧などの品質維持）、発電側と需要側の30分間の同時同量の制約も障害となりました。大口需要家といっても、最初は**特別高圧**（契約電力２０００ｋＷ以上）のみでしたが、後に**高圧**（契約電力５０ｋＷ以上）まで自

ワンポイントコラム

【初期の新電力】　新電力の参入パターンは、商社の新事業（サミットエナジー、丸紅新電力など）、発電設備の活用（大王製紙、新日本製鉄など）、エネルギーサービス会社の新サービス（エネサーブ、日本テクノ、Ｆパワー）などがあります。

由化範囲が拡大されました。しかし、特別高圧の託送料金が２円／ｋＷｈ台だったことに対し、高圧では４円／ｋＷｈ台となっており、高圧の拡大は遅れました。

その後、電力小売り全面自由化にともない、小売だけを行う電気事業も可能となりました。

また、一部の事業者や自治体には、自ら開発した地域内の太陽光発電などの再生可能エネルギーや離れた場所の自家発電設備を利用するために新電力になるケースがあります。このとき、不足分は電力会社の**バックアップ供給**や**日本卸電力取引所**（ＪＥＰＸ）からの調達で対応しています。

新電力の当面の課題は、電気の調達でしょう。２０１８年には、寒い冬の日と猛暑の日に、卸電力取引所の価格が急騰したことがありました。それぞれ約80円／ｋＷｈ、約１００円／ｋＷｈというレベルです。多くの新電力はこのときにかなりの損失を出しています。２０２０年には老朽火力の廃止等によって、発電所が不足し、前回以上に急騰しました。今後は、新電力は相対取引の拡大や、ピークカットの方策をとることが必要となってくるでしょう。

新電力の販売電力量と販売電力量に占める割合の推移

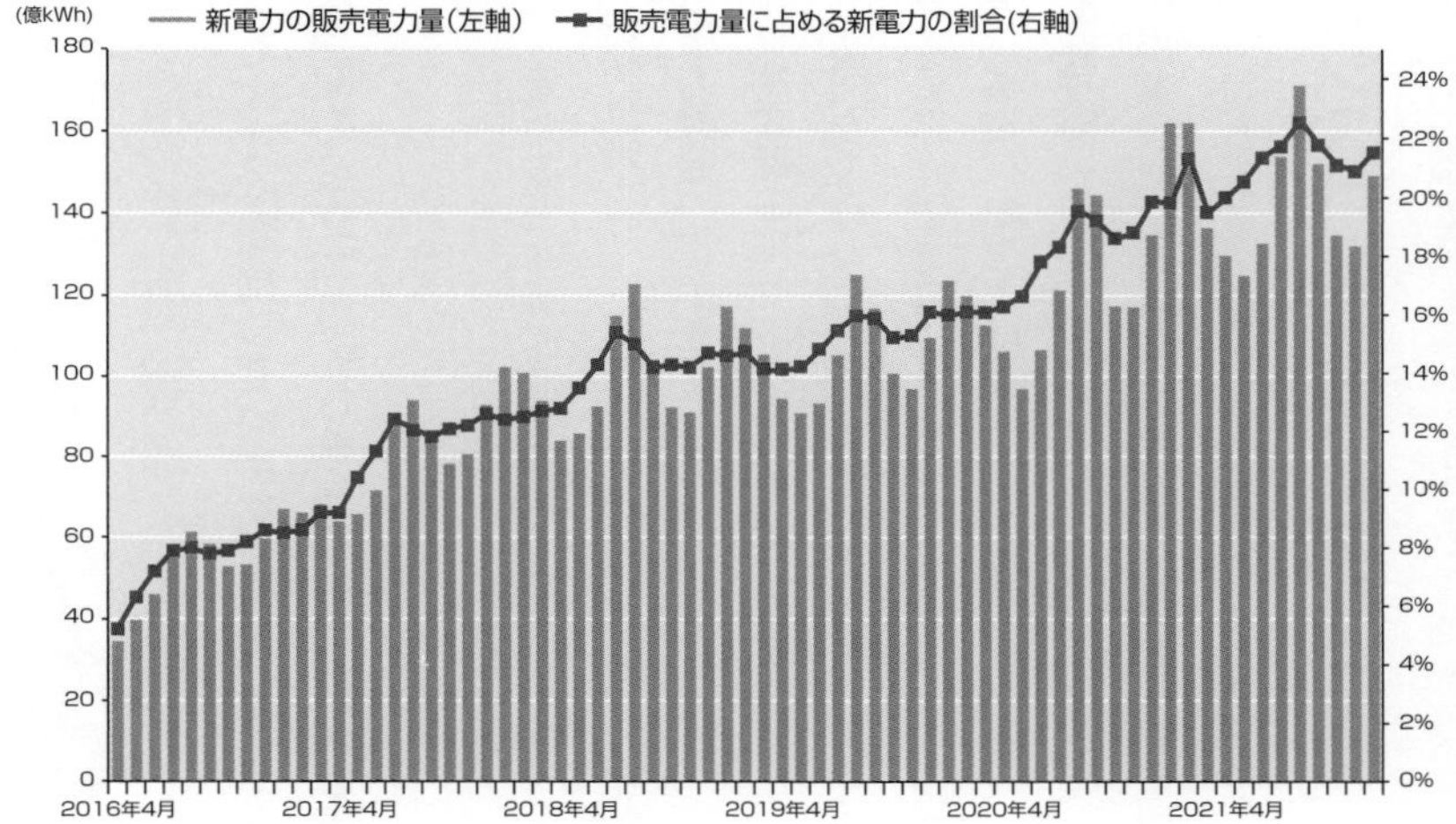

出典：資源エネルギー庁「エネルギー白書2022」

ワンポイントコラム

【近年の新電力】　電力全面自由化を見据え、近年は小売りを意識した参入が増えています。ケーブルテレビ（ジュピターテレコム）、通信（KDDI、ソフトバンク）、住宅（大和ハウス）、家電（パナソニック）、流通（生活協同組合）などが代表的な事例です。楽天のように新電力に参入しなくても、Eコマースでエネルギー事業を展開する会社もあります。

電気事業の変遷④ 電力システム改革

13

東日本大震災を経て、電気事業は電力システム改革によって大きく変化しています。電力システム改革は、3段階で進められます。順番に、「電力広域的運営推進機関の設立」「小売り全面自由化」「発送電分離」の3つです。

電力システム改革の主な内容

電力システム改革が進められた背景には、**スマートメーター**や**スマートグリッド**関連技術の発達によって、電気事業に電気以外の付加価値が求められるようになったことと、震災を契機により、地域独占を廃止して効率的で競争原理が働くようになったことがあります。

電力システム改革は、次の3つが柱となっています。

❶電力広域的運営推進機関の設立

東日本大震災直後の電力需給ひっ迫は、電力会社の供給区域を超えた広域系統運用ができていれば緩和されたのではないかと指摘されていました。これを踏まえ、「**電力広域的運営推進機関**（ＯＣＣＴＯ）」を設立し、**供給計画**などの取りまとめや、需給ひっ迫時における**電力融通**の指示などを担当させました。

❷小売り全面自由化

家庭部門を含めたすべての需要家が、電力会社を自由に選ぶことができるようになりました。また、電気の小売り事業への参入は全面自由化しました。

❸送配電分離

発電事業者や小売事業者が公平に送配電網を利用できるように、送配電部門を別会社に分離しました。

電力システム改革のスケジュール

電力システム改革は、3段階で進められます。

第1段階では、2015年に電力広域的運営推進機関を設立しました。

第2段階では、2016年に電力小売り全面自由化を実施しました。この段階で、電気事業のライセンスは発電、送電、小売に分けられます。また、料金規制は一般の電力会社に対しては残りました。

第3段階では、2020年に、送配電分離を実施しました。一方、料金規制の撤廃は先送りされました。

都市ガスシステム改革

電力システム改革と並行して、都市ガス事業のシステム改革の議論も進められています。電力小売り全面自由化に対応し、都市ガス小売り全面自由化も行うべきという考えからです。電力会社は発電所の燃料としてLNGを購入しているため、都市ガス事業に参入できる条件がそろっています。全面自由化については、電気より1年遅れて2017年に実施されました。また、発送電分離に対応して、2022年には大手都市ガス会社のガス導管の事業を分離しました。

電力システム改革の工程と電気事業法改正スケジュール

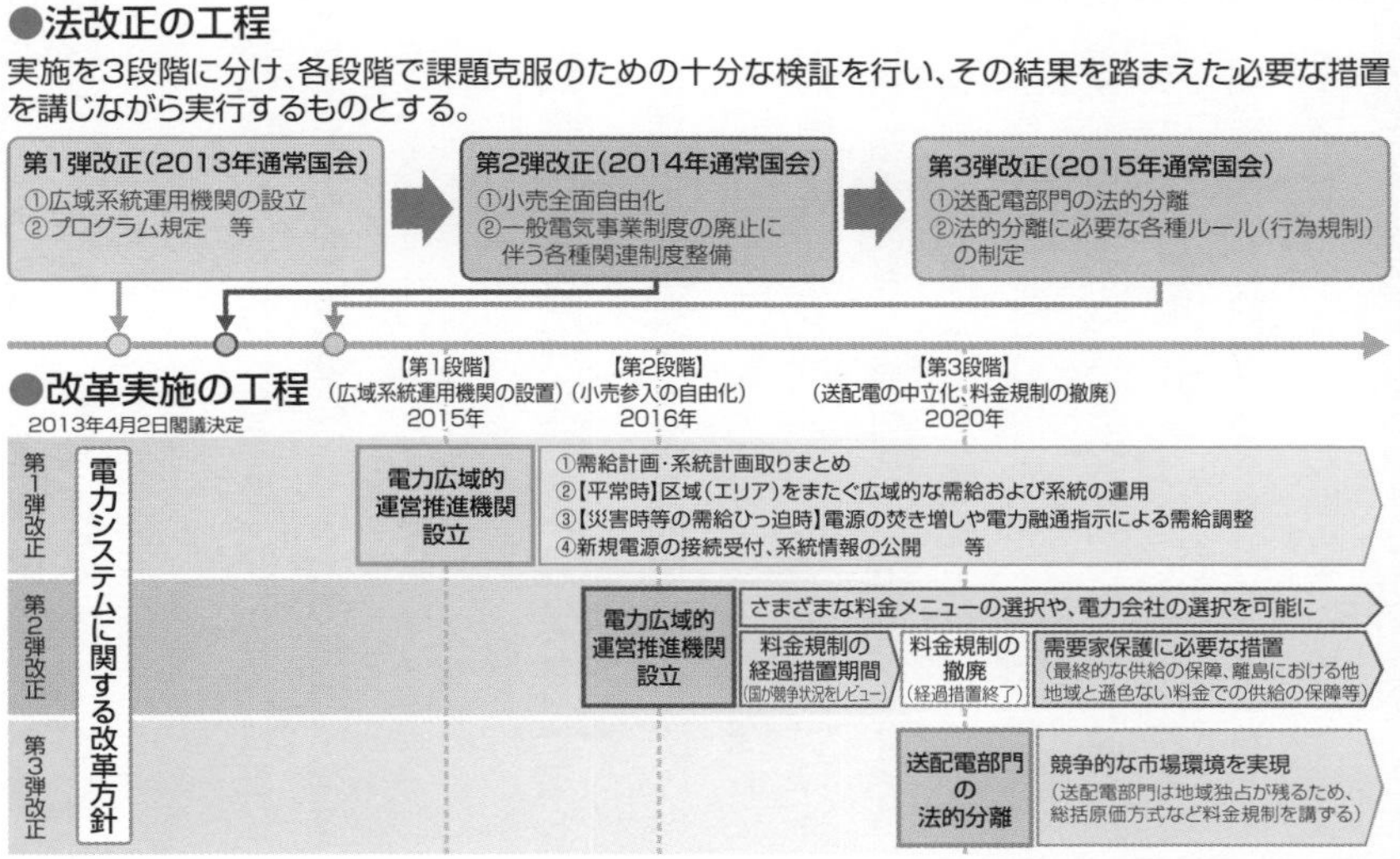

出典：エネルギー白書 2014を改変

14 電力広域的運営推進機関（OCCTO）

電力システム改革の一環として、2015年に電力広域的運営推進機関（OCCTO）が設立されました。これまで、電力会社ごとに作成してきた電力供給計画をとりまとめることなど、全国大の電力インフラの運営を担います。

電力広域的運営推進機関の役割

2015年には、**電力広域的運営推進機関**（OCCTO）が設立されました。

OCCTOとは、おおまかに言えば、「全国の送電系統を、すべての事業者が公平に使えるようにすること」と、「全国の発電所の運転を電力会社の枠を超えて効率的に運転できるようにすること」を実現する、中立の機関です。

また、送配電分離が実施された現在、各送電会社をまとめ、実質的にそれぞれの電力会社から独立した機関として送配電事業を行っていく、その中心となるのが、この機関です。

電力広域的運営推進機関の業務

OCCTOには**計画業務**や**運用業務**があります。

計画業務では、これまで電力会社ごとに作成されていた供給計画の取りまとめを行います。これは、将来の電力の**需要想定**に対し、適切な電源が確保できているのかを評価し、必要な広域の送電系統の増強を指導・勧告するというものです。

運用業務では、平常時は電力会社の年間、月間、週間、翌日などの需給運用の計画に対し、広域的運営の観点から調整を行い、**給電計画**を調整します。たとえば、ある電力会社で高コストの石油火力を運転する代わりに、ほかの電力会社の低コストで供給余力のある

ワンポイントコラム

【メリットオーダー】 低コストの発電所から運転するメリットオーダーは、自由化の論点の一つです。電力会社をこえて実施すれば、自社の高コスト高い電気よりも他社の低コストの発電所を使うことで、費用が下がります。一方、高コストの発電所しかない新電力であっても、これを運転せずに他社の低コストの発電所を使うことも可能になります。

発電所から調達するといった調整です。これを**メリットオーダー**といいます。また、再生可能エネルギーなどの変動電源にも柔軟に対応した、広域での電力の周波数や潮流の管理を行います。

同じく、災害時などで需給がひっ迫したときには、発電所の焚き増しや**電力融通**の指示も行います。

系統アクセス業務では、系統利用者への接続検討の受付、検討結果の通知などを行います。メガソーラーなど自然エネルギーの発電所の系統連系についても、OCCTOが窓口となります。

このほか、系統情報の公開、苦情処理、調査・統計、**容量市場**の運営などが主な業務となります。

課題としては、当初の想定ほどの権限がなく、供給計画とりまとめの時点での予備力不足が明らかになってもすぐに対応できなかったことなどが指摘されます。また、職員の多くは電力会社からの出向ですが、今後はプロパー社員を増やすことも必要です。

電力広域的運営推進機関と配送電事業者等との関係

電力広域的運営推進機関（全国で1箇所）
●日本全体の供給計画の取りまとめ
（各エリアの送配電事業者の供給計画を取りまとめる。その際に、将来の需要想定に対する供給予備力の管理、必要な送電インフラの増強を指導・勧告（必要に応じて国に意見具申））
●需給及び系統の広域的な運用
（広域連系系統に係る給電計画、作業停止計画調整、再エネ導入拡大等にも対応した広域周波数調整のための広域連系系統の潮流管理等）
●需給ひっ迫緊急時の措置
（実需給直前で市場機能を活用しても供給力不足が見込まれる場合に、電源の焚き増し、予備力開放等の措置を指示）
●系統アクセス業務
（接続検討の受付、検討結果の事業者への通知等）
●系統情報の公開
（連系線等の潮流、運用容量等の情報について公表）
●系統計画、系統アクセス、系統運用等に係るルール策定
●（小売全面自由化後において）長期的供給力不足が見込まれる場合の供給力確保措置
（容量市場の運営（P）、電源入札等）
広域連系系統の補修等に伴う電源の停止計画の調整
広域連系系統の潮流管理
需給ひっ迫緊急時の電源焚き増し指示 等
エリアの計画の提出等
北海道
60Hz
50Hz
東北
北陸
中国
東京
九州
中部
沖縄
四国
関西
送電線の補修等に伴う電源の停止計画の調整、需給ひっ迫緊急時の電源焚き増し指示 等
供給計画の提出 等
各地の発電事業者・小売事業者
●供給力確保義務に対応した供給力の確保（小売事業者）
●電源の建設、運転、保守
●顧客への電力供給
（送配電系統の利用に際して、利用料金（託送料金）を支払い。また、インバランスの発生に応じてインバランス料金を支払い。）
需給計画・系統計画で必要な情報 等
電源への給電指令 等
送配電事業者（各エリア）
●エリアの供給計画の策定
●エリアの需給運用
-需給バランス調整、周波数調整
-電力、新電力、再エネ等電源への給電指令
●エリアの送配電系統の運用
-送配電系統の指令、系統の監視
-設備の建設、運転操作、保守、事故時等の復旧対応
-託送料金の算定

出典：資源エネルギー庁HP

15

供給計画と需要想定

電力広域的運営推進機関（OCCTO）の役割として重要なものに、「供給計画」のとりまとめがあります。いずれもかつては旧一電の各社が作成してきたものでした。これらの報告書は、向こう10年間の日本の電力需給の予測がまとめられています。

供給計画

供給計画とは、電気事業法に定められたもので、向こう10年間に電気事業者による電源の開発や送配電設備の整備などがまとめられたものとなっています。また、電源に対応する形で、電力需要の想定も取りまとめられています。想定される需要に対して、電力の供給力が不足する場合などでは、OCCTOが電気事業者に対して勧告することができます。

供給計画は、それぞれの電気事業者が作成したものを、OCCTOが毎年3月にとりまとめ、公表するという形になります。

供給計画では最初に、全国および各エリアの短期（直近2年）と長期（10年）の需要想定が示されます。ここで示されるのは、エリアごとの3日間の最大電力の平均値です。主に8月の最大電力が予測されていますが、北海道・東北・北陸エリアについては冬季の電力需要が多いため、1月の最大電力も予測されています。

需要想定に対して、どのくらいの電力が供給できるのかを示したものが、需給見通し（予備率見通し）になります。8％以上あれば需給はひっ迫しないとされています。エリアごと、月別で示されます。

この他、小売電気事業者の数や参入エリア、電源別の供給力など、電気事業を営む上での重要な見通しが示されているといえます。また、近年の傾向としては、需要が減少する傾向にある一方、再エネ発電所が増加していき、2024年度以降の需給は安定すると予測しています。

供給計画の問題

せっかくの供給計画ですが、見通しが必ずしも正確とはいえなくなっています。2022年度は需給がひっ迫していますが、その背景の1つには需要想定以上の電力需要があったことが指摘できます。また、2021年度から2022年度にかけて、供給力が不足することが予測されていたにもかかわらず、OCCTOが十分な対応をしてこなかったということも指摘できます。さらに、2022年度の供給計画では十分な予備率があるとされていましたが、実態は一部のエリアで3％以下になることが後に示され追加電源の募集を行いました。

今後、化石燃料の高騰が続く中、OCCTOにはより正確な供給計画と、より強い権限をもって電源確保をしていくことが望まれます。

最大３日平均電力の実績と今後の見通し

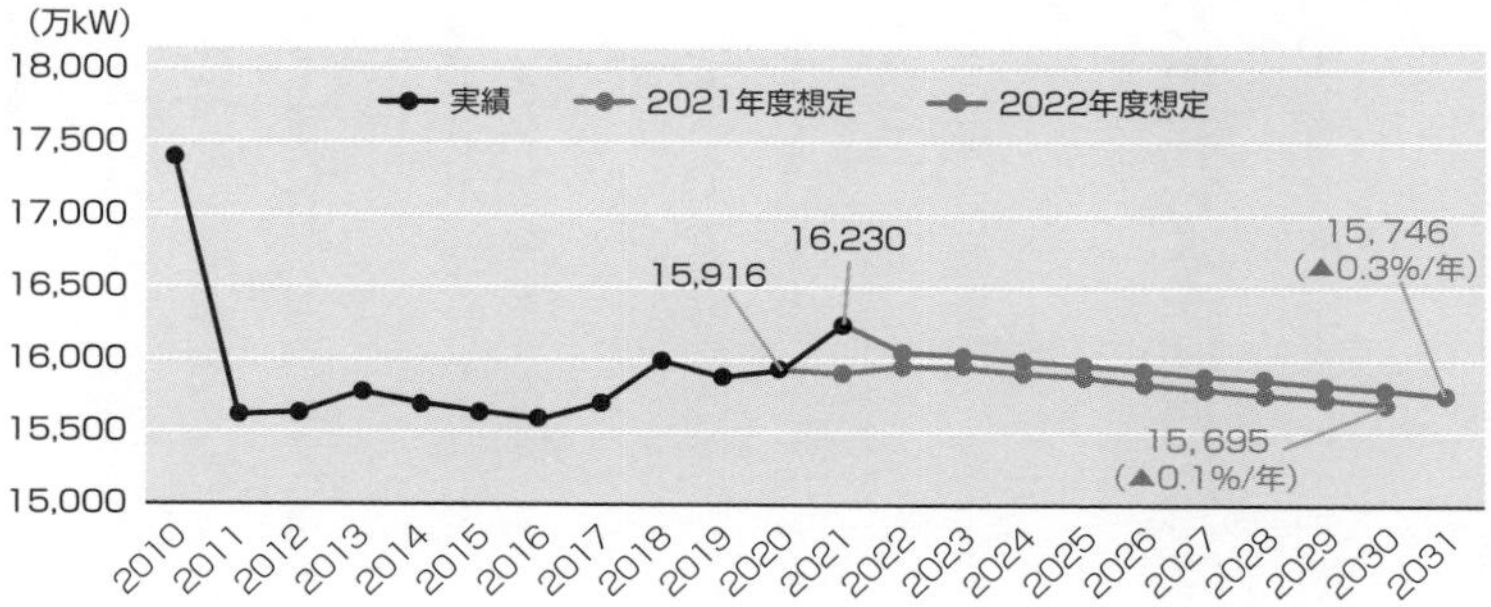

出典：OCCTOホームページ

電力小売り全面自由化

電力小売り全面自由化により、一般家庭でも、好きな電力会社から電気が買えるようになりました。しかし自由化の本質は実は電気だけではなく、多様なサービスもそこに加わる、そんなイメージです。

通信の自由化を振り返る

電力小売り全面自由化を考える上で、90年代以降の通信事業の自由化は、参考になります。

かつて、通信事業は、**電電公社**(日本電信電話公社)という国営企業が独占していました。これが民営化され、**NTT**(日本電信電話株式会社)となり、現在は持ち株会社の下で事業を行っています。一方、通信事業の自由化に伴って、第二電電(現在、国際電信電話＝KDDと合併し、**KDDI**)や**ソフトバンク**、さらに電力会社系の通信会社などが参入しました。

同時に、通信技術は大きく発展し、固定電話だけではなく、携帯電話、インターネット回線などさまざまなサービスが提供されるようになりました。

料金も自由化されているため、「おまとめプラン」「誰とでも定額」、家族割や学割などさまざまなメニューが登場しています。

競争によって、通信料は単価としては安くなりましたが、サービスが拡大し、毎月の通信料は昔と比較すると、増えているのが現状ではないでしょうか。

同じことが、電気事業やガス事業でも起こると考えられます。

電力小売り全面自由化の姿

電力小売り全面自由化によって、何が変化したのでしょうか。

第1に、大口だけではなく、一般家庭を含めた、すべての需要家が、自由に電力会社を選べるようになりま

ワンポイントコラム

【駅頭・スーパーの店頭で電力契約？】 通信自由化にあたって、駅頭でADSLのキャンペーンが展開され、あるいはスーパーの店頭でスーパーのカードで決済できる電話の契約の勧誘が行われたことがありました。電力自由化でも、無料のHEMSとセットでの電気の契約などがあるでしょう。英国では実際にスーパーの店頭でM&Sエナジー社の勧誘が行われているということです。

した。

第2に、電気の小売会社が登場しました。これまでの電気事業とは認可のあり方が変更され、発電、送電、小売りの3つのライセンスに分かれました。**新電力**は発電と小売りの2つのライセンスで事業を展開しましたが、新たに小売り専門の会社も登場しています。

第3に、電気料金が自由化され、多様化します。**電気料金**のメニューは、これまでの**季節別時間帯別料金**のようなメニューに加えて、ガスや通信とのセット販売だけではなく、定額メニューやプロ野球のチーム応援メニューなども登場しています。

第3に、エネルギー事業は、これまでの電力会社、ガス会社という枠組はなくなり、**総合エネルギー産業**へと変化していくでしょう。その先には、総合生活サービス事業という姿も見えています。電力会社もガスを売り、ガス会社も電気を売ることになります。

電力小売り全面自由化の意味

電力小売り全面自由化で期待されているのは、競争による値下げだけではありません。むしろ、電気事業

小売り全面自由化後の事業者と需要家の関係

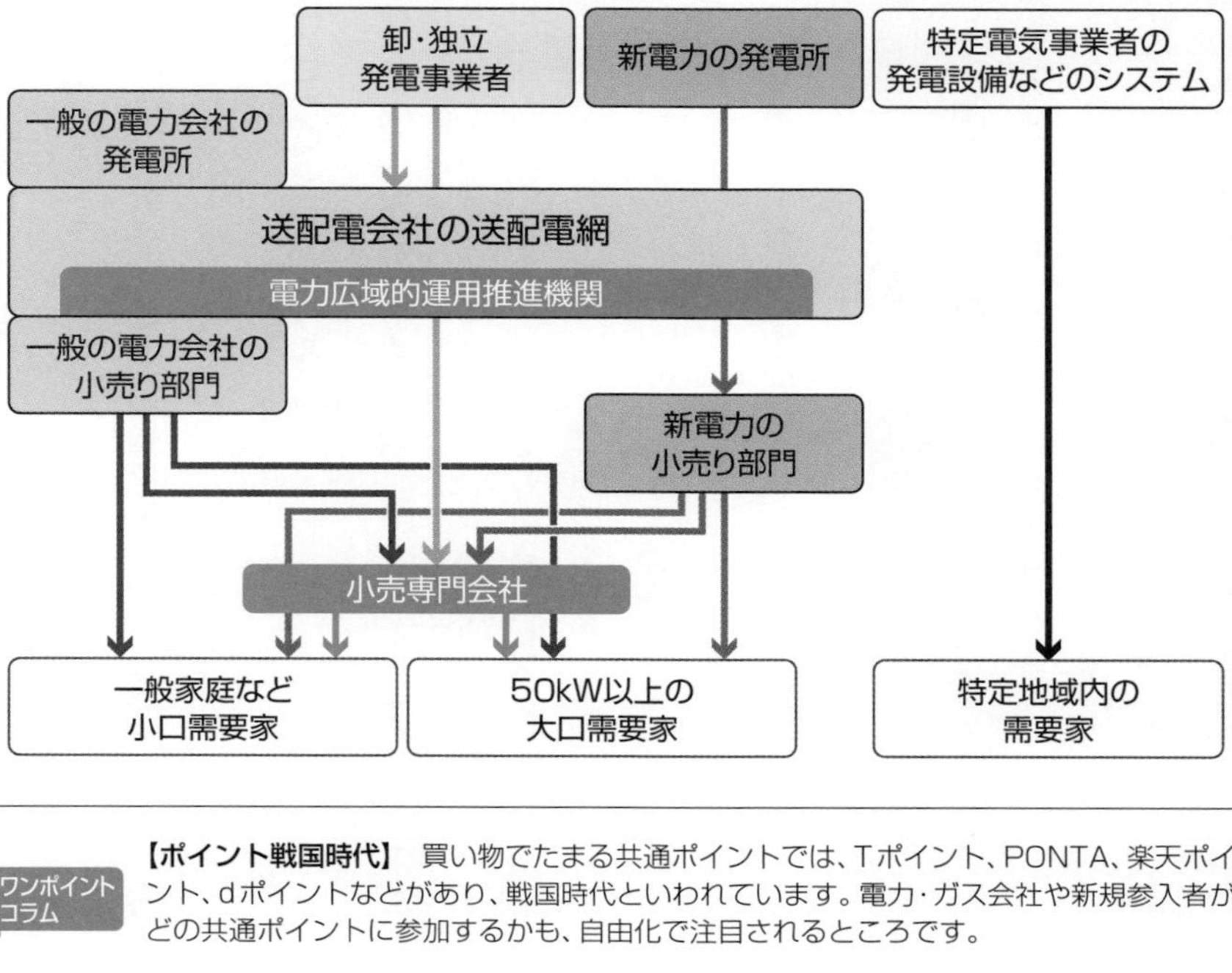

ワンポイントコラム

【ポイント戦国時代】　買い物でたまる共通ポイントでは、Tポイント、PONTA、楽天ポイント、dポイントなどがあり、戦国時代といわれています。電力・ガス会社や新規参入者がどの共通ポイントに参加するかも、自由化で注目されるところです。

を、これまでの「事業者の都合」ではなく「消費者のニーズ」にフォーカスしたものとなっていくということが求められます。

具体的に言えば、電力会社は電気を安く販売してエアコンで暖房してもらうかわりに、リフォームを提供して省エネで暖房してもらうというサービスも提供できるということです。電気だけを売っていたら、販売量が減るサービスはできませんが、多様な事業を行っていれば、その中から適切なサービスを選ぶことができます。

将来の公益事業

現在は、電気やガスなどのエネルギー、通信、水道などはすべて縦割りでそれぞれが個別に需要家に供給しています。しかし、将来はお客様に対応する総合エネルギーサービスの窓口となる事業者が登場し、ワンストップで多様なサービスを提供するようになるでしょう。

将来の**公益事業**は、これまでの公益事業に対応するだけではなく、セキュリティやモビリティ、ヘルスケア、さらにエンターテインメントなど、これまで公益事業の範疇に入らなかったものも対象として含まれてきます。また、おそらく**データ管理会社**が間に入ることも必要となってくるでしょう。

サービスプロバイダ

総合エネルギー産業を考える上で、ポイントとなるのは、お客様側の視点に立った事業として再構築されるということです。その窓口となるのが、**サービスプロバイダ**です。インターネットであれば、インターネットサービスプロバイダが、エネルギーであればエネルギーサービスプロバイダが、事業としてあります。さらに、一般住宅であれば住宅向けサービス全般に対するプロバイダが事業として成立するでしょう。

お客様側から見ると、これまでの電気事業やガス事業という縦割りには、不便なものがありました。オール電化とガス併用のどちらがよいのかは、お客様によって異なります。しかし、両方を比較し、お客様に適切な提案をする事業者はこれまで、なかったといってよいでしょう。サービスプロバイダは、お客様の窓口として、横断的な公益事業をワンストップで提案してくれる事業者です。ガスや電気にとどまらず、リフォームで光熱費を下げることや機器のリースの提案なども行うでしょう。

また、サービスプロバイダが、公益事業全体の中でも、もっとも大きな付加価値をもたらす事業となります。この分野において、既存の電力会社やガス会社だけではなく、さまざまな事業者との競争になっていくでしょう。

データ管理会社

近年のＩＴの傾向は、３＋１の４つのキーワードで説明できます。最初の３つは「**クラウド**」「**モバイル**」「**ビッグデータ**」です。そして、オープンなシステムを守るために「**セキュリティ**」を強化する必要があります。

スマートメーターなどＩｏＴによるエネルギーマネジメントシステムでＩＴ化された公益事業においては、こうした傾向とは無縁ではありません。スマートメーターやＩｏＴのデータはクラウドで管理され、ビッグデータとして、新たなサービスにつながっていくでしょう。また、エネルギーの消費状況をはじめ、機器の管理や制御はスマートフォンなどのデバイスで行われるようになります。

とはいえ、こうしたデータ管理は、既存のエネルギー会社が単独で担えるものではありません。また、個々のデータは事業者ではなく、お客様のものです。したがって、送配電会社とＩＴ企業が第三者として**プラットフォーム**（基盤）をつくり、管理していくことになります。

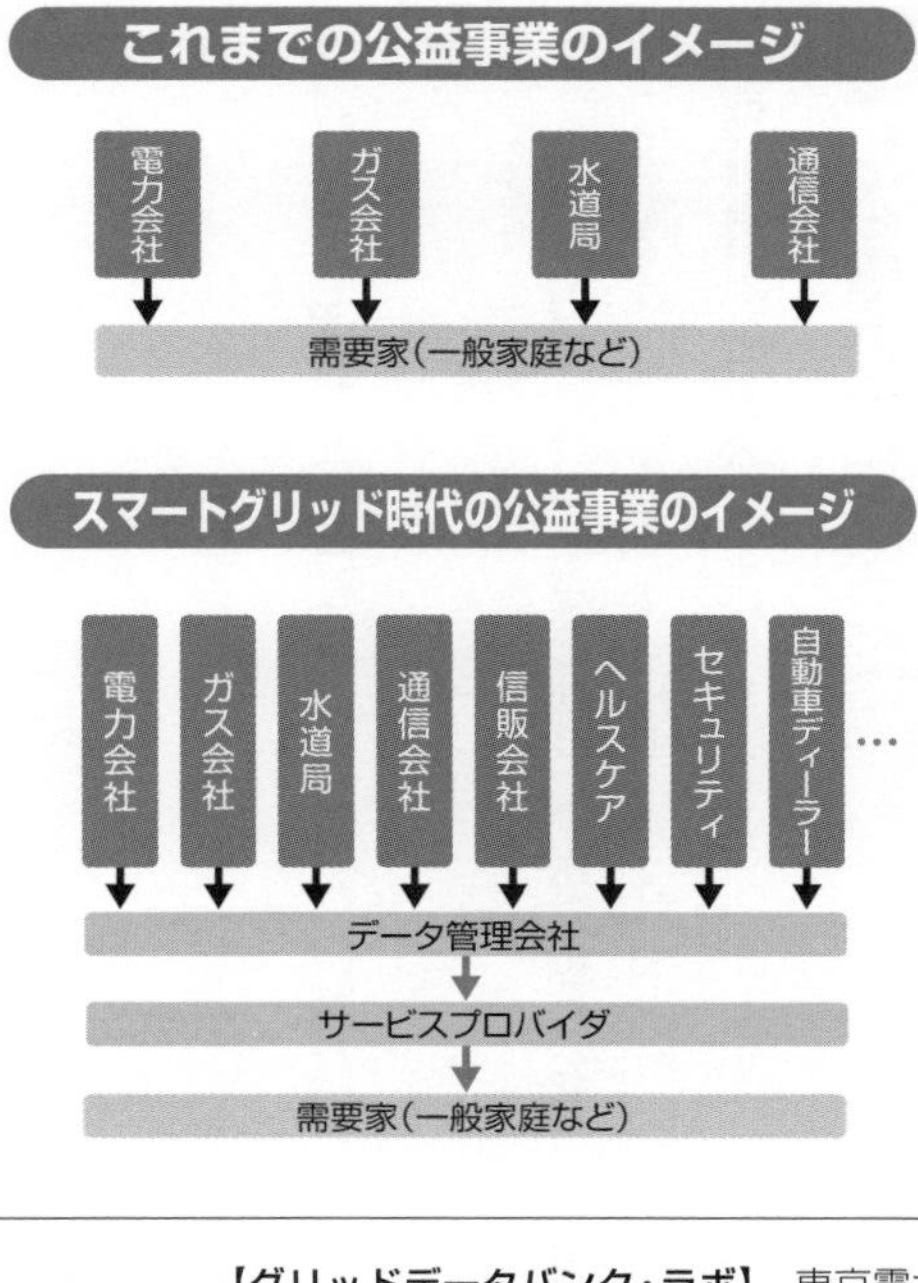

ワンポイントコラム

【グリッドデータバンク・ラボ】 東京電力パワーグリッド、中部電力、関西電力送配電、NTTデータの4社はスマートメーターのデータの利活用を研究するため、グリッドデータバンク・ラボという事業組合をつくりました。データを活用した防災計画の立案などに取り組み、2022年に株式会社GDBLとなりました。

17

送配電分離

電力会社は2020年に、送配電部門を子会社化しました。それぞれの子会社はどのような役割を担うのでしょうか。

送配電分離の歴史

日本の電力会社は、発電から送電・配電・小売まで、垂直一貫の事業を展開しているため、高い品質の電気を供給しているといわれています。しかしそのために競争原理が働かないという指摘があり、**発電事業者**や**新電力**などの新規参入が認められてきました。

新規参入者が不利にならないようにするため、最初に取り入れられたのは、**会計分離**というしくみです。送電部門の会計を独立させ、その費用から託送料金(送電線の使用料)を決めることで、新規参入者にも公平に送電線を利用してもらうというしくみです。しかし、**託送料金**や運用、送電系統の情報などが不透明だという指摘がありました。

そこで、電力システム改革を通じて、送電線を公共財として誰もが使えるインフラとするため、本格的な**送配電分離**が行われることになりました。

変わる電力会社の形

送配電分離といっても、発電と送電だけではなく、配電、小売りなどの部門の分離もあります。国によっては、送電と配電が分離しているところもありますが、日本では送電と配電は一体で運用しています。

送配電分離のいくつかのパターンを図に示しました。日本では、ⓑの会計分離から、ⓒの**法的分離**に移行しました。法的分離とは、電力会社の子会社として分離するというものです。法人としては別々になるので、会計分離よりも決算や契約、情報公開などの独立性・透明性が高まることになります。電力市場自由化が進んだEUでは、法的分離を経て、現在はⓔの**所有分離**となっている電力会社もあります。

なお、ⓓの**機能分離**は、送電部門を電力会社の一部としたまま、運用を「**独立系統運用機関**」が行うというパターンで、米国の一部の州ではこの方式による送配電分離が行われています。

持ち株会社と子会社

電力会社の**持ち株会社化**と送配電分離については、東京電力が先行しました。２０１３年には**カンパニー制**を導入し、２０１６年には電力小売り全面自由化に対応する形で持ち株会社化しました。

具体的には、**東京電力ホールディングス**（ＨＤ）という持ち株会社の下で、**東京電力フュエル&パワー**（ＦＰ）、**東京電力パワーグリッド**（ＰＧ）、**東京電力エナジーパートナー**（ＥＰ）という会社が設立されています。この他に、福島第一廃炉推進カンパニーと**東京電力リニューアブルパワー**（ＲＰ）という会社があります。

発送電分離のパターン

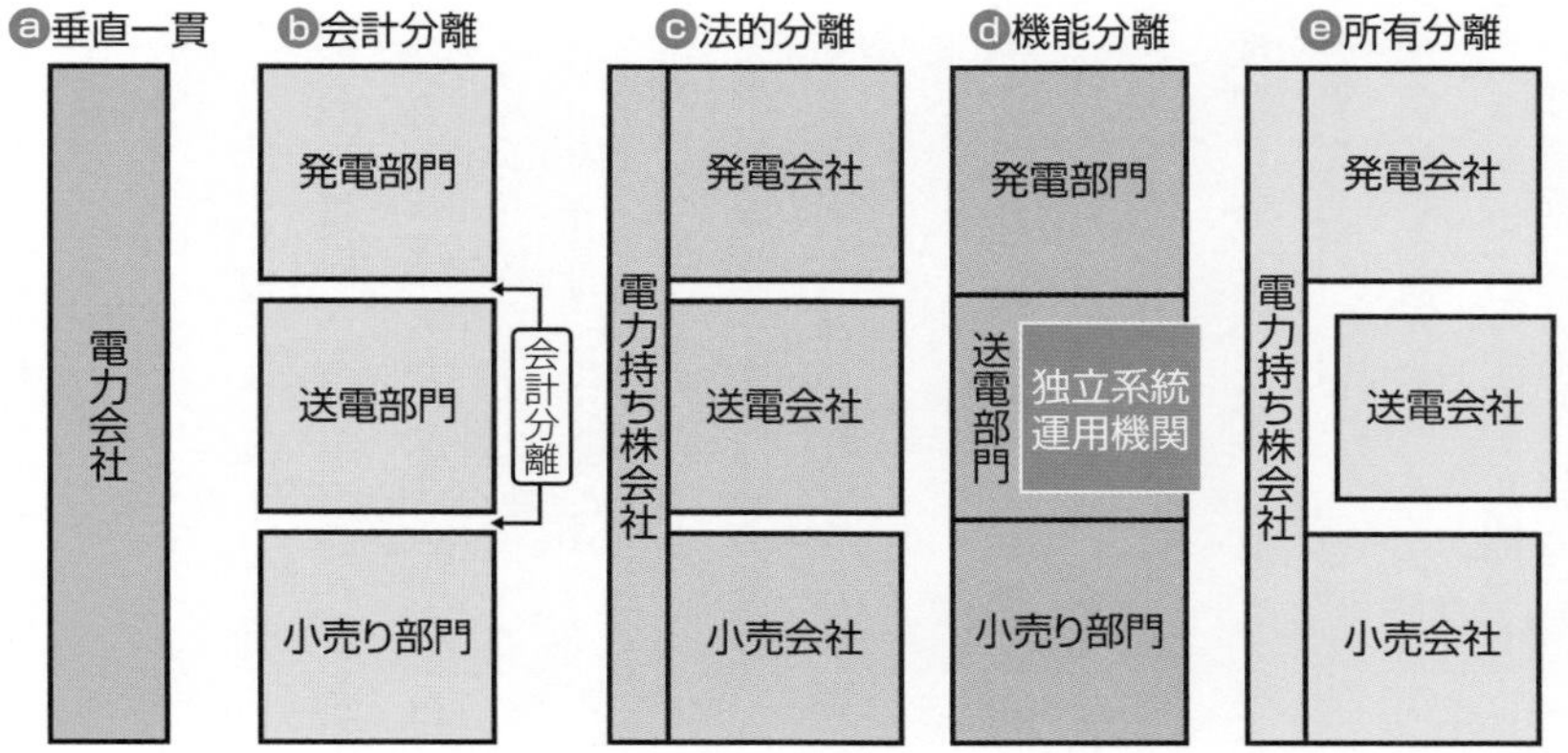

表は、各事業会社の事業内容をまとめたものです。

東京電力ＦＰでは、発電だけではなく、燃料の調達も行います。ただし、実際の事業は、現在は、中部電力との合弁会社である**JERA**が担っています。発電用だけではなく、都市ガス事業に向けた天然ガスの調達もここで行うことになります。一方、担当する発電設備は火力発電に限られており、水力発電は東京電力ＰＧと東京電力ＲＰが担当します。また、原子力発電については、東京電力ＨＤが担当しています。

発電部門は自由化がすでに進んでおり、厳しい競争下にあります。したがって、電力会社の発電所であっても、コスト競争力のない発電所はあまり稼働できないことになります。一方、他社の発電所であっても、安い価格で発電できるのであれば、積極的に活用されることになります。

東京電力ＰＧは送電設備や配電設備の整備や運用が主な役割となります。発電設備でも、需給調整を担う揚水式水力は、系統運用の一環として、業務を引き受けています。

また、送配電分離後も送電部門だけは地域独占が認められる一方で、投資計画や広域系統運用などは電力広域的運営推進機関の指示に従うことになります。

配電も東京電力ＰＧが担当します。ここでは、**スマートメーター**の運用や需要家のデータ管理も行います。この配電部門を新規参入の小売会社や新電力も利用することになります。ただ、米国の一部では、電力会社とは別にメーターのデータを管理する会社があります。したがって、電力にとどまらない付加価値を提供するためには、電力会社から切り離すべきだという意見もあります。２０２２年には配電事業が自由化されました。ＮＴＴ系の会社の参入などが予想されています。

東京電力ＥＰは、小売りを担当します。とはいえ、地域独占で一般家庭など小口需要家に対する営業の経験がないため、どのような戦略で小売り事業を展開するのかは、課題となっています。これまでのように、東京電力が直接お客様の窓口となって販売するだけではなく、代理店などを通じて別ブランドでの販売も行っています。また、ガスの小売りも開始しています。

ワンポイントコラム

【ホワイトラベル電力】　たとえば、電力会社が通信会社と契約し、その通信会社が電力会社の電気を自社のブランドで販売するとき、電力会社の電気は自社のブランドがないので、ホワイトラベルということになります。一般の電力会社は供給力はありますが、小売が苦手なので、さまざまな小売会社に独自の料金メニューで販売してもらう、ということもあるでしょう。

東京電力の分社化

～2016年3月31日までの姿

東京電力			
フュエル&パワー・カンパニー	パワーグリッド・カンパニー	カスタマーサービス・カンパニー	廃炉カンパニー(4月1日～)

*東京電力の社内には、各カンパニーのほかに、さまざまな事業部がある。

↓

現在の姿

東京電力HD(持ち株会社)			
東京電力FP	東京電力PG	東京電力EP	福島第一廃炉推進カンパニー
			東京電力RP

グループの各事業会社

東京電力FP

火力発電による電力の販売、燃料の調達、火力電源の開発、燃料事業への投資

東京電力PG

電力の託送供給、水力発電による電力の販売、電子通信設備の工事・保守、設備土地・建物等の調査・取得・保全

東京電力EP

お客さまのご要望に沿った最適なトータルソリューションの提案、充実したお客さまサービス、安価な電源調達

出典：東京電力プレスリリース

発電、送配電、小売りの各事業者の改革後の姿

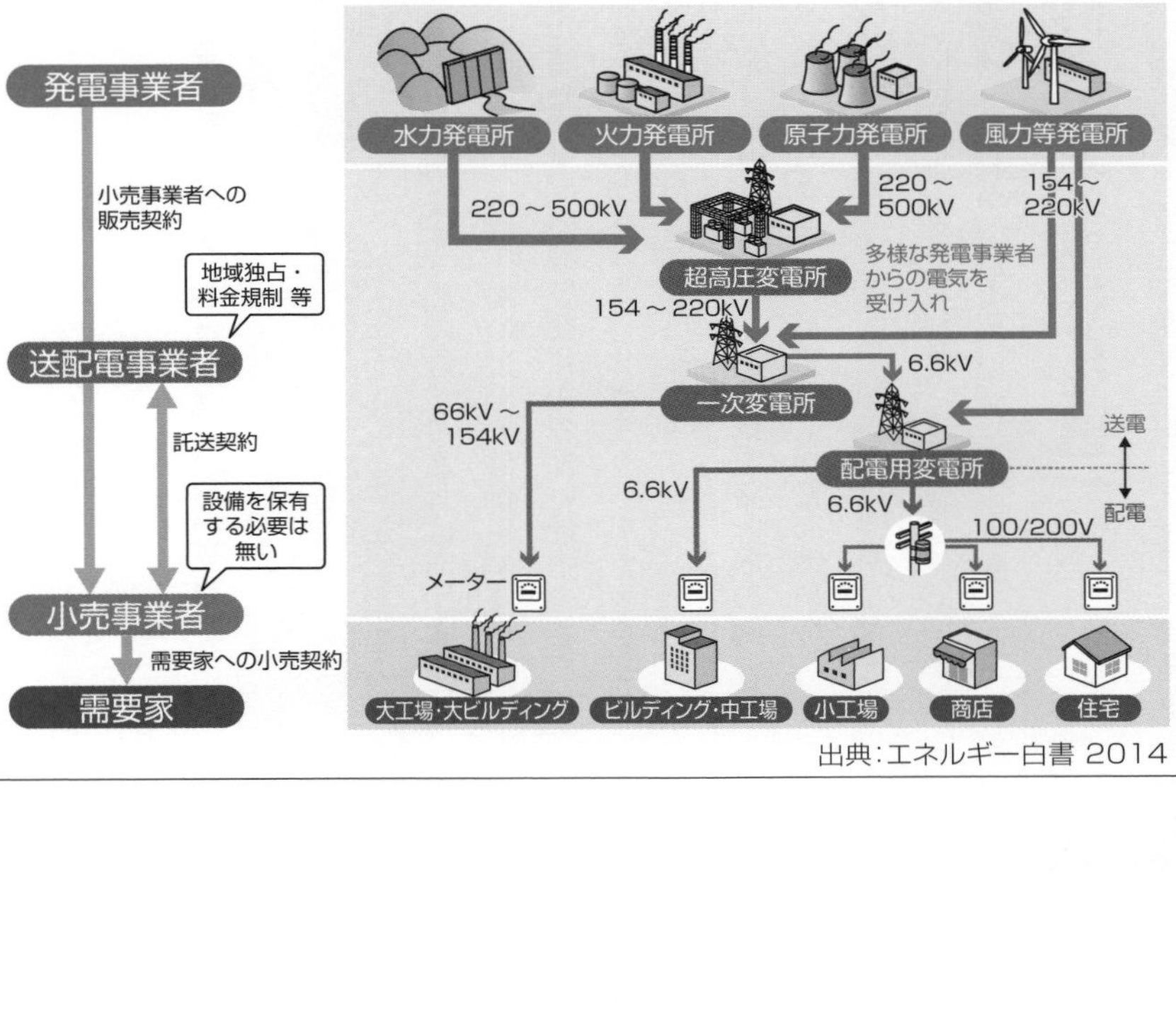

出典：エネルギー白書 2014

18 熱供給事業

電気事業、ガス事業の他にも、もう一つのエネルギー供給事業があります。それが熱供給事業です。

熱供給事業のしくみ

熱供給事業とは、特定の地域にある建物などに対し、温水や冷水、蒸気などの形で熱を供給する事業です。**地域冷暖房事業**とも呼ばれています。熱供給事業法では、「毎時21GJ（ギガジュール）以上の加熱能力をもって熱供給を行う事業」と定義されています。

温水や冷水、蒸気は熱導管を通じて、熱源プラントから各建物に送られます。熱源プラントにはボイラや**ヒートポンプ**、冷凍機、さらに電気と熱の両方をつくる**コージェネレーションシステム**などが設置されています。

熱供給事業は、それぞれの建物が個別にボイラやヒートポンプなどを設置するよりも、集約した1つのプラントで熱を供給するため、効率的な運用ができ、省エネルギーとなります。

さらに、ヒートポンプでは、さまざまな**未利用エネルギー**が使われています。川の近くであれば河川水が使われていますし、清掃工場の近くでは排熱が使われています。また、年間の温度変化が少ない地中の熱を利用したプラントもあり、東京スカイツリーを中心とした地域で使われています。

また、コージェネレーションでは電気と熱の両方をつくることができるため、都市ガスなどの燃料を効率良く使うことができます。西新宿地区で東京都庁やパークタワービル等に熱と電気を供給している新宿地域冷暖房は、我が国最大の地域熱供給事業です。

熱供給事業の現状と課題

2014年8月末現在、熱供給事業の許可区域数は

ワンポイントコラム **【エネルギーの単位】** 1J（ジュール）＝1Ws（ワット秒）です。したがって、3600J＝1kWhとなり、21GJ≒5,833kWhに相当します。

138区域、78事業者となっています。近年はやや減少傾向にありますが、震災以降、災害に強いまちづくりにつながる事業とあって、新たな開発が期待されています。

2012年度の販売熱量は約2250万GJで、冷熱需要が大半（57%）となっています。次いで温水が40%、給湯・蒸気が3%となっています。また、燃料は都市ガスが70%、電力が17%です。再生可能エネルギーとしては、北欧などではすでに普及している、バイオマス燃料を使った地域熱供給が注目されています。

課題もあります。その一つが、道路の使用です。熱導管を道路の下を通じて他の建物につなぐ場合、許可が必要となっています。しかしなかなか許可が下りないというのが現状です。また、大規模な地域開発を行い、熱供給設備を整備しても、各建物が完成するには時間がかかり、運用の初期の段階は利益が出にくいという点も指摘できます。こうしたリスクに対する手当も、熱供給事業の普及には必要でしょう。

地域熱供給（地域冷暖房）を構成するプラント設備

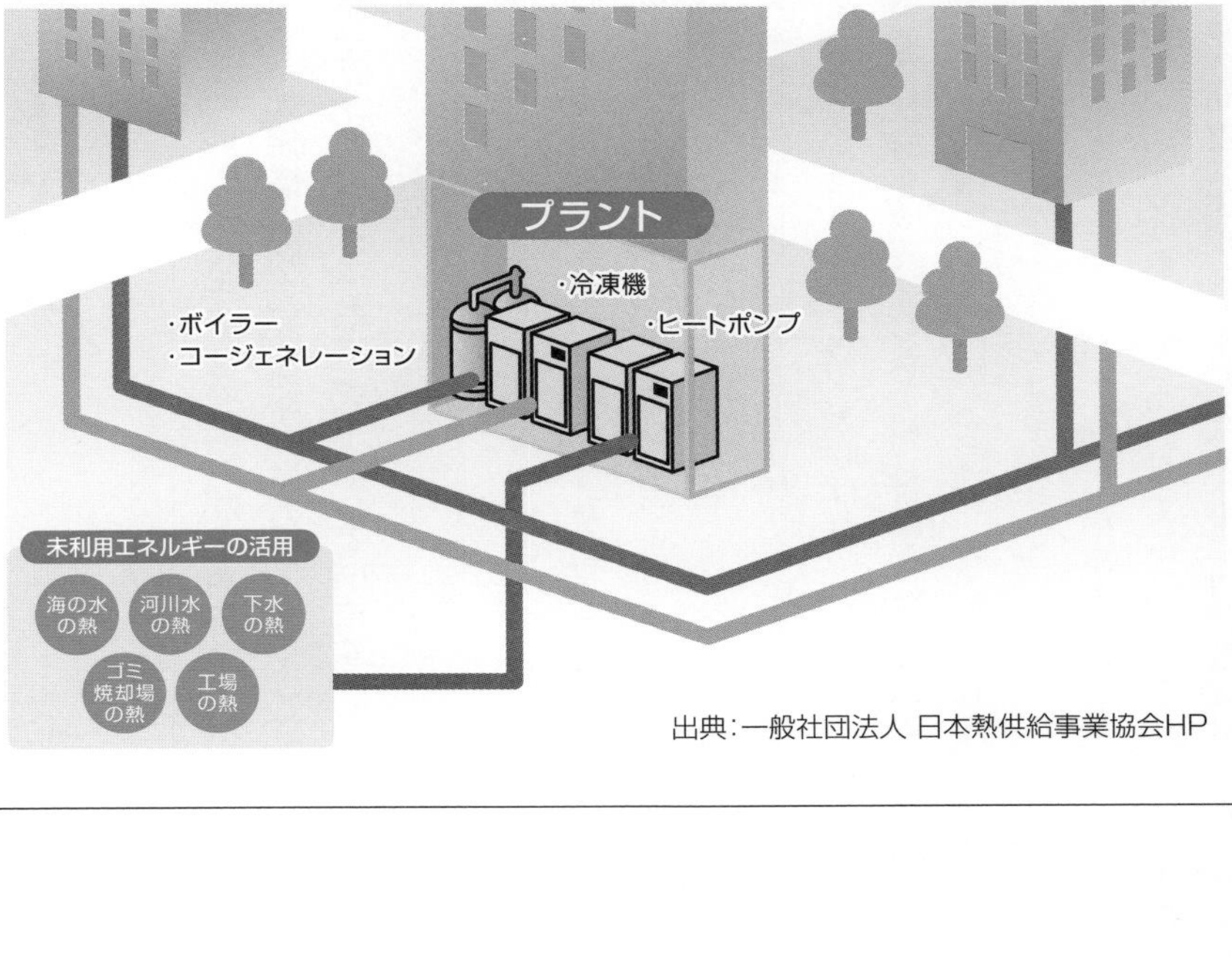

出典：一般社団法人 日本熱供給事業協会HP

19 固定価格買取制度(FIT)

二酸化炭素排出削減の切り札で、国産エネルギーにもなる再生可能エネルギーは、拡大が求められています。近年は、固定価格買取制度(FIT＝Feed-in Tariff)で、大規模太陽光発電所(メガソーラー)などが急拡大してきました。2022年から新たにFIP(Feed-in Premium)もスタートしています。

固定価格買取制度(FIT)

二酸化炭素を排出せず、国産エネルギーでもある再生可能エネルギーを大量に普及させるための制度として、2012年に施行されたのが、**固定価格買取制度**(**FIT**＝Feed-In Tariff)です。

これは、まだコストがかかる再生可能エネルギー発電からの電気を、一般的な電気の価格よりも高値で買い取り、その差額を広く薄く電気料金に上乗せするという制度です。海外では、ドイツやスペインなどで導入された事例がよく知られています。

発電の方式ごとに価格が決められており、技術開発や増産などで価格が下がることに合わせて、買取価格も下げていくしくみです。

制度導入後、急拡大したのは、事業用の太陽光発電でした。住宅用太陽光発電と異なり、余剰ではなく全量を20年間にわたって固定価格で買い取ってもらえるということから、多くの事業者が参入し、全国に発電設備を建設しました。中でも1000kW(1MW)を超える発電所は**メガソーラー**と呼ばれています。

買取価格は毎年改定されるため、年度末に駆け込みで対象となる設備としての認定を受け、着工を先延ばししている案件も少なくありません。

FITの対象としては、風力発電、中小水力発電、地熱発電、バイオマス発電なども含まれています。しかし、風力発電は環境アセスなど、中小水力発電は水

ワンポイントコラム

【卒FIT電源】 FITのうち、住宅用太陽光発電は、2009年11月から、余剰電力買取制度という形で先行してスタートしました。2019年11月以降、順次、買取期間が終了します。これが二酸化炭素を出さないグリーンな電力として注目されています。

利権など、地熱発電は地元の温泉権や国立公園などの開発の制限など、いずれもそれぞれの課題を抱えており、開発はリードタイムが長くなっています。

グリーン電力

再生可能エネルギーによる電力を、二酸化炭素を排出せず、環境への影響が少ない電力として、「**グリーン電力**」と呼ぶことがあります。

海外では90年代に登場しており、ドイツや米国の一部の州などでは、グリーン電力100％の電力会社もあります。また、東京駅前にある新丸の内ビルは日本で初めてグリーン電力の供給を受けた施設となっています。

グリーン電力の電源としては、太陽光発電や風力発電のほか、地熱発電や小水力発電、バイオマス発電は安定した電源として期待されています。また、一般の住宅の太陽光発電も電源の一部として取り入れられています。ＦＩＴの対象となっていない発電設備や、ＦＩＴの買取期間が終了した**卒ＦＩＴ**の電源が活用されていくことでしょう。

固定買取価格制度の基本的な仕組み

- 本制度は、電力会社に対し、再生可能エネルギー発電事業者から、政府が定めた調達価格・調達期間による電気の供給契約の申込みがあった場合には、応ずるよう義務けるもの。
- 政府による買取価格・期間の決定方法、買取義務の対象となる設備の認定、買取費用に関する賦課金の 徴収・調整、電力会社による契約・接続拒否事由などを、併せて規定。

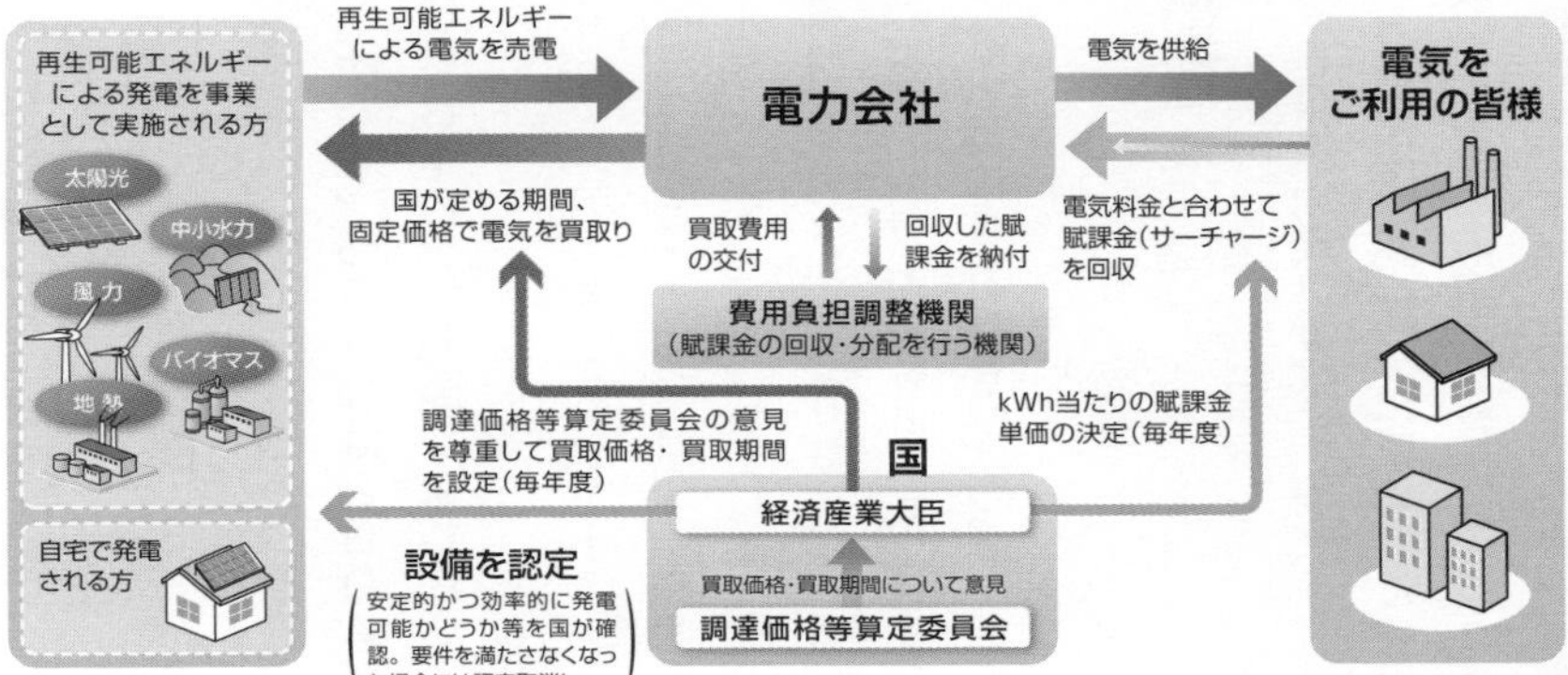

出典：資源エネルギー庁HP

ワンポイントコラム

【FIP】 FITにかわって2022年に導入された制度が、FIP(Feed In Premium)です。これは、再生可能エネルギーの電気を固定価格ではなく、市場価格＋プレミアム価格で買い取る制度で、欧州の一部の国で導入されています。

20

日本卸電力取引所（JEPX）

電力市場自由化を進めるにあたって、2000年代に2つの組織ができました。そのうち一つが2003年に設立された日本卸電力取引所（JEPX）で、唯一の電力の取引所です。もう一つは2004年に発足した電力系統利用協議会で、こちらは電力広域的運営推進機関（OCCTO）に発展しました。

日本卸電力取引所

新電力が登場したことで、一般の電力会社を含め、市場を活用して電気を効率的に調達するしくみが求められました。とりわけ新電力の多くは自家発電の余剰電力から調達しており、需要家に安定して供給するには電力会社のバックアップなどを利用するしかありませんでした。欧米ではすでに設置され、電力取引が行われており、これを参考に我が国に設立されたのが、**日本卸電力取引所**（**JEPX**）です。設立は2003年11月、取引開始は2005年4月です。

石油などと異なり、電気の取引には時間の指定があります。午後1時に発電した電気を午後5時に使うことはできません。取引が成立したら、決められた時間帯に、発電する事業者が決められた量を発電し、買い取った電力会社に供給します。また、取引に参加するには、会員になる必要があります。2022年8月12日現在、一般の電力会社と新電力の合計262社が会員となっています。取引量は電力需要のうち、35.5%（2020年3月）と、年々増えています。

電力の取引形態

電力の取引は、次の市場があります。

スポット市場（**一日前市場**）は、30分に区切った48の時間帯で電気を取引します。取引は前日に行われます。電力会社は翌日の需要予測と発電所の運用計画

ワンポイントコラム

【送配電の中立性】 電力系統利用協議会が設立された背景には、送配電の中立な運用をすべきだという考えがあります。しかし、送電系統の情報公開が十分ではないなど、送配電がなお中立な運用をされていないという批判があります。発送電分離と電力広域的運営推進機関には、こうした状況を変えることが期待されています。

を立てて、購入する電気の量を決めます。取引は1000kW×30分単位です。

当日市場（時間前市場）は、前日の予測に対する不測の事態（予想以上の電力需要増など）に対応した市場です。24時間開場しており、引き渡しの1時間前まで取り引き可能です。

先渡市場は、将来の電気を前もって取引するものです。24時間型、週間昼間型などがあります。

新しい取引形態

取引所の課題は、活性化と新しい取引形態です。活性化については、旧一般電気事業者が発電所の電気を一度取引所に出して買い戻す、**グロスビディング**という方法が取り入れられています。

この他、二酸化炭素排出削減の価値を持つ**非化石価値取引市場**が登場したほか、24時間安定した電気を取引する**ベースロード市場**、再生可能エネルギーの発電などの急激な出力低下に備える**容量市場**や需給の変動に対応する**需給調整市場**などがあります。

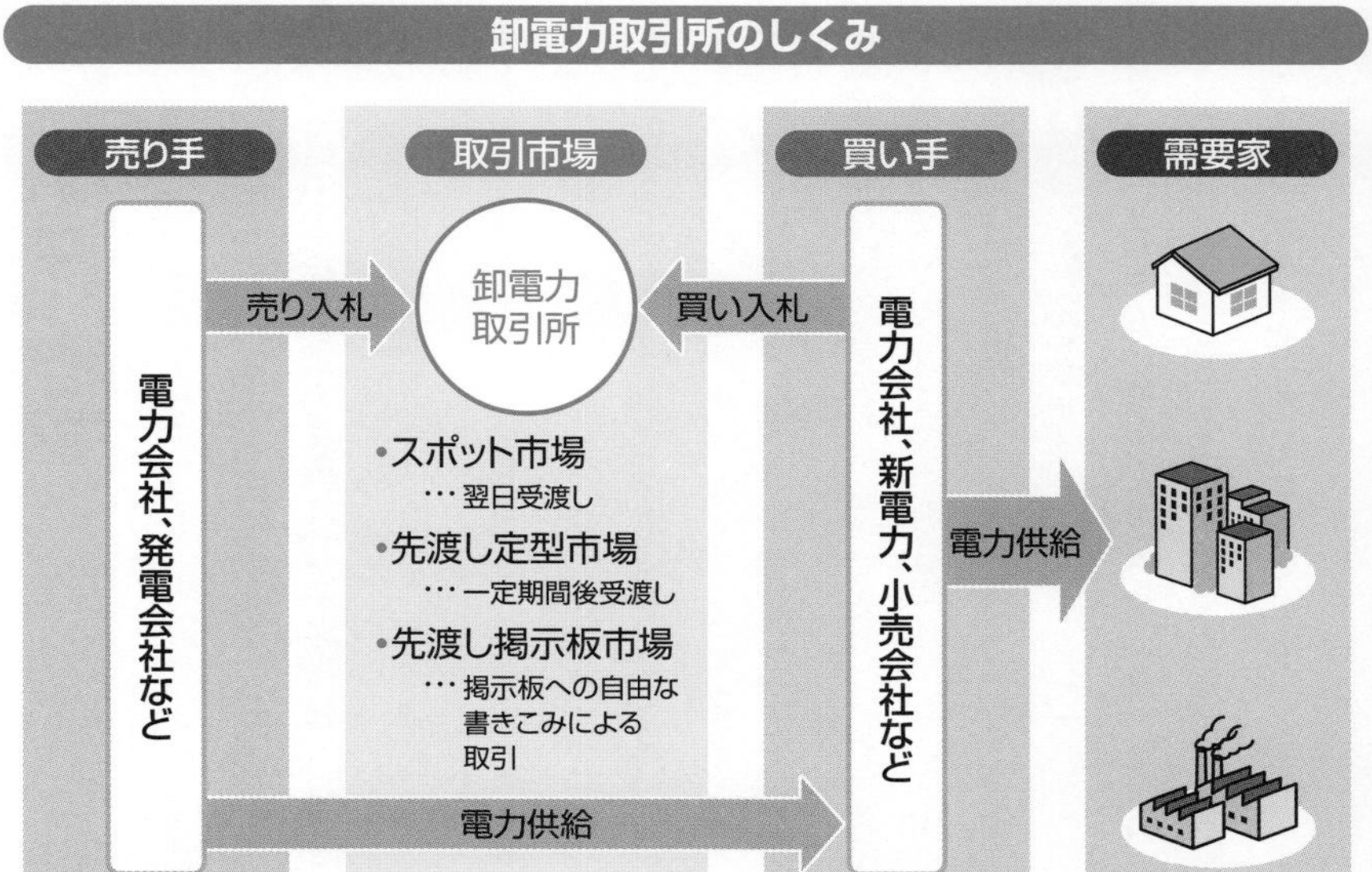

ワンポイントコラム

【分散型・グリーン市場】　電力取引の4つめの市場は、コージェネレーションや再生可能エネルギーなどの電気を小さい単位で取引する、分散型・グリーン市場です。取引量はさほど多くありません。

21 スポット市場と時間前市場

ＪＥＰＸ（日本卸電力取引所）で主に取引されているのが、スポット市場（一日前市場）と時間前市場（当日市場）です。主な取引はスポット市場になりますが、当日の需給予測の変更などに応じて、時間前市場で調整されています。

スポット市場

スポット市場と時間前市場はいずれも、インターネットを通じてコンピュータシステムで行われます。また、取引に参加するためには、ＪＥＰＸの会員になる必要があります。

スポット市場の取引の単位は、翌日の24時間を30分ごとに分割した48コマで、取引の単位は１００ｋＷ（50ｋＷｈ）、０・01円／ｋＷｈになります。また、前日の午前10時までに入札します。

発電事業者は、48コマ分の発電できる電力量と価格を市場に入札します。一方、小売事業者は48コマ分の買いたい電力量と価格を同じく市場に入札します。48コマそれぞれにおいて、発電側全体と小売り側全体で電力量と価格が一致したところが約定価格となります。安い価格で売りに出した電気も、高く買いたい買い手も、約定価格で取引する、シングルプライスオークションとなっています。

約定価格は30分ごとに異なっており、一般的には日中や深夜が安く、夕方に高くなる傾向があります。日中は太陽光発電が稼働し、安価な電気として市場に供給されているからです。

春や秋、休日も安い傾向があり、日によっては０・01円／ｋＷｈになることもあります。また価格の上限はインバランス料金と一致しています。

時間前市場とインバランス料金

　小売事業者が前日に必要な電力量を調達したとしても、実際には天気の変化などで需要の予測が変わることがあります。この場合、時間前市場で電気の売買を行ないます。取引の単位は量、時間、価格ともスポット取引と同じです。ただし、売りと買いが一致したものから順に約定するため、約定ごとに価格は異なっています。

　では、小売電気事業者が調達した電力量が実際の需要に足りない場合はどうなるのでしょうか。この場合は、送配電事業者が電気を供給し、インバランス料金を請求することになります。インバランス料金は一般的にスポット取引の約定価格よりも高くなります。また、上限が決められており、２０２２年度の場合、需給がひっ迫している予備率３％以下の場合は２００円／ｋＷｈで、予備率が大きくなるにしたがって上限価格が下がります。２０２４年度以降は、上限が６００円／ｋＷｈになることが予定されています。

一日前市場（スポット市場）の約定の方法

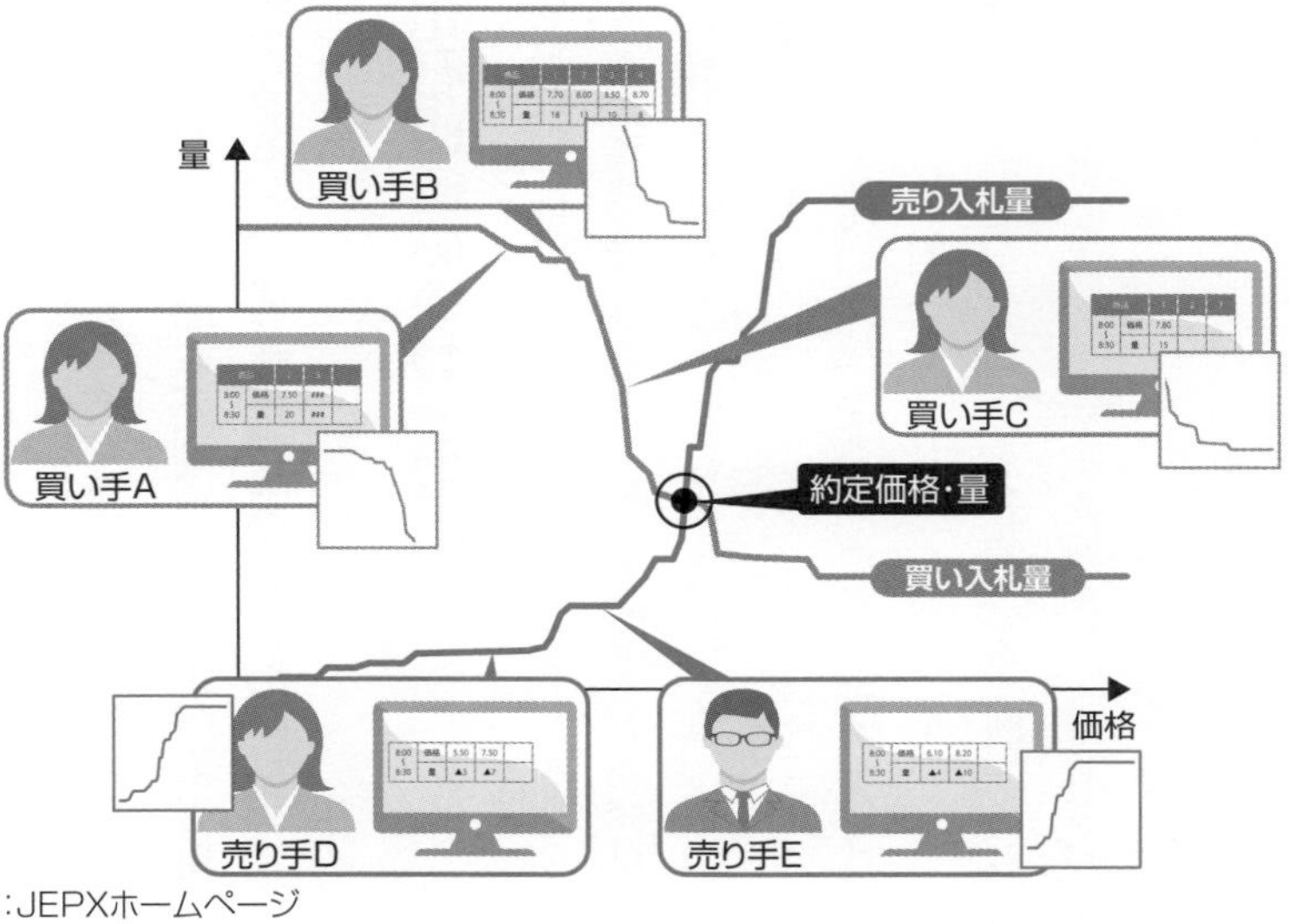

出典：JEPXホームページ

22

非化石価値取引市場

再生可能エネルギーや原子力でつくられた電気には、電気そのものの価値とは別に、「二酸化炭素を排出しない価値＝環境価値」があります。この環境価値を取り引きするものが、非化石価値取引市場です。

非化石価値とは何か

日本では現在、電気のほとんどは火力発電所でつくられています。火力発電所では、石炭や天然ガスなど、いわゆる化石燃料が使われており、発電時に、地球を温暖化させる二酸化炭素を排出します。一方、太陽光発電や水力発電などの再生可能エネルギーや原子力発電は、化石燃料を燃やしていないので、発電時に二酸化炭素を排出しません。地球温暖化に対する影響を考えると、再生可能エネルギーや原子力の方が価値が高いといえます。この価値が高い部分が環境価値です。電力市場ではこれを、非化石価値とよんでいます。そして、この価値を取り引きする市場を、**非化石価値取引市場**とよんでいます。

非化石価値の種類と取引

非化石価値には、次の3種類があります。

まず、**固定価格買取制度（FIT）**で認定された発電所からの非化石価値です。ＦＩＴでは電気を高く買って、**JEPX**で卸売するため、その差額の部分に非化石価値が含まれています。そこで、この差額を管理する費用負担調整機関からＪＥＰＸを通じて小売電気事業者に、オークション形式で非化石証書が販売されます。価格は0・3円／ｋＷｈから4円／ｋＷｈの幅です。

非ＦＩＴ非化石証書には、再生可能エネルギー限定のものと、そうではないものがあります。再生可能エネルギー限定はＦＩＴの買取期間が終わった発電所や、水力発電からの非化石証書です。限定ではないものには、原子力発電や廃棄物発電の電気からの非化石証書が含まれています。これらも、オークションを通じて販売されています。

エネルギー高度化法と実質再エネ

非化石証書は、元々は小売電気事業者に非化石電源の一定の割合を義務付ける、エネルギー高度化法に基づくものです。２０３０年には44％を非化石電源にする必要があります(２０２１年７月現在)が、小売電気事業者の多くは発電所を所有していないので、非化石証書で義務を順守することになります。

その一方で、再生可能エネルギーの電気を１００％にして、自社で使う電気からの二酸化炭素排出量をゼロにしたいという企業や個人も少なくありません。こうした企業や個人向けに、販売した電気に相当する非化石証書を一緒に販売することで、「**実質再エネ100％**」の電気にすることができます。また、ＦＩＴの発電所からの電気と組み合わせることで「**再エネ100％**」の電気にすることができます。

非化石価値取引市場と卸電力取引市場

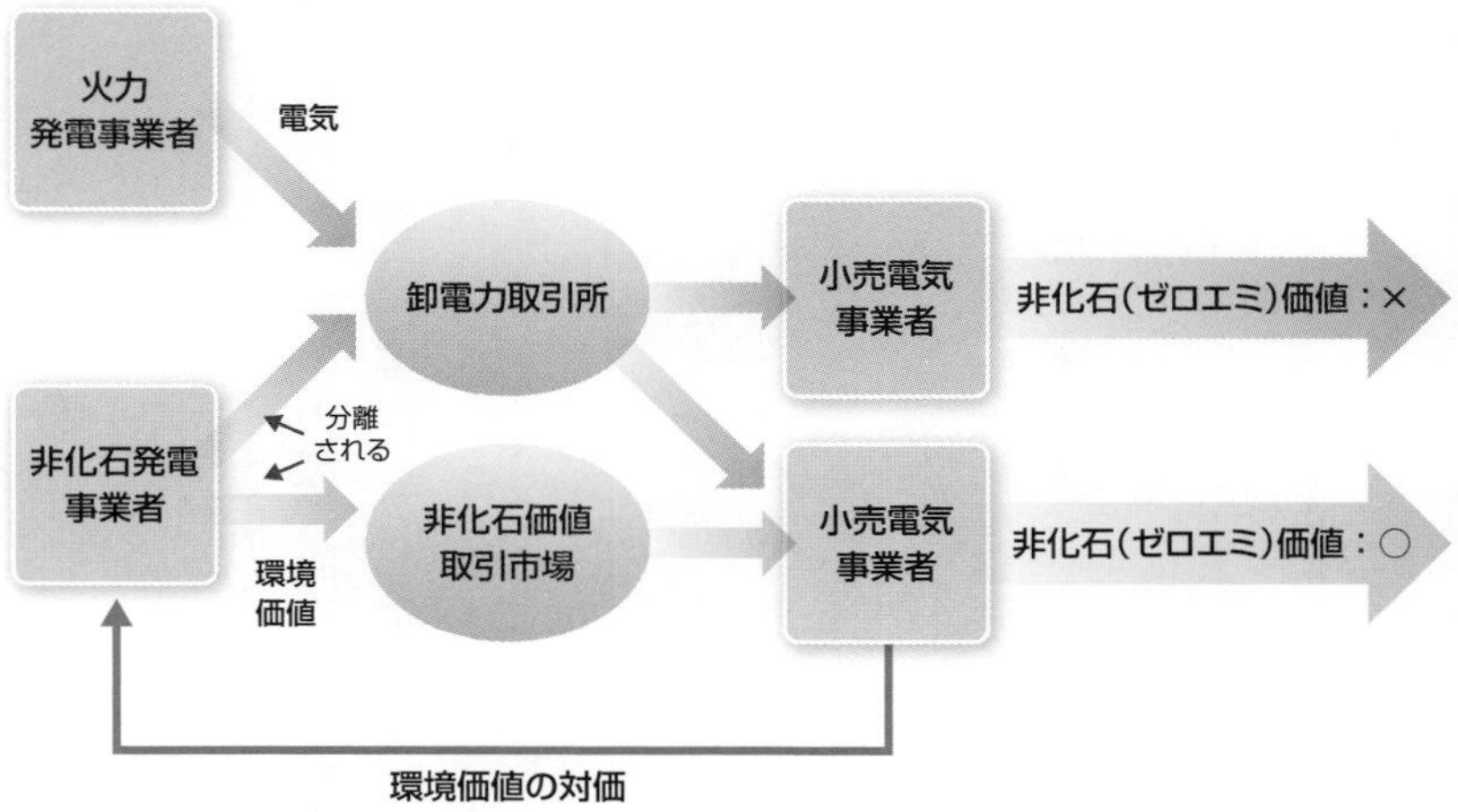

出典：電力・ガス取引監視等委員会HP

23

容量市場

太陽光発電や風力発電が増えてくると、火力発電は日中や風が強いときはあまり運転しなくなります。そうすると、火力発電の収益が悪化し、運転を取りやめてしまいかねません。火力発電が減ると、夜や風が弱いときには電気が不足してしまいます。そこで、導入されたのが、容量市場というしくみです。

再エネと火力発電

再生可能エネルギーのうちでも、太陽光発電や風力発電のように変動する再エネは**VRE**とよばれています。このVREが増加すると、火力発電はだんだんと、VREが発電していないときのバックアップのようになっていきます。それまで、1年間のうち7割を運転していた火力発電が、5割になり、3割になっていくと、販売する電気の量が少なくなることにあわせて、収入も少なくなります。そうなると、採算がとれない火力発電所が出てきます。火力発電所が減ってしまうと、風が弱い夜は、VREが発電しないので、電気が不足しかねません。そうならないために、採算がとれなくなった発電所に、別の収入をもたらすしくみが必要となってきます。その1つが**容量市場**です。

容量市場のしくみ

日本の容量市場は、4年先の発電容量が対象となります。例えば30万kWの火力発電所のkWの部分でます。原子力発電所やFITの認定を受けていない再エネの発電所、そして電気が不足したときに節電するしくみについても、同じ様に応札します。

容量市場の買い手は、**電力広域的運営推進機関**（OCCTO）で、価格と必要量を決めて、安い発電所から順番に約定していくことになります。そして、落札した発電所のもっとも高い価格が、約定価格という

ワンポイントコラム

【長期脱炭素電源オークション】 容量市場は単年度のオークションであるため、長期の電源確保には向かないという意見があります。そこで、脱炭素を条件に、アンモニアや水素などを混焼する火力発電を長期で確保するオークションの導入が進められています。

ことになります。約定価格の上限は、ＬＮＧ火力発電所を新しく建設したときに、維持・運営に必要な収益の１・５倍となっています。２０２０年度に最初のオークションが行われましたが、対象となったのは２０２４年度に電気を供給する発電所です。

容量市場の問題

　容量市場には、課題もあります。日本の場合は、発電所のほとんどは旧一般電気事業者が所有しているので、価格操作しやすいという懸念が指摘されています。また、二酸化炭素排出が多い石炭火力に有利な制度になっているという問題も指摘されます。

　海外では、英国や米国北東部の電力市場で容量市場が導入されています。一方、ドイツでは容量市場ではなく、戦略的予備力として、需給ひっ迫時のための火力発電所と契約する方式ですし、同じ米国でもテキサス州には容量市場はありません。

　２０２０年度の日本の容量市場のオークションでは、約定価格が高値に張り付いてしまったことが問題視されており、制度の見直しが進められています。

容量市場のオークションのイメージ

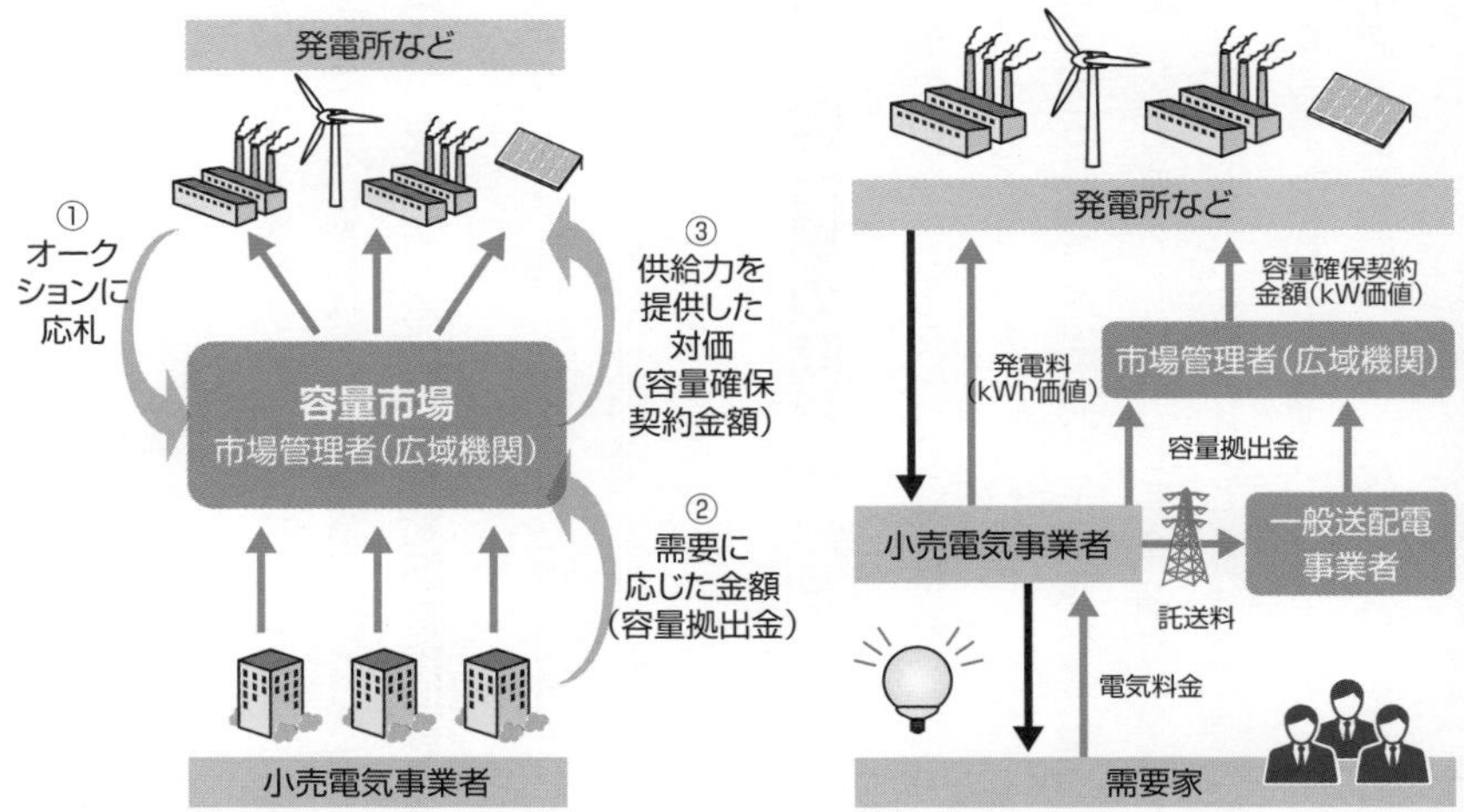

出典：電力広域的運営推進機関HP

24

需給調整市場

変動する再生可能エネルギーの増加、そして天候や事故などによる需要の変動などによって、発電と需要のバランスが取れなくなることがあります。そのため、必要に応じて発電や節電を実施し、バランスを取ることが必要となります。バランスを取る能力（需給調整力）を取引するのが、需給調整市場です。

需給調整とは

電気は需要と供給のバランスを常に一致させておく必要があります。そのため、小売り電気事業者は、前日に需要を予測し、電気の供給計画を立てます。また、送配電会社などはこれをとりまとめます。しかし、天気の予測が必ずしも当たらないように、予想外に気温が変動することなどで電気の需要の予測も当たるとは限りません。こうしたことに加えて、発電所のトラブルや、太陽光発電・風力発電などの出力の変動によって、電気の供給も予定通りにいくとは限らないのです。

電気の需給のバランスがくずれると、電気の周波数が変動するといった問題が起こるため、発電所の出力を調整し、場合によっては節電をお願いして、バランスをとります。こうした調整を、需給調整といいます。

需給調整市場の商品

需給調整市場は、**電力広域的運営推進機関**（ＯＣＣＴＯ）が運営します。そして、需給調整力の買い手は、送配電事業者になります。売り手は発電事業者（節電を含む）になります。しくみとしては、前日の午後に必要量に対して応札し、落札した事業者は当日の需給の変動に備えることになります。

需給調整の性質によって、一次調整力から三次調整力①、②まで、５つの商品に分かれています。このうち、もっとも要件がゆるいのが、三次調整力②で、指令があれば45分以内に応答し、3時間以上発電ないし節電することになります。そのため、事業所の節電などでも対応できます。逆に一次調整力は10秒以内に応答し、5分間以上発電することになるため、発電機の回転慣性力などで対応することになります。2021年4月から三次調整力②が開始されており、2022年4月から三次調整力①の市場が開始されます。

容量市場と需給調整市場の関係

市場	役割	主な取引主体
容量市場	国全体で必要となる供給力（kW価値）の取引	市場管理者（広域機関等） ※分散型の場合は小売電気事業者
卸電力市場	計画値に対して不足する電力量（kWh価値）の取引	小売電気事業者
需給調整市場	ゲートクローズ後の需給ギャップ補填、30分未満の需給変動への対応、周波数維持のための調整力（ΔkW価値+kWh価値）の取引	一般送配電事業者

出典：経済産業省HP

需給調整市場で取引する事業者

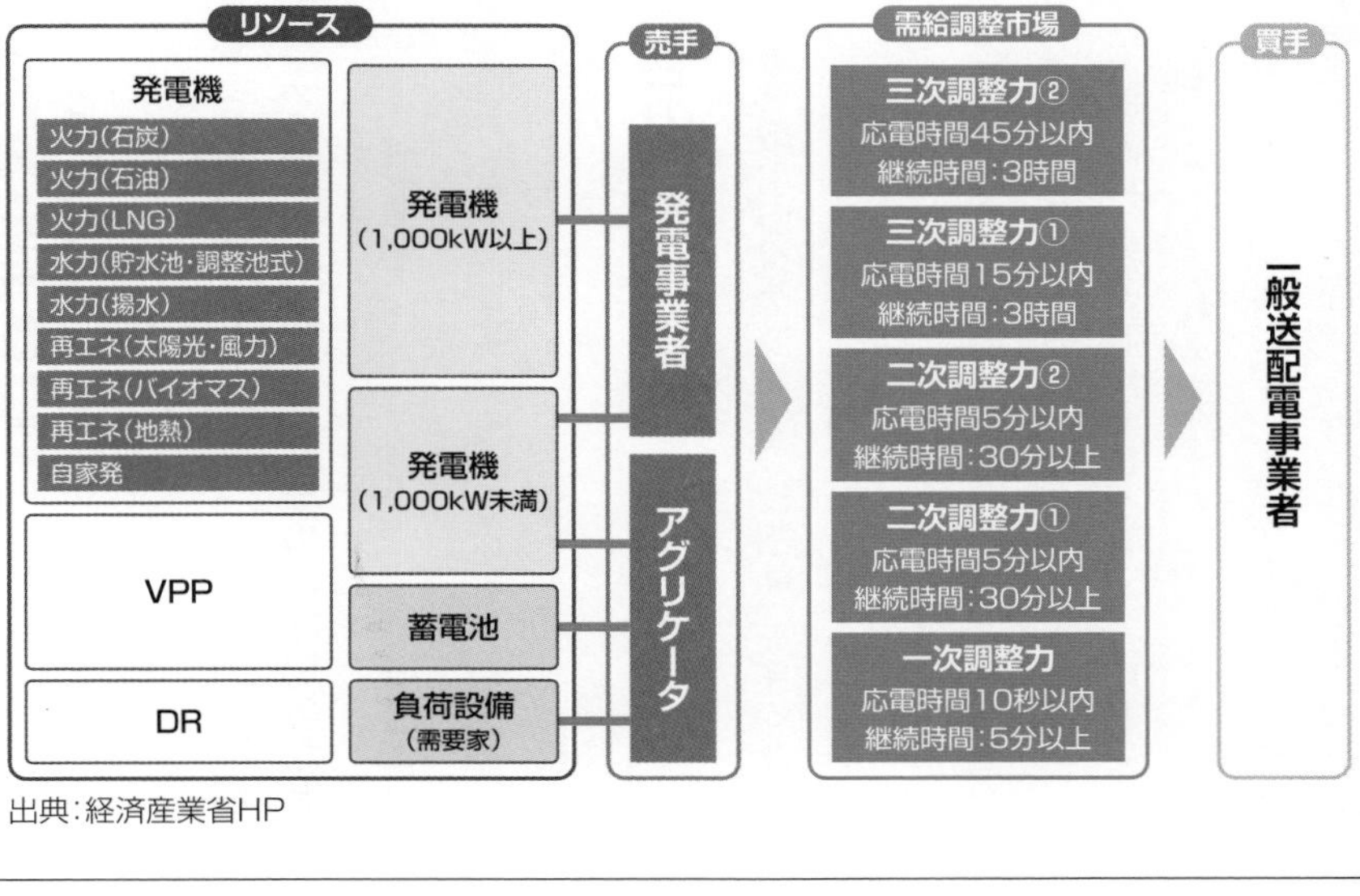

出典：経済産業省HP

25 電力・ガス取引監視等委員会

電力小売り全面自由化に伴って、経済産業大臣直轄の組織として設置されたのが、電力・ガス取引監視等委員会です。電力やガスの販売にあたって、不正や市場での競争を阻害するものはないのかといった点を常に検証し、提言を行なっています。

委員会設立の背景

電力・ガス小売り全面自由化にともなって、多くの新規参入者が予測されました。そのため、こうした事業者が適切な事業を行なっているのかどうか、チェックする必要が生じました。その一方で、市場は旧一般電気事業者が独占した状態からのスタートとなりますので、こうした事業者が競争を阻害しているのかどうか、公正な市場になっているのかどうか、こうした点についても、つねにチェックが必要となります。公正取引委員会の電力・ガス版といったところです。

設立は2015年9月です。委員は委員長を含めて5名で、有識者によって構成されています。また、実際の事項の検討にあたっては、専門委員会などを設置し、専門委員と事務局の職員とによって運営されています。

委員会の主な役割

電力・ガス取引監視等委員会の役割は、大きく3つに分けられます。

1つは、取引ルールについて、経済産業大臣に申し立てるすることです。このルールというのは、電気や都市ガスそのものの取引だけではなく、様々な電力に関係した市場のルールまで含まれます。小売り事業の指針などもここに含まれます。

2つめとして、許認可の申し立てがあります。送配電事業者の託送料金やインバランス料金などの許認可や検証、小売電気事業者の登録などについて、審査を行ないます。

3つめとして、事業者に対する報告徴収や立入検査、業務改善勧告、あっせん・仲裁、苦情処理を行なうことです。例えば、旧一般電気事業者の発電所が自社の小売部門に対して不当に安く電気を卸していないかどうかのチェックや、代理業者が需要家に断りなく小売り事業者の変更を行なうようなことに対する業務改善命令があります。

委員会の課題

委員会が設置された理由は、電力の小売り全面自由化を含めたエネルギーシステム改革を成功に導くためです。しかし、日本の場合、小売り全面自由化とともに、再エネの拡大やデジタル化、送配電分離などが同時に行われており、新たなエネルギーシステムにおいて、さまざまな市場が設置されるなど、複雑かつ運用しにくいものとなっています。今後は、これらをどのように整理し、公平で需要家の利益につながるシステムにしていくのか、委員会の手腕が問われます。

電力・ガス取引監視等委員会の消費者啓発ポスター

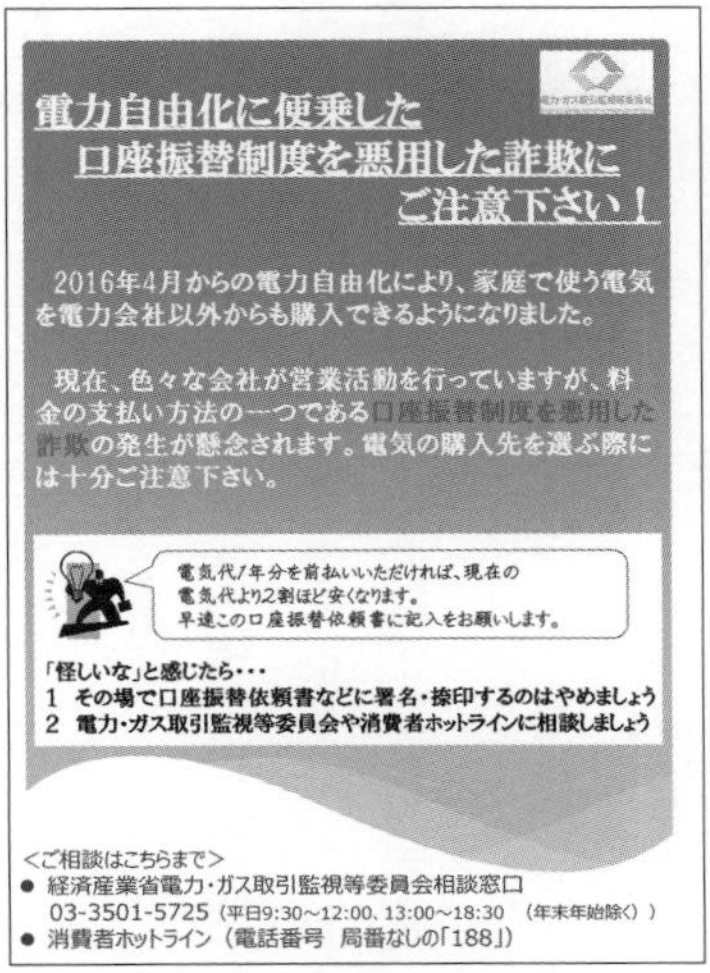

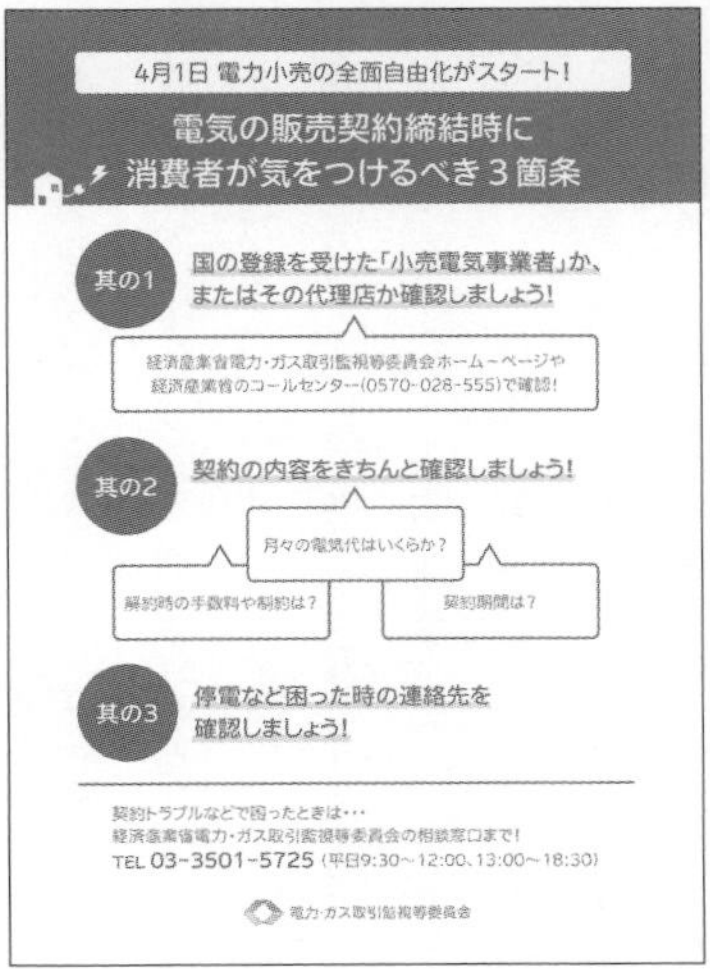

出典：電力・ガス取引監視等委員会HP

26

ＰＰＡ（電力購入契約）

電気事業において、新しいビジネスとして普及拡大が見込まれているのが、ＰＰＡ（電力購入契約）という事業です。これは、お客様向けに発電所を設置し、電力を供給するという事業です。欧米ではＰＰＡが普及しており、使う電気を再エネ１００％にしている企業向けの太陽光発電や風力発電があります。

ＰＰＡ

世界の主要な企業は、深刻化する気候変動問題に対応するため、二酸化炭素の排出削減に取組んでいます。その方法の１つとして、使う電気を再生可能エネルギーに切り替えるということがあります。電力会社から再生可能エネルギーの電気を買うという方法もあるのですが、発電所と直接契約し、その電気を届けてもらうという方法もあります。そして、後者の方法を、**ＰＰＡ**（電力購入契約）といいます。

ＰＰＡには、**オンサイトＰＰＡ**と**オフサイトＰＰＡ**があります。日本では、オンサイトＰＰＡが主流でした。これは、エネルギー事業者が工場など需要家の事業所の屋根や駐車場などに太陽光発電設備などを設置し、需要家から電気代やサービス料を受け取るというしくみです。需要家は設備の初期投資が不要になります。

一方、オフサイトＰＰＡは、需要家の事業所から離れた場所に発電設備をつくり、送電線を通じて電気を供給するしくみです。この場合、受給管理が必要となり、送電線の使用料（**託送料金**）や再エネ付課金がかかるので、日本ではコストの面で課題が多いのですが、今後はオフサイトＰＰＡが主流になっていくと見られています。自家発電に準ずるものとして自己託送制度を利用し、再エネ付課金を免除するしくみも導入されています。

コーポレートPPA

　PPAは、自家用発電設備を需要家以外が所有します。そのため、エネルギー事業者の負担が大きくならないようにするため、需要家自身も発電設備に出資することがあります。企業向けのPPAを**コーポレートPPA**といいます。これに対し、電力会社向けのPPAは**ユーティリティPPA**といいます。また、発電所の電気を需要家に直接供給するものを**フィジカルPPA**というのに対し、非化石証書など環境価値のみを供給するものを**バーチャルPPA**といいます。

　コーポレートPPAが進んでいるのは米国です。GAFAやマイクロソフトなどはすでにPPAの契約が終わっており、マクドナルドなどがこれに続いています。グローバル企業は、日本の事業所や取引先に対しても再エネの利用を求めており、これから日本でもコーポレートPPAが拡大する理由となっています。一方、PPAには需要家の与信力も必要です。その対策として、ウォルマートはサプライチェーン向けの共有のPPAを提供しています。

コーポレートPPAのしくみ

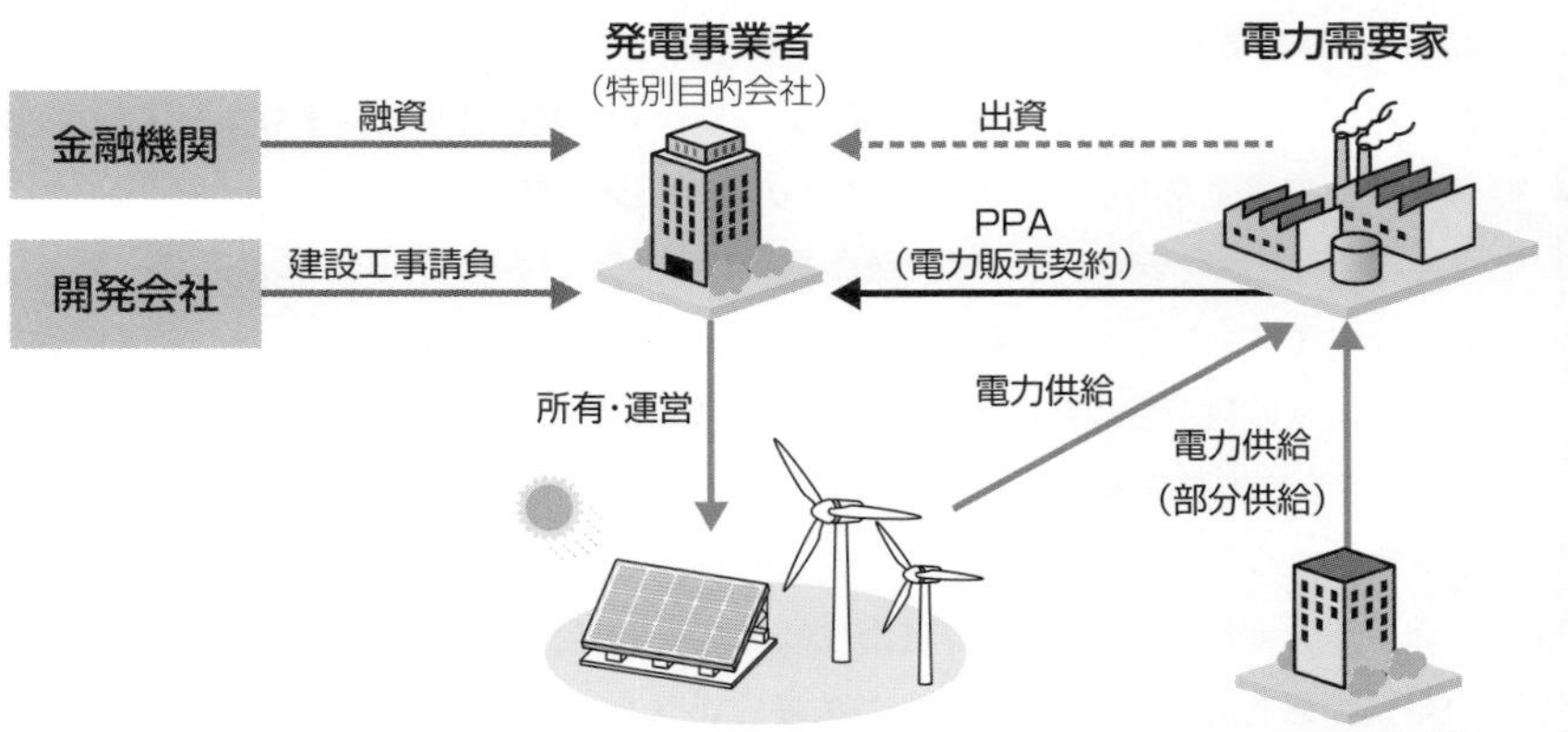

column

暮らし丸ごとサービス

小売全面自由化によって、電気事業やガス事業のあり方が大きく変化しようとしています。それがどういうものなのか、少し考えてみましょう。

小売全面自由化によって新規参入者が登場したとき、最初に起きたことは価格競争でした。とはいえ、一般的な事として、価格競争だけでは互いに疲弊するだけです。

本質的なことは、それまでの電気事業やガス事業が、供給側の都合、すなわち「電気を売りたい」「ガスを売りたい」というものだったことに対し、全面自由化によって消費者側の都合、「部屋を涼しくしたい」「温かいお風呂に入りたい」「おいしいごはんが食べたい」というものになっていく、ということです。

例えば、電気とガスのセット販売というのも増えてきました。まだまだ、「セットにすると割安」というレベルですが、消費者にとって大事なことは、オール電化などにこだわらず、好きなエネルギーの組み合わせを選べる、ということです。実際に、IHクッキングヒーターよりもガスの炎で調理したいという人がいるでしょうし、ヒートショックを防ぐ浴室暖房にはガス機器の方が優位性があります。エネルギーを選べることは、消費者から見たら、エネルギー事業としては当然のことかもしれません。海外には、ガス・アンド・パワーが名前に入っている事業者は少なくありませんし、英国最大の小売電気事業者にいたってはブリティッシュガスです。

さて、消費者が安全、安心で快適な暮らしをしていくためには、エネルギーだけでは不十分です。むしろ、気候変動問題が深刻化する現在、断熱リフォームなどの省エネや再エネの利用も必要になっていますし、電気自動車と充電設備も視野に入っています。さらに各種保険もありますし、ハウスクリーニングといった暮らし直結のサービスも拡大しています。

大手電力会社やガス会社は、自由化にあたって、公益事業者としてのお客様との強い結びつきを活かした、暮らし全般のサービスを検討し、実際に導入してきました。公益事業の1つの将来像は、こうした「暮らし丸ごとサービス」でしょう。

そしてもうひとつは、自由化後も地域独占となる送配電事業です。ここに、旧来の電力会社の仕事が残ります。お客様に電気を安心して使っていただくために、送配電網を安定して運用していくことです。電気を売ることではなく、安心して使ってもらう、そこに、公益事業としての使命が残ります。

第3章

電力・ガス事業の新しい技術

電気事業・ガス事業が大きく変化している理由の一つは、デジタル化ともつながる新しい技術の登場です。代表的なものが、スマートメーターです。このメーターがもたらすビッグデータが、新しいサービスを産み出すものと期待されています。この他にも、電気自動車や再生可能エネルギーをムダなく効率的に利用するための技術など、さまざまな技術が暮らしそのものを変化させようとしています。そしてこれからは、脱炭素に向かっていく技術が重要なものとなっていくでしょう。

1 スマートメーターとAMI

電力システム改革が必要となった技術的背景は、スマートメーターの登場にあるといってもよいでしょう。双方向通信機能を持った電力計は、電気事業のサービスを大きく変える可能性を持っています。

スマートメーターのシステム

スマートメーターとは、双方向の通信機能を持った電力計です。これまでの電力計は、毎月の検針で積算の電力量しかわかりませんでしたが、スマートメーターは時間ごとの電力量を測定し、クラウドにあるデータ管理システム（**MDMS** = Meter Data Management System）に情報を送信します。また、電力需給ひっ迫時など、送電を制御する必要がある場合には、システムから各スマートメーターに指令が行きます。

スマートメーターとデータ管理システムをあわせて、**AMI**（Advanced Metering Infrastructures）と呼ばれています。

スマートメーターの機能

スマートメーターが導入されると、電力需要へのきめ細やかな対応が可能となります。たとえば、需要家の電気の使用状況の変化が30分単位で把握でき、受給ひっ迫時の制御や、「見える化」を通じた需要家自身の節電・省エネに役立ちます。

また、**HEMS**（Home Energy Management System）やスマート家電などと連携し、快適なエネルギー利用を可能にします。

さらに、需要家がスマートメーターのデータを第三者に提供することで、第三者から独自のサービスを受けるということも可能です。データ管理システムの膨大な情報、いわゆるビッグデータもまた、新しい産業

ワンポイントコラム

【ビッグデータビジネス】 ICTの発達によって、膨大な量のデータの解析が可能となっています。以前問題になった、JR東日本のSUICAを使用した各駅での乗降客の記録をIT企業に提供したケースでは、どの時間帯にどのような年代・性別の人がどの駅を通過するかを分析し、地域の活性化などマーケティングに使おうというものでした。多方面でビッグデータの解析を通じたビジネスが進められています。

を産み出す可能性があります。

　一方、海外では、電力消費が把握されることに対する、プライバシーの懸念や、スマートメーターが発する電波による健康被害への懸念が指摘されています。

導入スケジュールと課題

　スマートメーターの導入は、２０２４年度には完了する予定です。

　導入とともに気になるのが、通信ルートの運用です。スマートメーターには、電力会社との間の**Aルート**、HEMSや家電機器との**Bルート**、データを小売り事業者などに提供する**Cルート**があり、各ルートが運用できないと、多様なエネルギーサービスができません。しかし現状は、Bルート、Cルートは十分に活用されていないようです。

　また、２０２４年以降、より高性能な次世代スマートメーターへの交換についての議論も始まっています。

スマートメーターおよび関連システムの全体像

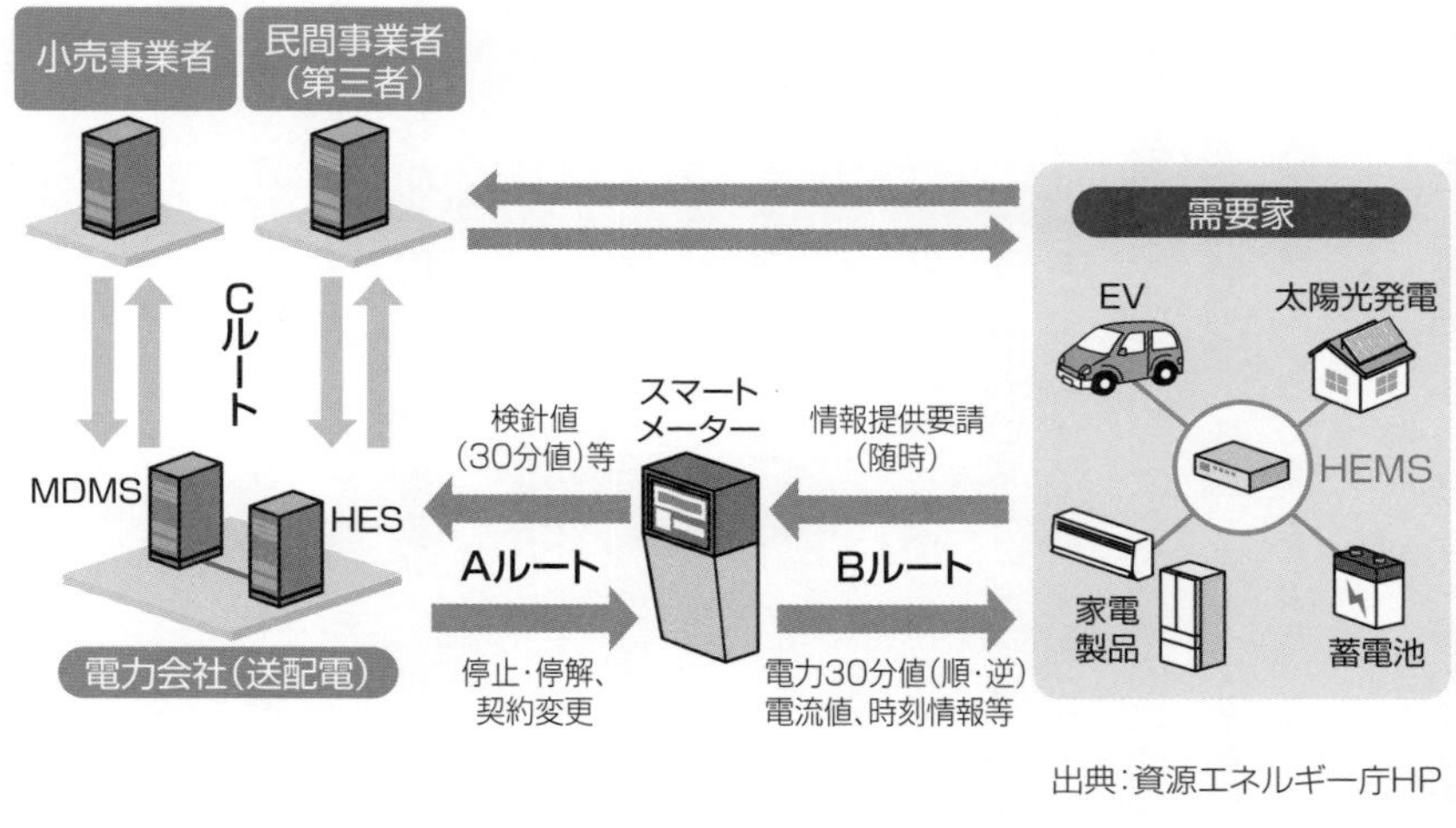

出典：資源エネルギー庁HP

2 スマートグリッド

2008年の米国大統領選挙で、後に大統領に当選するバラク・オバマ候補のエネルギー政策で注目されたのが、スマートグリッドでした。これが何を示すのか、明確な定義はありません。しかし、あえて言えば、ICT（情報通信技術）による公益事業の創造的破壊ではなかったかと思います。

スマートグリッドの衝撃

スマートグリッドとは、直訳すると「賢い送電網」ということになります。ですが、対象となるのは送電網だけではありません。発電設備から家庭などの需要家の内側まで、すべてを賢くしていくものです。

スマートグリッドが注目され始めたのは、オバマ大統領が選挙を戦っているときに発表したエネルギー政策においてです。この中で、スマートグリッドの整備を打ち出しました。とはいえ、そもそも米国の送電網は十分な投資が行われてこなかったため、これを強化することが当面の課題でした。

しかし、**公益事業**全体をICT化することはIBMやSAPなどさまざまなIT企業が視野に入れていました。**グーグル**のように、自然エネルギー開発などで事業の低炭素化を目指す企業も例外ではありません。

こうしたIT企業が目指しているサービスは、需要家に対しては、**スマートメーター**を中心に、**情報家電**とつながることで、電気料金の安い時間帯に乾燥機などを動かすことや、将来の**電気自動車・プラグインハイブリッド自動車**のバッテリーの充放電を行うというものです。また、**自然エネルギー**の電力を効率的に使う技術では、**蓄電池**や**燃料電池**と連携したり、気象条件から発電量を予測する、といった技術も開発されています。

こうした技術によるサービスは、光熱費の節約や二酸化炭素の削減、快適性などにつながります。こうした付加価値をもたらすのが、ICTです。

電気事業を電気ではなくICTで付加価値をもたらすしくみが、スマートグリッドです。

電力・ガス業界の取り組み

電力会社のスマートグリッドに対する取り組みは、震災前までは消極的でした。日本の送電網は十分にスマートであり、必要なのは住宅用太陽光発電を大量導入するための技術だとしていました。

また、スマートメーターについても取り組みは遅れており、関西電力など一部が実証試験などを行いましたが、なお長期的な課題でした。

これに対し、電機メーカーは、海外進出を想定し、スマートグリッド関連の技術開発に積極的でした。ただし、電気事業法などの関係で、海外で実証試験をすることも少なくありませんでした。

都市ガス会社は、電気・ガス・熱を効率的に利用するスマートエネルギーネットワークという構想に、積極的に取り組んでいました。

スマートグリッドの概念

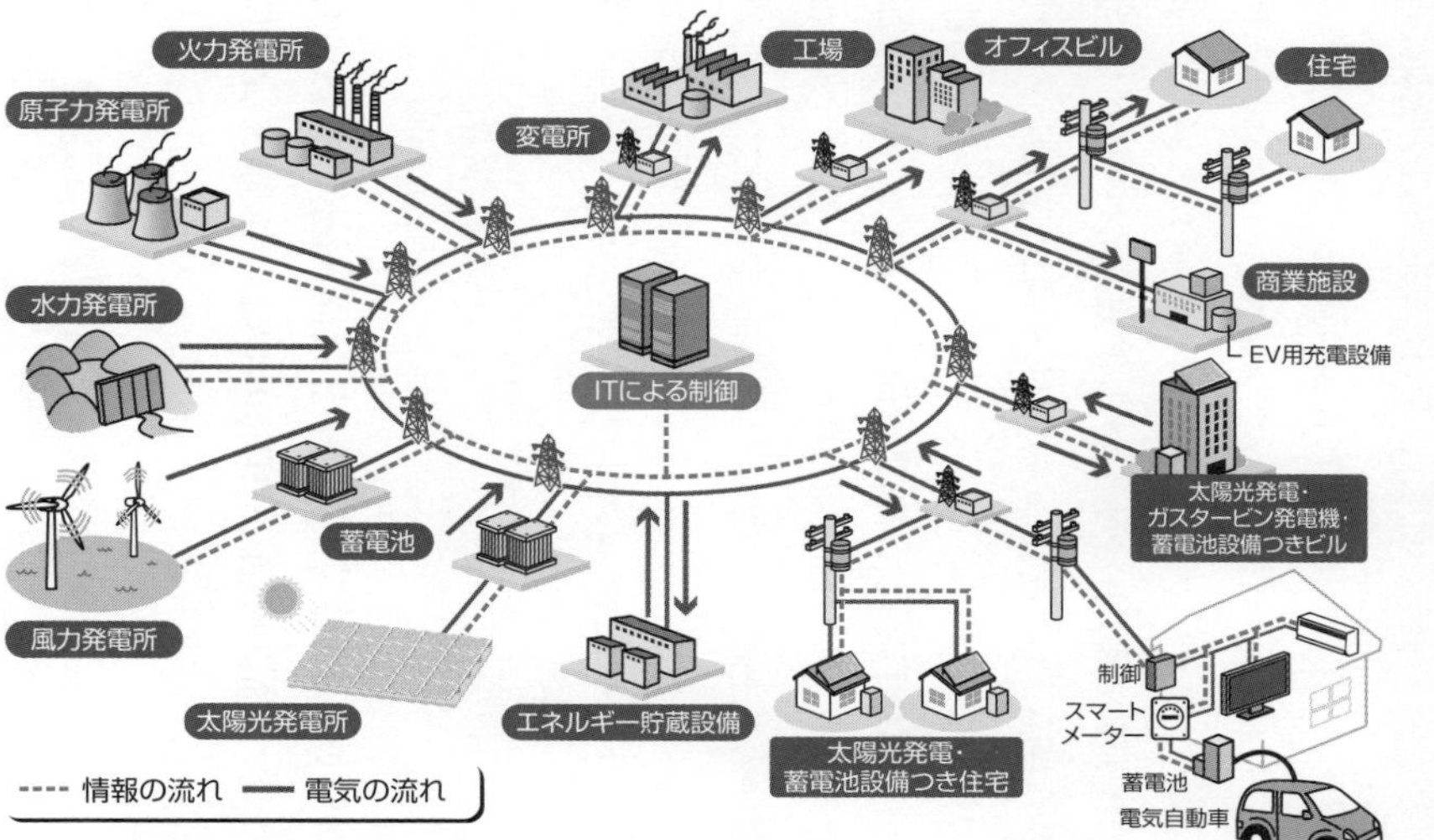

出典：経済産業省「次世代エネルギーシステムに係る国際標準化に関する研究会」

3 エネルギーマネジメントシステム

電気やガスなどのエネルギーを効率的に利用する技術として、工場やオフィスビル、商業施設で取り入れられているのが、エネルギーマネジメントシステムです。エネルギーをどのように使っているかを可視化し、無駄をなくすしくみです。

BEMSとFEMS

エネルギーマネジメントシステムのうちでも、もっとも普及しているものが、**BEMS**(Building Energy Management System)です。

しくみそのものは、比較的シンプルなもので、建物の中でどのように電気を使っているのかを、分電盤などの計測ポイントで測定し、そのデータをもとに、無駄を見つけて省エネ・節電するというものです。

とはいえ、どのように計測すれば、電気の無駄を見つけられるのかは、ノウハウが必要です。さらに、可視化するだけではなく、運用でくふうすることでも、エネルギーの無駄をなくすことができます。例えば、空調を出勤時刻に合わせて急激に動かすのではなく、30分前から少しずつ出力を上げていくだけでも、かなりの省エネ・節電ができます。

また、電気料金は最大電力にあわせて基本料金を決めるというしくみが一般的です。そのため、特に夏の最大電力を下げるだけでも、電気料金の節約になります。

BEMSの場合、ビルディングの省エネ・節電の方法が、多くの建物で似ているため、導入したときに効果が発揮しやすく、大規模ビルや商業施設ではほとんどが導入しています。とはいえ、コストがかかるため、中小ビルにどのように導入していくかは、課題となっています。その点工場向けの**FEMS**(Factory Energy Management System)の場合、省エネ・節電の方法が一般化しにくく、運用は簡単ではありません。

エネルギーの可視化と運用改善だけではなく、自動制御の導入が必要だとも言われています。電気を使いすぎているときに、人に頼ることなく、自動的に空調などを調節してくれれば、確実な省エネ・節電になるからです。こうした技術にも期待が寄せられています。

CEMS

工場やオフィスビルだけではなく、地域そのものを対象としたエネルギーマネジメントシステムが、CEMS（Community Energy Management System）です。

地域内には、オフィスビルだけではなく、商業施設やホテル、医療・福祉施設、学校、住宅など多様な施設があります。それぞれの施設は、エネルギーの使い方に特徴があります。例えば、オフィスビルは日中のエネルギー消費が多いのですが、ホテルでは夜間の方が多くなります。

こうした施設ごとの特徴を把握しながら、地域全体のエネルギーを効率的に運用するためのシステムが、CEMSです。

CEMSではエネルギーの消費だけではなく、再生可能エネルギーやコージェネレーション、蓄電設備など、地域のエネルギー設備の効率的な運用も期待されています。

BEMSのしくみ

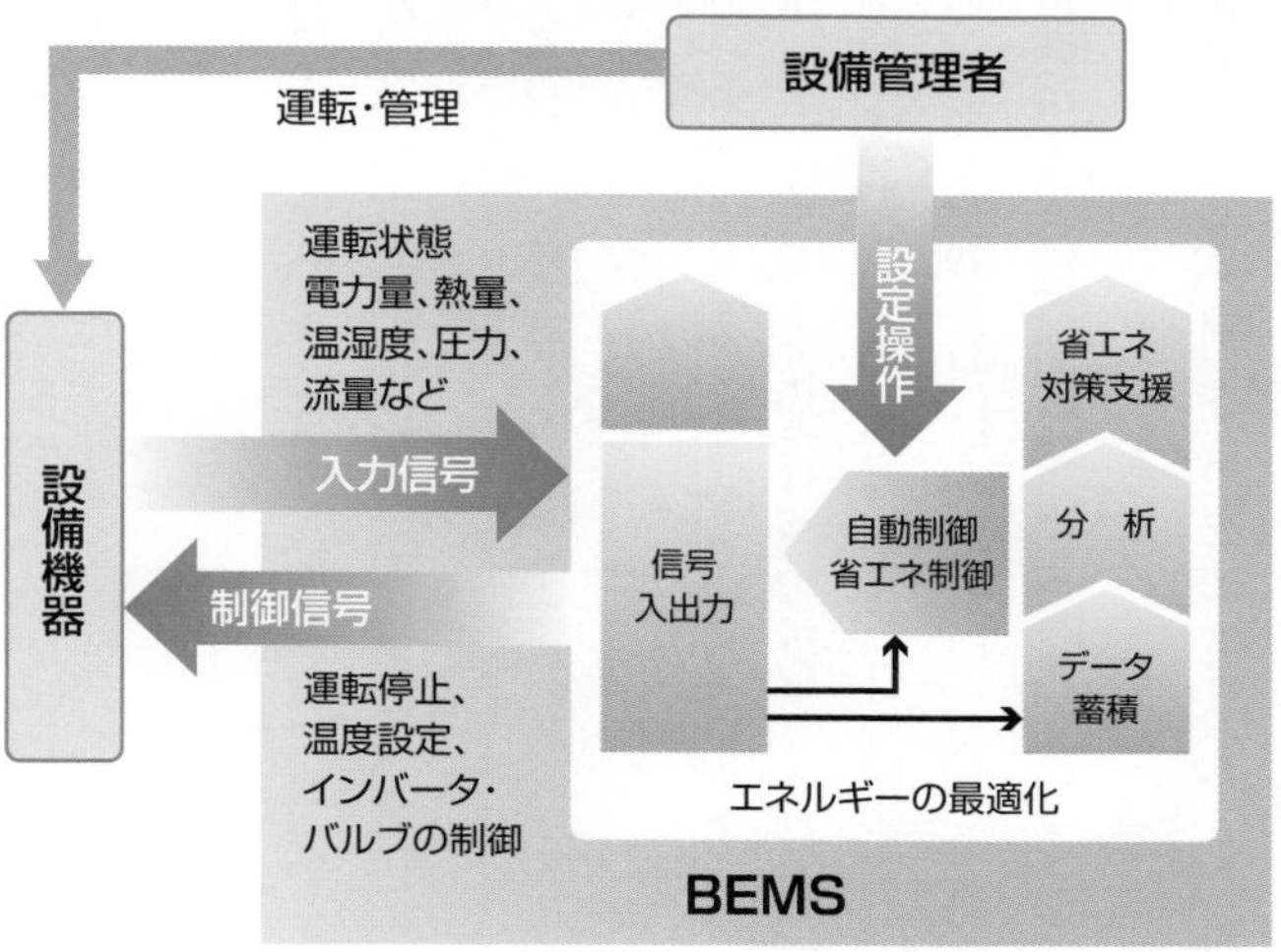

出典：東芝インフラシステムズHP

4

スマートシティ

スマートメーターが個別の需要家に向けた、エネルギーとICTのサービスの入口だとすれば、エリア全体にエネルギーとICTのサービスを提供するしくみが、スマートシティだといえます。

スマートシティとエネルギー制御

エネルギーを効率的に利用するためには、個々の需要家だけではなく、地域ごと制御した方が効率的です。

ICTを活用し、スマートメーターをはじめとするスマートグリッド関連技術や自然エネルギー、燃料電池や蓄電池、電気自動車などを組み合わせて、低炭素化を進めた都市を、**スマートシティ**といいます。

住宅地として開発されたスマートシティとしては、**パナソニック**などが神奈川県で開発した**Fujisawaサスティナブル・スマートタウン**がよく知られています。エネルギーは管理会社によって制御され、各戸には太陽光発電やエネファームないしはエコキュート、HEMS、蓄電池が設置されています。

商業地と住宅地が一体のものとして広いエリアで開発された例が、千葉県にある**柏の葉キャンパス**です。マンションにはスマート化を積極的に取り入れる一方、エリア全体のエネルギー制御も行われています。

エネルギーを効率的に地域内で使うシステムとして、地域冷暖房（**地域熱供給**）があります。エネルギープラントには**コージェネレーションシステム**（熱電併給）、**ヒートポンプ**、冷凍機などがあり、電気や熱を供給しています。

最近では、トヨタ自動車が交通とコネクテッドにフォーカスした実験都市「**ウーブン・シティ**」の開発を静岡県裾野市で進めています。

こうした都市まるごとエネルギーなどのサービスを

提供する事業は、新しい形の公益事業ということができます。

スマートエネルギーネットワーク

スマートシティのうちでも、電気に加えてガスと熱供給を組み合わせ、より効率化させたしくみを、**スマートエネルギーネットワーク**と呼びます。

地域熱供給や電力供給を、ＩＣＴを使って制御しています。さらに、再生可能エネルギーも取り入れ、太陽光発電や太陽熱利用などを優先して取り入れるようになっています。環境だけではなく、自立分散型エネルギーシステムを持つことで、災害時にも必要最低限のエネルギーを供給することができるしくみとなっています。

スマートエネルギーネットワークは、単なるオフィス街ではなく、ホテル、病院や福祉施設、住宅、商業施設など、多様な施設が組み合わされ、それぞれ異なるエネルギー消費パターンを通じて平準化されることで、コンパクトで効率的なまちづくりとなります。

スマートエネルギーネットワーク

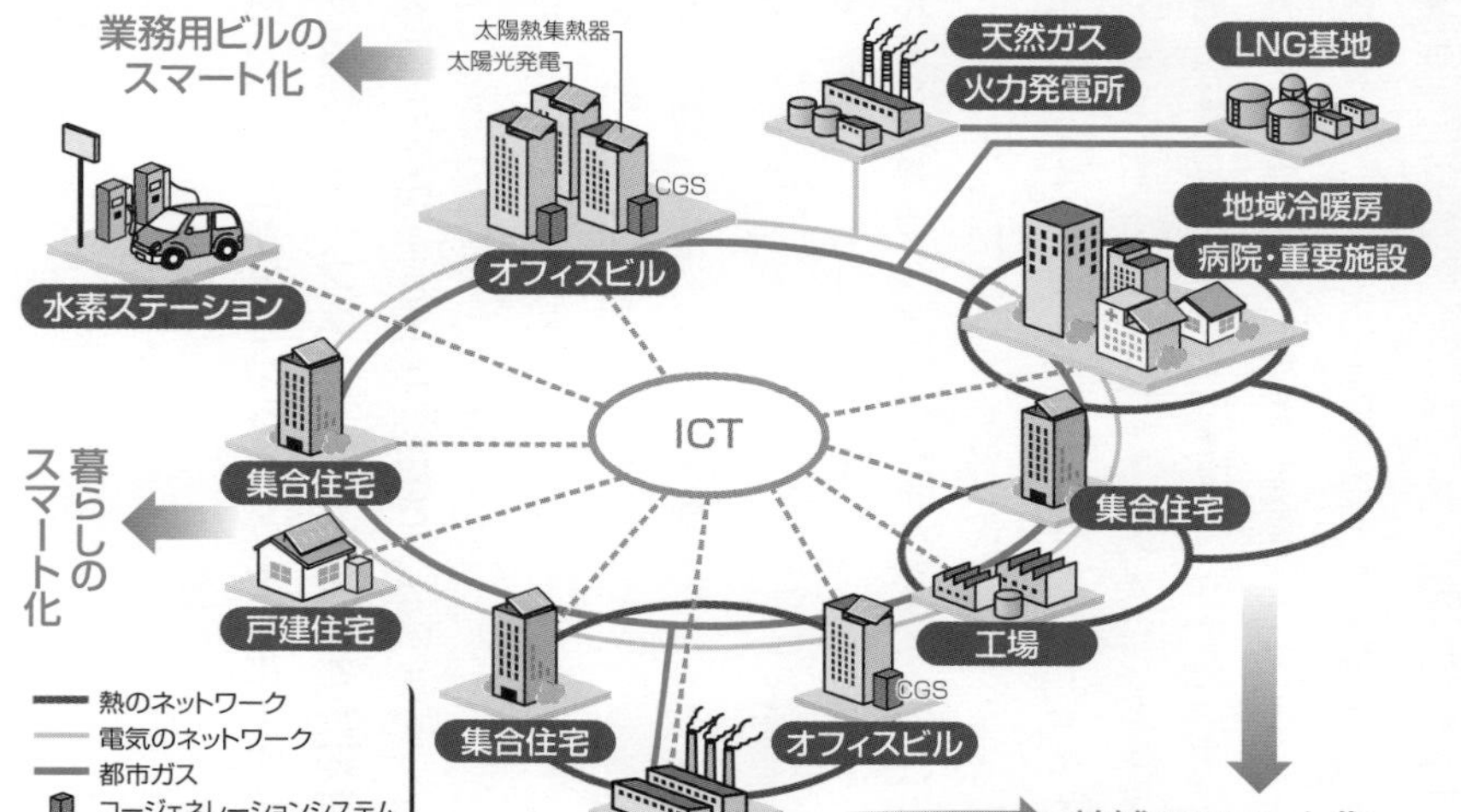

出典：東京ガスHP

5 HEMSと宅内IoT

エネルギーマネジメントシステムのうちでも、住宅向けのシステムがHEMSです。エネルギーの効率的利用のためのシステムであると同時に、エネルギーの利用状況をインターネットを通じて管理するという意味ではIoTでもあります。最近では、HEMSを含めた宅内IoTが注目されています。

HEMS

エネルギーマネジメントシステムのうち、住宅用のものを**HEMS**(Home Energy Management System)といいます。

HEMSの機能は、エネルギーの利用状況を可視化し、効率的な運用を支援するというものです。また、家電製品の制御などの機能も期待されています。

HEMSの構成は、電力を測定する機器と通信機器の組み合わせとなっています。電力の測定は、以前は分電盤で行っていましたが、**スマートメーター**の登場によって、スマートメーターの**Bルート**から直接データを取得している機器も増えてきました。さらに、最近では測定部分と通信部分が一体化した機器や、分電盤に組み込んである機器も登場しています。

一方、以前は専用のモニター機器を使うことが多かったのですが、近年はスマートフォンなどで見られるため、専用モニターはなくなりつつあります。

HEMSの課題は、家庭のエネルギーをどれほど効率化しても、年間に節約する電気代より安くするのが難しいことです。さらに、エネルギーの使用状況を可視化しても、省エネの方法が一度わかってしまうと、多くの人は数日で飽きてしまうということです。

そのため、エネルギーにとどまらないサービスをいかに提供していくのか、ということが課題となってきています。

ワンポイントコラム

【さまざまなHEMS】 HEMSには、分電盤の各系統のデータを集め、機器の制御ができるものから、主系統の電力の「見える化」が中心のシンプルなものまであります。シンプルなHEMSは価格も安く、かつてのYahooBB !のADSLのように、電力契約をした顧客に無料配布されるかもしれません。

最近では、スマホで家電を操作できるシステムと組み合わせたり、電気が高い時間帯に家電を制御するといったシステムも登場しています。

電力小売全面自由化と宅内ＩｏＴ

電力小売全面自由化によって、電気事業は電気を売る事業からサービスを売る事業に変化しつつあります。そこであらためて注目されるのが、ＨＥＭＳを含めた**宅内ＩｏＴ**です。

宅内ＩｏＴは、エネルギーの使い方がわかるＨＥＭＳ、温度や湿度、人感などのセンサーや、体重計などのヘルスケア機器、スマート家電、音声デバイスなどがあります。こうしたＩｏＴがもたらすデータを通じて、おすすめの電気料金メニューの案内や省エネだけではなく防犯や見守りサービス、さらには家電やリフォームの提案サービス、ヘルスケアサービスなどの提供が可能です。そして、こうしたサービスによって、快適な暮らしを提供することが、これからの公益事業になっていくことでしょう。

HEMSのしくみ

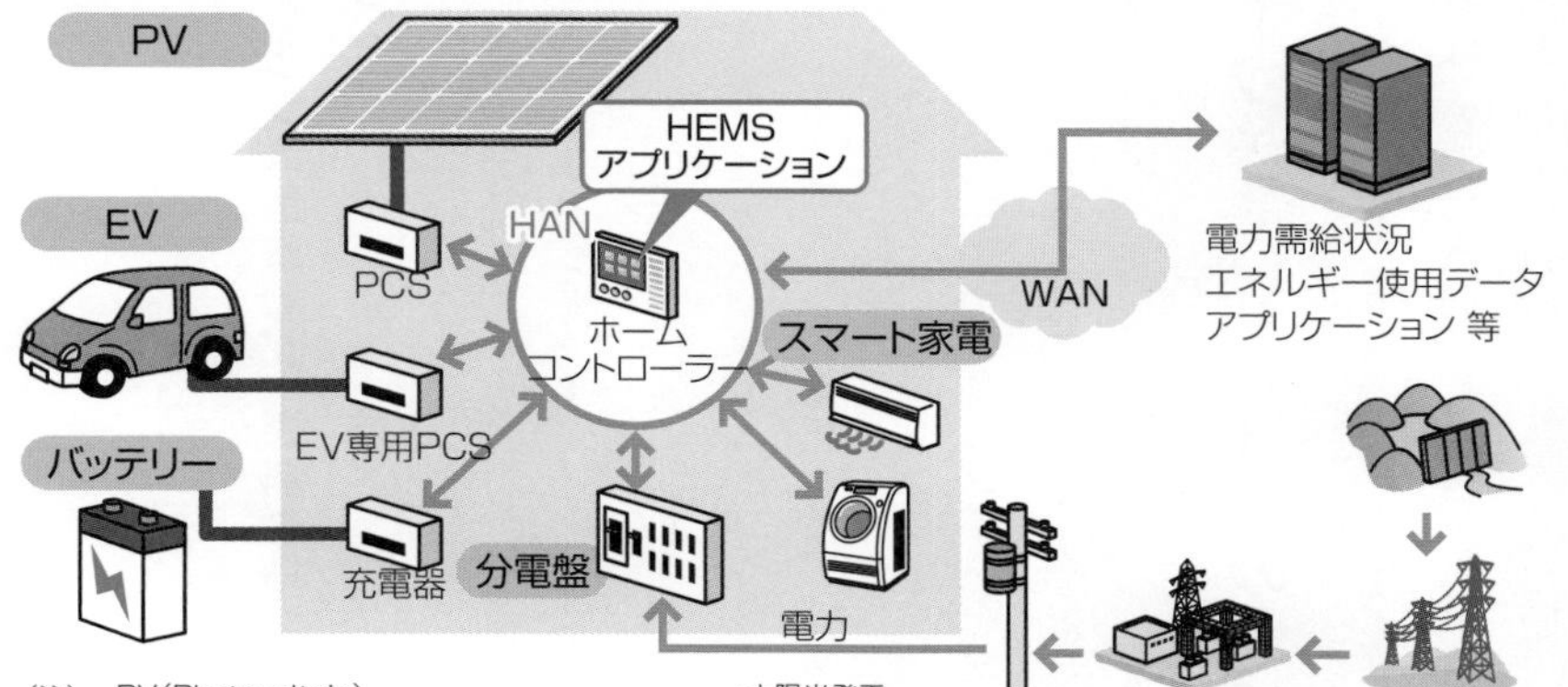

（注） PV(Photovoltaic)：太陽光発電
PCS(Power Conditioning System)：直流の電気を交流に変換する機器
EV(Electric Vehicle)：電気自動車
EV専用PCS：EVへの電気を変換する機器
HAN(Home Area Network)：宅内の通信ネットワーク
WAN(Wide Area Network)：外部の通信ネットワーク
スマート家電：従来の省エネ機能に加え、創エネ・蓄エネ機能を有した機器がネットワークを介して繋がり、最適制御されるもの

出典：東京電力HP

ワンポイントコラム

【HEMSが必要なのは誰？】 HEMSは生活を便利なものにしてくれる可能性があります。しかしそれ以上に、HEMSのデータをビジネスに利用するのであれば、そのメリットは顧客ではなく供給者側にあります。そうであれば、HEMSの費用は顧客ではなくサービス事業者が支払うべきだ、という考えがあります。

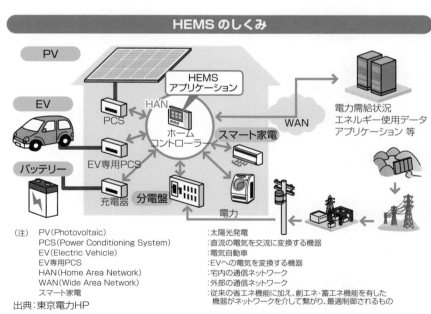

6 コージェネレーション

コージェネレーションシステムは、電気と熱の両方をつくるシステムです。燃料の持つエネルギーを効率的に利用できることから、普及拡大が期待されています。

コージェネレーションシステム

コージェネレーションシステムは、**エンジン発電機**や**タービン発電機**、**燃料電池**などの発電装置で電気をつくり、排熱を使って冷温水や蒸気などをつくることで、燃料の持つエネルギーを効率的に使うシステムです。

一般の火力発電所では、電気をつくったあと、排熱は海等に捨ててしまうため、燃料の持つエネルギーについて、平均40%、最新のガスコンバインドサイクル発電でも60%弱しか利用できていないのに対し、コージェネレーションでは電気と熱の両方を合わせて80～90%以上の効率で利用することが可能です。しかも、発電所からの電気には**送電ロス**がありますが、コージェネレーションは送電ロスがほとんどありません。

発電量1000kW～8000kWの大規模なものでは、工場などで使われる産業用や**地域熱供給**で使われるものがあります。また、10kW～1000kWの中・小型のコージェネレーションシステムは、商業施設、ホテル、病院など、電気だけではなく熱需要の多い施設でも使われています。近年は、家庭用コージェネレーションとして、ガスエンジンを使った**エコウィル**、燃料電池を使った**エネファーム**も普及しつつあります。

コージェネレーションの現状と課題

コージェネレーションシステムは、2000年代前半までは、着実に増加してきました。しかし、リーマンショック、および石油や天然ガスの価格の高騰によって、経済的メリットが少なくなり、増加に歯止めがかかっています。

震災後、自立した発電と熱供給ができるコージェネレーションシステムは、災害対策として再び注目され、政府の支援策なども用意されました。しかし、天然ガス価格が安くならないため、増加はゆっくりとしたペースになっています。

また、熱の需要が少ないと、コージェネレーションシステムは効率的な運転ができません。さらに、コージェネレーションといえども、化石燃料を使う限りにおいては、二酸化炭素を排出するため、その点からも普及に逆風となっています。

最近では、バイオマス燃料を使ったコージェネレーションシステムが注目されています。また、再生可能エネルギーの電気の変動を補完するシステムとしてもコージェネレーションの発電設備が注目されています。

コージェネの累積導入容量

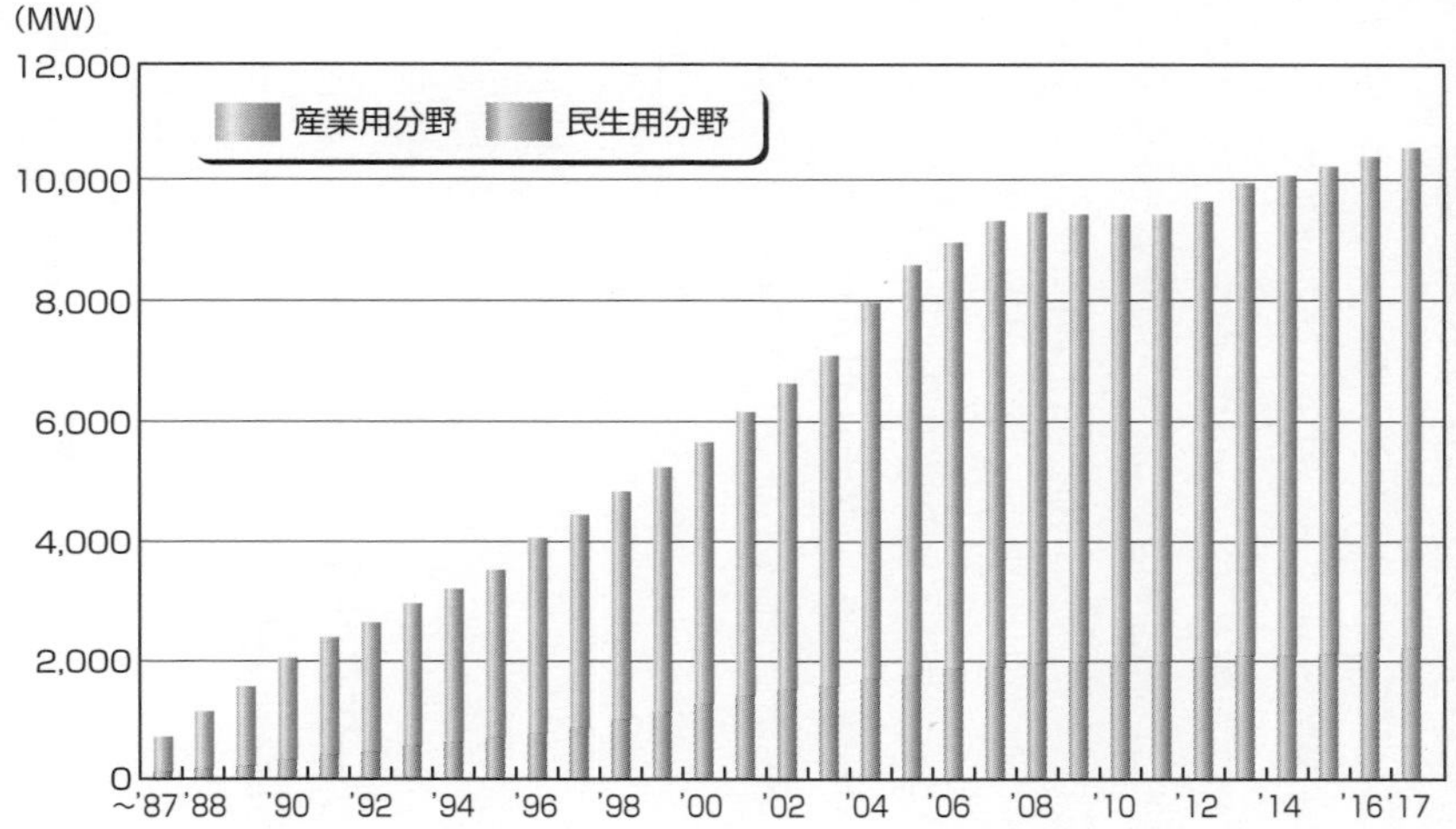

出典：コージェネ財団HP　＊家庭用（エネファームなど）を含まない

7 エネファームとエコキュート

エネルギーの効率的な利用方法として、家庭用コージェネレーションシステムがあります。家庭用燃料電池などで電気と熱をつくり、熱は給湯や暖房などに使用します。一方、オール電化住宅ではヒートポンプ給湯器が普及しています。

エネファーム

家庭用コージェネレーションシステムには、**ガスエンジン発電**と**燃料電池**のいずれかが使われています。ガスエンジンで発電し、排熱を給湯に使うシステムは**エコウィル**の名称で商品化されています。

燃料電池で発電するシステムは**エネファーム**という名称がつけられています。**固体高分子形燃料電池**（ＰＥＦＣ）の発電効率は30％台で、発電電力量の調節も可能という特長があります。また、新たに市場に登場した**固体酸化物形燃料電池**（ＳＯＦＣ）は、発電効率が40％台で、より高い効率となっています。

この他、給湯の熱源機として、潜熱回収型ガス給湯器（**エコジョーズ**）の普及も進んでいます。

エコキュート

オール電化住宅で普及している給湯器が、自然冷媒ヒートポンプ給湯器（**エコキュート**）です。二酸化炭素を冷媒（エアコンにおける代替フロンの役割）として、ヒートポンプでお湯をつくるしくみです。

ヒートポンプによって、1の電気のエネルギーに対して空気の熱をくみ上げることで、3を超える熱を得ることができます。火力発電では平均して燃料のエネルギーの4割が電気になっていますので、発電所の燃料量以上の熱を得ている計算になります。深夜電力の活用機器として普及してきました。

ワンポイントコラム
【ハイブリッド給湯器】 エコキュートとエコジョーズを組み合わせ、湯切れの心配がない効率的な給湯器が、ハイブリッド給湯器です。オール電化の適用を受けないため、震災前は普及しませんでしたが、震災後は注目され、販売台数ものびています。

エネファームのシステム構成

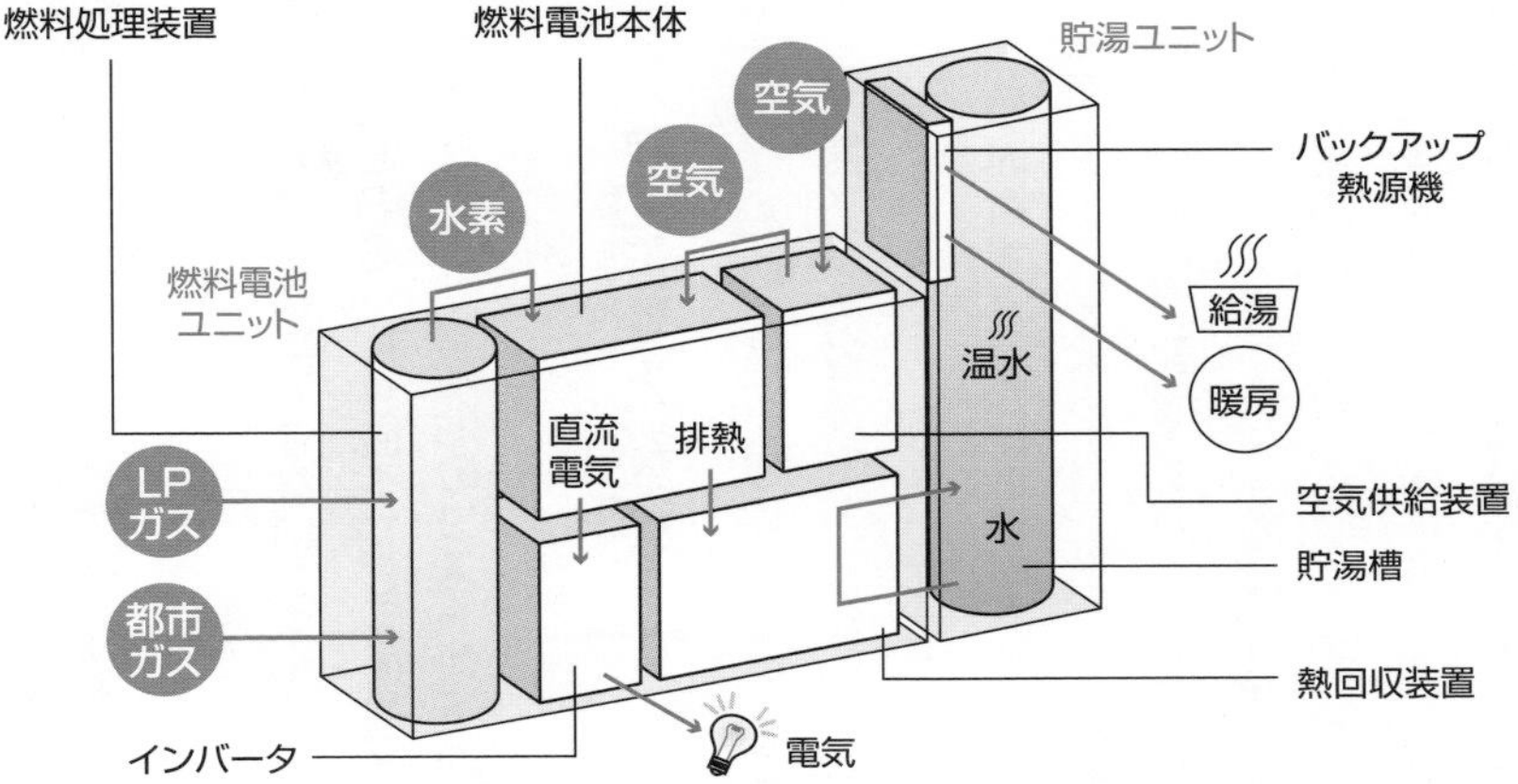

燃料処理装置で都市ガスやLPガスから水素を取り出します。
燃料電池本体で水素と空気中の酸素を反応させ直流電気を発生させ、インバータで交流電気に変換します。
反応時の熱をお湯として貯湯槽に蓄え、給湯に利用します。

出典：東京ガスパンフレット

エコキュートのシステム原理図

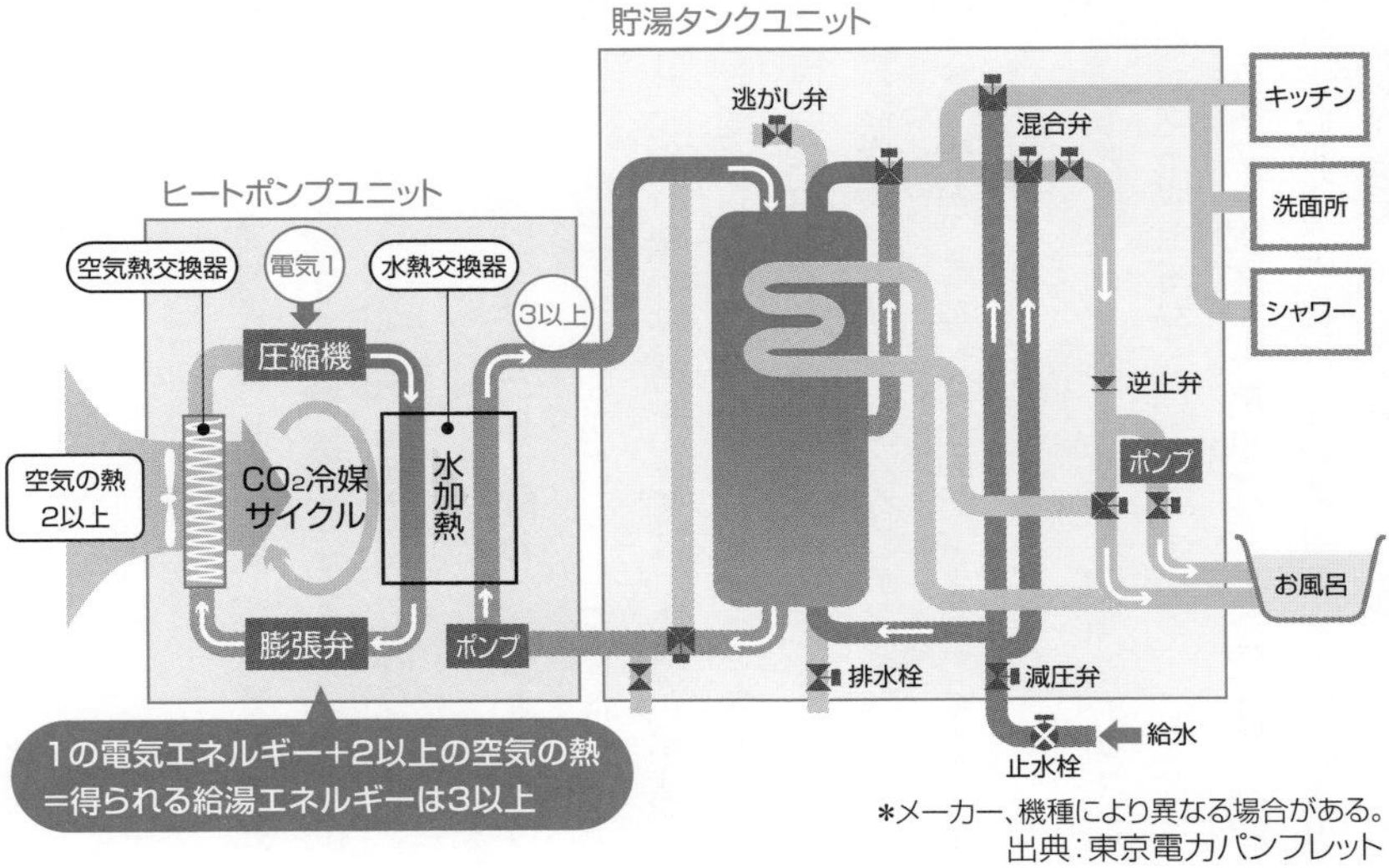

＊メーカー、機種により異なる場合がある。
出典：東京電力パンフレット

ワンポイントコラム

【エコキュートと卒FIT】 住宅用太陽光発電のFIT期間終了に合わせて、日中の余った太陽光発電の電気でエコキュートを動かそうという取組みが進められています。今のところ、太陽光発電の発電時に対応した機種は新製品に限られますが、後付でこの機能を付加させることはできないでしょうか。

蓄電システム(ESS)

電気はためることができないエネルギーだと言われています。しかし実際には、蓄電池や揚水式水力発電といったESS(Energy Storage System)でためることができます。問題は、ためるコストが高いということです。蓄電池のコストが下がれば、電気は自由にためて使うことができるようになります。

揚水式水力発電と蓄電池

電気をためる方法では、大規模な設備として使われてきたのが、**揚水式水力発電**です。これは、上池と下池の2つをつくり、電気をためるときは下池の水を上池に持ち上げ、発電するときは上池の水で発電します。

24時間発電している原子力発電の深夜の電気をためるためなどの理由で建設されてきましたが、コストが高いこととエネルギー効率が7割(充電した電気の7割しか取りだせない)程度というのが課題です。

蓄電池にはさまざまな種類があります。自動車などでよく使われているのが**鉛電池**です。非常用蓄電池としても使われていますが、蓄電容量が少ないのが欠点です。一方、大規模な電池として使われているのが**NaS電池**(ナトリウム硫黄電池)です。こちらは、高温で使うために取り扱いが難しいことと、小型化が難しいことが課題でした。また、**レドックスフロー電池**なども、大規模に使われています。

近年、蓄電池として普及しているのが、**リチウムイオン電池**です。小型でもたくさんの電気をためることができます。そのため、電気自動車にも使われています。課題は、まだ高いことです。そのため、電気をためて使うと発電コストよりも高くなってしまいます。最近は、さまざまな種類の固体の電解質を使った**全固体電池**が注目されています。今後は、送電網用の大規模な蓄電池が期待されます。

ワンポイントコラム

【テスラモーターズ】 蓄電池で話題となっているのが、米国の電気自動車メーカーであるテスラモーターズです。蓄電池そのものの価格を大きく引き下げ、電気自動車そのものの価格を大幅にダウンさせただけではなく、住宅などに使われる定置用として開発されたパワーウォールや系統用のメガパックも注目されています。

住宅用蓄電池

蓄電池の普及が期待される分野は、家庭用と自動車用です。電気自動車向けの蓄電池の開発が進むことで、**家庭用蓄電池**も手が届くところに近付いています。

家庭用蓄電池が期待されるのは、住宅用太陽光発電の電気をためるという目的があるからです。太陽光発電は日中に発電しますが、一方で日中は人が不在の家も多く、そのため現在は余った電気を電力会社（送配電会社）が買い取るのが一般的です。しかし、太陽光発電が増えれば買い取る量にも限界が生じます。さらに、**固定価格買取制度**の期限が切れる住宅用太陽光発電が２０１９年から増えています。こうした発電設備からの電気をためて自宅で使えるようにすれば、買取りは少なくなります。しかしそのためには、蓄電池の価格を現在より6割以上も下げる必要があります。

また、家庭用に限らず、蓄電池が普及すれば、発電所の運転を効率的なものにすることができます。特に、後述する**バーチャルパワープラント**（仮想発電所：ＶＰＰ）では、核となる技術となっています。

蓄電池の使われ方の一例

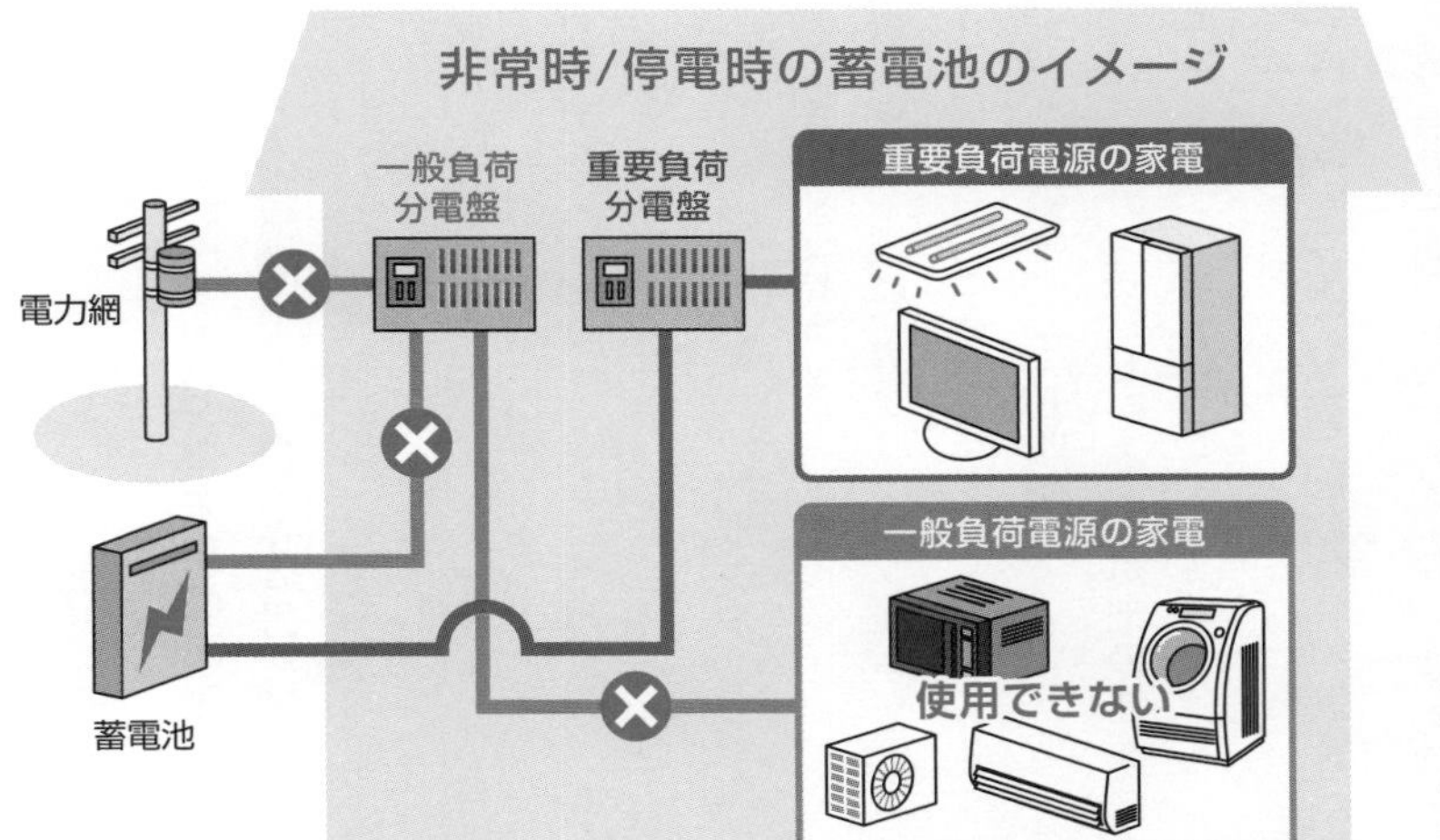

出典：蓄電池バンクHP

9 電気自動車（EV）

電気自動車は、走行時に排ガスがない自動車というだけではなく、蓄電池として、未来のエネルギーインフラの一部を担う存在になるとも期待されています。近年、多くの自動車メーカーはガソリン車から電気自動車へのシフトを鮮明にしています。

電気自動車のクリーンな活用

電気自動車（**EV**）は、走行時に燃料を燃やしているわけではないので、二酸化炭素をはじめとする排ガスを出さない、クリーンな自動車だと考えられています。もちろん、火力発電の電気を充電して走っているのであれば、クリーンとは言えません。しかし、太陽光発電や風力発電などの再生可能エネルギーの電気を充電して走れば、クリーンな自動車だということができます。

日本では**日産自動車**のリーフやノート、**三菱自動車工業**のアイミーブなどが知られていますが、海外では**テスラモーターズ**が高い性能を持つ電気自動車を製造している他、多くの自動車メーカーも参入しています。特に大気汚染に悩む中国では、国をあげて電気自動車の普及に取り組んでいます。

日本ではまだ高価で、航続距離が十分とはいえないイメージですが、多くの国がガソリン車から電気自動車への移行を進めています。

電気自動車の一種に、ガソリンエンジンを併用した**プラグインハイブリッド自動車**（PHV）があります。通常は充電した電気で走り、長距離はガソリンエンジンを使うというものです。しかし、蓄電池の性能向上により、主流とはいえなくなってきています。

充電インフラとV2G

電気自動車がエネルギーインフラの一部を担うもの

として期待されているのは、日中の太陽光発電の電気など、余った再生可能エネルギーの電気を充電することで、電力システムの安定と電気の効率的利用に貢献するからです。

そのため、充電についても、単に充電するだけではなく、電気が余る時間帯に充電するような方法が研究されています。

電気自動車の場合、充電に時間がかかるという課題もあります。家庭用の充電設備の場合、一般的に8割まで充電するのに8時間程度といわれています。これに対し、高い電圧を用いて30分程度で充電する機器を**急速充電器**といいます。高速道路などの充電所では、こうした急速充電器の整備が進められています。

また、電気自動車が充電した電気を取りだして使う方法も、開発が進められています。現在は、充電した電気を住宅内で使う、**V2H**(Vehicle to Home)が実用化されていますが、最近は電力系統に電気を戻す**V2G**(Vehicle to Grid)という技術の実用化も現実のものとなってきました。しかし、電気自動車から電気を取りだすシステムもまだ高価です。

副次的に、電気自動車の普及で期待されていることに、使用済みの蓄電池の定置用への転用があります。電気自動車の電池は充放電を繰り返すと劣化し、ためられる電気の量が少なくなってきますが、そうした電池を定置用として安く運用しようということです。

電気自動車の充放電システム

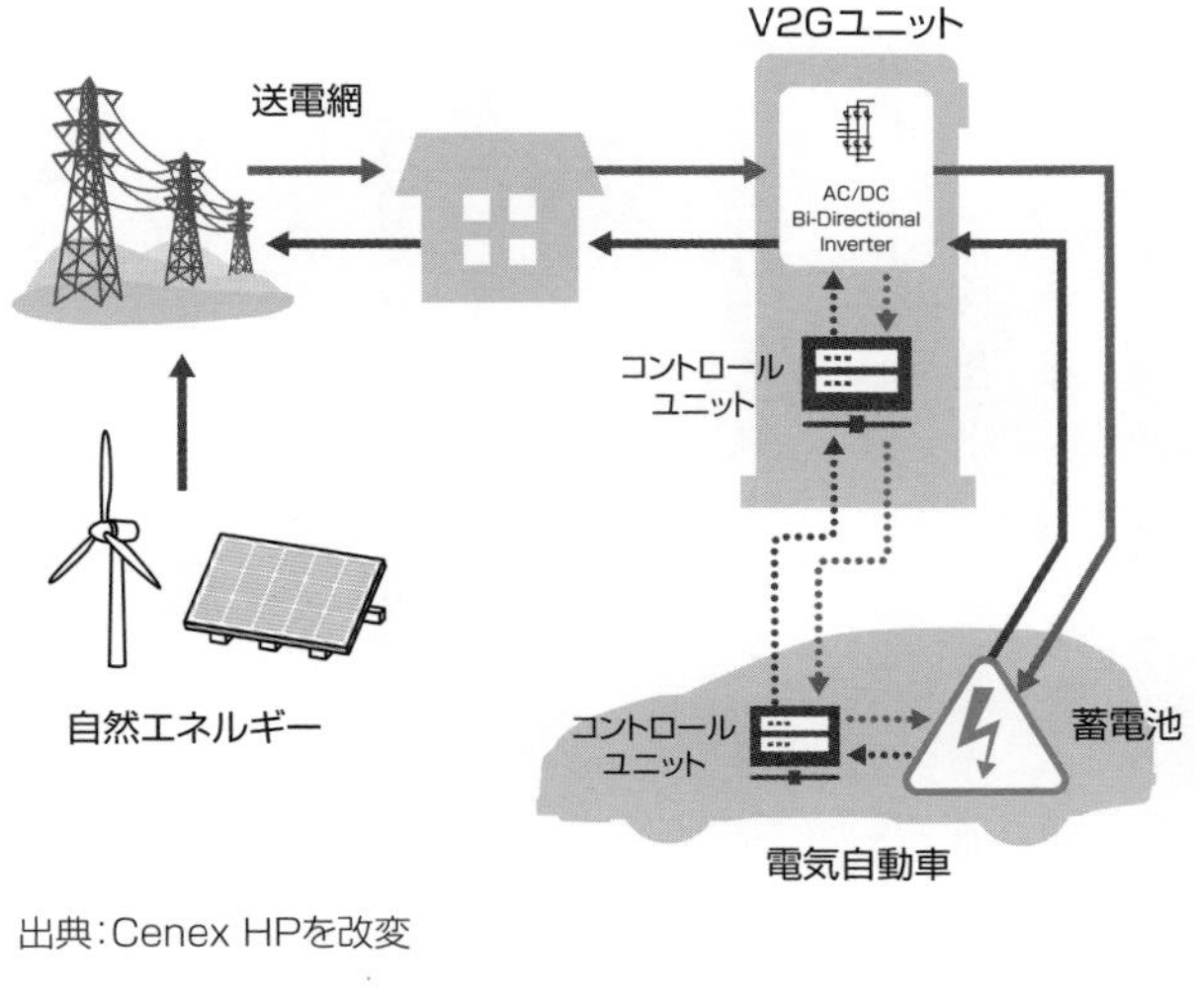

出典：Cenex HPを改変

デマンドレスポンス（DR）

かつては、電気は必要なだけ発電してお客様に届ければいい、というのが電力会社考え方でした。しかし、そうすると、使われる電気のピークに合わせて発電所が必要になります。それでは非効率なので、お客様の側で使う量をコントロールする、デマンドレスポンスが必要になりました。

需給調整契約

デマンドレスポンス(Demand Response, DR)は、デマンドすなわち電気の需要側で反応し、需給を調整するしくみです。現在は、自動的なDRが注目されていますが、DRそのものは新しいものではありません。代表的なものが、**需給調整契約**です。これは、大口のお客様に対して、電気が不足しそうになったときには、節電してもらうという約束で、電気料金を値引きするという契約です。2022年冬には電力の不足に対応するため、節電ポイントという取り組みを実施しました。

海外では**カーテイルメント**とよばれており、需要家と節電の契約をして、節電そのものを電力会社に販売するビジネスがあります。

DRと再生可能エネルギー

日本におけるDRは、電力のピークを削減するというニーズだけではなく、出力が変動する太陽光発電や風力発電への対応ということも求められています。

現在、送配電会社は、電気が不足したときに、発電ないし節電してくれる事業者を公募・契約しています。猛暑が続いたときなどに、電気が不足する可能性があるからです。一時期は電気が不足することはあまりありませんでした。東日本大震災以降、節電が定着していることや、LED照明など機器の省エネ化が進んでいるからです。全国の原子力発電所が停止した

ワンポイントコラム

【デマンドレスポンスの上げと下げ】 デマンドレスポンスには下げのDRと上げのDRがあります。一般的な節電を下げのDRといいます。また、余った電気を使うのを、上げのDRといいます。

ときでも、電気が足りたのですが、さらに原子力発電所の再稼働が進む一方で、太陽光発電の普及が進んでいます。もっとも最近では冬に不足しがちです。

今後、DRで新たな課題となってくるのは、日中の太陽光発電などの稼働が増えて、電気が余ったときに、どのように電気を使うかです。DRとしては、工場のラインや高炉を追加で動かすことや、蓄電池・電気自動車への充電などが、活用されると考えられます。

自動デマンドレスポンス

DRは、大規模事業所だけではなく、一般家庭でも行うことができます。

とはいえ、一般家庭の節電は量も少なく、家庭にとっても手間がかかるわりには報酬はわずかです。そこで、自動で行われるDR(Auto DR, **ADR**)が開発されています。大規模事業所のDRも視野に入れており、**Open ADR**というプロトコルもできています。

家庭では、エアコンや衣類乾燥機、食器洗浄機、電気自動車用充電器などがコントロールされれば、一般家庭で手間をかけずにDRが可能となります。

インセンティブ型デマンドレスポンスのイメージ

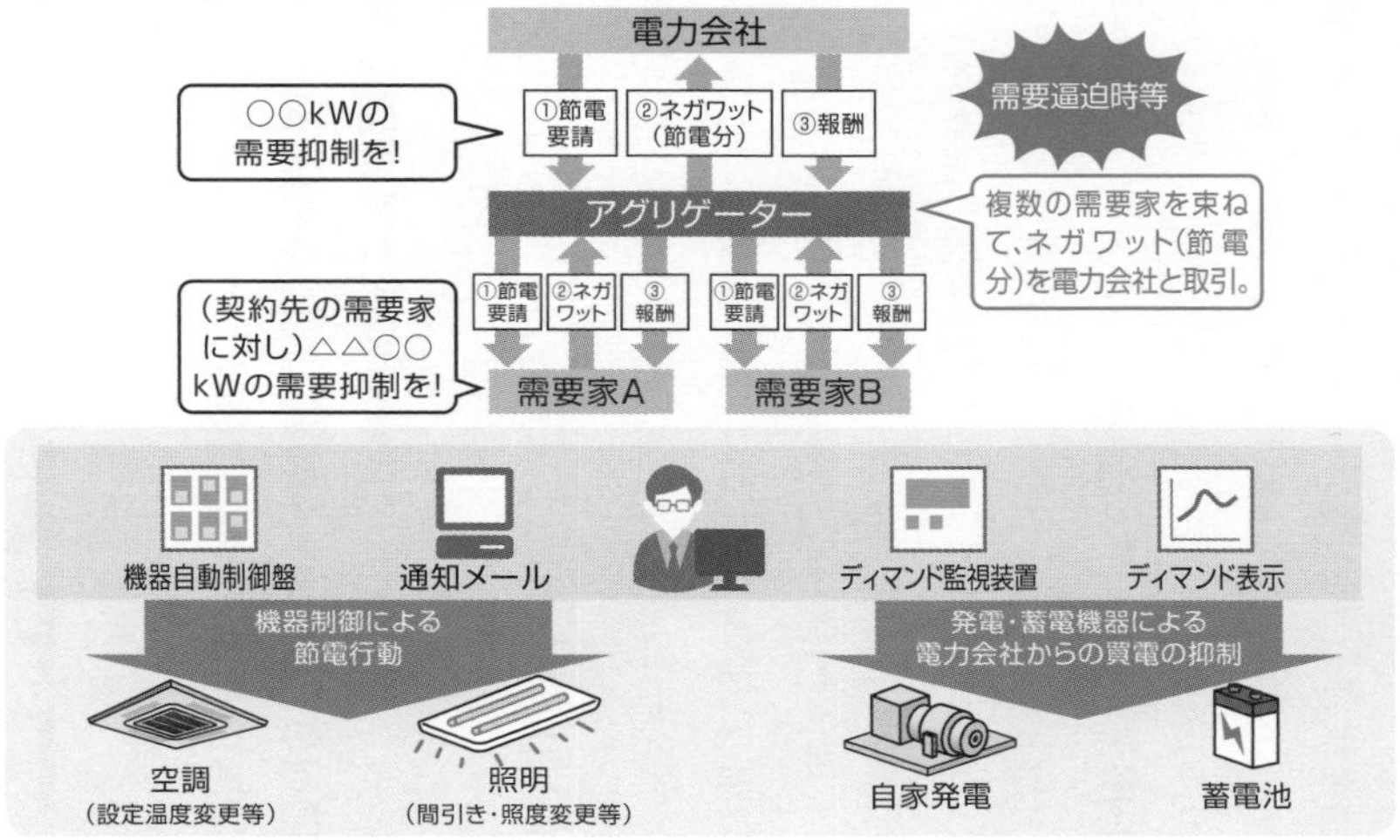

出典:資源エネルギー庁

ワンポイントコラム

【Open ADR】 ADRのためのプロトコルで、これを管理する国際的なアライアンスもあります。現在、OpenADR2.0が使われています。ただ、一般的な普及にはまだ時間がかかるでしょう。

11 バーチャルパワープラント（VPP）

電力システムが、「発電→送配電→お客様」という一方的な流れではなく、分散電源や節電などが複雑に組み合わされたものへと変わりつつあります。こうした中、分散電源や節電、蓄電をとりまとめて仮想発電所（Virtual Power Plant：VPP）として運用する技術が開発されています。

初期のバーチャルパワープラント

バーチャルパワープラント（VPP）という概念が登場したのは、およそ20年前です。当時は、自家用発電機やコージェネレーションの効率的運用が進められていました。大規模な発電所のかわりに、地域内に小規模の発電機がたくさんあれば、大規模な送電網が不要になり、効率的に運転できるということです。すなわち、1000kWの発電設備が1000か所にあれば、100万kWの発電所があるのと同じことです。そこで、たとえば1000か所の発電設備を1つの100万kWの発電所として運用するしくみを想定し、それをVPPとよんでいました。

拡大するバーチャルパワープラント

現在、VPPとよばれているものには、再生可能エネルギーを含む分散電源、およびDRによる節電、蓄電池や電気自動車など、多様なものが含まれています。100万kWの発電所のかわりに、50万kWの再生可能エネルギーと蓄電池の組み合わせ、それから50万kW分のDRによる節電があれば、同じことだというわけです。

しかも、この組み合わせであれば、二酸化炭素の排出がありませんから、地球温暖化防止にも役立ちます。そのため、VPPの技術開発が注目されています。

また、VPPは広域ではなく、離島や山間部などで電力の需給調整をする技術としても注目されています。離島では高コストの発電設備を利用していますが、これをVPPに置き換えることができれば、エネルギー利用の効率化にもなります。実際に、多くの離島でVPPの実証試験が行われています。

課題は事業性

VPPの課題は、収益につながる事業プランがなかなか描けないという点にあります。VPPで節電をしても、調整力公募や、2019年以降の需給調整市場、あるいは容量市場だけでは、なかなか利益を見込めません。例えば、あるアグリゲーターが、1000世帯に設置してある蓄電池をとりまとめ、1000kWの節電を約束したとします。このときの1年間の売上は、およそ300万円です。これは蓄電池の価格と比較するとはるかに安い金額です。

とはいえ、再生可能エネルギーが拡大すれば、その変動を吸収するしくみが必要です。また、対応する時間も、いずれは1分以内という調整力が求められることになっています。今後もコストと必要性の見極めが必要となっていくでしょう。

「バーチャルパワープラント」のイメージ

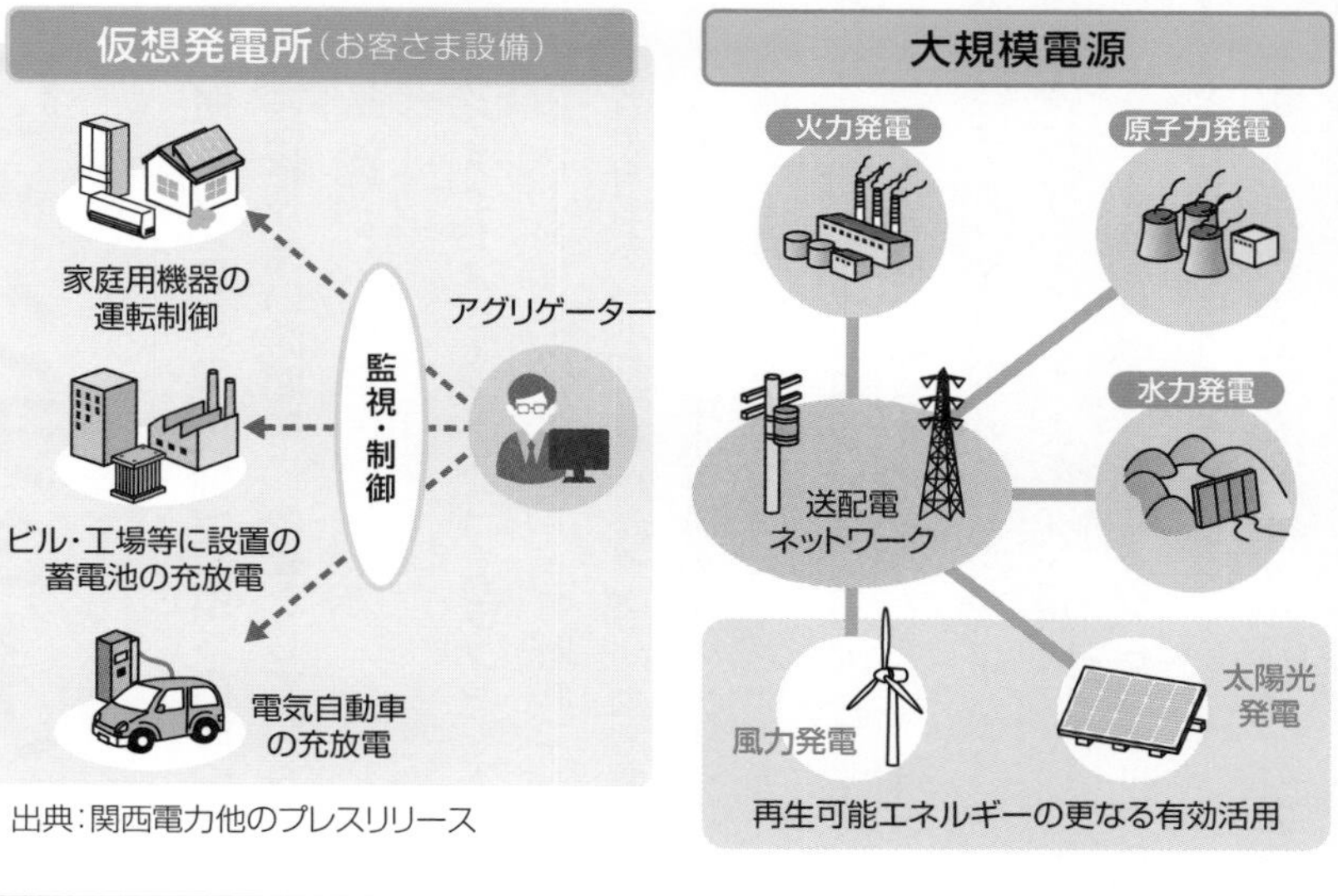

出典：関西電力他のプレスリリース

ワンポイントコラム

【VPPの価値】　VPPはマネタイズできないという声があります。しかし、そもそもVPPの本質的な価値は調整力ではありません。VPPがあることで、どれだけ再生可能エネルギーを追加的に導入できるか、ということです。その意味で、VPPの環境価値がもっと評価されることが必要でしょう。

12 電力のP2P取引とブロックチェーン

小規模な再生可能エネルギーや蓄電池などの増加に対応して、電気のP2P（個人間）取引への関心が集まっています。例えば、自宅の太陽光発電の電気を蓄電し、市場価格が高い時間帯に必要としている事業所に販売する、といったことです。

電気のP2P取引とブロックチェーン

P2P取引というと、難しそうですが、実は身近なところにもあります。例えば、フリーマーケットです。不要となったものを、フリーマーケットで必要としている人に販売すると、途中に第三者が入らないので、販売コストは出店料だけですみます。農家の野菜の直売所も同様です。ネットオークションだと、送料などもかかりますが、好きな値段で売れることは同様です。

自宅の電気も、同じように販売できるのではないか、といった考えから、電気のP2P取引が出てきました。

電気のP2P取引を行うために、期待されている技術が、**ブロックチェーン**と**スマートコントラクト**です。

ブロックチェーンは分散型台帳とも言われています。仮想通貨やNFT（非代替性トークン）で使われており、取引などのデータを、中央で管理するサーバではなく、分散するそれぞれのコンピュータで管理するしくみです。取引データはたくさんのコンピュータに保存されているので改ざんが難しくなりますし、個人間で取引してデータを分散させるしくみですから、中央での管理に依存しません。また、P2P取引を行うときのコンピュータで様式化された契約をスマートコントラクトといい、取引を効率化させます。

一方、データを分散させるため、プライバシーの問題もあります。

P2P取引の課題

電気のP2P取引は、今後、どうなるのでしょうか。

ブロックチェーンは取引記録などたくさんのデータを扱うため、処理速度が遅いという問題があります。そのため、リアルタイムの電気の売買には向かない可能性があります。また、電気を送るためには送配電網を使用しますが、そのコストは、電気の託送料金に相当するでしょう。他にも制約はいろいろあります。

それでも、AI（人工知能）を活用し、電気の市場価格が高いときに蓄電池の電気を販売する、といったことが行われれば、再エネの有効活用の補助になりますし、電気の市場価格の高騰の抑制にもなるでしょう。

ブロックチェーンについては、必ずしも必要とはいえないという意見もあります。電気の取引そのものは、中央のシステムで行い、取引の決済に関わる情報のみを、ブロックチェーンで信頼性を高める、といったことも可能でしょう。また、集合住宅内、近隣や一定の地域内などでのP2P取引は、地域内の電気の供給安定にも役立ちそうです。

P2Pのネットワークのシステム

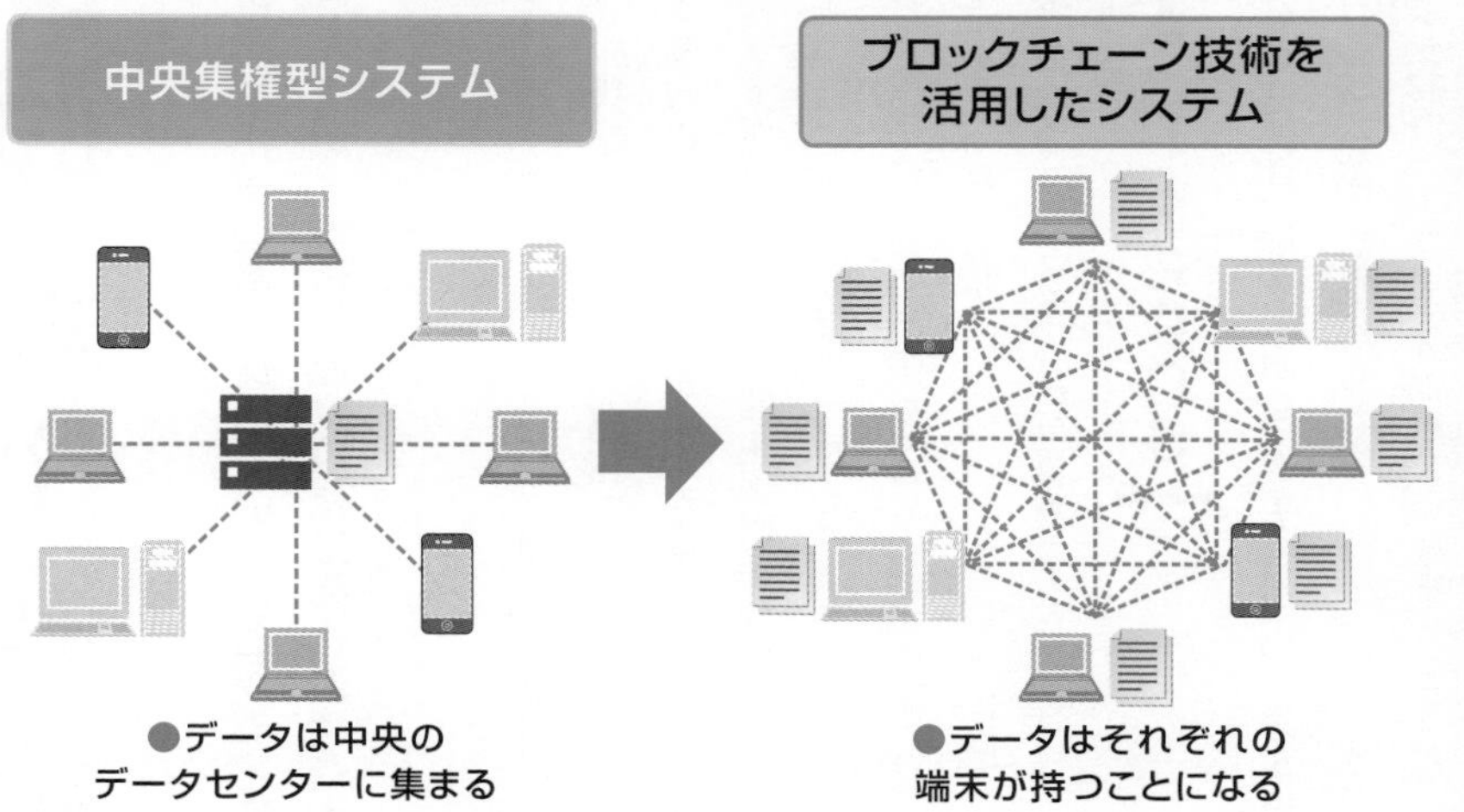
中央集権型システム
ブロックチェーン技術を活用したシステム
●データは中央のデータセンターに集まる
●データはそれぞれの端末が持つことになる

出典：経済産業省資料を改変

ワンポイントコラム

【マイニング】　仮想通貨では、マイニングのために電気がたくさん使われています。すでにアイルランド一国分とも言われています。電気のブロックチェーンを使った取引でも、方法によってはマイニングが必要なこともあります。こうした電気の消費が新たな問題となっています。

13 CCUS（二酸化炭素回収・利用・貯留）

電気については、再生可能エネルギーの利用拡大で二酸化炭素排出削減を進めていくことができますが、それでも化石燃料の利用が一部で残るといわれています。そのときに排出された二酸化炭素を大気中に放出しない技術が、CCUSです。

CCUSと火力発電

太陽光発電や風力発電は需要に応じて発電できるわけではないため、将来でも火力発電の役割は残る可能性があります。とはいえ、二酸化炭素を排出しないことが求められます。そこで、火力発電で燃焼した化石燃料から排出される二酸化炭素を回収し、地中に埋めるなどで大気中に出さないようにする技術があります。これが**CCS**（Carbon dioxide Capture and Storage）です。また、回収した二酸化炭素を、プラスチックやコンクリート、新たな燃料の材料として再利用することを合わせて、**CCUS**（Carbon dioxide Capture, Utilization and Storage）といいます。こうした技術を活用すれば、化石燃料による火力発電所を二酸化炭素の排出を気にせずに運転できます。しかし二酸化炭素回収のためにエネルギーを使うことや、全体としてコストが高いこと、二酸化炭素を地中に貯留できる場所が限られていること、などの課題があります。

CCSについては、油田などに二酸化炭素を送り込む技術が実用化されています。しかし日本にはこうした場所が少ないということが課題です。

DACとBECCS

CCUSの技術を応用して、大気中の二酸化炭素を取り除く研究も進められています。そうすれば、カーボンゼロどころかカーボンマイナスとなり、どうしても排出せざるを得なかった二酸化炭素を相殺できます。

DAC（Direct Air Capture：直接空気回収）は、大気中から直接二酸化炭素を回収する技術です。さらに回収した二酸化炭素を貯留すれば、カーボンマイナスとなります。また、そのためには二酸化炭素回収のエネルギーは再生可能エネルギーを使うことになります。スイスのクライムワークスがアイスランドで地熱発電の電気による実証試験を行っています。

BECCS（Bio Energy with Carbon dioxide Capture and Storage：バイオマス発電二酸化炭素回収・貯留）は、バイオマス発電所でCCSを実施するというものです。バイオマス燃料は元々カーボンニュートラルなので、そこから排出される二酸化炭素を貯留すれば、やはりカーボンマイナスとなります。

いずれも植林によるカーボンマイナスよりは割高ですが、植林を無限に続けることはできないので将来的に期待される技術です。

CCSのしくみ

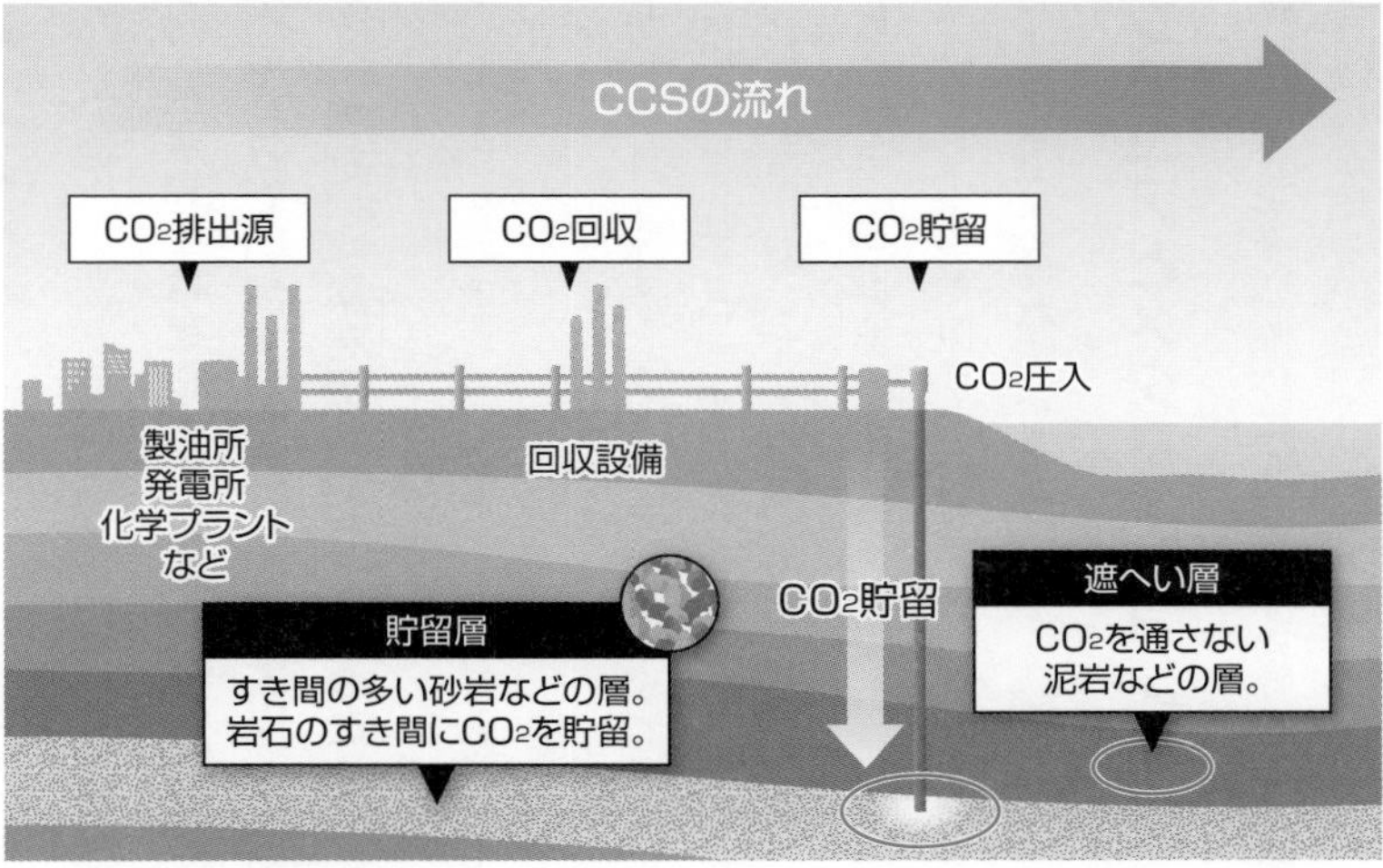

出典：資源エネルギー庁HP

14 水素・アンモニアとメタネーション

化石燃料にかわって、二酸化炭素を排出しない燃料として、水素やこれをもとに製造される燃料が注目されています。現在、水素は天然ガスなどを原料として製造されていますが、これを再生可能エネルギーやCCUSを利用して製造することが進められています。また、水素を扱いやすくするため、アンモニアやメタンに変換することも研究されています。

ブルー水素とグリーン水素

水素は燃焼したときに水しか生成しないため、クリーンな燃料だといわれています。しかし、水素の製造は主に、天然ガス（主成分はメタン）の分解によります。このとき、水素とともに二酸化炭素が生成されています。そこで、発生した二酸化炭素をCCUSによって地中などに貯留すれば、カーボンニュートラルな水素になります。このように製造された水素を**ブルー水素**といいます。

一方、再生可能エネルギーによる電気をつかって、水を電気分解して製造する水素は、**グリーン水素**とよばれています。

今後は、ブルー水素とグリーン水素が燃料として拡大していくとされていますが、いずれもまだまだ高コストです。普及するには時間がかかるでしょう。

なお、二酸化炭素を排出させたままの化石燃料由来の水素はグレー水素、原子力の熱で製造される水素はイエロー水素とよばれています。

アンモニアとメタネーション

水素はとても軽く、液体になりにくい物質であるため、取り扱いが難しいという問題があります。そこで、より取り扱いやすい物質に変化させるという技術も研究されています。

水素と窒素を合成させてできる**アンモニア**もその1つです。アンモニアは現在は肥料などに使われており、沸点はマイナス33℃で液化しやすい物質です。燃料としては、二酸化炭素を排出しない燃料として、火力発電での利用が想定されています。

一方、水素を二酸化炭素と反応させてメタンを合成することを、**メタネーション**といいます。メタンは天然ガスの主成分で、都市ガスの原料となります。既存のガス管が使えるというメリットがあります。

この他、航空機用のジェット燃料（ケロシン）やLPガスの合成も検討されています。特に電化が難しい航空機用には、バイオマスジェット燃料とともに、持続可能な航空燃料（SAF）として期待されています。

ブルー水素やグリーン水素が高価なため、アンモニアなどの燃料もまだまだ高コストです。しかし、ブルー水素についてはガス田近くで、グリーン水素は再エネの適地で大量に製造されることが見込まれており、これを利用することでアンモニアなども価格が下がることが期待されています。

メタネーションのイメージ

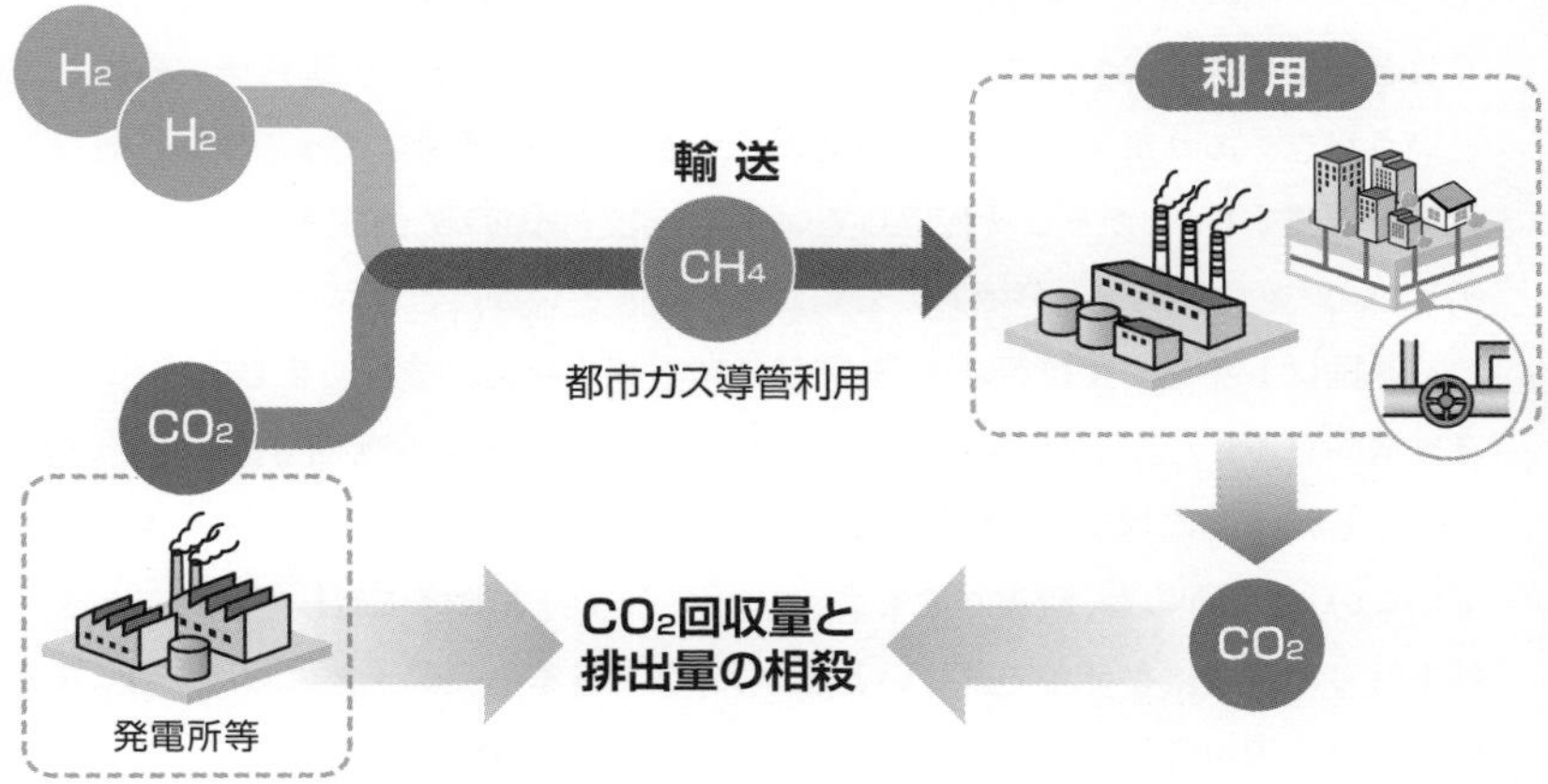

出典：資源エネルギー庁HP

column

米中と日本

地球温暖化の国際交渉の取材をしていて、近年強く感じることが、日本政府の存在感のなさです。

もともと、日本政府は国際交渉にあたって、そもそも国内の利害の調整ができていないため、交渉の戦略などもないに等しいものでした。京都議定書のときは、地球温暖化防止には、米中が参加する実効性ある枠組みが必要という主張は正しいのですが、そのための交渉戦略はなく、むしろ国内の産業界が温室効果ガス削減に積極的にならない理由となっていました。

しかし、その米中は地球温暖化の面で、オバマ政権以降、大きく接近しました。

そもそも、世界は米国、中国、EUの3極体制となっています。このうち、経済的に成熟したEUと異なり、米国と中国はなお経済成長が課題です。米国にとって、成長をもたらすものは、海外市場です。中でも中国の市場は大きく魅力的です。しかし、中国市場が安定して成長するためには、環境・エネルギー問題の解決と、政治的安定が必要です。一方、中国もまた、世界市場にアクセスするには、自国内の環境問題を解決していくことが必要です。さらに、米国には環境・エネルギー技術を中国市場に輸出したいという意思もあります。こうした利害関係があるから、米国にとって中国はもっとも重要な国ですし、だからこそ接近していきました。中国の政治的安定には、ロシア、韓国、北朝鮮を含む東アジア地域の安定が不可欠だということも付け加えておきます。

米国はトランプ大統領時代、政府は地球温暖化防止に後ろ向きでしたが、主要企業は前向きでした。バイデン政権となってからは、米国全体が前向きになっています。

こうした構図に対し、日本政府はすっかり疎外されています。本当に「相手にされていない」というのが、現実なのです。したがって、日本政府に対してはもっと広い視野を持って温暖化を考えて欲しいと思いますし、日本の民間企業においては、日本政府ではなく米中の動きに注目する方が重要だと考えられます。

第4章

地球温暖化問題

2008年のアル・ゴア元米国副大統領のノーベル平和賞受賞に象徴されるように、地球温暖化問題(気候変動問題)はグローバルで極めて深刻な問題です。2022年にまとめられたIPCC第6次評価報告書や2018年に公表されたIPCC1.5℃特別報告書は、二酸化炭素の排出の大幅な削減がなければ地球環境は大きなダメージを受ける可能性が高いとしています。さらに報告書は、地球温暖化の原因が人間活動だと断定しました。

一方、2015年に採択され、2016年に発効したパリ協定で、世界は温暖化防止に大きく前進しました。この問題を無視して、持続可能な電力・ガス事業はあり得ないでしょう。

地球温暖化のしくみ 1

二酸化炭素（CO_2）には、熱を吸収する性質があり、地球上の気温を平均15℃前後に保っています。ところが、大気中の二酸化炭素が増加すると、吸収する熱が増え、平均気温が上昇します。

化石燃料の大量消費

二酸化炭素をはじめとする**温室効果ガス**には、熱を吸収する性質があります。もし、こうした気体（ガス）がなかったら、太陽からの熱は地面を直接温めたあと、その熱が再び宇宙に放射されることになり、大気中に熱が蓄えられることはありません。その結果、夜や極地は猛烈に寒くなってしまいます。大気が熱を保存し、夜や極地を暖めることで、地球上は生物が住める気温になっているのです。

しかし、大気中の温室効果ガスが増加すると、大気が吸収する熱が増加し、地球の平均気温が上昇します。これが**地球温暖化**という現象です。また、気温の上昇だけではなく、台風の大型化や降雨パターンの変化なども起こるため、**気候変動**という言い方が問題を正確に表しています。さらに最近では、気候危機という言い方がされることもあります。

産業革命以前、すなわち石炭や石油などの**化石燃料**の大量消費が始まるまでは、大気中の二酸化炭素濃度は280ppm（0.028%）程度でした。それが現在は400ppmを超え、さらに増加を続けています。何もしなければ、今世紀末には600ppmから1000ppmになり、平均気温は4〜6℃も上昇する可能性が高いということです。

なぜ、急激に二酸化炭素濃度が上昇したのか。そもそも、化石燃料は、数千万年から数億年前の生物の遺体が地下で変成してできたもの、すなわち大昔の生物が固定した大気中の炭素です。数億年単位で蓄えられ

ワンポイントコラム
【モントリオール議定書】 フロンを削減することを取り決めた議定書。京都議定書の手本となった国際条約です。

たものが、わずか200年程度で再び大気中に放出されようとしているのが、現在の姿なのです。

温室効果ガス

温室効果ガスは、二酸化炭素の他に、**メタン**、**フロン**および**代替フロン**、**亜酸化窒素**、**六フッ化硫黄**、**三フッ化窒素**などがあります。いずれも二酸化炭素の数十倍から数万倍の温室効果があります。

地球温暖化防止を目的とする**気候変動枠組条約**では、オゾン層を破壊するために製造禁止となっているフロンを除いた温室効果ガスの排出削減が定められています。とはいえ、温室効果の主な原因は、二酸化炭素の大量排出だと考えてよいでしょう。

水蒸気にも温室効果があります。しかし、水蒸気は気温が高くなることで大気中に含まれる量が増えることから、温室効果ガスというよりも正のフィードバックとして考えるべきでしょう。

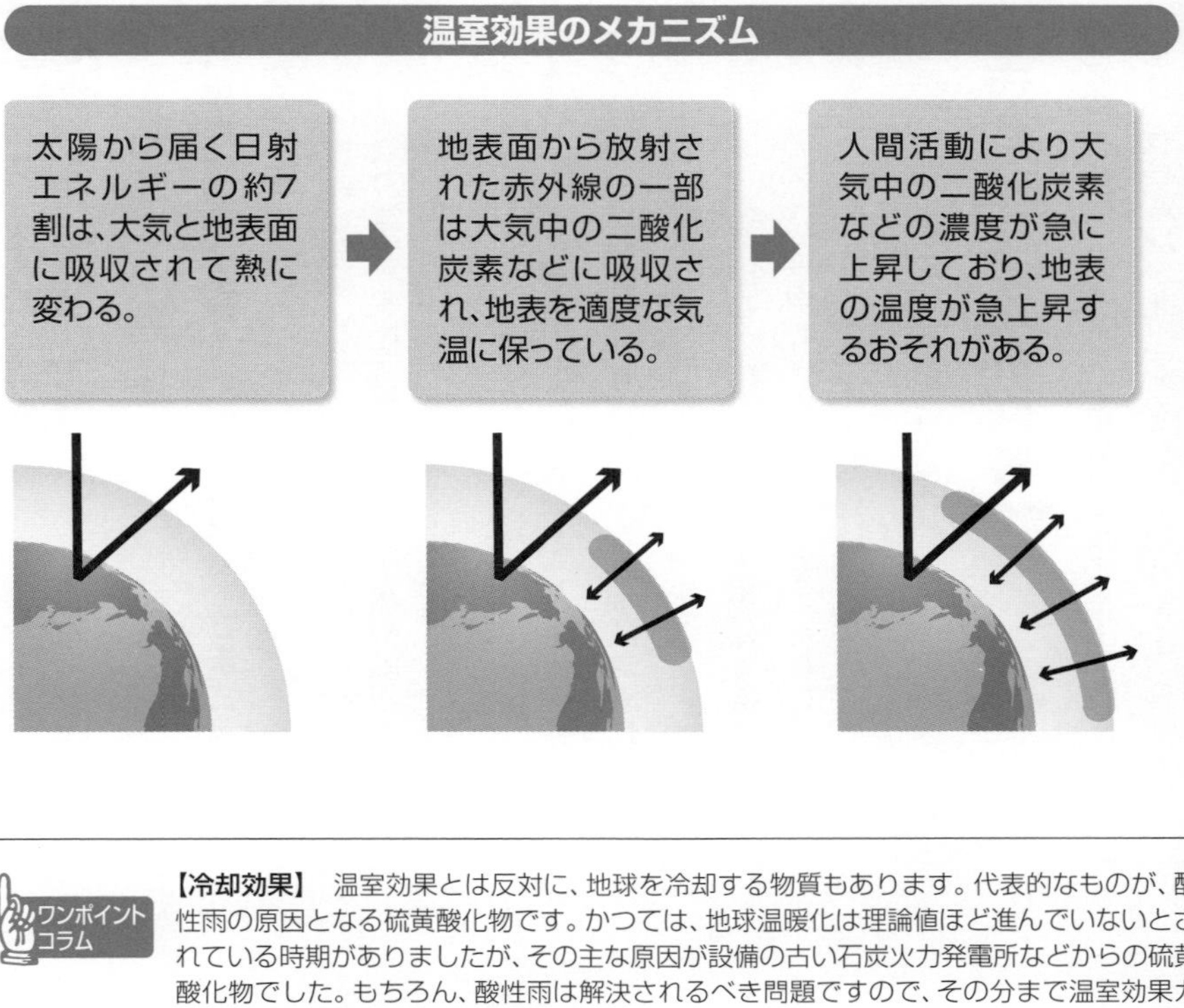
温室効果のメカニズム
太陽から届く日射エネルギーの約7割は、大気と地表面に吸収されて熱に変わる。
地表面から放射された赤外線の一部は大気中の二酸化炭素などに吸収され、地表を適度な気温に保っている。
人間活動により大気中の二酸化炭素などの濃度が急に上昇しており、地表の温度が急上昇するおそれがある。

ワンポイントコラム

【冷却効果】　温室効果とは反対に、地球を冷却する物質もあります。代表的なものが、酸性雨の原因となる硫黄酸化物です。かつては、地球温暖化は理論値ほど進んでいないとされている時期がありましたが、その主な原因が設備の古い石炭火力発電所などからの硫黄酸化物でした。もちろん、酸性雨は解決されるべき問題ですので、その分まで温室効果ガス排出を抑制する必要があります。

2 気候変動によって起こること

地球温暖化問題は気候変動問題ともいわれます。それは、平均気温が上がるだけではなく、さまざまな気象の変化や、それにともなう自然環境の変化をもたらすからです。

気象の変化

地球の平均気温が上昇したら何が起こるのでしょうか。もちろん、猛暑が増えますし、暖冬が増えます。しかし、それだけではありません。降水量や台風の強さと発生頻度など、さまざまな変化が起こります。

気温上昇については、すでに世界各地でさまざまな問題を引き起こしています。日本でも猛暑日が増加し、最高気温が40℃を超えることもめずらしくなくなってきました。海外でも同様で、欧州のパリやロンドンでも気温40℃が観測されています。また、米国のアラスカでも気温が30℃を超えることがありました。

気温の上昇に干ばつが加わると、山火事が発生しやすくなります。降雨量が少なくなることで、樹木が燃えやすくなります。米国カリフォルニア州や欧州のスペイン、オーストラリアなどで大規模な山火事が発生しています。

台風についても大きく変化しています。台風が強大化しているといわれており、日本でも近年は送電鉄塔を倒すような強力な台風が上陸しています。また、台風に限らず、記録的な大雨が降ることも少なくありません。東アジア、東南アジアにも被害をもたらしています。また、米国東海岸のハリケーンも強大化し、ニューヨーク州にまで影響を与えています。

生態系と健康への影響

地球温暖化は生態系にも影響を与えます。農作物の場合、栽培適地が北上することになります。移動できる動物や一年生植物はともかく、移動できない植物や限られた場所に住む動物は絶滅する恐れがあります。特にサンゴ礁は、気温が2℃上昇しただけで、99％が失われるといいます。また、干ばつにより砂漠化が進むことも懸念されます。

蚊の生息域が北上することで、デング熱やマラリアなどの感染症が温帯域に広がる可能性もあります。

海面上昇と海洋酸性化

地球温暖化によって、グリーンランドや南極の氷床が融けることで、海面が上昇することが指摘されています。小島しょ国は水没することが懸念されていますし、日本のゼロメートル地帯やイタリアのベネチアなども水面下になりかねません。

また、排出された二酸化炭素のおよそ半分は海水に溶けていると考えられています。その結果、海水が炭酸によって酸性化し、炭酸カルシウムの殻や骨格をつくる貝やサンゴは成長できなくなる可能性があります。その結果、海洋の生態系が崩れ、多くの生物が失われるかもしれません。

1.5℃未満にするための6つの可能性

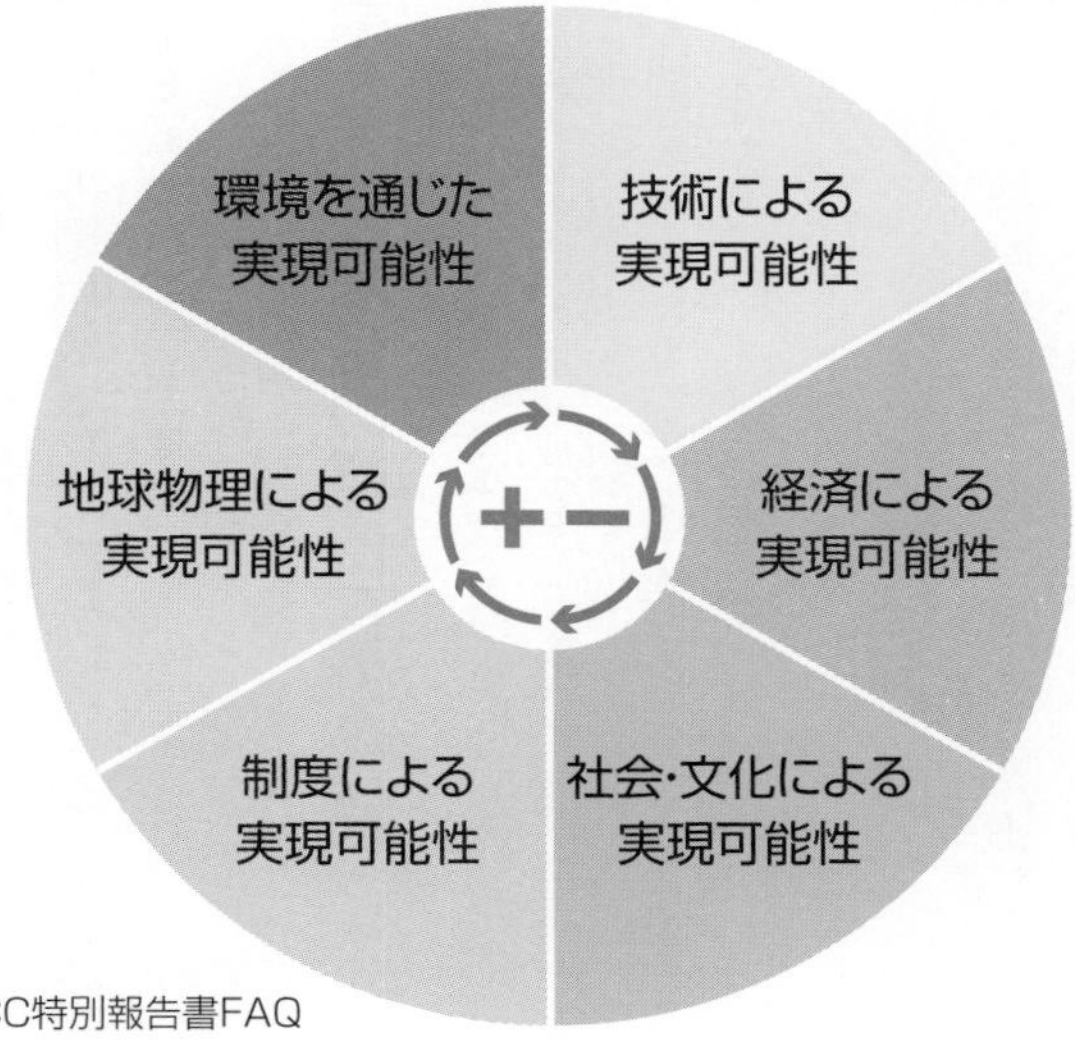

出典：IPCC特別報告書FAQ

3 IPCC第6次評価報告書

2021年から2022年にかけて公表されたIPCC第6次評価報告書は、地球温暖化の原因が人類の活動であり、大幅な二酸化炭素排出削減なしには、地球全体の環境破壊を防げないことを、より明確に示すものでした。世界各国は、大幅な二酸化炭素排出削減を迫られています。

IPCC評価報告書のしくみ

IPCC(気候変動に関する政府間パネル)は、国連環境計画(UNEP)と世界気象機関(WMO)によって1988年に設立された、地球温暖化問題の専門家・科学者の集まりです。その使命は、地球温暖化問題を研究することではなく、発表された論文を評価し、報告書をまとめるというものです。したがって、一部で政治的な力が働くことがありますが、基本的に公平性を持ったものです。

IPCCの評価報告書は、3つの作業部会でまとめられます。また、評価報告書とともに政策決定者に向けた要約も作成されます。

第1作業部会の報告書の概要

- 人間の影響が大気、海洋および陸域を温暖化させてきたことには疑う余地がない。大気、海洋、雪氷圏および生物圏において、広範囲かつ急速な変化が現れている。
- 人為起源の気候変動は、世界中すべての地域で、多くの気象や気候の極端な現象に既に影響を及ぼしている。熱波、大雨、干ばつ、熱帯低気圧のような極端な現象について観測された変化に関する証拠、およびそれらの変化を人間の影響によるとする証拠は強まっている。
- 世界の平均気温は、本報告書で考慮した全ての排出

ワンポイントコラム

【海面上昇は長期的問題】 IPCCの報告を見ると、海面上昇が言われているほど大きくないことがわかります。では、2100年までに60cm程度の海面上昇は問題ないのでしょうか。実は、その後引き続き大幅な海面上昇が予測されており、水没する島は少なくありません。また、この程度の海面上昇であっても、砂浜は激減するとも言われています。

シナリオにおいて、少なくとも今世紀半ばまでは上昇を続ける。向こう数十年間の間に二酸化炭素およびその他の温室効果ガスの排出が大幅に減少しない限り、21世紀中に1・5℃および2℃の地球温暖化を超える。

- 気候の多くの変化は、地球温暖化の進行に直接関係して拡大する。この気候の変化には、極端な高温、海洋熱波、大雨、および農業や生態学的干ばつの頻度と強度の増加、強い熱帯低気圧の割合の増加、北極域の海氷、積雪および永久凍土の縮小を含む。
- 温室効果ガスの排出に起因する多くの変化、特に海洋、氷床および海面上昇における変化は、数百年から数千年にわたって不可逆的である。
- 自然科学的見地から、人為的な地球温暖化を特定の水準に制限するには、二酸化炭素の累積排出量を制限し、少なくとも正味排出ゼロを達成し、他の温室効果ガスの排出も大幅に削減する必要がある。メタン排出の大幅で迅速かつ持続的な削減は、エアロゾル(硫黄酸化物など)による汚染の減少に伴う昇温効果を抑制し、大気の質も改善させるだろう。

第2作業部会の報告書の概要

- 人為起源の気候変動は、極端な現象の頻度と強度の増加を伴い、自然と人間に対して、広範囲にわたる悪影響と、それに関連した損失と損害を、自然の気候変動の範囲を超えて引き起こしている。
- 気候変動に対する生態系および人間の脆弱性は、地域間および地域内で大幅に異なる。これは、互いに交わる社会経済的開発の形態、持続可能ではない海洋および土地の利用、不衡平、周縁化、植民地化、ならびにガバナンスによって引き起こされる。約33～36億人が気候変動に対して脆弱である。人間および生態系の脆弱性は相互に依存する。現在の持続可能ではない開発の形態によって、生態系および人々の気候ハザードに対する曝露が増大している。
- 人々および自然に対するリスクを低減しうる、実現可能で効果的な適応の選択肢が存在する。適応策が気候リスクを低減する有効性は、温暖化が進むと効果が低下する。社会的不衡平に対処し、気候リスクに基づいて対応を差異化し、複数のシステムを横

ワンポイントコラム
【日本の米は増産、ただしインディカ】　日本では地球温暖化が進行すると、もともと熱帯性の作物だった米は増産すると予想されています。ただし、栽培に適したお米はインディカ米となり、北海道産コシヒカリがプレミアム米になるかもしれません。

断するような、統合的な他部門型の解決策は、複数の部門において適応の実現可能性と有効性を向上させる。

- 人間の適応は、主として財政面、ガバナンス、制度面および政策面の制約に対処うることによって克服しうる。一部の生態系は限界に達している。地球温暖化の進行に伴い、損失と損害が増加し、さらに多くの人間と自然のシステムが適応の限界に達するだろう。
- 世界中で気候にレジリエントな開発のために行動をとることについて、以前の評価に比べてさらに緊急性が高まっている。包括的で効果的かつ革新的な対応によって、持続可能な開発を進めるために、適応と緩和の相乗効果を活かし、トレードオフを低減することができる。
- 気候にレジリエントな開発は、国際協力によって、そして全てのレベルの行政がコミュニティ、市民社会、教育機関、研究機関、報道機関、投資家並びに企業と協働することによって促進されるとともに、女性、若者、先住民、地域コミュニティおよび少数民族を含む点灯的に周縁化されている集団とパートナーシップを醸成することによって促進される。
- 気候変動がすでに人間と自然のシステムを破壊していることは疑う余地がない。過去および現在の開発動向は、世界的な気候にレジリエントな開発を進めてこなかった。次の10年間における社会の選択および実施される行動によって、中期的および長期的な気候にレジリエントな開発がどの程度強まるかが決まる。現在の温室効果ガスの排出量が急速に減少しなければ、地球温暖化が1・5℃を超えた場合には、気候にレジリエントな開発の見込みがますます限定的になる。

第3作業部会の報告書の概要

- 世界全体の温室効果ガス排出量に対する地域別寄与度は大きく異なっている。一人あたりの排出量が最も多い上位10%の世帯が、温室効果ガス排出量に占める割合が不均衡に大きい。
- 2010年以降、低排出技術の単価は継続的に低下している。デジタル化は排出削減を可能にしうるが、適切に管理されなければ、副次的な悪影響を及ぼしうる。
- 緩和に対処するための政策や法律が一貫して拡充している。資金の流れをパリ協定の目標に向けて整合させることは遅れており、地域や部門間で不均等に分配されている。
- 追加的な対策を行なわない化石燃料インフラが、今後耐用期間中に排出すると予想される累積二酸化炭素排出量は、1・5℃に抑えたときの総排出量を上回る。
- 1・5℃の抑える経路では、世界の温室効果ガス排出量は2020年から遅くとも2025年にピークに達すると予測される。その後、急速な温室効果ガス排出削減が続く。政策の強化がなければ2025年以降も温室効果ガス排出は増加し、2100年までに2・2~3・5℃の地球温暖化をもたらす。
- 1・5℃に抑える経路では、世界全体で2050年代前半に二酸化炭素排出量正味ゼロに達する。
- エネルギー部門全体を通して温室効果ガス排出量を削減するには、化石燃料の大幅な削減、低排出エネルギー源の導入、エネルギー効率化と省エネなど大規模な転換を必要とする。
- 産業部門由来の二酸化炭素排出を正味ゼロにすることは、温室効果ガス排出ゼロの電力、水素、燃料と炭素管理を用いた新しい生産プロセスの導入、およびバリューチェーンの効率化などにより可能となる。
- 都市域の温室効果ガス排出削減は、エネルギーと物質の消費量の削減、電化、および炭素吸収と貯留の強化を含む。都市は正味ゼロを達成しうるが、それはサプライチェーンを通じて排出量が削減される場合に限られる。
- 適切に設計された政策は、新築と改修された建物の両方において、SDGs達成に貢献する大きな潜在的可能性を有する。
- 電気自動車は陸上輸送について最大の脱炭素化ポテンシャルを提供しうる。持続可能なバイオ燃料は陸上輸送、海上輸送、航空輸送にさらなる緩和をもたらしうるが、生産プロセスの改善とコスト削減を必要とする。

- 農業、林業、その他土地利用は、持続可能な方法で実施された場合、大規模な温室効果ガス排出削減をもたらすが、他の部門における行動の遅れを完全に補うことはできない。
- 温室効果ガス排出ゼロを達成しようとするならば、二酸化炭素回収技術の導入は避けられない。
- 二酸化炭素1トンあたり100ドル以下のコストでの緩和手段で、世界全体の温室効果ガスの排出量を2030年までに2019年レベルの半分以下に削減しうる。気温上昇を2℃以下に抑えることの経済効果は、コストを上回ると報告されている。
- 多くの規制的手段や経済的手段はすでに成功裏に展開されている。これら制度は、規模を拡大し、より広範に適用すれば、大幅な排出削減を支援し、イノベーションを刺激しうる。
- 資金はすべての部門と地域にわたって、緩和目標の達成に必要なレベルに達していない。資金ギャップの課題は開発途上国で最も大きい。加速された資金協力は、気候変動の影響のコストと税癪性における不衡平に対処しうる。
- 国際協力は、野心的な気候変動緩和目標を達成するための極めて重要な成功要因である。

ワンポイントコラム

【海の酸性化】　気候変動問題では、気候そのものだけではなく、海の酸性化も大きな問題となる可能性があります。大気中に排出された二酸化炭素のかなりの部分が海に吸収され、大気中の濃度の急上昇を防いでいますが、その結果、海が酸性化しています。このまま酸性化が進むと、サンゴや貝、ある種のプランクトンが炭酸カルシウムの殻や骨格をつくれず、生態系が破壊される恐れがあるからです。

IPCCとは

設立	世界気象機関（WMO）及び国連環境計画（UNEP）により1988年に設立された国連の組織
任務	各国の政府から推薦された科学者の参加のもと、地球温暖化に関する科学的・技術的・社会経済的な評価を行い、得られた知見を政策決定者を始め広く一般に利用してもらうこと

IPCCの組織

IPCC総会

- **第1作業部会（WGI）：自然科学的根拠**
  気候システム及び気候変化についての評価を行う。
- **第2作業部会（WGII）：影響、適応、脆弱性**
  生態系、社会・経済等の各分野における影響及び適応策についての評価を行う。
- **第3作業部会（WGIII）：気候変動の緩和（策）**
  気候変化に対する対策（緩和策）についての評価を行う。
- **温室効果ガス目録に関するタスクフォース**
  各国における温室効果ガス排出量・吸収量の目録に関する計画の運営委員会。

出典：環境庁HP

世界の平均地上気温の変動

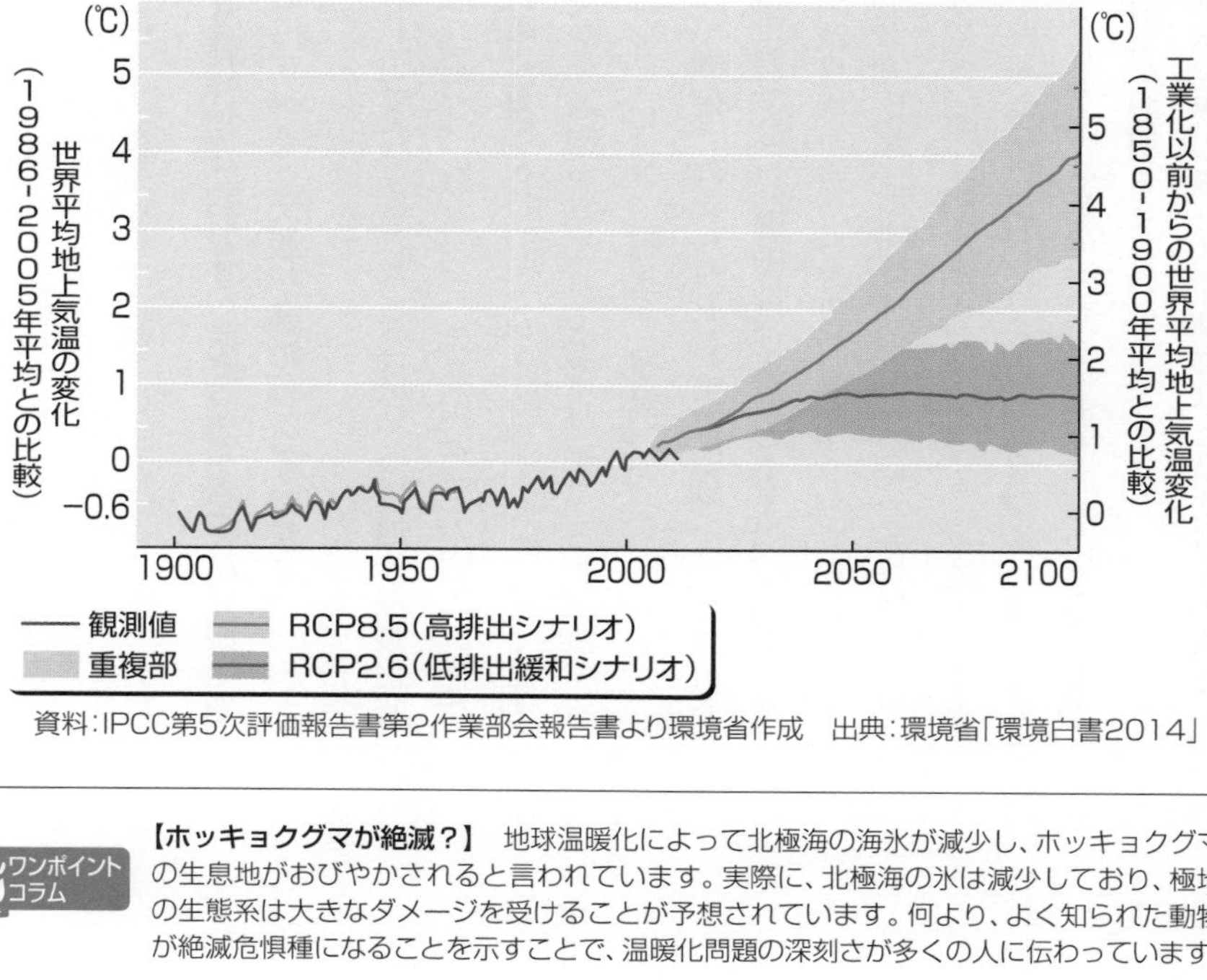

資料：IPCC第5次評価報告書第2作業部会報告書より環境省作成　出典：環境省「環境白書2014」

ワンポイントコラム

【ホッキョクグマが絶滅？】　地球温暖化によって北極海の海氷が減少し、ホッキョクグマの生息地がおびやかされると言われています。実際に、北極海の氷は減少しており、極地の生態系は大きなダメージを受けることが予想されています。何より、よく知られた動物が絶滅危惧種になることを示すことで、温暖化問題の深刻さが多くの人に伝わっています。

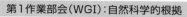

4 気候変動枠組条約

地球温暖化問題の国際交渉の舞台となっているのが、気候変動枠組条約です。京都議定書やパリ協定もこの条約の下でのものです。現在は、パリ協定を実効あるものにすべく、交渉が進められています。

リオ・サミット

地球温暖化問題が国際社会で本格的に議論されるようになったのは、1980年代からでした。1990年にはIPCCの最初の評価報告書が公表されています。**気候変動枠組条約**の交渉も1990年12月に開始され、1992年にブラジルのリオデジャネイロで開催された国連環境開発会議（**リオ・サミット**）において、生物多様性条約とともに条約の署名が開始されました。

気候変動枠組条約

気候変動枠組条約は、1994年に発効しました。そして1995年にはドイツのベルリンで第1回締約国会議（COP1）が開催されています。

COP1で合意されたことは、一つは地球温暖化問題に取り組むに当たって、先進国と途上国は「**共通だが差異ある責任**を持つ」というものでした。そしてもう一つが先進国が率先して温室効果ガスを削減する議定書をCOP3で採択するものでした。

日本で開催されたCOP3（**京都会議**）で採択された**京都議定書**では、先進国は拘束力のある温室効果ガス排出削減目標が定められました。1990年比で日本はマイナス6%、米国はマイナス7%、EUはマイナス8%です。第1約束期間は2008年から2012年でしたが、日本とEUはこの削減目標を達成しました。しかし米国は京都議定書に批准せず、温室効果ガス排出量を増加させています。

京都議定書の第2約束期間は2013年から20

地球温暖化防止に関する国際交渉の歩み

年月	会議とその内容
1986年10月	フィラハ会議（オーストリア） 地球温暖化に関するはじめての世界会議。科学者が集まって科学的知見を整理・評価した。
1987年11月	ベラジオ会議（イタリア） 地球温暖化防止について初めて行政レベルの検討が行われる。
1988年6月	トロント会議（カナダ） 先進国は2005年までにCO_2を1988年の20％削減の生命を採択。
1988年11月	UNEP/WMOにより『気候変動に関する政府間パネル（IPCC)』設置。会合開催 1990年夏頃までに科学的知見、影響、対策について検討を行うことを決定。
1992年6月	国連環境開発会議（UNCED） 1972年の人間環境宣言の20周年に開催された会議で、環境と開発をテーマに環境問題を包括的に議論。気候変動枠組条約が採択。
1994年3月	気候変動枠組条約発効（UNFCCC）
1995年3月	気候変動枠組条約第１回締約国会議（ドイツ、ベルリン）：COP1開催 気候変動枠組条約第3回締約国会議を目途に、2000年以降の目標について検討を行うことを決定“ベルリン・マンデート”
1997年12月	気候変動枠組条約第3回締約国会議（日本、京都）：COP3開催 先進国の温室効果ガス排出量を2008～2012年の期間平均で、1990年比少なくとも5％削減する目標を規定した京都議定書が採択され、日本は6％削減に同意した。
2000年11月	気候変動枠組条約第6回締約国会議（オランダ・ハーグ）：COP6開催 植林や農地などによる二酸化炭素の吸収効果の算定方法めぐり、緩い算定を求める米国、日本と厳しい算定を求めるEUが対立し交渉は合意に至らなかった。
2001年7月 10月	COP6再開会合（ドイツ、ボン） 京都メカニズム、遵守、吸収源、途上国支援等政治的判断を要する項目について合意（部分合意） COP7（モロッコ、マラケシュ） 京都議定書発効に向けた運用細則についての成文に関し合意を得る。
2002年8月 10月	持続可能な開発に関する世界首脳会議（WSSD）（南アフリカ、ヨハネスブルグ） UNCEDから10年間の評価と今後について議論。環境重視から環境と開発重視へ COP8（インド、ニューデリー） 途上国・先進国双方が協調して、双方が共に温暖化対策に取組んでゆくことの必要性を盛り込んだデリー政治宣言を採択。
2005年2月 11・12月	京都議定書発効 COP11/MOP1（カナダ、モントリオール） マラケシュ合意を採択、「長期的協力のための行動の対話」の開始。
2006年7月 11月	G8（イギリス、グレンイーグルズ） 省エネ、クリーン・エネルギーの活用などの具体的行動を含む『グレンイーグルズ行動計画』に合意。 COP12/MOP2（ケニア、ナイロビ）
2009年	COP15/MOP5（デンマーク、コペンハーゲン） ポスト京都の合意に失敗、コペンハーゲン合意に留意。
2010年	COP16/MOP6（メキシコ、カンクン） カンクン合意
2015年	COP21（フランス、パリ）2020年以降の温室効果ガス削減の枠組みとしてパリ協定に合意
2016年	パリ協定発効
2021年	米国主催の気候変動サミットで、先進国が削減目標を上方修正、2050年カーボンニュートラルへ。

20年まででしたが、発効しませんでした。

京都議定書のしくみ

1997年にCOP3で採択され、2005年に発効した京都議定書は、大きく2つのことが示されています。一つは、前述の先進国の削減目標です。そしてもう一つが、**京都メカニズム**と呼ばれるものです。

先進国が温室効果ガスを削減するにあたって、目標達成のために、**柔軟性措置**と呼ばれるものが取り入れられました。これは、**排出量取引**、**共同実施**、**クリーン開発メカニズム**（CDM）、および森林などの**吸収源**の4つです。とりわけ、CDMと吸収源は途上国に大きな期待をもって迎えられました。というのも、先進国の途上国への投資につながるからです。しかし、CDMは厳格さが要求されるなどにより、十分な成果が出ませんでした。また、吸収源については、植林だけではなく森林保全など何を対象とするのかという議論ありました。2020年以降の次期枠組みでは、新しいクレジット制度や森林保全を促進する**REDD+**の導入が進められています。

世界のエネルギー起源 CO_2 排出量（2013年）

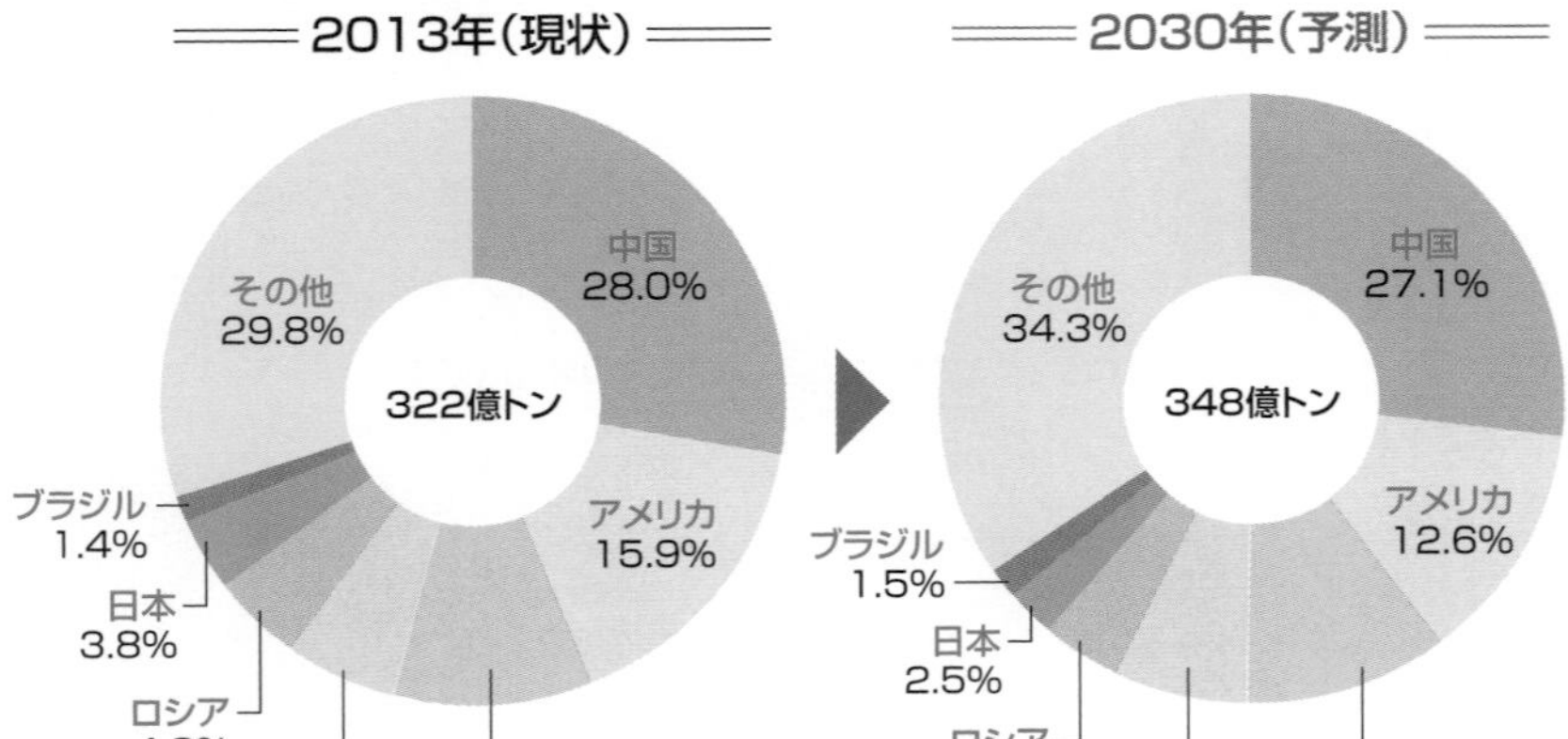

出典：EICネット HP

ワンポイントコラム

【森林伐採と二酸化炭素】 森林が伐採されると、大気中の二酸化炭素が増えます。これは、二酸化炭素を吸収する植物が減るというよりも、植物体として固定されていた炭素が放出されるということによります。森林保全、とりわけ熱帯雨林の保護もまた、地球温暖化防止に必要なのです。

京都メカニズム

排出量取引(Emission Trading Scheme)

排出量取引

各国の削減目標達成のため、先進国同士が排出量を売買する制度

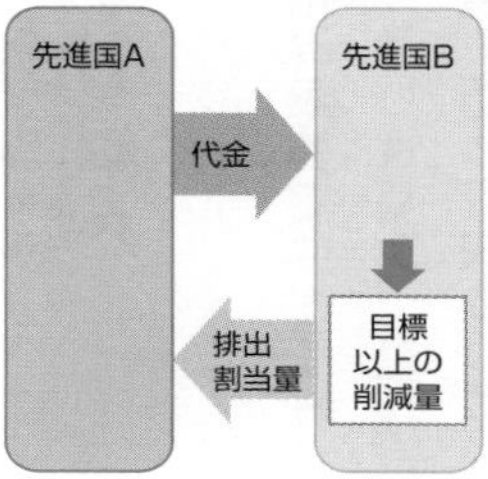

●先進国の間で、排出枠の獲得・取引を行う仕組み。

●ただし、排出権取引が行えるのは京都議定書の発効が前提となる。京都メカニズムの枠外ではEU(EU-ETS)、イギリス(UK-ETS)、シカゴ(CCX)などで、既に排出量(権)取引が試行されている。

注:「排出権」(=物に対する権利)か、単なる「排出量」かは、取引制度等の準拠する法規定による。

共同実施(Joint Implementation)

共同実施(JI)

先進国同士が共同で事業を実施し、その削減分を投資国が自国の目標達成に利用できる制度

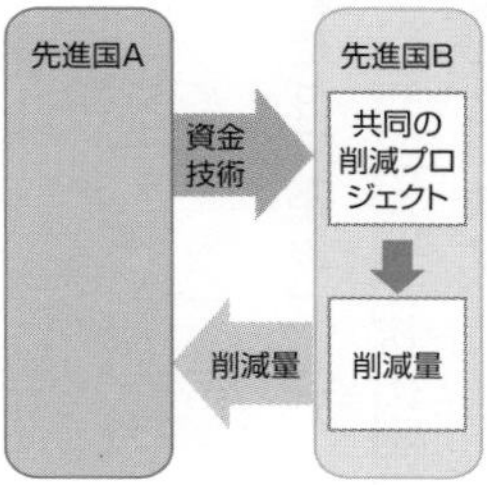

●先進国同士でプロジェクトを行い、その結果生じた排出削減量(または吸収増大量)に基づいて発行されたクレジットをプロジェクト参加者間で分け合うこと。
- ・クレジットは排出枠として活用が可能
- ・プロジェクトの実施に協力する先進国Aを投資国、プロジェクトを受け入れる先進国Bをホスト国と呼ぶ

●数値目標が設定されている先進国間での排出枠の取得・移転になるため、先進国全体としての総排出枠の量は変わらない。

クリーン開発メカニズム(Clean Development Mechanism)

クリーン開発メカニズム(CDM)

先進国と途上国が共同で事業を実施し、その削減分を投資国(先進国)が自国の目標達成に利用できる制度

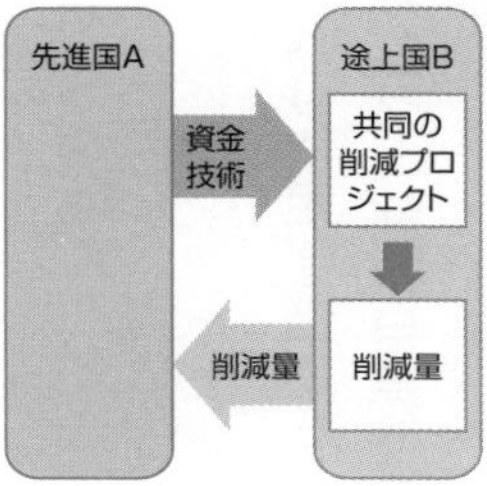

●先進国が発展途上国と協力してプロジェクトを行い、その結果生じた排出削減量(または吸収増大量)に基づいて発行されたクレジットをプロジェクト参加者間で分け合うこと。
- ・プロジェクトを実施する先進国Aを投資国、プロジェクトが行われる途上国Bをホスト国という

●結果として、先進国の総排出枠の量が増大する。そのため、クレジット発行に際して審査が厳格になる。

出典:資源エネルギー庁HP

ワンポイントコラム

【CDM改革と新たなクレジット】 温暖化国際交渉でホットな話題の1つが、CDM改革です。これまでのCDMは、経済成長が低い低開発国にはメリットがなかったため、プロジェクトの簡素化や低開発国の支援クレジット、産業セクター別クレジット、森林持続によるクレジットなどの導入が議論されています。

5 パリ協定

気候変動枠組み条約では、2020年以降の新たな枠組みとして、2015年にパリ協定が採択され、2016年に発効しました。京都議定書と異なり、全ての国が排出削減目標を持つ一方で、削減目標は各国が自国の事情に応じて決めるというしくみになっています。

パリ協定のしくみ

パリ協定は、二酸化炭素排出の削減目標という点では、だいたい次のようなしくみになっています。

❶ 2100年までの気温上昇を、産業革命前から2℃未満、できれば1・5℃未満になるように抑える。
❷ 先進国だけではなくすべての国が削減目標を持つ。
❸ 削減目標は自主的に設定する。
❹ 削減目標は5年ごとに見直す。
❺ 削減にあたっては、**MRV**(測定/報告/検証)が可能なものでなくてはならない。

これは何を意味するのでしょうか。まず、削減目標ですが、京都議定書ではトップダウンのような形で削減目標を決めたため、米国や途上国には受け入れにくいスタイルでした。そこで、すべての国を参加させるために、自主的に設定する目標としました。

ただし、それだけでは国の間に不公平が生じます。そこで、国の間で検証・評価するしくみを取り入れました。ここでは、目標が適切かどうか、あるいは目標を達成するための政策的措置が十分にとられているか、といったことが評価の対象となります。

では、目標はどうあるべきなのか。それは、地球温暖化を2℃未満、可能であれば1・5℃未満に抑えるレベルということになります。ただし、現在の各国の目

ワンポイントコラム

【NAMA】 ポスト京都で重要な概念に、NAMA(途上国による適切な緩和行動)があります。これは、途上国もまた、温室効果ガスの削減が必要となっていますが、それをどのように行っていくのかということです。先進国の支援が不可欠ですが、同時にそうした行動そのものをクレジットにするという議論もあります。

標が、2℃未満に抑えるには低すぎるということが問題となっています。したがって、各国とも削減目標を深堀りしなくてはならなくなっています。

主要国の削減目標

パリ協定における削減目標は、当初は目標達成に対して、不十分なものでした。すなわち達成しても2℃未満に抑制できないというものです。

しかし、気候変動問題が深刻化する一方、金融などを中心に温室効果ガス削減の要請が高まったことから、先進国が目標を修正するようになってきました。

2021年4月に開催された米国バイデン政権主催の気候変動サミットでは、米国、EU、英国、日本が2030年の削減目標の上方修正や2050年のカーボンゼロにコミットしました。

その一方、ロシアやオーストラリアなどの資源国は、削減目標の修正には及びませんでした。また、中国は2020年に2060年のカーボンニュートラルを宣言していますが、2050年への前倒しには慎重な姿勢でした。さらにつけ加えておくと、上方修正された

パリ協定における主要国の国別目標

EU	・2030年までに、1990年比で、GHG排出量を国内で少なくとも**55%削減**
アメリカ	・2025年までに、2005年比で、GHG排出量を**50〜52%削減**（28%削減へ最大限努力）
英国	・2030年に1990年比でGHG排出量を**78%削減**
カナダ	・2030年に2005年比でGHG排出量を**40〜45%削減**
日本	・2030年までに、2013年比で、GHG排出量を**46%削減**
中国	・2030年までに排出を減少に転じさせる ・**国内総生産（GDP）当たりCO2排出量を05年比で65%削減**
ブラジル	・2025年に、2005年比で、GHG排出量を**37%削減**、示唆的に2030年に2005年比で43%削減
インド	・2030年に2005年比で、**GDPあたりの排出量を33〜35%削減**

ワンポイントコラム

【REDD＋】　京都議定書における吸収源がより進んだものと考えてよいでしょう。森林保全には、二酸化炭素吸収に加えて、生物多様性の保全など、多くの経済的価値があります。途上国に多い森林の価値を積極的に認めていくことで、途上国支援につなげようというのが、REDD＋のしくみです。

先進国の目標を積み重ねても、まだ1・5℃に抑制するには不足しています。

We Are Still In

米国は2017年にトランプ氏が大統領に就任すると、その年の秋にパリ協定を離脱する手続きをとりました。トランプ氏は石炭・石油産業の支持を受けており、気候変動に懐疑的な立場でした。そのため、政府の機関である環境保護局のウェブサイトから気候変動に関する情報を消去させてしまったほどです。

とはいえ、パリ協定の規約では脱退を申請してから正式に脱退するまで、3年間かかります。そのため、米国がパリ協定を脱退したのは、2020年の米国大統領選挙の投票日前日でした。2021年にバイデン大統領が就任すると、ただちにパリ協定復帰の手続きをとりました。

ところで、気候変動問題に後ろ向きだったトランプ政権ですが、多くの米国企業や自治体はパリ協定への残留を支持し、独自に気候変動対策を進めてきました。その最大の理由は、気候変動問題を軽視していては、グローバル市場で相手にされなくなるという危機感があったからです。そこで、民間企業や自治体は、「我々はパリ協定に残留している」という意味の、“We Are Still In„という団体をつくり、独自の活動を展開してきました。こうした非国家アクターの活動は世界にも広がり、日本でもJCI（日本気候変動イニシアチブ）などの団体が発足しています。

緩和と適応、途上国問題

地球温暖化問題は、環境問題であると同時に、南北問題でもあります。

先進国と途上国との間で、経済的な格差を是正するということも、大きなテーマです。

同時に、京都議定書と大きく異なっているのは、ある程度の地球温暖化は避けられないという認識に立っているということです。したがって、温暖化防止だけではなく、温暖化した気候に適応していくための支援も必要になっているということです。

では、途上国支援のために、どのようなしくみが取り入れられているのでしょうか。

一つは、経済的支援です。各国がお金を出し合って基金をつくり、これをもとにして途上国を支援するというものです。

また、技術的な支援も重要です。途上国に化石燃料ではなく再生可能エネルギーの利用を促進したり、あるいは省エネルギーなどエネルギーの効率的利用の技術を導入するということです。

パリ協定では、第六条に京都メカニズムの代わりとなるしくみを導入しています。第二項は、共同実施に相当するもので、第四項がＣＤＭに相当するものです。いずれも、カーボンクレジットを創出するためにプロジェクトを実施するというものです。

日本は、第二項に相当するものとして、技術移転として、**二国間クレジット**というしくみを進めています。これは、途上国に二酸化炭素排出削減プロジェクトを導入し、削減した二酸化炭素の一部を自国の削減分にあてるというものです。

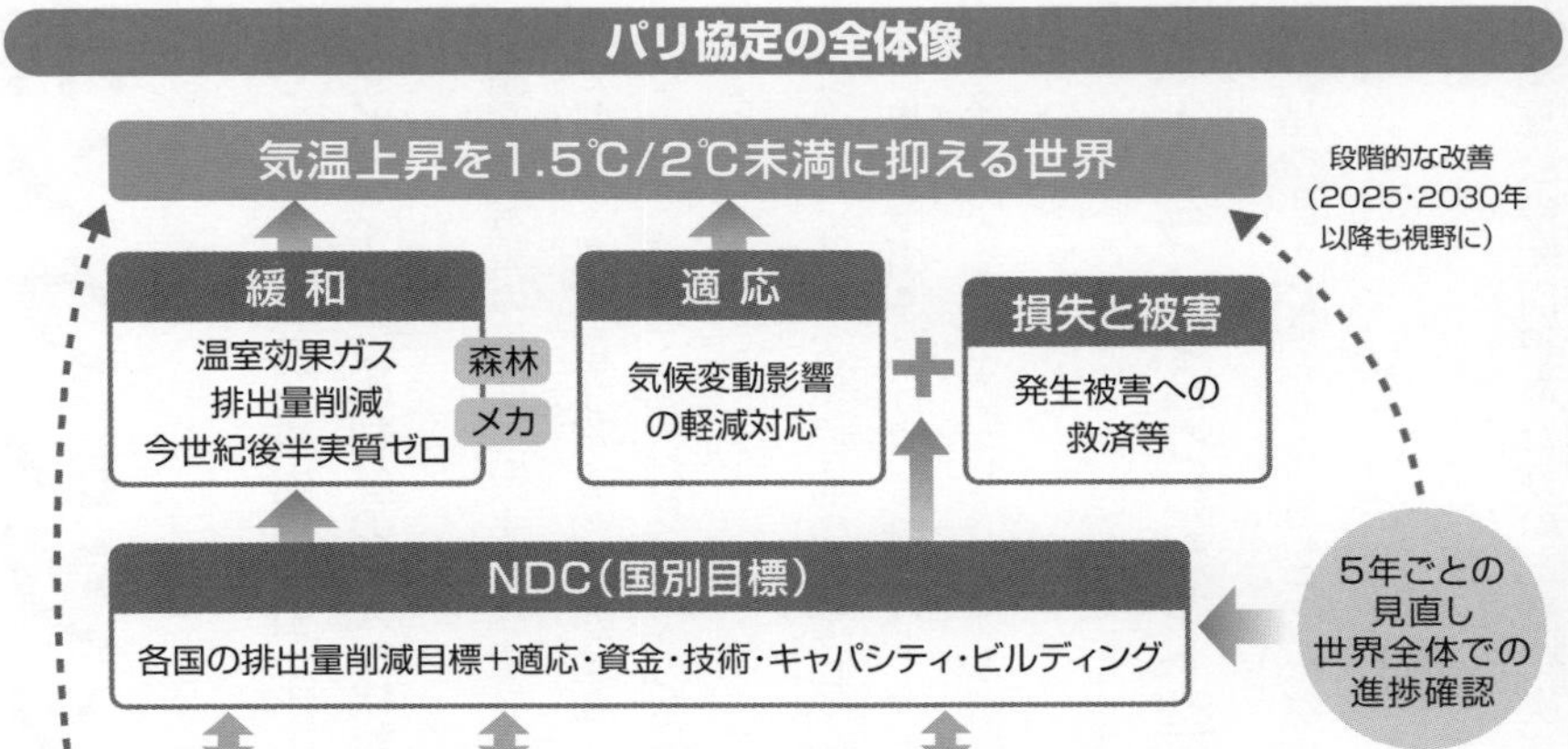

出典：WWF Japan 小西雅子氏作成資料

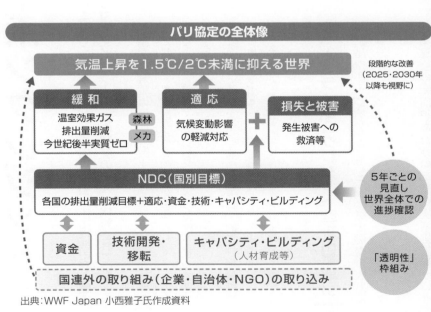

6 排出量取引とカーボンクレジット

二酸化炭素排出削減のための経済的な手法（カーボンプライシング）としては、排出量取引（排出権取引）と環境税（炭素税）の2つが代表的です。我が国でも、いずれかのカーボンプライシングの制度の導入が検討されています。

キャップ&トレード型排出量取引

排出量取引で一般的なものが、**キャップ&トレード**と呼ばれているものです。ＥＵや米国の一部の州、中国の一部などで導入されている制度です。これは、事業所に排出の上限となる排出枠を発行し、この排出枠の取引（トレード）を許すもので、これにより、最も費用効果的な排出削減が可能だとされています。

問題は、事業所にかける上限をどのようにして決めるのか、その公平性はどのように担保されるのか、新規参入者の場合はどうするのか、といった点です。

我が国でも、導入の是非が議論されたときには、こうした課題が取り上げられました。ただし、省エネ法（エネルギーの使用合理化に関する法律）や温対法（地球温暖化対策の推進に関する法律）などにより、事業所が排出する二酸化炭素の量が情報としてまとめられるインフラはできており、導入の条件か整ってきているともいえるでしょう。

２０２３年からは、政府主導で自主的な排出量削減と排出量取引を試行する**ＧＸリーグ**がスタートします。多くの企業が参加しており、本格的導入につながるものとみられます。

ベースライン&クレジット型排出量取引

製品やサービスなどに対して、二酸化炭素の排出量原単位の上限を決める方法を、**ベースライン&クレジット**といいます。たとえば、鉄鋼１トンあたりですとか、商業施設の床面積あたりの二酸化炭素排出量という

ワンポイントコラム

【排出権割当方法】 割当の方法にはいくつかあります。一つはグランドファーザーリングといい、過去の排出量をもとに算定するというものです。新規参入者への割当の確保などが必要となります。一方、オークションはより公平な方法ですが、事業者の負担が大きくなることが問題です。この2つの方法を併用し、一部を割り当てて、残りをオークションにする方法なども検討されています。

基準です。

　この方式は、総量規制に結びつかず、生産量が拡大すれば二酸化炭素排出量も拡大するという点が問題です。しかし、製品やサービスに対する二酸化炭素排出量を比較するうえでは、適した方法です。

　貿易に環境問題を考慮させる場合は、こうした方法も有効な手段といえるでしょう。

カーボンクレジット

　排出量取引では、直接二酸化炭素を取引するわけではなく、排出枠を取引します。この排出枠を**カーボンクレジット**といいます。

　京都議定書においては、国際的に取引されるカーボンクレジットが4種類ありました。こうしたしくみは、パリ協定でも、修正を加えながら継続することになっています。

　日本では、国内における二酸化炭素排出削減の取組み（省エネや再エネの利用）を証書のような形にして他の事業者に提供し、カーボンオフセットのために利用する**J-クレジット**が導入されています。

排出量取引のしくみ

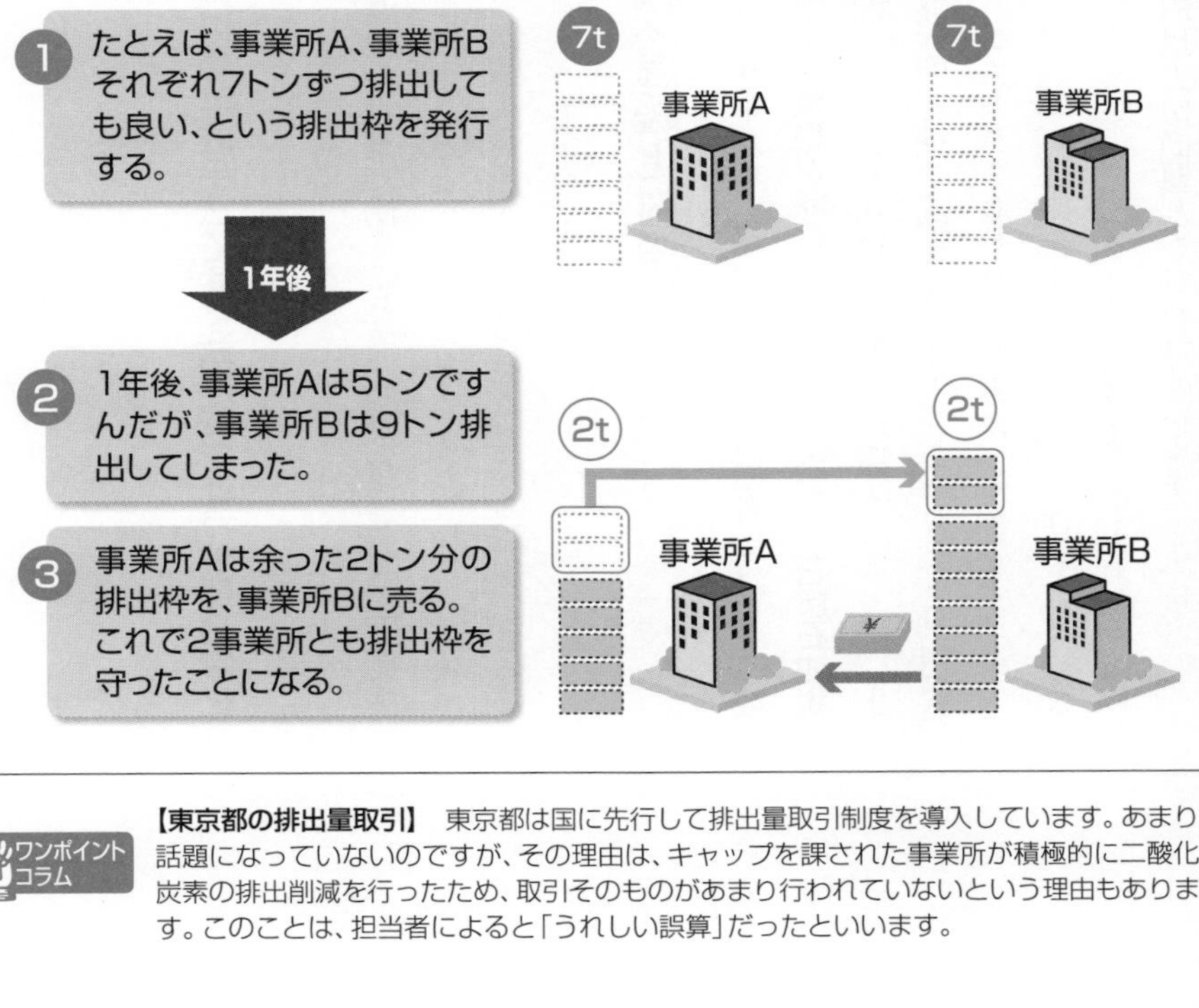
1 たとえば、事業所A、事業所Bそれぞれ7トンずつ排出しても良い、という排出枠を発行する。
7t
事業所A
7t
事業所B
1年後
2 1年後、事業所Aは5トンですんだが、事業所Bは9トン排出してしまった。
3 事業所Aは余った2トン分の排出枠を、事業所Bに売る。これで2事業所とも排出枠を守ったことになる。
2t
2t
事業所A
事業所B
¥

ワンポイントコラム
【東京都の排出量取引】　東京都は国に先行して排出量取引制度を導入しています。あまり話題になっていないのですが、その理由は、キャップを課された事業所が積極的に二酸化炭素の排出削減を行ったため、取引そのものがあまり行われていないという理由もあります。このことは、担当者によると「うれしい誤算」だったといいます。

7 環境税・炭素税

環境税・炭素税は、排出量取引とならぶ、地球温暖化対策の経済的手法です。我が国では、地球温暖化対策税として、化石燃料に課税されています。

環境税・炭素税

環境税は、環境への負荷が大きい行動や製品などに対してかけられる税金です。税金というよりも、課徴金という性格が強いものです。二酸化炭素排出だけではなく、水源涵養《かんよう》のための森林の保全などに課税されることもあります。

環境税のうち**炭素税**と呼ばれるものは、二酸化炭素排出を対象に課税されます。我が国では90年代末から、環境庁および後の環境省で検討が続けられてきました。当時の議論では、炭素1トンあたり(二酸化炭素換算約3・7トン)3000円程度の税金をかけるという案が有力でした。ガソリン1リットルあたり、2円程度で、税率としては高くはないのですが、税収を地球温暖化対策に使うことで、効果的に二酸化炭素排出が削減できるということです。また、キャップ&トレードが適用しにくい一般家庭などにも適用できるというメリットがあります。

地球温暖化対策税

2012年から、我が国では化石燃料に対して、**地球温暖化対策税**が課税されました。既存の**石炭石油税**の徴税スキームを利用する形での導入となっています。最終的には、二酸化炭素1トンあたり289円(炭素1トンあたり1060円)の課税となります。また、税収は、二酸化炭素排出削減の施策に使われています。しかし近年の議論では、二酸化炭素1トンあたり数千円以上が必要ともいわれています。

「地球温暖化対策のための税」について

●税率

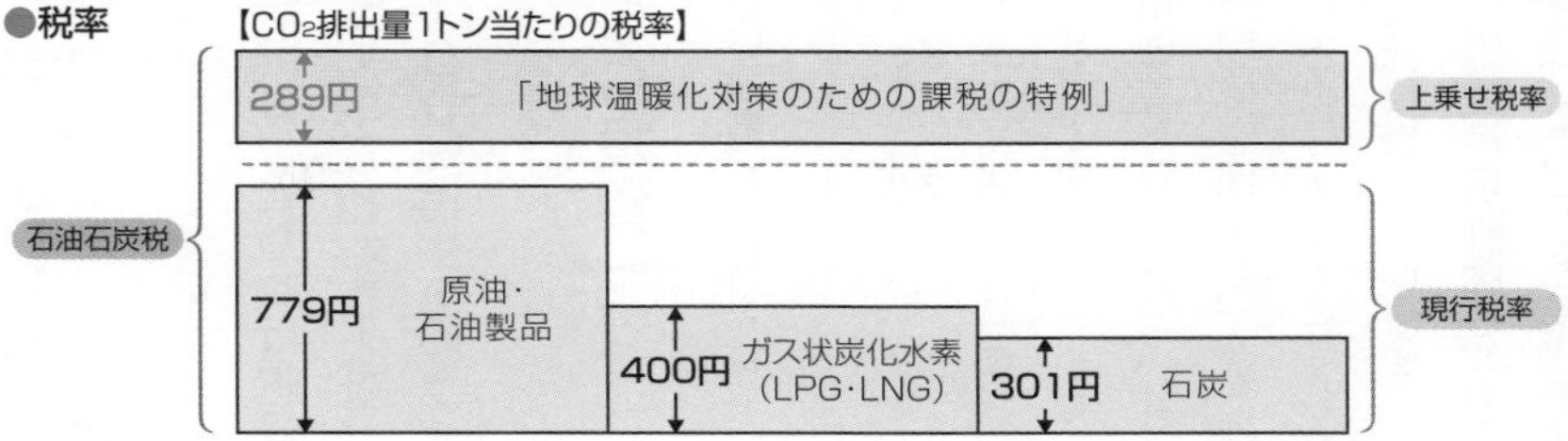

●段階施行

※()は石油石炭税の税率

課税物件	現行税率	H24年10/1〜	H26年4/1〜	H28年4/1〜
石油・石炭製品[1kℓ当たり]	(2,800円)	+250円(2,290円)	+250円(2,540円)	+260円(2,800円)
ガス状炭化水素[1t当たり]	(1,860円)	+260円(1,340円)	+260円(1,600円)	+260円(1,860円)
石炭[1t当たり]	(1,370円)	+220円(920円)	+220円(1,140円)	+230円(1,370円)

●税収

初年度:391億円／平年度:2,623億円 → **再生可能エネルギー大幅導入、省エネ対策の抜本強化等に活用**

出典:環境省HP

地球温暖化対策のための税によるに CO_2 削減効果

	2020年
価格効果	▲0.2% (約176万トンのCO_2削減)
財源効果	▲0.4%〜▲2.1% (約393万トン〜約2175万トンのCO_2削減)
計	▲0.5%〜▲2.2% (約569万トン〜約2,350万トンのCO_2削減)

＊平成24年度税制改正で成立した内容を前提
・税率:289円/t-CO_2(3年半かけて税率を段階的に引上げ)
・税収:初年度391億円／平年度2623億円。

(注)2020年の非課税時のエネルギー起源CO_2排出量は、1,115百万トン。
(注)価格効果については、最新の統計から推計したエネルギー消費に係る価格弾性値を用いて算出。
(注)財源効果については、国立環境研究所のAIM(アジア太平洋統合評価モデル)の技術モデルを用いて、(1)費用対効果に優れた既存の技術から優先的に導入するケースと(2)税収の半分を長期的に効果が期待される施策に充て、残りの半分を既存技術の導入ポテンシャルに応じて均等に配分するケースの2パターンを推計。
(注)このほか、税導入によるいわゆるアナウンスメント効果なども期待されるが、今回の推計には含まれていない。
(注)表中の数字の合計は有効数字の関係から必ずしも総数と一致しない。

出典:みずほ情報総研／環境省HP

8 ファイナンスとTCFD

環境問題、とりわけ気候変動問題は、事業活動にとっても大きなリスクとなっています。逆に、気候変動対策に取り組むことは、金融機関にとって高評価につながります。こうしたこともあって、使用する電気を100%再生可能エネルギーにすることを目標とする企業が増えています。

ESG投資

ESG投資が注目されています。これは、E（環境）、S（社会）、G（ガバナンス）に留意した投資です。

かつて、米国のカルパースといった年金基金など、投資を長期で考える機関投資家にとって、投資先が短期的に利益を出すことよりも、持続可能であることの方が重要でした。そして、社会的責任を果たすこと、すなわち環境を保全し、人々の健康を損なわないことが、それにあたります。こうした点を考慮した投資を、社会的責任投資といいます。

後に**国連環境計画**などが、**国連責任投資原則**をつくり、これによってより明確なESG投資という流れになっていきました。この国連責任投資原則には、世界でおよそ1500機関が署名しており、日本の**年金積立金管理運用独立行政法人**（GPIF）もその1つです。

TCFD

ESGのうちでも、環境、とりわけ気候変動対策は評価しやすい項目となっています。金融安定理事会（FBS）により設置された**気候関連財務情報開示タスクフォース（TCFD）**は、財務に影響のある機構関連情報の開示を推奨する報告書を2017年6月に公表しました。多くの企業がTCFDに賛同し、情報開示に取り組んでいます。さらに、2022年4月に東京証券取引所が改組され、東証一部に代わってプライム市場ができました。上場企業はTCFDに準じる対応が求められています。

また、世界の金融機関による非政府組織のCDPは、企業の二酸化炭素排出の状況の公表や削減に向けた取組みを促進しており、その評価が投資判断の材料となっています。また、二酸化炭素排出削減の対象は、自社だけではなく、サプライチェーンまで対象を拡大しています。

こうした中、使うエネルギーをすべて再生可能エネルギーにすることを目標として、RE100というイニシアチブに加盟し、取組みを進める企業も登場しています。対象はサプライチェーンにまで拡大されているため、日本でもアップルに部品を納入する工場ではアップル分の再生可能エネルギーを調達しています。このように、RE100は気候変動対策と経済活動に大きな影響を与えています。

こうしたイニシアチブには他に、電気自動車への転換を目指すEV100、エネルギー効率を2倍にするEP100、科学的知見に基づく削減シナリオをつくるSBTiなどがあります。

国別TCFD賛同企業数

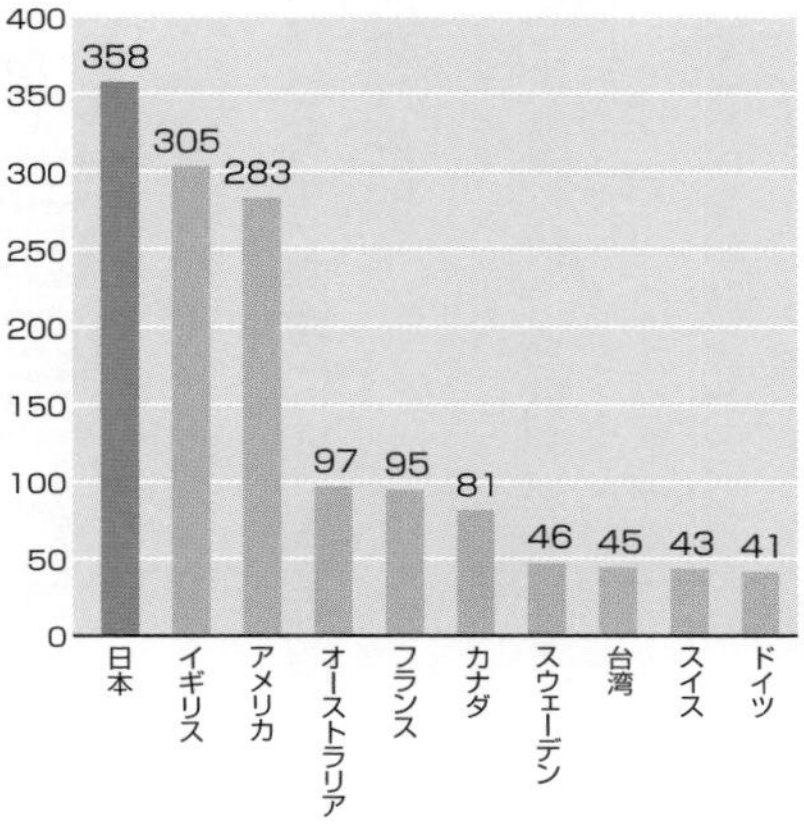

*2021年3月29日時点
資料:TCFDホームページ　TCFD Supporters (https://www.fsb-tcfd.org/tcfd-supporters/)より環境省作成

国別RE100参加企業数

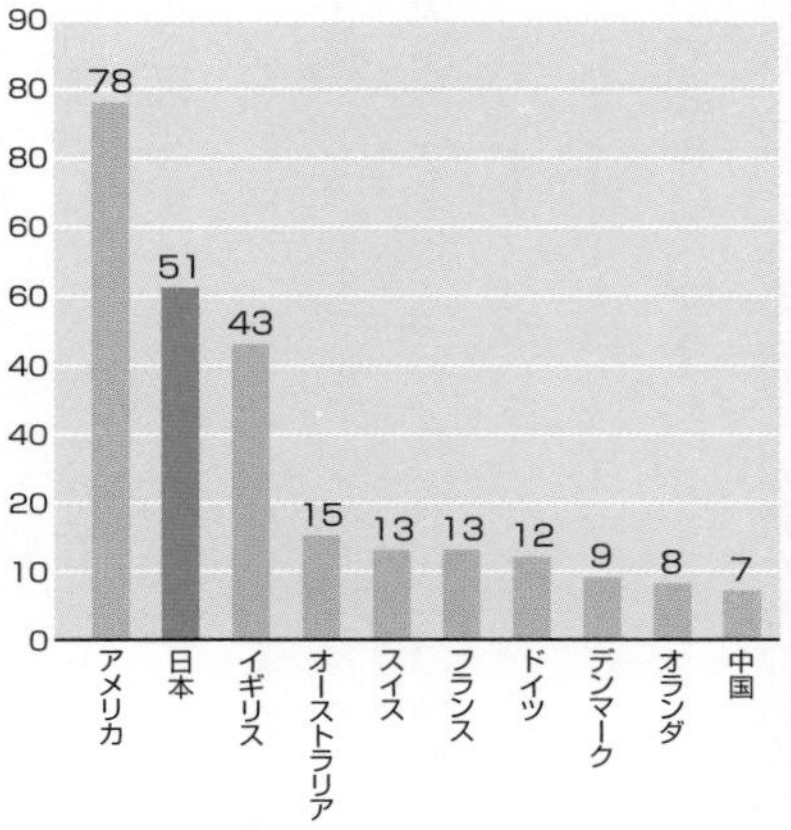

*2021年3月29日時点
資料:RE100ホームページ(http://there100.org/)より環境省作成

出典:資源エネルギー庁「エネルギー白書2021」

9 グローバル経済と地球温暖化

注目すべき近年の流れとして、炭素国境調整について、紹介します。背景には、温室効果ガスを削減するしくみがある国の国際競争力を担保しようという考え方があります。

炭素国境調整とWTOルール

地球温暖化問題の国際交渉をめぐって、環境と貿易の関係に配慮すべきだという根強い指摘があります。たとえば、EUや米国には、**キャップ&トレード**型の**排出量取引制度や炭素税の制度**を持たない国からの輸入には、高い関税（**炭素国境調整**）をかけるべきだ、といった議論があります。早ければ、EUは2023年にも導入する計画です。

背景には、温室効果ガスの排出削減目標を持つ国の産業は、その分だけ国際競争力が低下する、といった産業界の主張があります。

これに対し、十分な二酸化炭素排出削減技術を持たない中国をはじめとする途上国からは、貿易で途上国が不利になるといった批判がありました。もっとも、その中国も、環境と貿易の関係をにらんで、大幅な二酸化炭素排出原単位（GDPあたり）の削減に取り組んでおり、国レベルの排出量取引制度の導入も現実的になっています。

では、こうしたしくみは、**WTO**（世界貿易機関）のルールに反しないのでしょうか。この点については、2002年に南アフリカで開催された**環境開発サミット**で決着しています。WTOルールでは、同じ品質・性能の製品やサービスであれば、同一の関税にすることになっています。しかし、このルールと気候変動枠組条約のような環境条約は、互いにどちらかが優先されるものではないということです。

現在も、地球温暖化対策の新たな枠組みが固まるに従って、この問題はクローズアップされつつあります。

資金・技術供与、適応、損失と被害

途上国にとって、エネルギー効率の良い生産手段は高価なため、なかなか投資ができません。しかし、貿易を通じて途上国の安価で効率の悪い生産手段を使うことが多くなれば、温室効果ガスの削減は進みません。こうしたことだけが理由ではありませんが、途上国のエネルギー効率向上などを、先進国の資金と技術供与を通じて、どのように実現していくのかが、課題となっています。

また、近年は、地球温暖化はある程度進むことがわかっているので、適応することも途上国の課題となっています。さらに、温暖化による被害に対応するため、「**損失と被害のためのワルシャワ国際メカニズム**」も設立されています。

地球温暖化問題は、グローバルな環境問題ということだけではなく、グローバル経済とも結びついている困難な問題であり、1国だけが得をすればよいということではありません。

炭素国境調整のしくみ

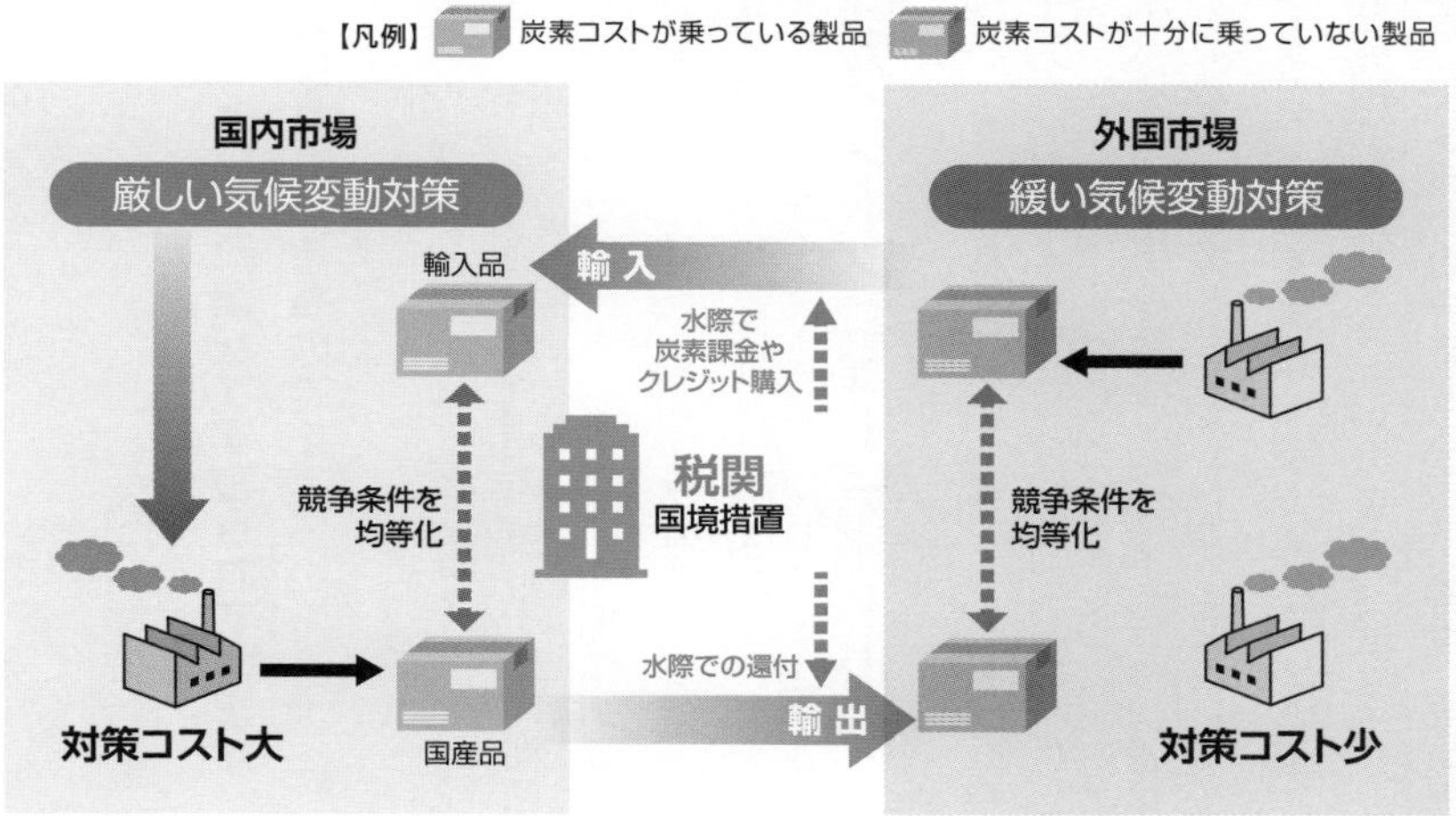

出典：経済産業省HP

10

グリーン成長戦略

日本や欧米では、気候変動対策を通じて、経済成長をしていくという政策がすすめられています。これが、EUのグリーンディール、我が国のグリーン成長戦略とよばれているものです。

欧州グリーンディール

いちはやく、温室効果ガス排出削減目標を引き上げたEUは、経済成長にあたって、**欧州グリーンディール**という政策を打ち出しています。省エネや再エネなどに積極的に投資していくというものです。

投資の規模は、10年間で官民合わせておよそ1兆ユーロ（約135兆円）というものです。その内容は、再生可能エネルギーの開発や建物の改修による省エネ、交通の脱炭素化といった気候変動対策に関連したものだけではなく、大気汚染や水質汚染、生物多様性、サーキュラーエコノミーなどの分野もカバーしたものとなっています。また、何がグリーンかを決める分類として、タクソノミーが議論されています。原子力と天然ガスの扱いが議論となっています。

一方、EUを離脱した英国も、**グリーン産業革命**を進めています。クリーンエネルギー、輸送、自然など、10項目の計画を含み、総額120億ポンド（約1兆6500億円）の政府投資が計画されています。

米国グリーンニューディール

米国バイデン政権も、積極的なグリーン成長戦略を打ち出しています。目標としては、2035年までに発電による二酸化炭素をネットゼロに、2050年までに温室効果ガス排出をネットゼロにするというものです。また、これを実現するために、2兆ドル（約220兆円）を投資するということです。

イノベーションの分野としては、蓄電、排出削減技術、次世代建材、持続可能な水素、先進的原子力などが挙げられています。

ニューディール政策とは、1930年代当時、米国のルーズベルト大統領が積極的な財政支出を行い、経済の回復を進めたというものです。気候変動対策を中心に積極的な財政支出を行うことから、**グリーンニューディール**とよばれています。

日本グリーン成長戦略

日本でも、2020年12月に「**グリーン成長戦略**」を策定しました。2兆円のグリーンイノベーション基金を創設し、投資運用するとともに、民間資金をよびこむというものです。また、重要分野として、①洋上風力、②燃料アンモニア、③水素、④原子力、⑤自動車・蓄電池、⑥半導体・情報通信、⑦船舶、⑧物流・人流・土木インフラ、⑨食料・農林水産業、⑩航空機、⑪カーボンリサイクル、⑫住宅・建築物／次世代型太陽光、⑬資源循環、⑭ライフスタイルが示されています。

日本のグリーン成長戦略の 14 分野

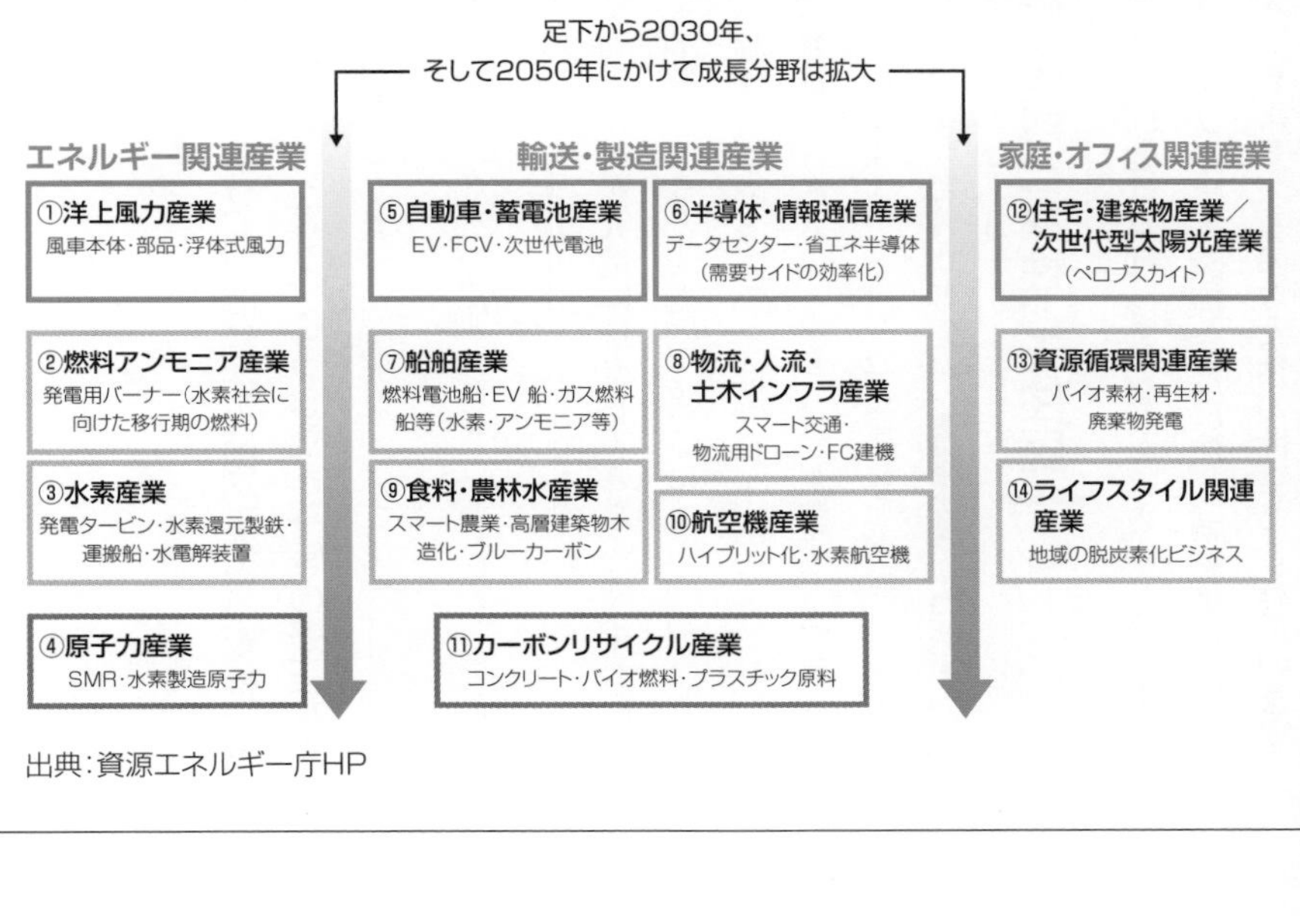

出典：資源エネルギー庁HP

11

気候正義

気候変動問題は、誰にでも同じように影響を与えるわけではありません。開発途上国の人々、女性、若者、先住民や少数民族など、周縁化された人々により大きな影響を与えます。こうした不平等の是正を明確にするため、近年は気候正義という言葉が用いられるようになりました。

気候変動問題と開発途上国

気候変動問題は、環境の変化に脆弱な地域や、農業・漁業などの第一次産業により大きな影響を与えます。また、気候変動対策や適応などには、資金や技術の移転が必要ですが、こうした点においても、開発途上国の方が不利だと考えられます。

例えば、大雨やそれを伴った台風、あるいは干ばつなどは、農業作物に大きなダメージを与えますし、海水温の変化や海洋酸性化によって漁獲量が大きく減少すれば、漁業に大きな影響を与えます。

また、世界的に農業作物が不作となった場合、経済的に豊かな国は高いお金を払ってでも食糧を確保しようとしますが、貧しい国は食糧を確保することができなくなってしまいます。

温室効果ガスを大量に排出してきたのは、化石燃料を大量消費してきた先進国であるにもかかわらず、これから豊かになろうという開発途上国の方が気候変動の影響を受けるということは、不衡平である、ということがいえます。こうした点に目を向け、平等な社会にしていこうという考えが、**気候正義**なのです。

気候正義と女性、先住民

気候変動問題は女性への影響が大きいといえます。例えばアフリカでは調理などに使う薪を集めたり水を汲んできたりするのは女性の仕事とされています。

干ばつともなれば、薪や水をより遠方から運ぶことになります。また、調理に使う薪の煙を吸い込むのも女性です。気候変動枠組み条約事務局で活躍する職員にはジェンダーの公平性が適用されており、事務局長などの職で女性が活躍しています。

先住民や少数民族への影響も小さくありません。例えば、海氷が融けることで、北米の先住民であるイヌイットのアザラシ漁が難しくなっています。また、他の先住民でも、自然の資源の利用が難しくなります。

気候正義と若者

気候変動問題は若い世代により大きな影響を与えます。先行する世代は、２０５０年にはもう生きてはいないかもしれません。しかし若者はその頃に社会で活躍しています。先行世代が排出した温室効果ガスによって、若者が台風や山火事を心配し、ウインタースポーツができず、牛肉が食べられない、といった社会に生きることになるのは、不平等です。１９９０年代の若者と比較しても、現代の若者はより強い怒りを持ってこの問題に取り組んでいると感じられます。

世界の人口と二酸化炭素排出の割合

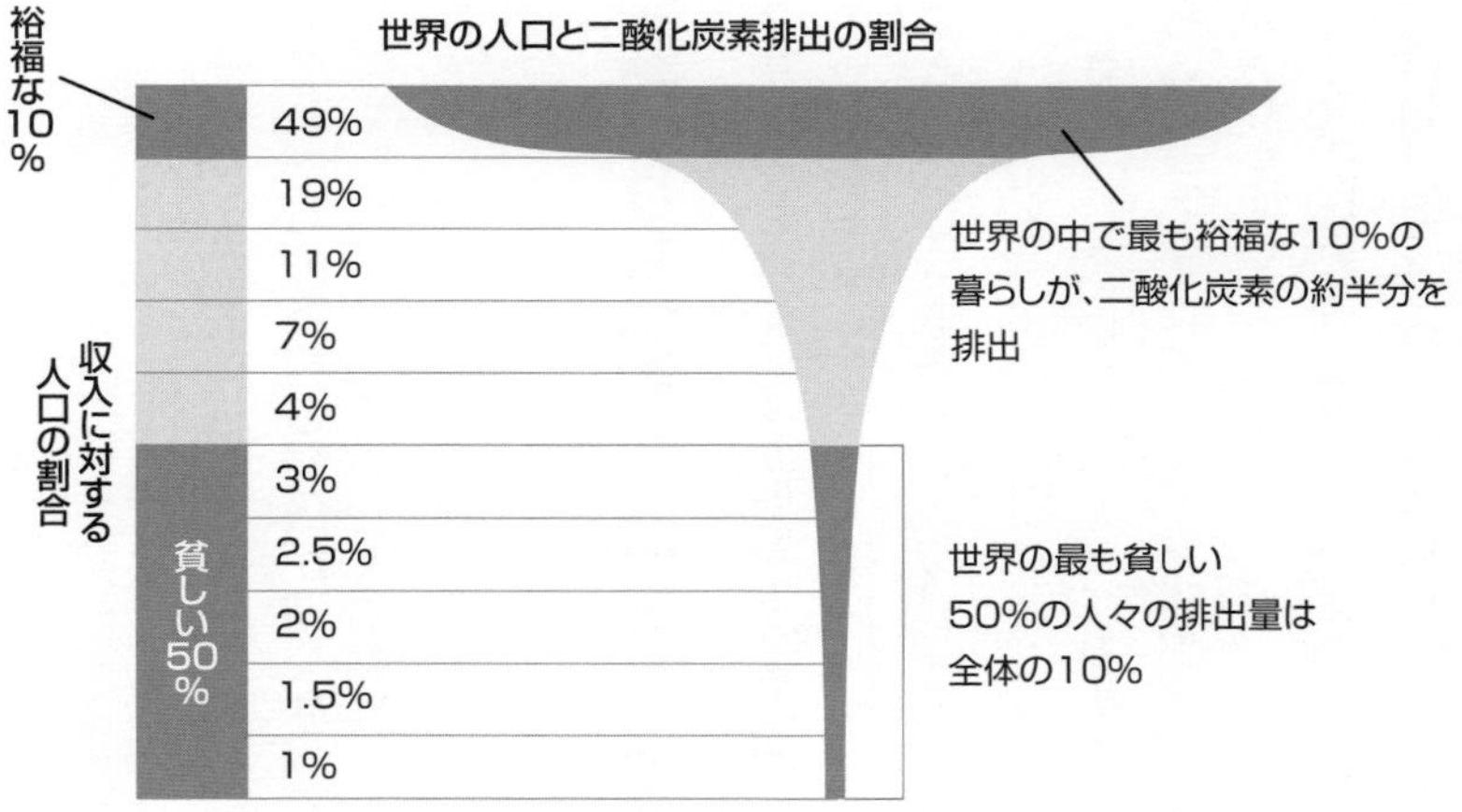

出典：OXFAMホームページ

12 生物多様性条約

気候変動枠組み条約とともに、環境問題の国際条約となっているのが、生物多様性条約です。同じ時期に採択されたため、2つの条約は双子のようなものです。近年はそれぞれの条約の関係が深くなっています。

生物多様性条約とは何か

地球上にはおよそ3000万種ともいわれる生物が棲んでいます。この多様な生物が、さまざまにつながりあって生きている、というのが、地球の生態系です。しかし、人間がもたらした環境変化によって、生物多様性は急速に失われつつあります。そのペースは、恐竜が絶滅していった時代にも匹敵するものです。

こうした状況を食い止めるために、1992年5月、気候変動枠組み条約と同時期に採択され、1993年に発効したのが、**生物多様性条約**です。2年に一度のペースで、締約国会議が開催され、生物多様性を守るための目標や対策、国際的な支援などについて話し合われています。

気候変動よりも危機的な生物多様性

地球の生物多様性は、気候変動問題よりも深刻な状況となっています。理由の1つは、経済的問題になじみにくいことです。そうした中、生物多様性の経済的価値に直結する、遺伝子組み換え生物が国境を超えることの安全性についての取り決めとして**カルタヘナ条約**が、遺伝子資源の利用に関する取り決めとして名古屋議定書があります。

一方、生物多様性保全の指標として、2010年に採択された**愛知目標**については、10年後の検証で、ほとんど達成されていないことが明らかとなりました。

そのため、2022年以降の締約国会議で次の目標の採択が予定されています。

TNFD

生物多様性の保全は、私たちの社会において大きな役割をはたしています。例えば、漁業の多くは自然界に生息する魚介類を対象としています。また、農作物の受粉には昆虫などの働きが不可欠です。新たな医薬品となる物質は、自然界の未知の生物の中から探しています。

気候変動との関係も重視されるようになってきました。温暖化によって絶滅する生物がいる一方、生態系を破壊するような行為そのものが気候変動を加速します。

こうした認識がひろまったことから、TCFDの生物多様性版ともいえる、TNFD（自然関連財務情報開示タスクフォース）が進められています。これまで、企業が気候変動問題への取組みや情報開示が求められていたように、生物多様性への取組みと情報開示が求められる時代にもなってきた、ということです。

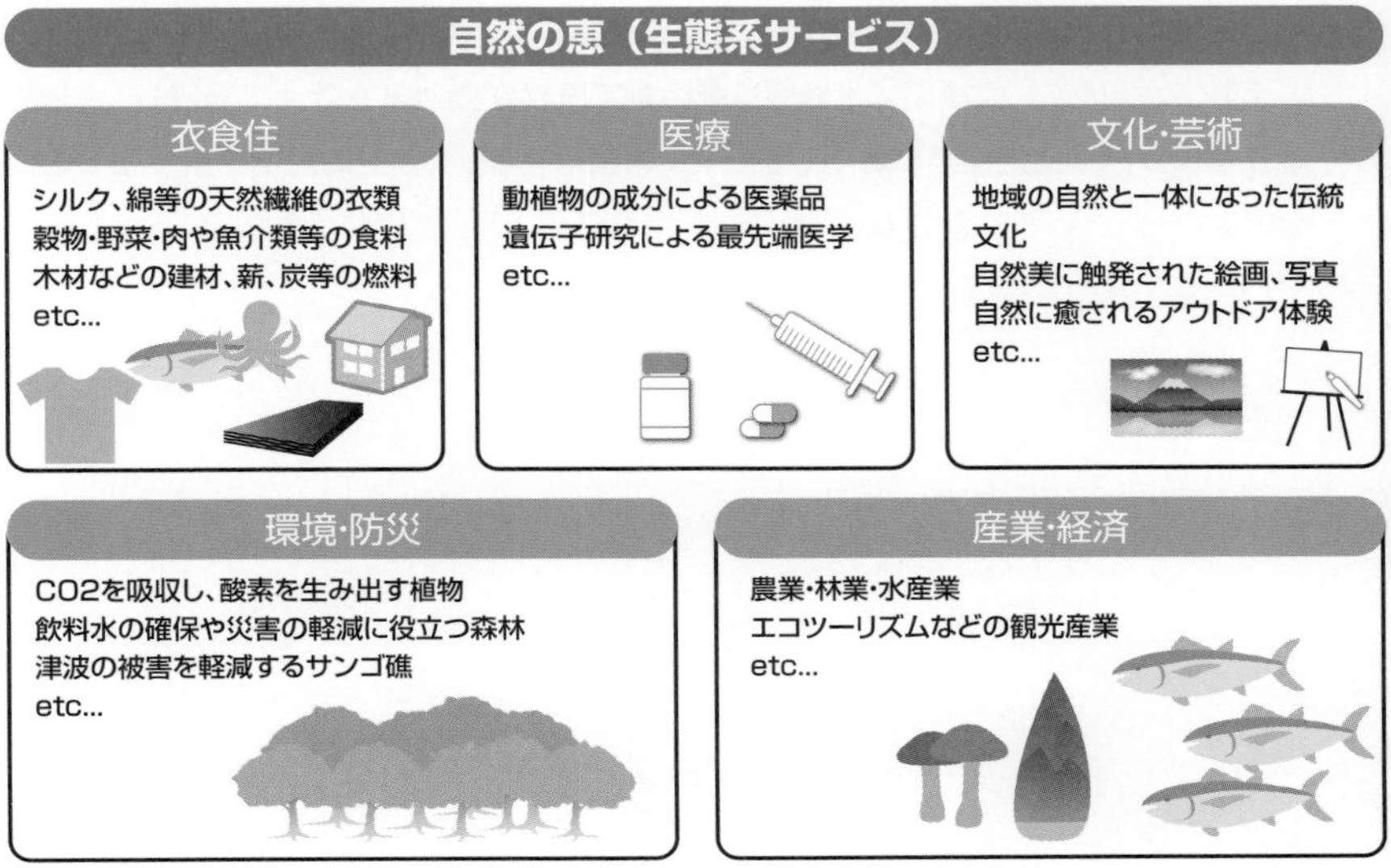

出典:外務省ホームページ

column

トランプ政権からバイデン政権へ

米国トランプ前大統領の政権は、地球温暖化に否定的でした。パリ協定を脱退し、EPA（環境保護局）のホームページからも気候変動に関する情報を削除するなどを行ないました。さらに、石炭産業を支援し、オバマ元大統領の政権が導入した、石炭火力発電所の規制は撤廃しました。

しかし、こうしたトランプ前大統領の思惑にかかわらず、米国は温室効果ガスを削減してきました。その大きな理由は、シェールガスなど安価な天然ガスが産出することで、ガス火力発電所が増加し、石炭火力発電所に競争力がなくなったことです。

また、連邦政府と異なり、多くの民間企業や自治体はパリ協定への残留を望んでいました。企業でいえば、マイクロソフトやGAFAといわれる企業をはじめ、石油メジャーのエクソン・モービルですらパリ協定を支持していました。さらにカリフォルニア州など多くの自治体もパリ協定を順守することを宣言しています。こうした企業や自治体は、「We are still in」という運動を展開しています。

そして、バイデン大統領は大統領選挙活動で気候変動対策を訴えて当選し、大統領就任後にはパリ協定復帰に署名しました。米国は再び、気候変動対策を引っ張る国の1つになったということです。

第5章

原子力発電

原子力は、開発当初は平和利用と夢のエネルギーとして、その後石油代替エネルギー、あるいは低炭素エネルギーとして期待され、開発がすすめられてきました。今でも世界のエネルギーの中では、オプションの一つです。しかし同時に、放射性廃棄物など多くの問題を抱えています。さらに福島第一原子力の事故以降、地震国で原子力発電を行うことの危険性は強く認識されるようになってきました。ここであらためて、原子力の問題をまとめておきます。

原子力発電のしくみ

1

原子力発電とは、ウラン235の核分裂によるエネルギーでお湯を沸騰させてタービンを回すしくみによる発電です。原理的には、火力発電と変わりませんが、放射性物質を扱うがゆえの難しさがあります。

ＰＷＲとＢＷＲ

原子力発電とは、**ウラン**という元素のうちでも、**核分裂**をおこしやすい**ウラン235＊**に**中性子**を当てて分裂させ、発生したエネルギーによって発電するしくみです。

原子炉の方式はいくつかありますが、日本で実用化されているものは、いずれも**軽水炉**と呼ばれるしくみで、**ＰＷＲ**（加圧水型）と**ＢＷＲ**（沸騰水型）の２種類があります。

原理としては、核分裂のエネルギーによってお湯を沸騰させ、発生した蒸気がタービンを回すというもので、これは火力発電と同じ原理です。

ＰＷＲとＢＷＲの違いは、ＰＷＲが１次系の原子炉内部の気圧を高くすることで、水を３００℃以上にまで加熱し、２次系の水に熱を伝えて沸騰させるという間接的なしくみであるのに対し、ＢＷＲは１次系の水を直接沸騰させてタービンを回しているということです。

日本では、**東北電力**、**東京電力ホールディングス**、**中部電力**、**北陸電力**、**中国電力**がＢＷＲを、**北海道電力**、**関西電力**、**四国電力**、**九州電力**がＰＷＲを採用し、**日本原子力発電**は両方の型式を採用しています。

世界的には、ＰＷＲが主流となっており、フランスの**フラマトム**社や東芝の子会社で経営破たんした**ウエスチングハウス**社、**三菱重工業**をはじめ、韓国製、中国製の原子炉もＰＷＲです。一方、ＢＷＲは、**GE**、**日立製作所**、**東芝**が製造しています。

用語解説

＊**ウラン235、ウラン238**　それぞれの数字は、原子核に含まれる中性子と陽子の数の合計を表しています。同じ元素であっても、含まれる中性子の数によって安定性が異なります。ウラン235の方が不安定なために核分裂を起こすというわけです。

さまざまな原子炉と次世代原子炉

軽水炉は進化の方向として単純化しつつあります。その事例が、すでに実用化されている改良型ＢＷＲ（ABWR）や、日本原子力発電が福井県の敦賀原発３、４号や、九州電力が鹿児島県の川内原発３号で計画していた改良型ＰＷＲ（APWR）です。いずれも原子炉のまわりの配管系を単純化し、大型化したことが特徴です。また、ウエスチングハウスのAP1000は、原子炉の上に緊急用冷却水タンクを設置し、ポンプがなくてもトラブル時に冷却できるしくみを採用したＰＷＲです。

この他、すでに廃炉になった日本最初の商業用原子炉である東海発電所は黒鉛減速型炭酸ガス冷却型（GCR）という型式で、英国で開発されたものです。他に、カナダが開発した重水炉（CANDU）や、もんじゅに代表される高速増殖炉（FBR）、などがあります。研究中のものとしては、小型高温ガス炉、小型モジュール原子炉（SMR）などがあります。

原子炉の構造

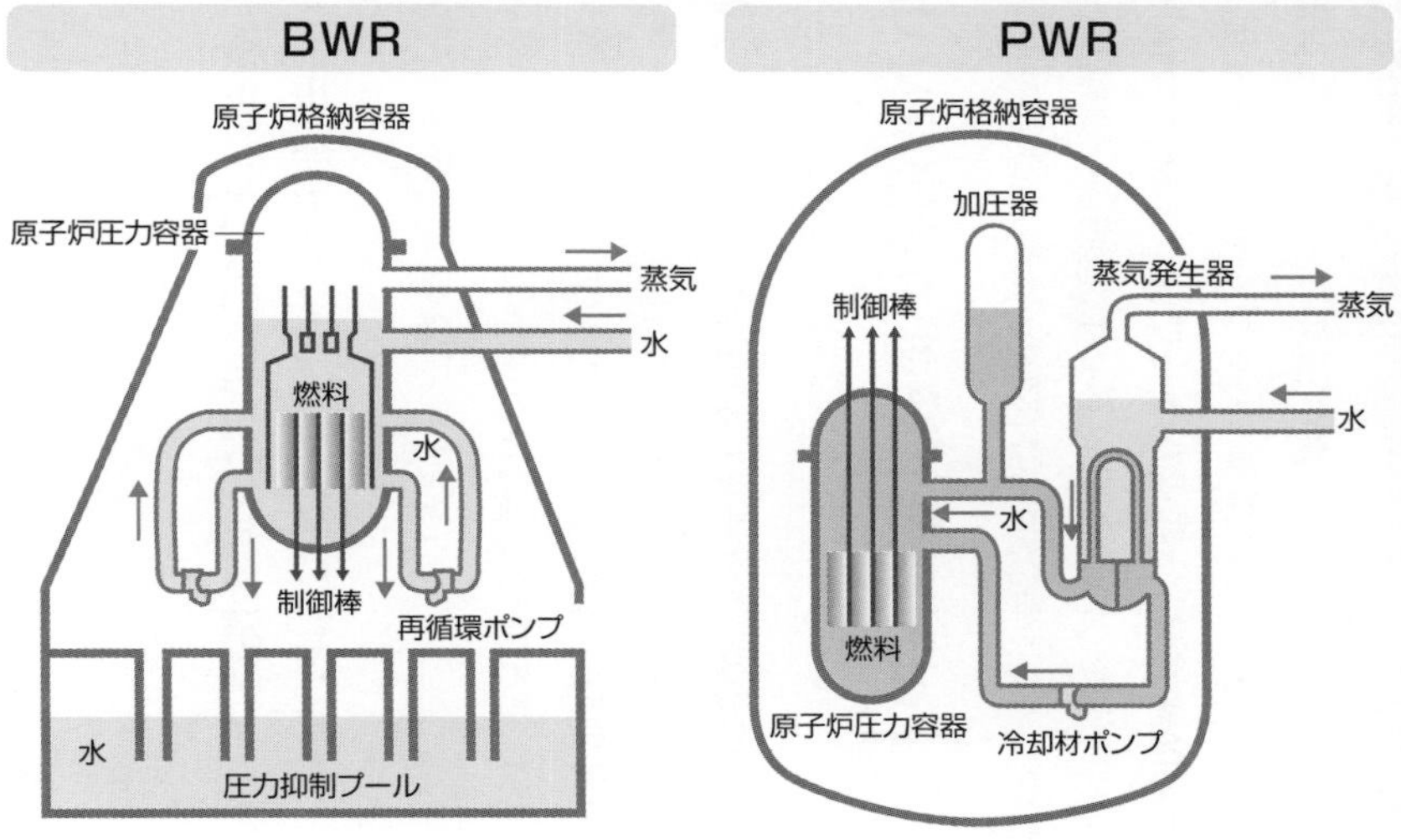

ワンポイントコラム

【PWRとBWRの性能比較】　PWRの場合、放射能に汚染された水が一次系の中に閉じ込められているため、放射能が漏れにくいという特徴があります。これに対しBWRでは、放射能に汚染された蒸気がタービンを回すことになります。ただし熱効率はBWRの方が上です。

核分裂のしくみ

2

原子力発電の燃料であるウランは、天然ウランに0・7％しか含まれていないウラン235を濃縮してつくられています。主な産地として、カナダ、オーストラリア、ニジェール、南アフリカ、ロシアなどがあります。

ウラン235とウラン238

天然ウランには、原子核に含まれる中性子の数によって、**ウラン235**と**ウラン238**の2種類の同位体が含まれています。また、天然ウランに含まれるウラン235の割合はおよそ0・7％です。これを、核燃料に適した2〜3％に濃縮し、燃料に加工しています。一方、濃縮した残りのウラン238が、**劣化ウラン**と呼ばれるものです。

ウラン235は、**中性子**を受けると**核分裂**し、新たな中性子を放出して、莫大なエネルギーを発生させます。これが連続的に起こることを**臨界**＊といいます。

一方、ウラン238は中性子を吸収し、**プルトニウム239**に変化します。このプルトニウム239も、ウラン235と同様に核分裂します。

ウラン235が100％だと、核分裂反応がとめどもなく起きますが、これを利用したのが原子爆弾です。一方、原子炉の中では余分な中性子はウラン238や**制御棒**＊の中のホウ素が吸収しますから、核分裂反応はゆっくりと進みます。

ウラン生産から核燃料製造まで

ウランの主な産地は、地図に示した通りです。化石燃料と異なり、先進国にも広く分布しています。

加工された燃料は**ペレット**と呼ばれ、**燃料集合体**となり、原子炉に装填されます。燃料はだいたい1〜3年程度はエネルギーを放出し続けます。

用語解説

＊**臨界**　核分裂が次々に起きる状態のこと。ウラン235やプルトニウムが核分裂すると、中性子が飛び出して次の核分裂を引き起こします。

＊**制御棒**　中性子を吸収し、核分裂反応を制御する棒。ホウ素が中性子を吸収する性質を利用しています。

核分裂反応

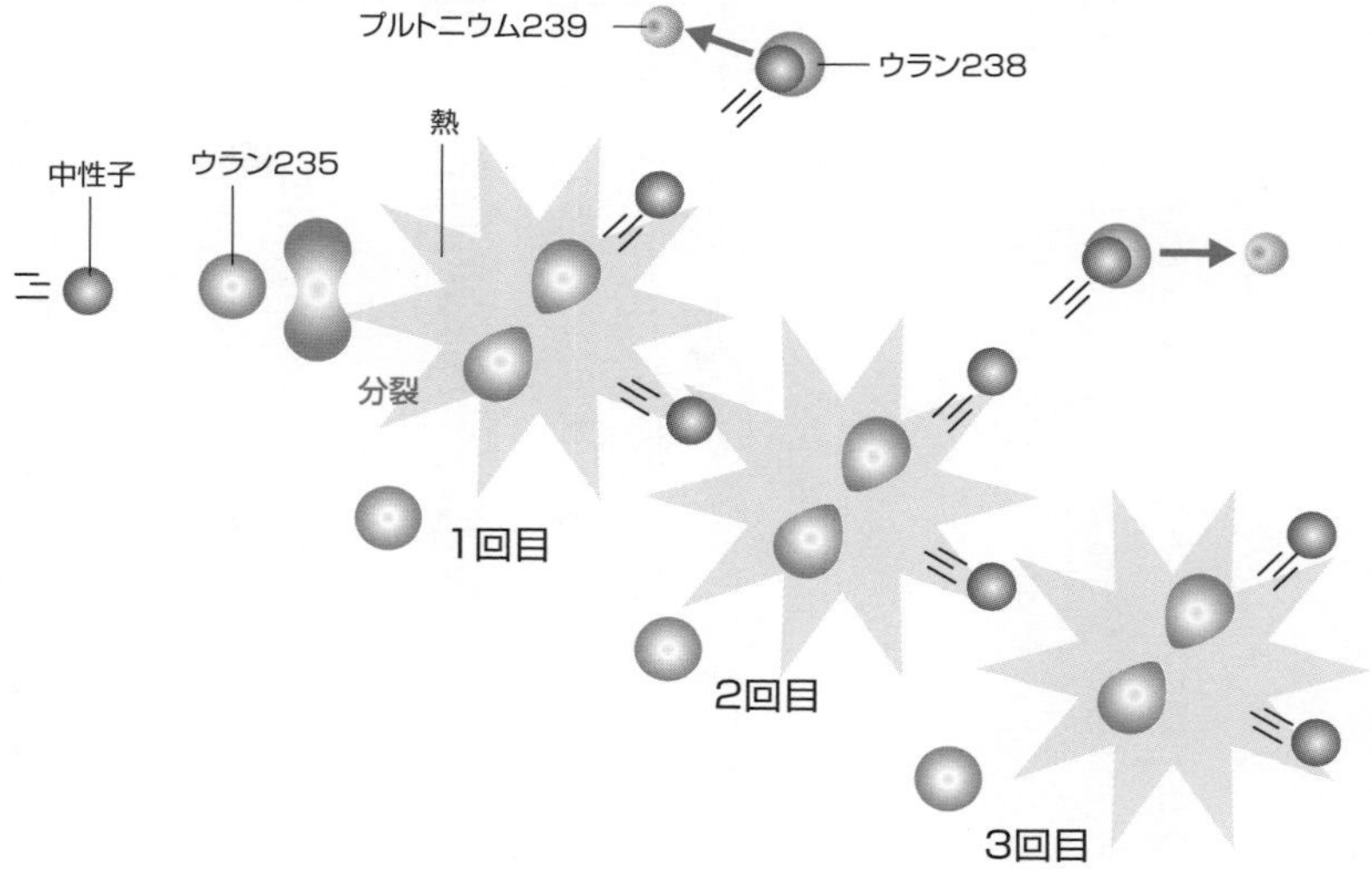

世界のウラン資源の分布

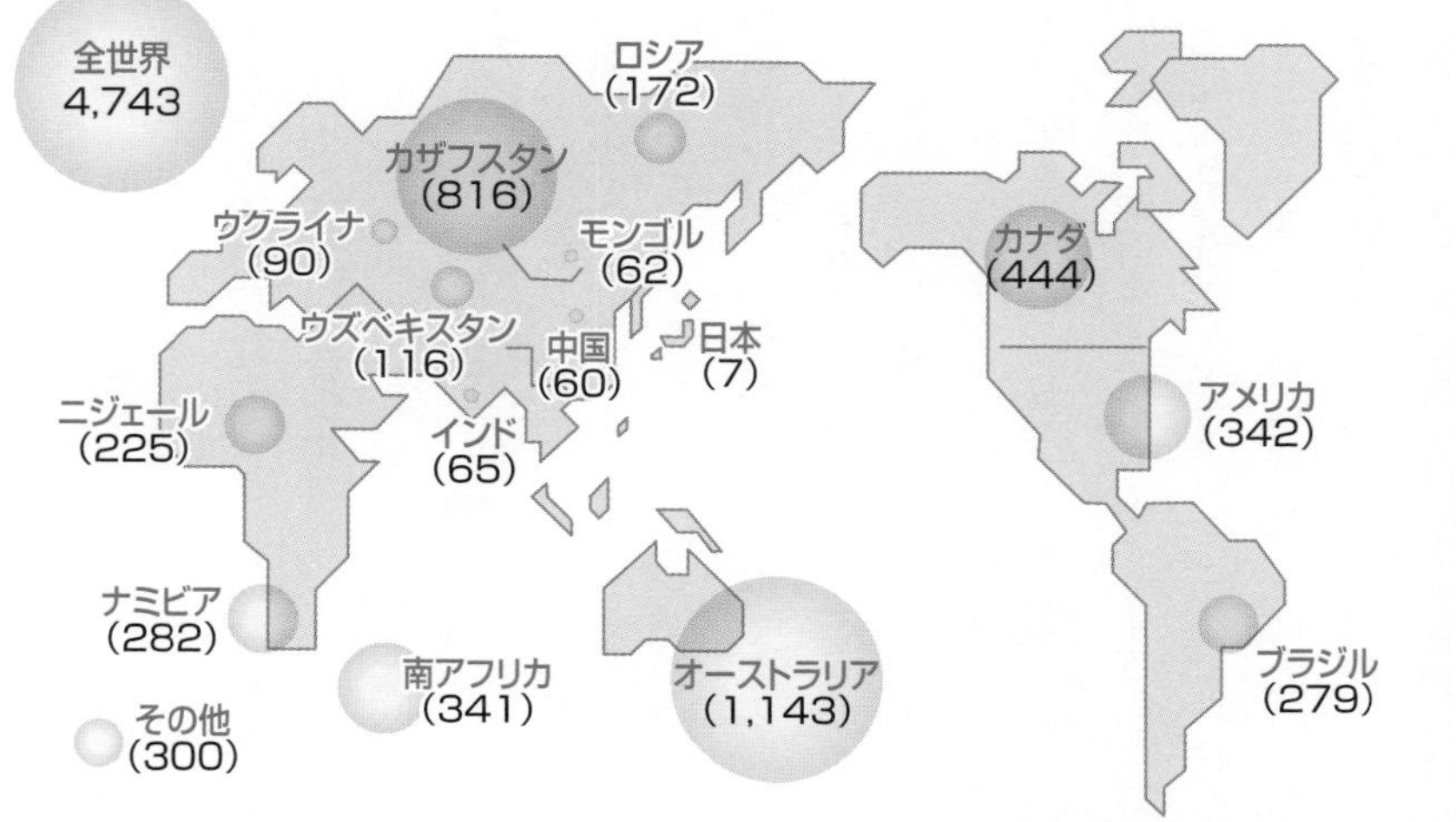

単位:1,000tU(2005年1月1日現在) 出典:OECD / NEA&IAEA.Uranium 2005(2006)(資源エネルギー庁HP)

ワンポイントコラム

【ウランのエネルギー】 核燃料となるペレットは、高さ2cm程度の短い円柱形をしています。このペレット1個で、4人家族が半年間に消費する電力が発電できます。

3 日本の原子力発電所

日本では、33基の原子炉が運転中です。また、3基が建設中です。10電力会社のうち、沖縄電力を除くすべての旧一般電気事業者と2つの卸電力会社が開発、所有していることになります。

地方に立地する原子力発電所

日本の各地に原子力発電所があります。原子力発電所の所在地のほとんどは、地方の人口が少ない地域です。原子力発電所を建設するためには、硬い岩盤がある、地震に強い場所でなくてはなりません。その点、都市部の多くは地盤がやわらかいため、適していません。しかしそうしたことだけではなく、経済的メリットを必要とする地方だからこそ、リスクをともなう原子力発電所の立地を受け入れてきたという事情もあります。原子力発電所は、地方経済にとっては、重要な存在となっています。

原子力発電と反対運動

原子力発電所の立地は、日本全国どこでもたやすいものではありませんでした。

用地の確保だけでも、地元の理解を得て進めていくことになります。同様に**漁業権**の補償も必要です。

原子力発電所の立地には、開発そのものによる自然環境の破壊だけではなく、放射性物質を扱う危険性から、建設予定地ではしばしば強い反対運動が起こりました。とりわけ、強引な開発をしようとする電力会社との間で、地元との摩擦が起きています。また、経済的恩恵とリスクとの間で、立地地域の人々が分断されるということも起こりました。

その一方で、原子力発電所が計画された地点は、主要な産業がない地域が多く、一度建設されてしまうと、発電所からの**固定資産税**、政府からの**電源立地交付金**、発電所の運転に関わる就労などの恩恵を受け、その地域の主要な産業に育っていきました。

その後、**福島第一原子力**の事故を受けて、原子力発電所の運転に関する安全基準が見直されたため、原子力発電所の稼働が困難な状況になっています。また、**再稼働**に対する反対運動も各地で起きています。

主な反対運動として、次のものがあります。

一つは、**青森県六ヶ所村**の**再処理工場**に対する反対運動です。核燃料再処理は多くの矛盾を抱えたプロジェクトであり、取り扱う放射性物質の量や外部に排出される放射性物質の量も原子力発電より多いため、地元に限らず全国的に強い反対があります。

山口県の中国電力**上関原子力**では、貴重な生態系が破壊されることなどが懸念されており、地元の漁協と自然保護団体が強い反対運動を展開しています。

この他、東海地震の震源域に近い中部電力**浜岡原子力**に対しても、強い反対があります。

電源立地交付金

電源立地地域対策交付金	**約1,215億円**
電源立地等初期対策交付金相当部分（10年間）	約52億円
電源立地促進対策交付金相当部分（7年間）	約142億円
原子力発電施設等周辺地域交付金相当部分	約597億円
電力移出県等交付金相当部分	約275億円
原子力発電施設等立地地域長期発展対策交付金相当部分	約149億円
原子力発電施設立地地域共生交付金	**約25億円**

モデルケース ▶ 建設期間7年間。運転開始まで10年間～運転開始翌年度から35年間について試算。ここで、運転開始まで10年間の交付金の合計は、約449億円である。

出典：経済産業省資源エネルギー庁パンフレット「電源立地制度の概要、地域の夢を大きく育てる」

日本の原子力政策

4

日本の原子力は、平和利用としてスタートし、石油危機以降、石油代替燃料として拡大しました。その後、二酸化炭素削減のためにも開発の促進を政府は目指しました。しかし、福島第一原発事故のあとは、原発の依存度の低減を目指す一方、当面の重要なベース電源として位置づけられています。

国策民営の原子力開発

日本が原子力開発に動き出したのは比較的早く、米国の原子力の平和利用という流れを受ける形で、1954年には初の原子力開発予算が成立しています。また、1956年には**原子力委員会**が設置され、最初の**原子力開発利用長期計画**を発表、これに基づき、政府と電力会社が原子力開発を進めます。1965年には、電力会社などの出資で設立された**日本原子力発電**(日本原電)が、茨城県東海村に日本初の商用原子力発電所として**東海発電所**を運開させました。1970年には同じく日本原電が福井県敦賀市にも**敦賀発電所**1号機を運開させ、大阪で開催された万国博覧会に間に合わせました。

さらに、1970年代の2度にわたる石油危機は、原子力を石油代替エネルギーに位置付け、開発に拍車をかけます。1974年には**電源三法**が成立し、電源開発促進税によって、原子力の研究資金や立地の**特別会計**予算が確保されました。

さらに、ウランの効率的な利用を目指して、**核燃料サイクル**にも取り組むようになります。原子力は「国策」としてエネルギー自給率向上などを目的に、行政府が使える特別会計予算を確保し、進んでいきました。一方、電力会社は総括原価方式によって建設コストを気にすることなく、「民営」として原子力発電所を建設することができました。

ワンポイントコラム

【Jヴィレッジ】 福島県にあるJヴィレッジは、元々はサッカーのトレーニングセンターとして作られました。東京電力が原発立地のために作ったと思われていますが、実は発電所の建設を繰り延べたことで地元経済の活性化が遅れたことに対する見返りでした。そのJヴィレッジが、その後福島第一原発廃炉作業の拠点となったのは、皮肉な話です。

エネルギー基本計画

原子力発電所の建設は90年代以降減速します。これは、電力需要が十分に伸びなくなってきたからです。反対運動によって原発建設が遅れたということではありません。むしろ多くの原発立地市町村が、原発の増設を要望していました。

２０００年代を通じて、原発の新増設はあまり進みませんでしたが、原発の利権や予算確保のため、２０１０年に経済産業省がまとめ、閣議決定された**エネルギー基本計画**では、２０３０年までに原発14基の新増設が盛り込まれました。需要がない中での計画は絵に描いた餅であり、原発のための計画ともいえるものでした。

２０１１年の福島第一原発事故を契機に、当時の民主党政権は２０３０年代までに脱原発という方針を示しましたが、自民党政権下で２０１４年に閣議決定されたエネルギー基本計画では、原発は再び重要な電源として位置づけられました。しかし、新たに発足した**原子力規制委員会**による厳しい安全基準によって、再稼動は簡単には進んでいません。

エネルギー基本計画

長期的、総合的かつ計画的に講ずべき施策

エネルギー需要対策の推進

●省エネルギーの推進
- 省エネルギー技術戦略の構築(技術開発のロードマップ 等)
- セクター別ベンチマークアプローチの導入(分野ごとに省エネ性能や取組状況を評価する基準の設定)と初期需要の創出
- 省エネ投資が市場(投資家等)から評価される仕組みの確立(トップランナー基準の国際展開等) 等

石油等の安定供給確保に向けた戦略的取組

- 資源産出国との戦略的・総合的な関係強化(先端科学技術協力、投資交流・人材育成協力等の推進、ODAの戦略的活用)
- 首脳・閣僚レベルでの資源外交の積極的な展開
- JOGMEC等のリスクマネー供給機能等の充実 資源確保指針の策定 等
- アジア市場も見据えた国際競争力ある石油産業の育成 等

エネルギー・環境分野の国際協力

- アジア協力の推進(省エネ、新エネ、石炭利用・保安、原子力 等)
- 地球温暖化問題に係る実効ある国際的枠組みを主導(米・中・印等主要排出国の参加が不可欠)
- G8、APP等京都議定書を補完する多国間の取組への積極的貢献 等

緊急時対応

- 石油備蓄・LPガス備蓄等緊急時対応の充実

電気・ガス事業制度

●電気事業制度
- これまでの制度改革の評価を踏まえつつ、引き続き制度改革を推進 等

●ガス事業制度
- これまでの制度改革の評価を踏まえつつ、自由化範囲の拡大と供給システム等の改革を推進 等

多様なエネルギーの開発、導入及び利用

●原子力
- 原子力発電を基幹電源とし、核燃料サイクルを推進
- 「原子力立国」実現に向けた政策展開
  - 電力自由化環境下での原子力発電の新・増設等の実現
  - プルサーマルの実現等核燃料サイクル早期確立のための取組推進、高速増殖炉サイクルの早期実用化を目指した技術開発等
  - 高レベル放射性廃棄物最終処分候補地選定に向けた取組の強化
  - 次世代軽水炉開発や現場技能者育成等技術・産業・人材の厚みの確保
  - ウラン資源確保に向けた戦略的資源外交の展開、米国GNEP構想等への積極的貢献
  - 検査制度の定着と更なる安全水準の向上のための見直し、高経年化対策・耐震安全対策の充実 等

●運輸部門のエネルギー多様化
- バイオマス由来燃料、GTL等の新燃料の導入に向けた取組推進
- 電気自動車・燃料電池自動車等の開発・普及に向けた取組推進 等

●新エネルギー
- 成長段階に応じた支援(RPS法の推進、技術開発の推進 等)
- 周辺関連産業や地域との融合を通じた厚みのある産業構造の形成
- 革新的なエネルギー高度利用技術開発の推進(太陽電池、燃料電池、エネルギー貯蔵技術 等) 等

●ガス体エネルギー
- 天然ガスの流通・調達の円滑化、燃料転換等による需要拡大
- LPガスの利用の効率化・多様化や経営の効率化等の推進 等

●石炭
- 産炭国との関係強化及び供給源の多様化
- 石炭ガス化等のクリーン・コール・テクノロジーの開発・アジアへの普及

●エネルギー需給構造についての長期的展望を踏まえた取組
- 将来のエネルギーシステム(分散型、水素社会)実現に向けた取組を推進

出典：資源エネルギー庁HP

5 核燃料サイクル

日本では、使用済み核燃料をリサイクルして、効率的に使っていくという、核燃料サイクルという方針をとっています。しかし、現実には、リサイクルは実現にいたっていません。とはいえ、この方針を転換してしまうと、原子力発電の産業そのものが成立しなくなる可能性があります。

核燃料サイクルとは

核燃料サイクルとは、**使用済み核燃料**を**再処理工場**で**ウラン238**、燃え残りの**ウラン235**、**プルトニウム、高レベル放射性廃棄物**に分け、プルトニウムも燃料として加工し、原子力発電所で再利用するというものです。

現在の原子力発電所では、ウランの持つエネルギーのうち3%程度しか使われていません。この効率で使っていった場合、ウランの**可採埋蔵量**はおよそ70年分しかないといわれています。

しかし、再処理によってプルトニウムを取出し、燃料として利用できれば、資源を効率的に使えることになります。

エネルギー資源がほとんどない日本では、ウランを効率的に利用するという方針を進めてきました。

核燃料サイクルが抱える矛盾

核燃料サイクルを推進するにあたって、問題は山積みです。

第1に、本格的に再処理を通じて製造した**MOX(混合酸化物)燃料**を利用するのであれば、高速増殖炉(**FBR**)などの専用の原子炉が必要になります。ですが、FBR原型炉の「**もんじゅ**」は**ナトリウム漏れ事故**を起こし、その後もトラブルが続いたため、廃炉となっています。政府は後継として、**高速炉**(**FR**)の開発を検

【ウランは超新星でつくられた】 宇宙に浮かぶ恒星はその一生の最後に爆発するように明るく輝きます。これを超新星といいます。実は、鉄よりも原子番号が大きい元素はすべて、超新星によってできたと考えられています。ウランもまた例外ではありません。

討しています。

第2に、MOX燃料を一般の原子炉で使うことを**プルサーマル利用**といいますが、これもあまり進んでいませんでした。とりわけ、**福島第一原子力**3号機が事故当時プルサーマル利用を行っていましたが、その結果、炉心が溶融（**メルトダウン**）する温度が低く、猛毒のプルトニウムが飛散する可能性が指摘されるようになりました。現在は再稼動した関西電力高浜原子力3号機と4号機で行われています。なお、**Jパワー**は青森県大間町にプルサーマル専用の原子力発電所を建設中ですが、こちらはなかなか工事が進んでいません。

第3に、プルサーマル利用によってリサイクルされるエネルギーはわずかなものにすぎず、しかも使用済みのMOX燃料の再処理には、六ヶ所村の再処理工場とは別に専用の工場が必要です。

第4に、青森県六ヶ所村の再処理工場は、2019年になっても操業開始が延期されており、しかも工場の敷地内に活断層がある可能性も指摘されています。

核燃料サイクル概念図

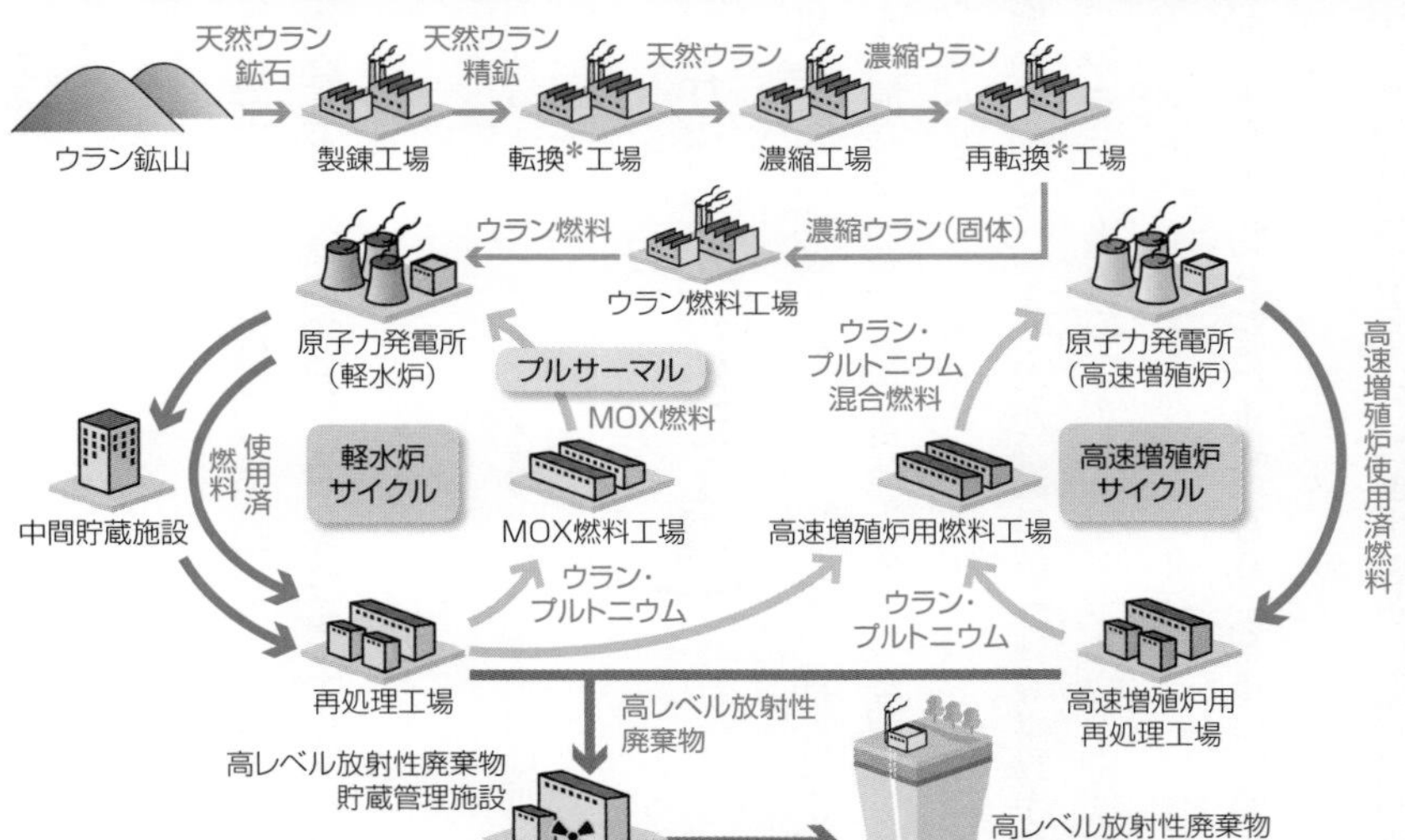

出典：資源エネルギー庁資料

用語解説

＊**転換**　ウラン鉱石は酸化ウランの形となっています。これを6フッ化ウランにすることを転換といいます。こうすることで、遠心分離機によってウラン235とウラン238に分離することができます。

＊**再転換**　六フッ化ウランを再び酸化ウランとし、燃料に加工しやすくします。

6 使用済み核燃料再処理工場

日本原燃が青森県六ヶ所村で建設を進めている使用済み核燃料再処理工場は、核燃料サイクルが抱える矛盾と無責任体制の象徴ともいえる存在です。電力会社や経済産業省の内部でも、建設を中止すべきだという声は少なくありませんでした。

六ヶ所村再処理工場の背景

青森県六ヶ所村で、**日本原燃**によって**再処理工場**をはじめとする原子力施設が建設・計画されています。再処理工場の他、**低レベル放射性廃棄物処分場**や**高レベル放射性廃棄物貯蔵施設**が建設され、**MOX燃料加工工場**が計画されています。

日本原燃は、電力会社を株主とする会社です。

実は六ヶ所村は、1962年に当時の経済企画庁が策定した**全国総合開発計画**＊の中で、石油備蓄基地をはじめとする工業地域として開発されることになっていました。これが**むつ小川原開発**と呼ばれるものです。しかしこの計画は破たんし、住民から買い上げた土地だけが残りました。そこで、この土地に原子力施設が誘致されました。

海外から見た再処理工場

再処理工場の問題を抱えるのは、日本だけではありません。同じく商業用の再処理工場がある国としては、英国とフランスがあります。英国では**ソープ再処理工場**が稼働していましたが、海に放射性廃棄物を排出しているとして、隣のアイルランドや北海の先にあるノルウェーから指摘を受け、また2005年には放射能漏れ事故を起こしています。2018年に閉鎖されています。

フランスでは、**ラ・アーグ再処理工場**が稼働していま

用語解説

＊**全国総合開発計画** 国土の利用、開発及び保全に関する総合的かつ基本的な計画で、住宅、都市、道路その他の交通基盤の社会資本の整備のあり方などを長期的に方向付けるものです。第5次計画まで策定されましたが、現在は法律が改正されて、国土形成計画となっています。

す。ただ、こちらも国内外から同様の指摘を受けています。六ヶ所村再処理工場は、ラ・アーグ再処理工場をモデルに建設されました。

日本の原子力発電所の一部で**プルサーマル利用**に用いられた**MOX燃料**のほとんどは、これら英国とフランスの再処理工場で処理され、燃料として加工されたものです。

再処理工場は**プルトニウム**を取り出すことが目的の施設です。このプルトニウムは、**ウラン235**とともに、核兵器の材料となります。第2次世界大戦で広島に投下された原子爆弾がウラン235を用いたものだったのに対し、長崎に投下された原子爆弾はプルトニウムを用いたものでした。こうしたことから、再処理工場を保有できるのは、原則として国連の核兵器保有国だけということになっており、日本はあくまで例外扱いです。しかし一方で、非核を宣言している日本ですが、再処理工場を保有していることで、海外からは「隠れ核保有国」だと見られているということも指摘されています。

核燃料サイクル施設の概要

日本原燃・青森県六ヶ所村（2020年12月16日末現在）　　出典：日本原燃HP　他

	再処理工場	MOX燃料工場	高レベル放射性廃棄物貯蔵管理センター	ウラン濃縮工場	低レベル放射性廃棄物埋設センター
建設地点	六ヶ所村弥栄平地区			六ヶ所大石平地区	
施設の規模	最大処理能力 800トン・U/年 使用済燃料貯蔵容量 3,000トン・U	最大処理能力 130トン·HM*1 /年	返還廃棄物 貯蔵容量 ガラス固体化 2,880本	150トンSWU*1 /年で操業開始 最終的には 1,500トン SWU/年規模	約8万立方メートル (200lドラム缶約40万本相当) 最終的には約60万立方メートル (200lドラム缶約300万本相当)
現状	建設中	建設中		450トンSWU /年規模、停止中	累積受入 189,267本
建設費	約2兆1,930億円	約6,000億円	1250億円*2	約2,500億円	約1,600億円*3
工期	工事開始 1993年 竣工 2022年度上期(予定)	工事開始 2010年 竣工 2024年度上期	工事開始 1992年 貯蔵開始 1995年	工事開始 1988年 操業開始 1992年	工事開始 1990年 埋設開始 1992年

＊1　HM：MOX中のプルトニウムとウランの金属成分の重量
　　SWU：ウランを濃縮する際に必要となる仕事量の単位
＊2　高レベル放射性廃棄物（ガラス固化体）1,440本分の建設費
＊3　低レベル放射性廃棄物20万立方メートル（200lドラム缶約100万本相当）分の建設費

ワンポイントコラム

【MOX燃料データ改ざん事件】　BNFLが製造した関西電力向けのMOX燃料のデータが改ざんされていた事件。これにより、関西電力のプルサーマルは大幅に遅れることになりました。原子力のデータ改ざんは日本だけではなかったということです。

高コストと低モラル

六ヶ所村再処理工場そのものも、さまざまな問題を抱えています。

建設費用は当初８０００億円といわれていました。しかし工事は遅れ続け、２０２０年には約３兆円にまで膨らんでいると報道されています。

建設費に加えて運転維持費も高いと予想されています。運転終了後の解体費用まで含めると、13兆円にもなるという試算もあります。

こうした高コスト構造の結果、ＭＯＸ燃料を国内で製造した場合、海外工場よりも2～3倍も高く、発電コストを１ｋＷｈあたり1円以上押し上げ、総額で19兆円もの追加負担になるとも試算されています。

高コストで展望が見えない使用済み核燃料再処理を中止し、使用済み核燃料をそのまま地中深く処分する**ワンス・スルー**という方式や、使用済み核燃料の処分を先送りし、当面は地上施設で保管する方が、コストが低くなります。そのため、こうした手段をとるべきだという考えは、電力業界や経済産業省内部にもありました。また、最終処分場ができるまでは、原子力発電所構内に新たに使用済み燃料貯蔵施設を増設するケースも出てきています。

再処理工場の懸念されるもう一つの問題は、ガバナンスです。事業を進めている日本原燃は、電力各社の寄合所帯であり、電力会社から出向した管理職と現地採用の現場の作業員や地元業者との間で溝があることが指摘されています。その結果、現場従業員のモラルが下がりやすく、実際に手抜き工事をはじめとするさまざまなトラブルが起きており、これも建設が遅れた原因となっています。

建設工事の遅延だけならまだよいのですが、本格操業したときに、１９９９年の茨城県東海村での**ＪＣＯ臨界事故**のような深刻な事故が起きたら取り返しがつきません。

一方、青森県側は、再処理をしなくなった場合はそのまま六ヶ所村が核のゴミ捨て場になることを懸念しています。そのため、旧一般電気事業者や経済産業省は、再処理からの撤退が難しくなっています。

ワンポイントコラム

【東海村臨界事故】　東海村のJCO（住友金属の子会社）で、燃料製造のために濃縮ウランを攪拌していたときに、ウランが臨界に達し、作業員3名が中性子に被爆し、うち2名が亡くなりました。事故の原因は、マニュアルに反する簡素化された手順で通常の作業を行っていたまま、高濃縮ウランでも同じ作業を行ったためで、事業者の管理責任が問われました。

下北半島に集中する原子力施設

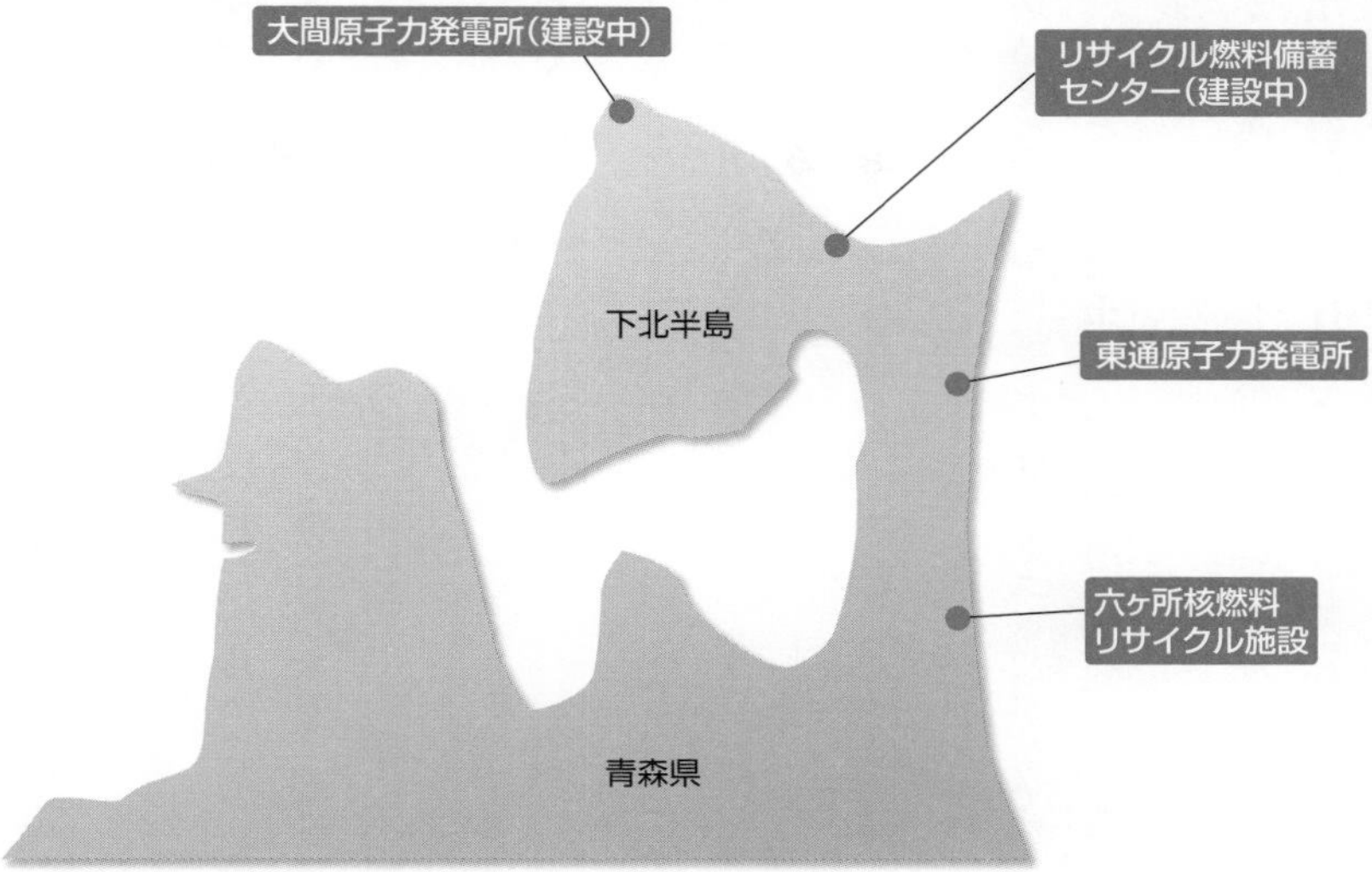

ウランの利用効率

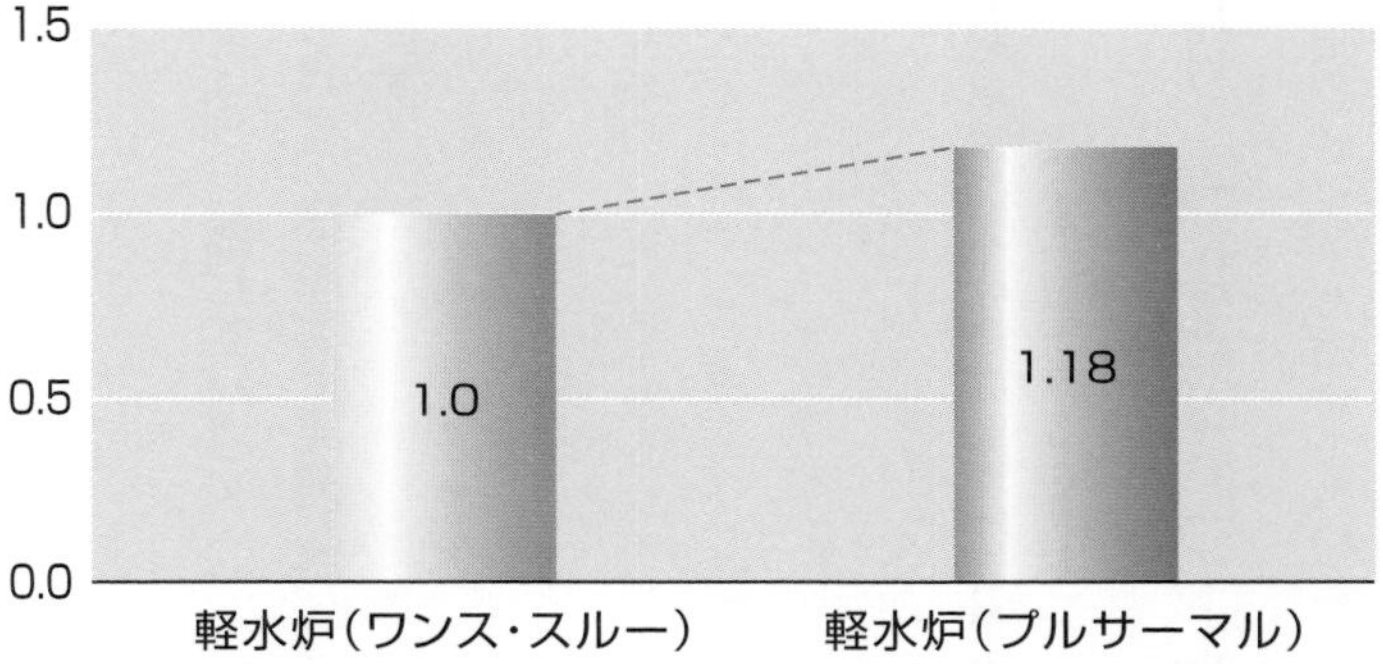

高速炉サイクルの実用化によるプルトニウム利用により
ウラン利用効率を約30倍に高めることが期待される

出典：原子力委員会 新計画策定会議（第5回、第7回、第8回）資料（平成16年）

ワンポイントコラム

【東海村での臨界事故とFBR】　この事故は、FBRの実験炉「常陽」の燃料の製造時に起きました。核分裂しやすいウラン235の濃度が通常よりも高い燃料の製造をいつもどおりのマニュアルに反した手順で作業したことが原因でした。FBR燃料製造も、より高度な安全が求められるということです。

7 プルトニウム利用

使用済み核燃料から取り出されたプルトニウムは、ウラン238と混ぜてMOX（混合酸化物燃料）に加工され、原子炉の燃料として使われます。高速増殖炉（FBR）の実用化は見通しがなく、また、一般の原子炉で利用するプルサーマル利用にも多くの問題があります。

MOX燃料

核分裂する**ウラン235**のかわりに、**プルトニウム***を混ぜた核燃料を、**MOX燃料***といいます。MOXは混合酸化物の略です。

電力会社と政府は、MOX燃料は、基本的には通常の核燃料と同じように使用できることや、通常の核燃料使用時でも燃焼中に生じたプルトニウムが核分裂していることなど、**プルサーマル利用**には問題がないと主張しています。

しかし、まったく同じではありません。プルトニウムが出す放射線の強さは、ウラン235よりもはるかに強いものです。また、溶融する温度が低く、**メルトダウン**しやすいことも指摘されています。実際に、福島第一原発事故では、プルサーマル利用を行っていた3号機では1号機や2号機よりも低い温度でメルトダウンしたのではないかと考えられています。

また、使用済みMOX燃料の処理は、通常の使用済み核燃料以上に多様な放射性物質が生成されたため、再処理は簡単ではありません。

プルサーマルとJパワー大間原発

日本政府は原子力開発の当初から、MOX燃料を効率的に利用する**高速増殖炉**（**FBR**）の実用化と一般の原子炉でのプルサーマル利用の両方を計画していました。しかし、FBRの実用化の見通しが立たない

用語解説

＊**プルトニウム**　ウラン238が中性子を吸収すると、プルトニウム239になります。ウラン235よりも不安定な元素であり、強い放射性と毒性を持っています。

＊**MOX燃料**　Mixed Oxide Fuel、プルトニウムとウランを混ぜ合わせて作った、ウラン・プルトニウム混合酸化物燃料。軽水炉のプルサーマルや高速増殖炉などで使用されます。

まま、プルサーマル利用だけが進められました。

一般の軽水炉では、MOX燃料は全体の3分の1までしか使うことができません。そこで、MOX燃料を本格的に利用する軽水炉の開発が進められました。それが、電源開発（Jパワー）が青森県大間町に建設中の**大間原発**です。これは、ABWRをMOX専用に改造した**フルMOX-ABWR**です。

大間原発は土地取得の難航や設計変更などで建設工事が遅れており、震災後も工事は一時中断しました。現在、原子力規制委員会の安全審査が進んでいますが、完成予定は未定となっています。また、津軽海峡の対岸にある北海道函館市が建設に反対しており、建設が進んでも運転開始できるかどうかは微妙になっています。

プルサーマル利用の是非があらためて問われる中、青森県の先端に原発をつくる必要はないという考えは、電力会社の中にもあります。

プルトニウムの特徴と安全上の課題

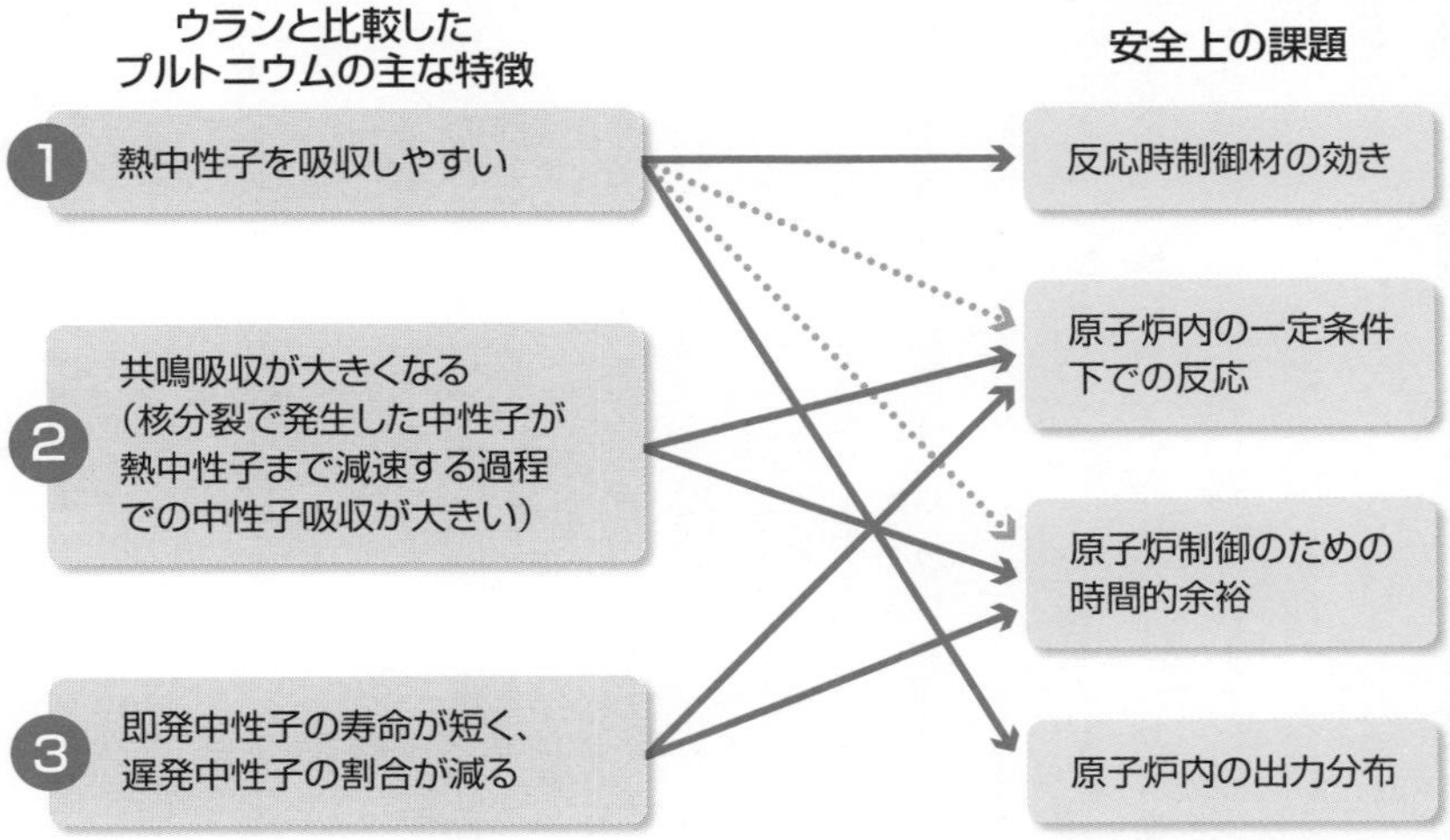

出典：原子力安全委員会「原子力安全白書」（平成13年度版）

ワンポイントコラム

【海外のFBR】　ドイツやフランスでもFBRの開発は進められていましたが、ドイツでは1991年に中止（ベルギー、オランダとの共同プロジェクト）されました。また、フランスのFBR、スーパーフェニックスは廃炉となっており、研究目的のフェニックスも2009年に停止、FBRから撤退しています。

8 原子力発電所のマネジメント

日本の原子力発電所は、福島第一原発事故以前から、マネジメントの面で問題がありました。不祥事や事故によって、2000年代は設備利用率も下がってきました。

原発の不祥事・事故

福島第一原発事故以前にも、原発事故・トラブルや不祥事は起きていました。原発だから多いということではありません。しかし、原発だからこそ、他のどのようなプラントと比較しても、高い安全性が必要です。

原子力関連で最も深刻な事故の一つは、1999年9月の**JCO臨界事故**でしょう。これは、茨城県東海村にあるJCOウラン加工施設で、作業員3名が濃度18・8%のウラン溶液の濃度を均一化する作業で、正規の手順を逸脱した作業を行い、**臨界**(連続した核分裂)に至った事故です。このときに放出された**中性子線**などの放射線によって被ばくした作業員のうち2名は死亡しました。

この事故の背景には、日常的に逸脱した作業が行われていたことがあります。通常は、濃縮度3%程度のウランを使うために、臨界には至りませんでした。しかし、事故当時は**FBR**用の高い濃度のウランを扱っていたということです。

2002年8月に公表された、東京電力の原子力発電所における自主点検記録不正問題は、日常的に不正が行われていることを明らかにしました。東京電力は1980年代から90年代にかけて実施した炉内構造物に対する自主点検において、発見したひび割れなどを国に報告せず、一部は記録に残さないように施工会社に指示したということが、米国GE社の子会社の社員の告発によって明らかになったというものです。このときは、東京電力は原発を1年間稼働停止する行政

原発の主な不祥事・事故

関西電力美浜原発2号機事故　1991年

1991年2月9日、福井県美浜町にある関西電力美浜発電所2号機で、蒸気発生器の電熱管の1本が破断し、非常用炉心冷却装置（ECCS）が作動する事故が発生。冷却水の流出によりECCSが実作動した。

高速増殖炉もんじゅ事故　1995年

福井県敦賀市にある高速増殖原型炉「もんじゅ」において、1995年12月8日、2次主冷却系配管からナトリウムが漏えい。漏えいしたナトリウムは、配管室内の空気と反応して燃焼した。温度計さや管の設計が不適切であったため、ナトリウムの流れによって振動し、破損した。

JCOウラン加工工場事故　1999年

1999年9月30日、茨城県東海村にある（株）ジェー・シー・オー（JCO）ウラン加工工場における臨界事故。この事故は、日本で初めての臨界事故であり、ウランの核分裂反応である「臨界」状態が約20時間にわたって継続し、施設の周辺住民の避難や、施設から10km圏内の住民の屋内退避を行うに至った。また、作業にあたっていた3名のうち2名が被ばくによって死亡。

中部電力浜岡原発事故　2001年

2001年11月7日、静岡県浜岡町にある中部電力浜岡原子力発電所1号機で、余熱除去系蒸気凝縮系配管内で生じた水素の燃焼にともなう急激な圧力上昇によって配管が破断。

東京電力自主点検記録不正　2002年

2002年8月29日、東京電力による自主点検記録の不正問題が、原子力安全・保安院から公表された。

発端は、2000年7月および11月に、当時の通商産業省資源エネルギー庁への申告。さらに2002年、調査を進める過程で、調査に協力していた米国General Electric社からほかにも自主点検記録に不正がある可能性がある事案についての情報が寄せられ、8月に入り、東京電力もこれらを認めるに至った。

これを受けて、経済産業省原子力安全・保安院は、東京電力福島第一、第二原子力発電所および柏崎刈羽原子力発電所の3発電所において、1980年代後半から90年代にかけて実施された自主点検作業時に、点検結果や修理作業等に関して記録の不正記載等が行われた疑いがある事案が29件あり、これらについて調査を行っていることを、2002年8月29日に公表。

関西電力美浜原発3号機事故　2004年

2004年8月9日、関西電力美浜発電所3号機において2次系配管の破損事故が発生。事故当時、美浜3号機タービン建屋内では、定期検査の準備などのため、協力会社の方々が作業を行っていた。その状況下で、タービン建屋内2階天井付近の復水配管に破損が生じ、高温高圧の蒸気が噴出した。

被災した協力会社の方々11名は病院へ搬送されたが、5名の方が亡くなり、6名が重傷を負う。

原因は、2次系配管肉厚管理に関する品質保証システムや保守管理システムの整備が不十分であったため、本来管理されるべき配管の部位が管理する対象から漏れて、長年そのまま管理されなかったこと。

発電設備等データ改ざん問題　2006年

2006年10月から11月にかけて、複数の電力会社において、過去における発電所に関する書類の不備や、データの不適切な取扱い等の問題が明らかに。

各電力会社は、2006年11月30日の経済産業大臣からの指示を受けて、発電設備に関する過去のデータ改ざん等の有無について徹底した点検を行った結果、合計316件の事例が確認された。

東京電力HD、柏崎刈羽原子力、IDカード不正使用　2021年

2020年9月、社員が他人のIDカードを持ち出し、中央制御室に入域。

処分を受けました。

しかし、こうした記録不正問題は、その後も東京電力で点検漏れ問題が起きた他、中国電力でも同様の点検漏れ問題、九州電力のデータねつ造問題などもわかっています。

2004年8月に起きた、関西電力**美浜原発3号機の配管破損事故**は、11名が被災し、うち5名が亡くなる事故でした。定期検査の準備に関わっていた協力会社の従業員がいる中で、配管に破損が生じ、約140℃、約9気圧の高温水が蒸気となって噴出しました。この事故は、関西電力や三菱重工業などが関与する配管の管理ミスで、管理すべき部位が管理リストから欠落していたことが主要な原因です。関西電力の品質保証、保守管理が機能していなかったということです。

原発のマネジメント

原発における不祥事や事故の原因をたどっていくと、適切な品質管理、保守管理など、マネジメントが機能していなかったということがわかります。

では、こうした点は、改善されたのでしょうか。残念ながら、あまり改善されていないと考えられます。

不祥事が続いた時期、ある電力会社で情報を共有化するシステムを導入する取り組みを取材しました。この電力会社によると、原発の点検・管理などでは、元請けから何次にもおよぶ下請け、孫請けが作業しており、作業管理や人員管理ができていなかったということでした。

しかし、福島第一原発事故後の廃炉作業の状況は、これまで同様に、やはり何次にもおよぶ下請け・孫請けが作業を行い、作業管理や人員管理が十分に行われない状況で、汚染水タンク漏れなどのトラブルを起こしています。また、元請け・下請けの階層構造は、十分に情報が共有できず、不適切な作業やデータ改ざんを行いやすい環境ともいえます。

原発の安全対策として、さまざまな基準などが細かく決められていますが、作業員のマネジメントに関する部分については、十分な対応がなされていないといえるでしょう。

日本の原子力発電設備利用率の推移

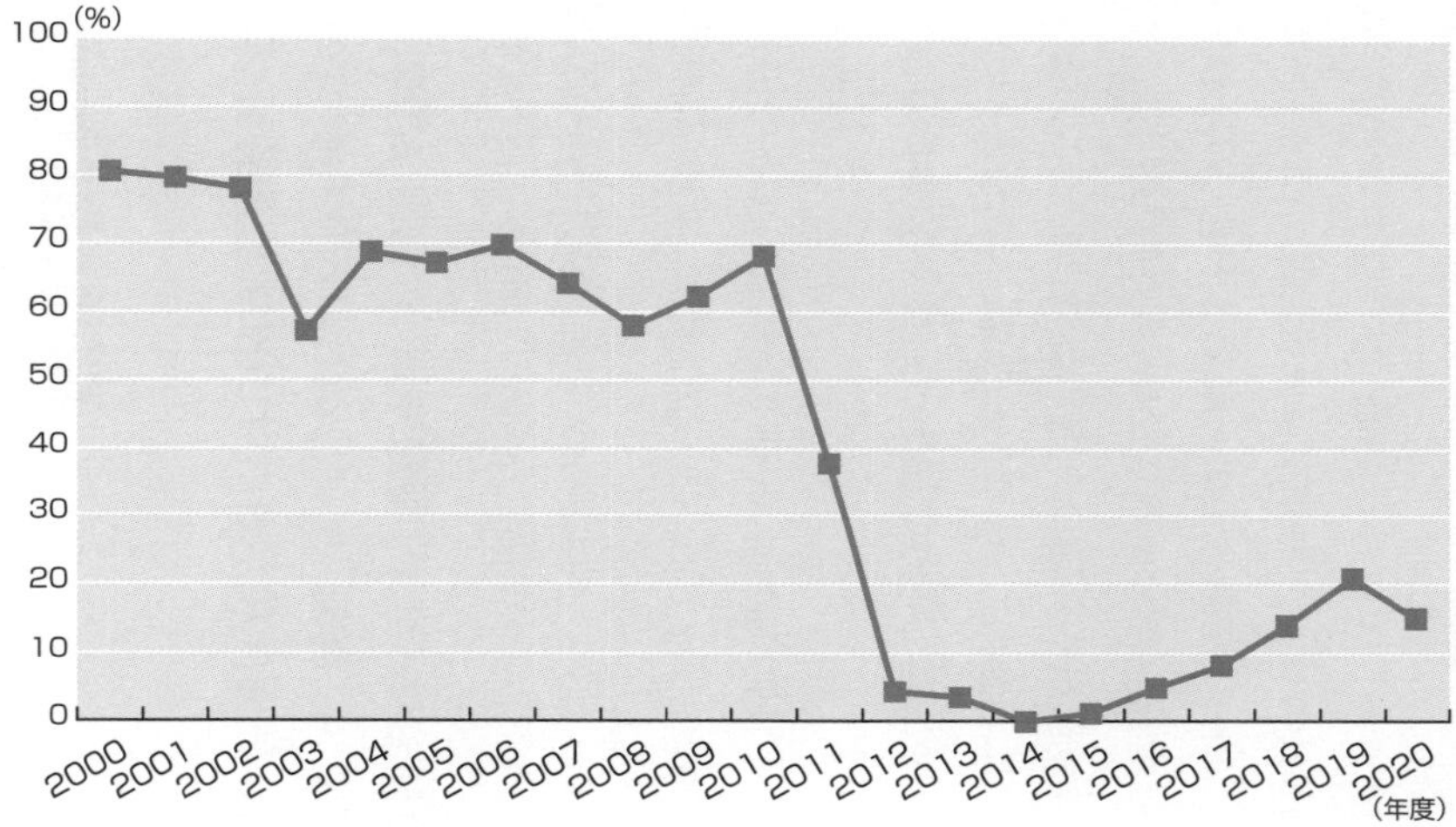

出典:資源エネルギー庁「エネルギー白書2022」

放射線業務従事者の放射線管理

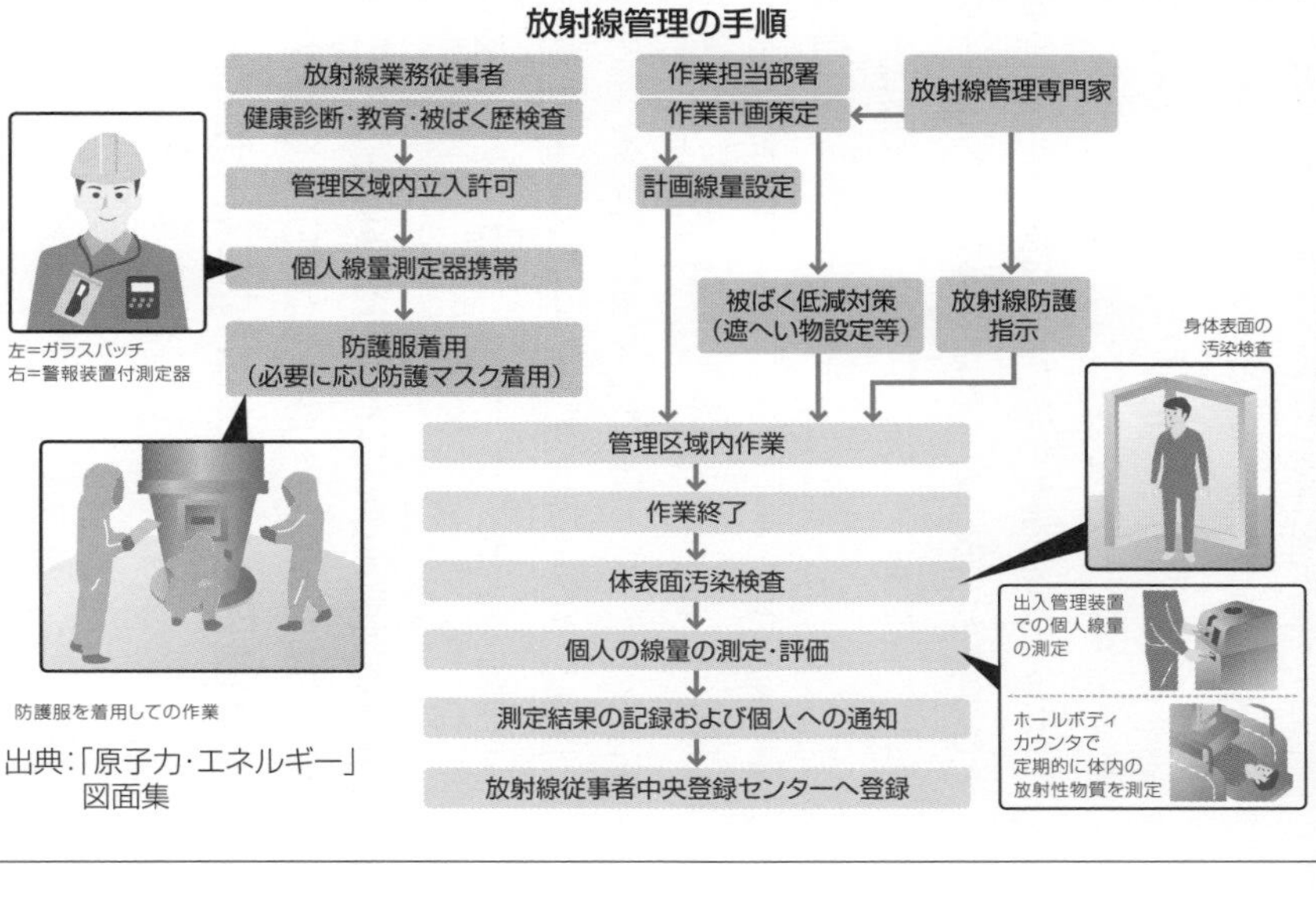

出典:「原子力·エネルギー」
図面集

9 廃止措置

原発は、運転期間があらかじめ40年と決められており、その後問題がないことが示されれば20年の延長が認められることになっています。現在、すでに40年が経過したものや、出力が小さくて経済性がない原発など、運転を終了し、廃止措置（廃炉）が決まっている、あるいは廃炉が進められているものもあります。

運転終了の原発

我が国では、現在、運転を終了し、廃炉ないし廃炉予定の商業用の原発は24基あります。それぞれ次のような理由です。

第一に、運転期間を終了した場合です。認可されている運転年数は40年と決められており、それを超えて運転する場合は、あらためて認可を得なくてはなりません。第二に、運転するにあたって十分な経済性が見込めない場合は、40年が経過する前に廃炉にするケースがあります。第三に、重大な事故を起こしたために、運転を継続できないため、廃炉にするというケースです。

日本原電敦賀1号は、運転年数が40年を経過した上、出力が30万kWと小さく、延長するための追加コストをかけても経済性が見込めないため、廃炉が決まりました。一方、関西電力高浜1号、2号は、出力が80万kWあり、経済性が見込めるとして、20年の運転延長を申請、認可されています。

中部電力浜岡1号、2号は、出力が小さい上に、新たな耐震工事を行ってまで運転する経済性が見込めないことから、40年を待たずに廃炉が決められました。背景として、浜岡1号、2号が建設されたときから、耐震基準が引き上げられたことがあります。

事故によって廃炉となったケースとしては、東京電力HDの福島第一原発の6基があります。

一般的な原子力発電所の廃止措置

運転終了

廃止措置の標準工程　廃止措置とは、運転を終了した原子力発電所（原子炉施設）を解体・撤去し、これに伴い発生する廃棄物の処理処分と跡地有効利用のための一連の作業・措置をいいます。

使用済燃料の搬出 → 系統除染（洗う） → 安全貯蔵（待つ）

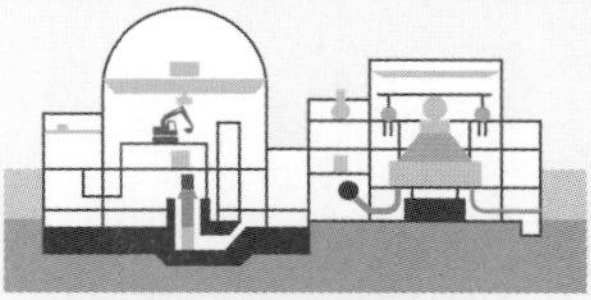

系統除染は、主要な配管・容器に付着した放射性物質を化学薬品等により除去して被ばく線量を低減させるための工程です。

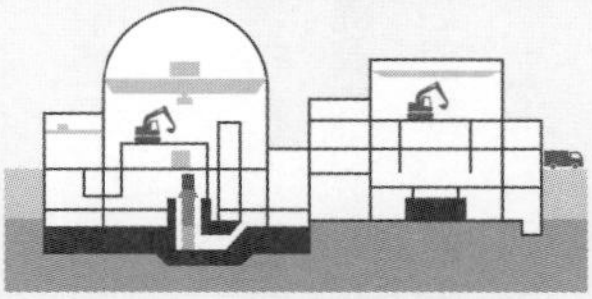

安全貯蔵は、適切な管理のもと、原子炉施設を安全に貯蔵し、内包する放射能量を減衰させる工程です。

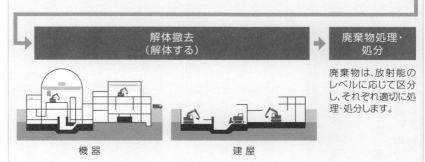

→ 解体撤去（解体する） → 廃棄物処理・処分

機 器　　建 屋

廃棄物は、放射能のレベルに応じて区分し、それぞれ適切に処理・処分します。

跡地利用

出典：総合エネルギー調査会原子力部会報告書「商業用原子力施設の廃止措置のあり方について」（昭和60年7月15日）

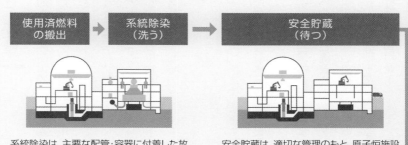

廃止措置の手続きと作業

廃止措置（廃炉）は一般的な建造物の取り壊しと異なり、放射性物質で汚染された設備を解体撤去する作業であるため、時間も手間もかかります。

廃炉の作業は、次のような段階で行われます。

まず、電力会社（発電会社）が廃炉を決定します。その後、廃炉の計画を策定し、原子力規制委員会に申請します。これが認可されることで、廃炉がスタートします。

廃炉はまず、放射能で汚染されていない場所から、解体撤去されていきます。平行して、原子炉内の核燃料の取り出し作業や、原発全体の放射能や放射性物質による汚染の状況の調査がおこなわれます。

解体撤去にあたって、放射性廃棄物が発生しますが、最初の段階では**低レベル放射性廃棄物**のみです。

放射性物質による汚染が低い周辺設備の解体撤去が終わると、続いて原子炉の解体撤去が行われます。このときに、**高レベル放射性廃棄物**が発生します。

最後に原子炉格納容器などを解体撤去し、原発があった場所は更地になります。

関西電力では、美浜原発1号、2号の廃炉に、およそ30年がかかるとしています。

長い年月が必要に感じるかもしれません。しかし、放射性物質は時間が経つと原子が崩壊して減っていく性質があります。一般に半減期とよばれているものです。そのため、多少時間をかけて、放射性物質が減っていくのを待つことも必要なのです。

廃炉の課題

廃炉には、いくつかの課題が残されています。

その一つは、放射性廃棄物の処分です。

低レベル放射性廃棄物の場合、廃棄物処分場で埋設処理をすることになっています。

一方、高い放射能で汚染された廃棄物の場合、使用済み燃料と同様に、処分の方法はまだ確立されているとはいえません。

安全確保にも慎重さが必要です。廃炉作業にあたって、いかにして作業員の被ばくを防ぐかは、最大限に慎重な対応が求められます。

福島第一原発の廃炉

事故によって廃炉となった、福島第一原発の1－3号機の場合は、一般的な廃炉以上に困難です。最大の問題は、メルトダウンによって溶けて固まった核燃料（デブリ）の撤去です。

実際には、原子炉の中のようすは、今もって詳しいことがわかっていません。ロボットを使って中の様子を調べようとしても、高い放射線によって機械がすぐに動かなくなってしまうのです。

一部には、無理にデブリを取りだすのではなく、ウクライナのチェルノブイリ原発のように、石棺に閉じ込めてしまう方が合理的だという意見もあります。しかしそうすると、原発事故では原状回復ができないということになります。そのため、可能な限り廃炉を進めたいということになります。

筆者の考えでは、仮にデブリを取りだすとしても、可能な限り作業員の安全を確保すべきですし、その結果としてどれだけ長期間の作業になろうとも、いたしかたありません。

福島第一原子力の廃止措置

廃棄物は、放射能のレベルに応じて区分し、それぞれ適切に処理・処分します。

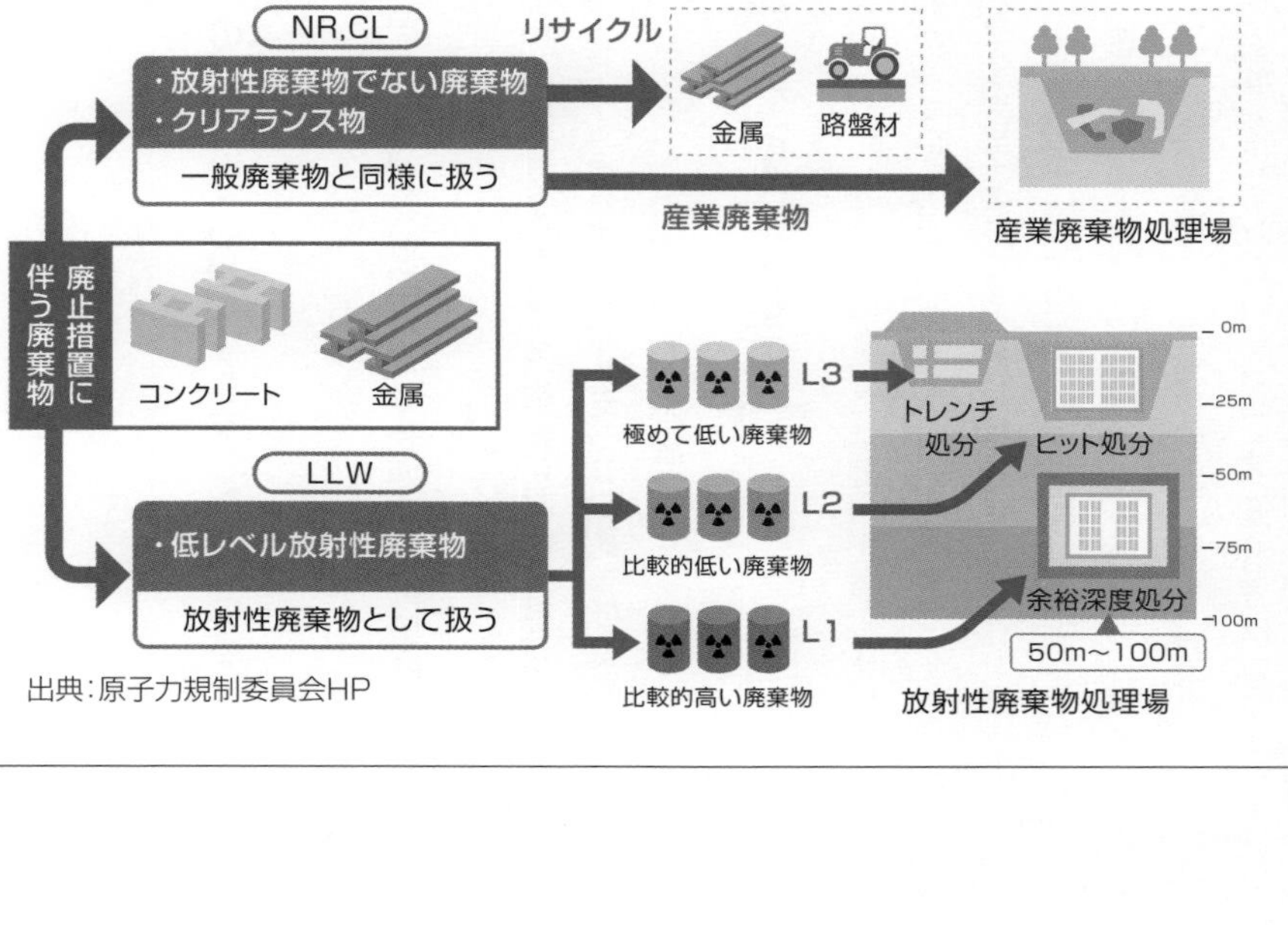

出典：原子力規制委員会HP

被ばくと放射線

福島第一原発事故は、あらためて、放射線被ばくによる健康への影響に関心が集まりました。この点について、ここでは簡単にまとめてみました。

放射線の影響のメカニズム

放射線が生物に影響を与えるメカニズムは、さまざまなものがありますが、主要なものは、放射線が水などの分子を分解し、活性酸素などをつくり、これが遺伝子などの分子を傷つけるというものです。

また、放射線の健康への影響がわかりにくいのは、「ある数値以下の量であれば、無害」という数値がないことです。わずかな量の放射線でも、無害だとは言い切れません。同時に、わずかな量の放射線によって長期的にガンが発生しても、喫煙など他の要因と区別できません。これは、リスクが高まる、ということでしか表現できないものです。

多量の放射線を受けると、白血球の減少などの影響が出ますが、少量の放射線による長期的な影響は、はっきりとわからないのが実情です。

一方、弱い放射線であれば、放射線に対する抵抗力が増すという説もあります。**ホルミシス効果**と呼ばれています。しかし、この説は、まだ確証はありません。

放射線の公衆衛生基準

放射線の影響は、どこまでであれば健康影響しないのかは、わかっていません。しかし、日常、私たちが自然の放射線を浴びており、また放射性物質を身体にとりこんでいます。主に、宇宙からの宇宙線、大地からの放射線、食べ物に含まれる放射性物質からです。

放射線の**公衆衛生基準**は、自然放射線の量や、健康にただちに影響が見られないレベルなどを参考に、決

ワンポイントコラム

【ダーティボム】 ウランやプルトニウムを爆発させる核兵器に対し、そもそも放射能を持った有害な物質を拡散させることで被害を与えるのがダーティボムです。プルトニウムは強い放射能と毒性を持っており、これを拡散させることでテロを引き起こす可能性があります。したがって、プルトニウムは国際的に厳重な管理がとられています。

められています。

また、原子力施設など、**放射線管理区域**で働く人については、放射線測定装置を付けて作業することが義務付けられており、一定以上の放射線を超えると、管理区域での作業ができなくなります。

放射線による主な影響

放射線の影響で代表的なものは、遺伝子が傷つけられることなどで発生するガンです。ただ、**福島第一原発事故**では、今のところ、甲状腺ガンを除くほとんどのガンについて、有意に増えたという報告はありません。

甲状腺ガンは、原発事故で放出された、放射性のヨウ素１８１が、体内に吸収され、甲状腺に集まることが原因です。福島第一原発事故の影響で、甲状腺ガンが増えているという報告があります。

この他、福島第一原発事故以降、身体がだるい、鼻血が止まらない、などの報告があります。こうした健康被害が、放射線によるものなのか、ストレスなど他に原因があるのか、まだわかっていません。

放射線被ばくの早見図

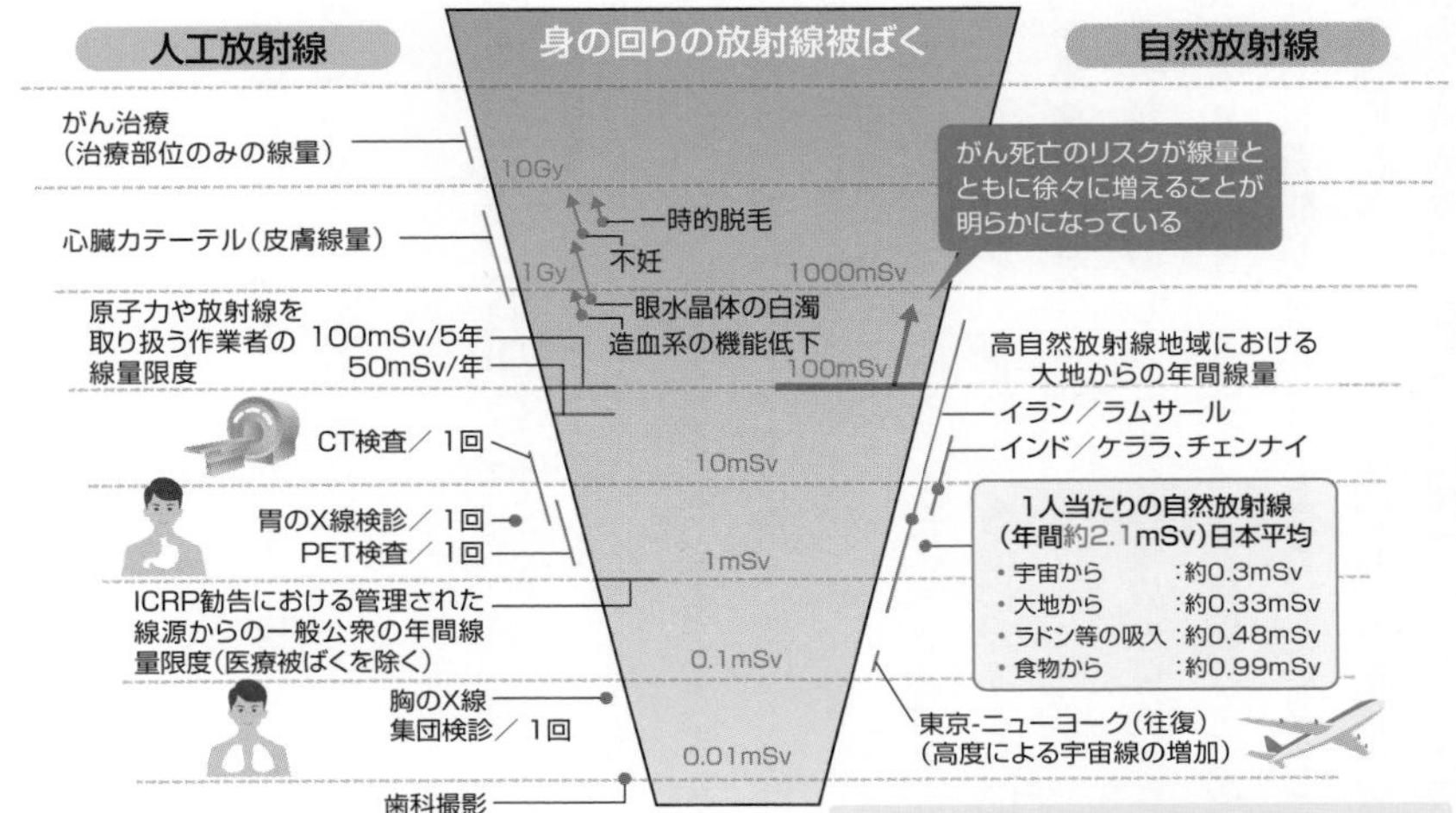

出典:独立行政法人 放射線医学総合研究所

ワンポイントコラム

【グレイとシーベルト】　放射線量にはさまざまな単位が使われます。ここでは、Gy(グレイ)とSv(シーベルト)が使われています。Gyは放射線から臓器・組織がどのくらいのエネルギーを受けたのかを示します。Svは線量に組織の影響の受けやすさや放射線の種類による影響力を加味したものです。ガンマ線であれば1Gy＝1Svですが、アルファ線なら1Gy＝20Svになります。

11

脱原発運動

原子力発電のこれからを考える上で、脱原発運動は、大きな影響力を持っています。それは、国政選挙をはじめとする、さまざまな選挙で政治の行方を左右する問題にもなっているからです。

福島第一原発事故以前の反原発運動

福島第一原発事故以前は、エネルギーに関する市民運動としては、大きく2つの運動がありました。一つは**反原発運動**であり、もう一つは**自然エネルギー**(再生可能エネルギー)**推進運動**でした。両者は似ているようですが、自然エネルギー運動は原発の現状を問わないことで、保守政党にも広がり、一定の成果をあげてきました。

反原発運動については、立地にあたっては、原発のリスクを引き受けたくないということや、自然環境を破壊したくないことが主な主張でした。また、**核燃料サイクル**のリスクやコスト、大規模地震が予想される土地であることが、すでに運転開始している原発に対する運動となりました。

脱原発運動の広がり

福島第一原発事故は、原発がひとたび事故を起こせば、極めて深刻な被害をもたらすことを示しました。放射性物質は、福島県内だけではなく、遠く千葉県や東京都、さらにはその先にまで広がりました。

この事故を通じて、電力会社が抱えているさまざまな問題が明らかにされ、事故そのものに対する対応にも批判が集まりました。

多くの人が、取り返しのつかない事故の可能性を持つ原発依存から脱却すべきだと考え、**脱原発**を求めて、毎週金曜日に首相官邸前に集まるようになりました。

脱原発運動は、こうした形で広がり、首相経験者などの有力な政治家がこれを国民運動にしようと活動

ワンポイントコラム

【経産省前テントひろば】 脱原発運動の象徴の一つが、経済産業省の前に設置された、「経産省前テントひろば」です。原発の運転に反対の意思を示し、同じ想いを持つ人が集まる場所として、設置されたものです。国有地を占拠しているため、国は明け渡しを求める裁判を起こしています。裁判の結果を受けて、2016年9月に強制撤去されました。

するといったことも見られました。

意外にも、環境ＮＧＯの一部は、原発に対し、即時廃止ではなく段階的廃止でよいと考えていました。これは自然エネルギー推進運動の経験からくるものです。

しかし、実際には、電力会社自身が、拙速な原発再稼働を目指すあまり、かえって**原子力規制委員会**の安全審査に十分な対応がなかなかできないケースも見られました。また、福島第一原発事故によって避難先から帰る見込みのない人は現在も多く、廃炉作業も遅々として進まない現実があることから、多くの人々は原発の再稼働すら容認しないという考えを持つようになっています。

脱原発運動の今後

福島第一原発の問題が解決する見込みがない以上、脱原発運動は続いていくでしょう。また、この間の原子力規制委員会の調査などによって、地震大国で原発を稼働させることの危険性が明らかになりつつあります。今後、少なくとも老朽化した原発や、地震のリスクが高い原発の運転は困難になるでしょう。

問題を抱える日本の原発

●Mark-I&同改良型の原子炉*

敦賀1	島根1	福島第一 5	女川1
島根2	浜岡3	志賀1	浜岡4
女川2	女川3	東通1	

*福島第一1 ～ 4と同型炉

●活断層・地震等の危険度が特に高い原発

浜岡原発	東通原発	敦賀原発	志賀原発
美浜原発	高浜原発	大飯原発	柏崎刈羽原発

●周辺人口(UPZ=30km圏)20万人超の原発(万人)

東海原発	93.2	玄海原発	25.6
浜岡原発	74.4	川内原発	23.2
島根原発	44.4	女川原発	22.2
柏崎刈羽原発	43.5	美浜原発	20.1
敦賀原発	27.5		

●事業者への行政指導等の実績(ポイント)*

中国電力	11.0	北陸電力	4.5
中部電力	7.7	北海道電力	4.0
東京電力	5.6	四国電力	2.7
東北電力	5.3	関西電力	1.9
日本原電	5.0	九州電力	1.5

*2002年以降の特定行政文書発出回数(1回につき1点)と2006年以降の法令違反実績(1回につき10点)をポイント化し、原子炉一基当たりに換算。

●運転年数30年超の原発(年)

1	高浜1	45	9	柏崎刈羽1	35
2	高浜2	44	10	高浜3	35
3	高浜3	43	11	高浜4	35
4	東海第二	41	12	島根2	31
5	川内1	36	13	泊1	31
6	川内2	35			

●事故率年平均0.5回以上の原子炉(回)

敦賀1	1.4	美浜2	0.7
大飯1	1.2	美浜3	0.7
東海第二	1.1	福島第二 1	0.7
福島第一1	1	浜岡5	0.7
大飯2	1	美浜1	0.6
泊3	1	伊方1	0.6
福島第二 2	0.8	柏崎刈羽6	0.6
高浜1	0.8	志賀2	0.6
高浜2	0.8		

出典：原発ゼロの会(編)
「日本全国原発危険度ランキング」
合同出版を改変

海外の原子力動向

海外の動向で注目のポイントを示しておきたいと思います。全般的には、原発の建設は困難ですが、それでも推進する国があります。

原発20基増設を目指す英国

先進国で原発の大幅な拡大を目指しているのは、英国、フランスと韓国だけといってよいでしょう。

英国には旧式の原発がたくさんありますが、老朽化のため、2030年までにはほとんどが運転終了となります。その一方で、大幅な二酸化炭素削減を計画しているため、再生可能エネルギーとともに原発の開発が進められています。計画では、8カ所の発電所で合計20基の増設です。

問題は、原発の発電コストが高いことで、そのままでは自由化した欧州市場で競争力がありません。そこで、発電コストと市場価格の差額を補てんする制度を導入しました。しかし、EU内には競争を損なうものだという批判があります。

建設する事業者としては、フランスの**アレバ**、**ウエスチングハウス**、**GE**と**日立製作所**の合弁事業などですが、アレバ以外は撤退しています。

一方、韓国では、朴政権下では、原発を推進する政策がとられてきましたが、文政権となってから、脱原発に舵を切りました。その後、尹政権となり、再び原発推進となっています。

脱原発のドイツと減原発のフランス

ヨーロッパではスウェーデンなど脱原発を進める国は少なくありません。ドイツは福島第一原発事故をきっかけに、脱原発のスケジュールを早める選択をしました。もともと、脱原発が決まっていましたが、保守

ワンポイントコラム

【途上国の原子力】 中国は経済成長にともなって、原子力発電所を増設することを希望しています。炉型はPWRに限定しているため、フラマトムとウエスチングハウスが参入し、その技術を継承してやがては中国製にとってかわるでしょう。また、インドネシアやベトナムではかなり昔から原子力開発の調査が行われています。

原子力発電設備容量（運転中）の推移

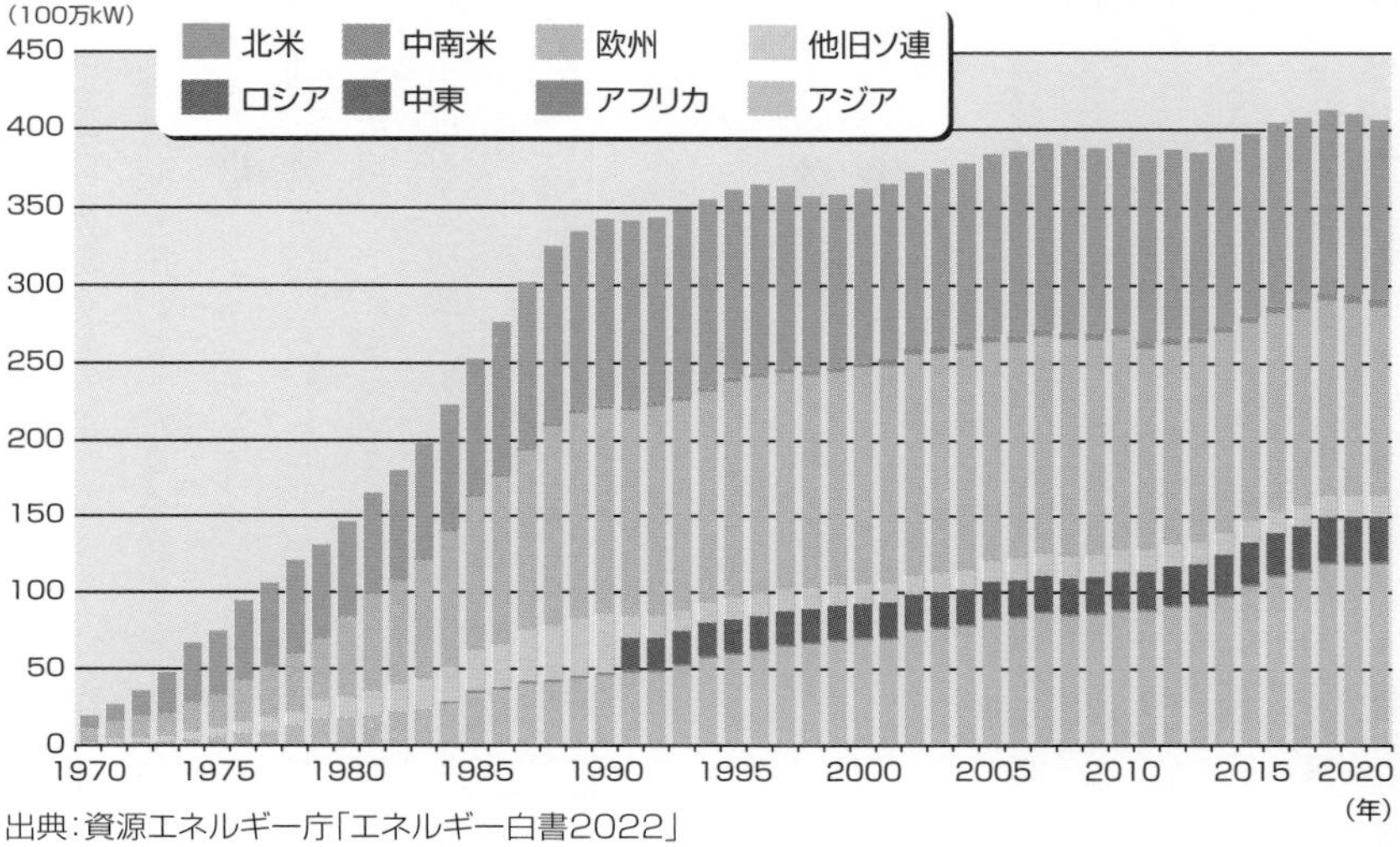

出典：資源エネルギー庁「エネルギー白書2022」

各国・地域の現状一覧

国・地域名 （発電能力順）	基数	発電能力 [万kW]	発電量 [TWh]	設備利用率 [%]	発電電力量 構成比率[%]
米国	94	10,035	823	92	19
フランス	56	6,404	354	69	67
中国	48	4,988	366	83	5
日本	33	3,308	39	15	4
ロシア	34	2,931	216	77	20
韓国	24	2,342	160	75	27
カナダ	19	1,451	98	77	15
ウクライナ	15	1,382	76	62	54
英国	15	1,036	50	58	16
ドイツ	6	855	64	85	11
スペイン	7	740	58	89	23
スウェーデン	6	707	49	69	30
インド	22	678	43	73	3
ベルギー	7	623	34	63	39
チェコ	6	421	30	82	37

*基数・発電能力は2021年1月1日時点。発電量・設備利用率は2020年時点。
出典：資源エネルギー庁「エネルギー白書2022」

政党政権になり、見直しの機運がありました。しかし原発事故がその機運を打ち消したということです。

フランスは原発依存度が70％を超える原発大国です。しかし、老朽化した原発も少なくありません。こうした原発を建て替えないことで、原発の数が減ります。ところが、ロシアによるウクライナ侵攻を契機に、再び原子力推進に転換しています。

経済的に成り立たない米国の原発

米国では、**スリーマイル島**で原発事故があってから、最近まで、原発新増設の新規計画は進んでいませんでした。原発事故を受けて、**米原子力規制委員会**（ＮＲＣ）が設立されましたが、厳しい安全基準によって、原発の採算が合わなくなってきたからです。

近年、再び原発の建設計画が進むようになり、新設、運転再開する原発も出てきました。しかしこれは例外です。現在、**シェールガス**など天然ガスが安価となり、ガス火力発電所がもっとも安い電源となっています。

こうした中にあって、**小型モジュール炉**（**SMR**）については、スタートアップ企業などにより、開発が進められています。

一方、既存の原発では、廃炉が相次いでおり、運転中の基数は１００を下回っています。

途上国でもコストが課題

近年、原発の案件として注目されているのは、途上国です。中東の影響を受けず、二酸化炭素排出量が少ない電源として、原発に対する期待があります。トルコやベトナムなどにも案件がありました。しかし、建設コストなどの面で課題があり、進んでいません。

こうした中、中国は比較的多くの原発建設の案件を抱えています。慢性的な電力不足と二酸化炭素排出削減というニーズがあるからです。

中国は先進国にとってかわって、原発の大きな市場であり、建設主体にもなりえます。実際に、英国で直近の案件は、建設するのはアレバ社の原発ですが、およそ半分が中国資本による事業となっています。

一方、台湾も原発を保有していますが、現在の蔡政権は２０２５年までに全廃する方針です。現在6基が運転中、2基が建設中でしたが、建設は中止されました。

ワンポイントコラム

【ロールスロイスが原子力】 高級自動車メーカーとして知られているロールスロイスですが、英国ではコンソーシアムをつくり、SMKの開発を進めています。原子力もプレイヤーが変化しています。

2030年における世界各国の原子力発電の見通し（IAEA試算）

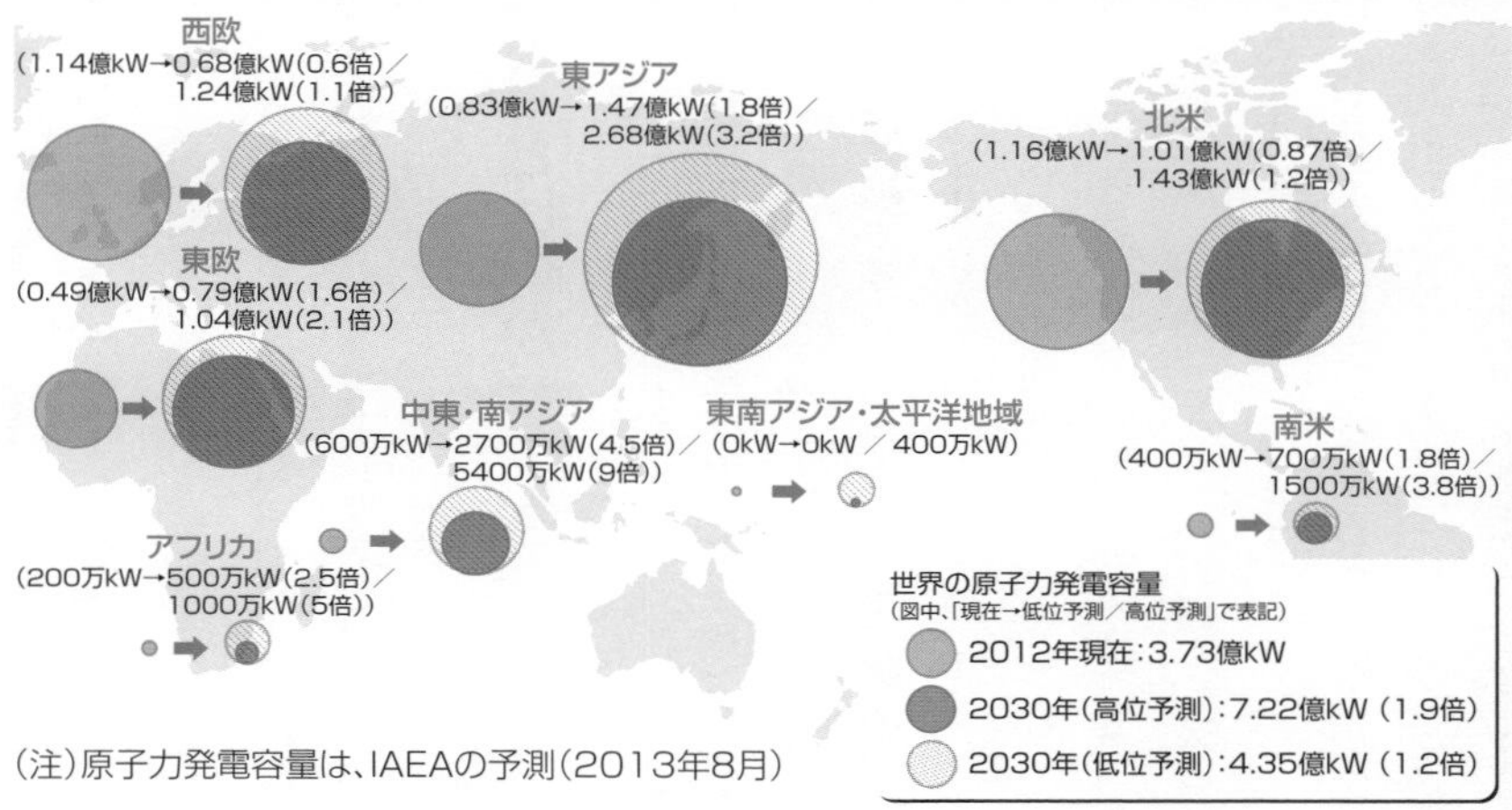

出典：IAEA「Energy, Electricity and Nuclear Power Estimates for the Period up to 2050, 2013 Edition」を基に作成：資源エネルギー庁「エネルギー白書2014」

原子力プラントメーカーの変遷

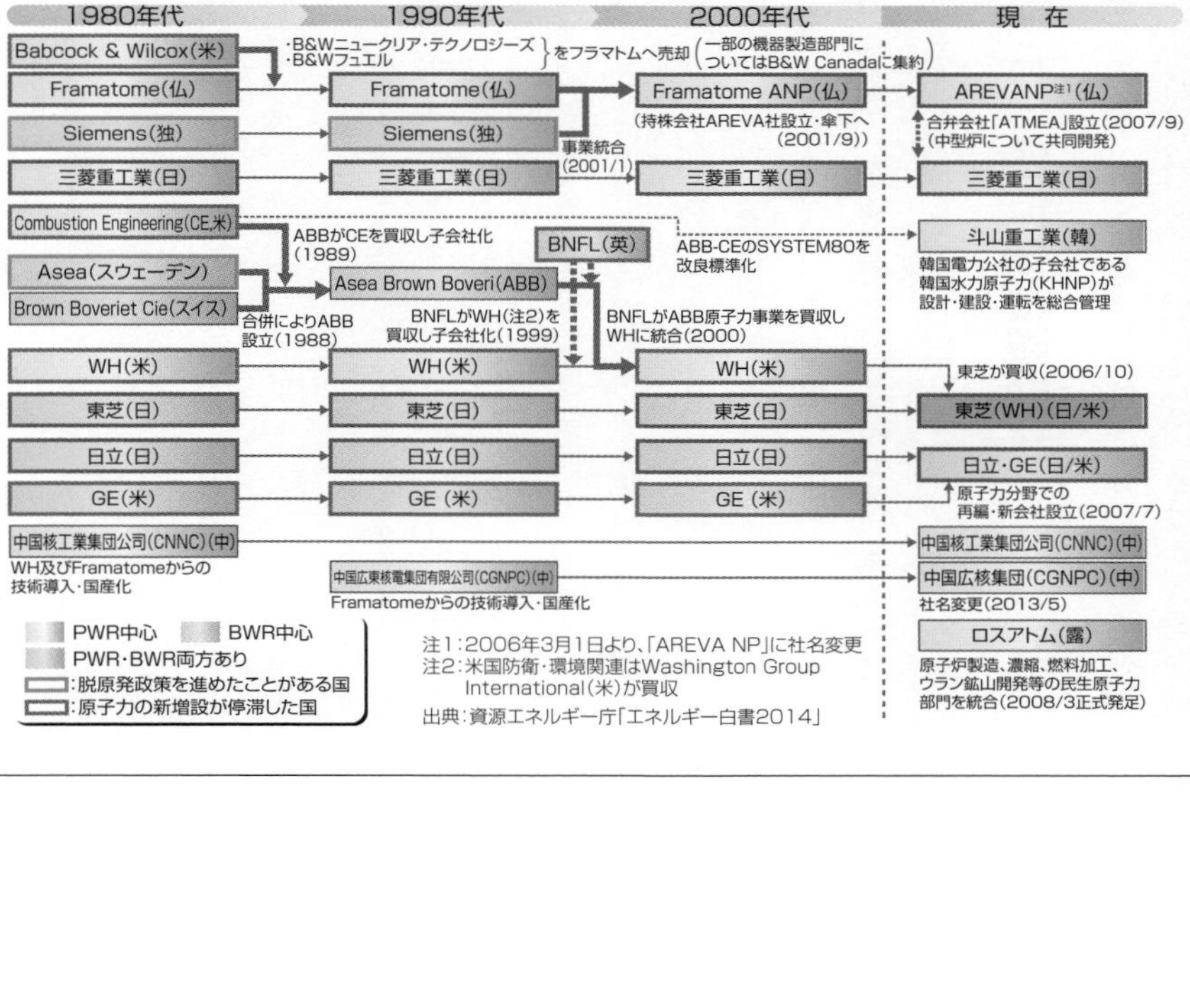

13 SMR（小型モジュール炉）

現在のBWRやPWRといった軽水炉にとってかわる新型原子炉として、SMR（小型モジュール炉）が注目されています。軽水炉とは何がちがっているのでしょうか。

SMRとは何か

SMR（小型モジュール炉）というのは、一般的なBWRやPWRなどの軽水炉と異なり、出力の小さな原子炉で、規格化されたものを多数集めることで、大規模な電源にする、というものです。原子炉1基の発電出力は、5000kWから30万kWクラスまでとされています。また、開発しているのは、GEのような大企業だけではなく、スタートアップ企業、あるいは潜水艦用の原子炉をつくっていた**ロールスロイス**のような企業が中心となっています。

BWRやPWRは、大型化することで、発電量当たりのコストを削減してきました。しかし、大型化がすべていいとは限りません。小型化し、量産化することで、コストを下げるという方法もあります。小さな原子炉が1つの部品（モジュール）となって、大規模電源にしていく、というのが、SMRです。

SMRといっても、実はいろいろなタイプがあります。大きく分けて、現在の軽水炉タイプのものと、かつて運転していた東海原子力のような高温ガス炉（黒鉛炉）、ナトリウム炉（高速炉）があります。

高温ガス炉は、減速材として黒鉛を使い、核燃料の熱で高温のガスを作った上で、このガスで水を蒸気に変えて、発電機を回すしくみです。

SMRの優位性と課題

SMRのメリットは、①安全性、②建設期間の短縮、③核不拡散への対応、ということになるでしょう。

まず安全性ですが、これは事故を起こした時に、自動的に原子炉が冷やされるしくみを持っていることです。原子炉全体をプールに沈めておく、あるいは原子炉の上部にプールを設置する、といった構造になっています。福島第一原発事故では、ポンプが動かないためにメルトダウンしましたが、ＳＭＲではポンプのような動力が不要です。

建設期間ですが、工場で原子炉を組み立ててから出荷するため、工事現場では原子炉を据え付けるだけですみます。そのため、工事の期間が短縮できます。

核不拡散への対応ですが、ＳＭＲでは核燃料の交換を想定していません。最初に入れた核燃料を20年程度使い続け、使い終わったら原子炉ごと撤去します。したがって、核燃料を取り出して核兵器を製造するということが避けられます。政情不安な国でも設置できるということになります。

課題はやはり、コストです。福島第一原発事故以降、安全対策のために、原子力発電のコストはどんどん上昇しています。また、使用済み燃料などバックエンドの問題も、軽水炉に共通しています。

小型モジュール炉の一例

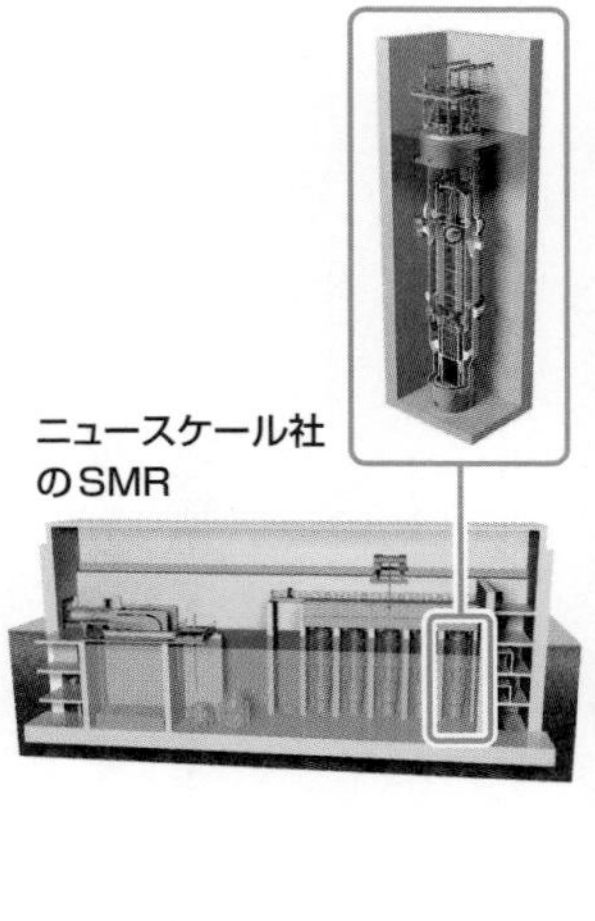

特徴

- 1モジュールの出力は6万kW、通常の「加圧水型」原子炉の1/20程度
- 最大12個のモジュールを大きなプールの中に設置
- 1モジュールは、「圧力容器」「蒸気発生器」「加圧器」「格納容器」をふくむ一体型パッケージで、大型の冷却水ポンプや大口径配管が不要
- 各モジュールは、それぞれ独立したタービン発電機と復水器に接続
- 小型化と一体化を図ることにより、大規模な冷却材喪失事故のリスクを回避

出典：資源エネルギー庁HP

14

核融合発電

原子力発電の先に、核融合発電があります。核分裂ではなく、核融合という核反応をエネルギー源とする発電です。わずか1gで一般家庭10年分のエネルギーがつくれることから、究極のエネルギーといわれていますが、課題は少なくありません。

核融合とは

核分裂はウランのような重い原子核が分裂する核反応で、ときに大きなエネルギーを発生させます。このエネルギーでお湯をわかして発電しているのが、原子力発電です。

核融合は水素のような軽い原子核が融合する核反応で、このときにやはり大きなエネルギーを発生させます。太陽が放つエネルギーは、核融合によるものです。おもに、水素の原子核がぶつかってやがてヘリウムになるという反応です。一方、**核融合炉**での核融合は、重水素と三重水素の原子核がぶつかってヘリウムとなっています。

原子力発電では1gの燃料のエネルギーは石油約1.8トンに匹敵します。一方、**核融合発電**では石油約8トン分に匹敵します。これだけでも、核融合のエネルギーの大きさがわかります。

核融合発電のしくみ

核融合炉では、重水素と三重水素(**トリチウム**)が極めて高い温度のプラズマとなっています。そのため、強い磁力などで炉の中に閉じ込め、核融合反応をさせています。しかしこの状態では、原子炉のように直接お湯を沸かすことはできません。

核融合炉に磁力を作るコイルをたくさん並べたトカマク型と呼ばれる核融合炉では、炉の外壁にリチウムを置き、核融合で発生した中性子がこのリチウムにぶつかって核分裂を起こしたときに発生する熱をつかってお湯を沸かし、発電するというしくみです。中性子がぶつかったヘリウムは三重水素となり、これは回収されて、再び核融合炉の燃料として使われます。

燃料の重水素は海水中に多量に含まれており、資源量は十分です。一方、三重水素はリチウムが変化してできますが、このリチウムも海水中に含まれており、これを取り出すことができれば資源量に不足はありません。ただし、取り出すためのコストが課題です。

日本ではこれまで、JT-60などの実験炉を使って研究を進めてきました。本格的な発電の実証では、国際核融合実験炉ITERがフランスで建設中です。

核融合の放射性廃棄物

核融合発電も三重水素などの放射性物質や核反応を扱うため、放射性廃棄物を発生させます。しかし、発生するのは低レベル放射性廃棄物であり、原子力発電の廃棄物と比較すると処分しやすいと考えられます。とはいえ、やはり処分方法については今後の課題です。

代表的な核融合炉の構造

トカマク（Tokamak）
1950年代に旧ソビエト連邦で開発された、トランスの原理でプラズマに電流を流すことでプラズマを閉じ込めておく装置です。
TFコイル、CSコイル、PFコイルの3種類の電磁石を組み合わせてプラズマを閉じ込める磁場を作ります。

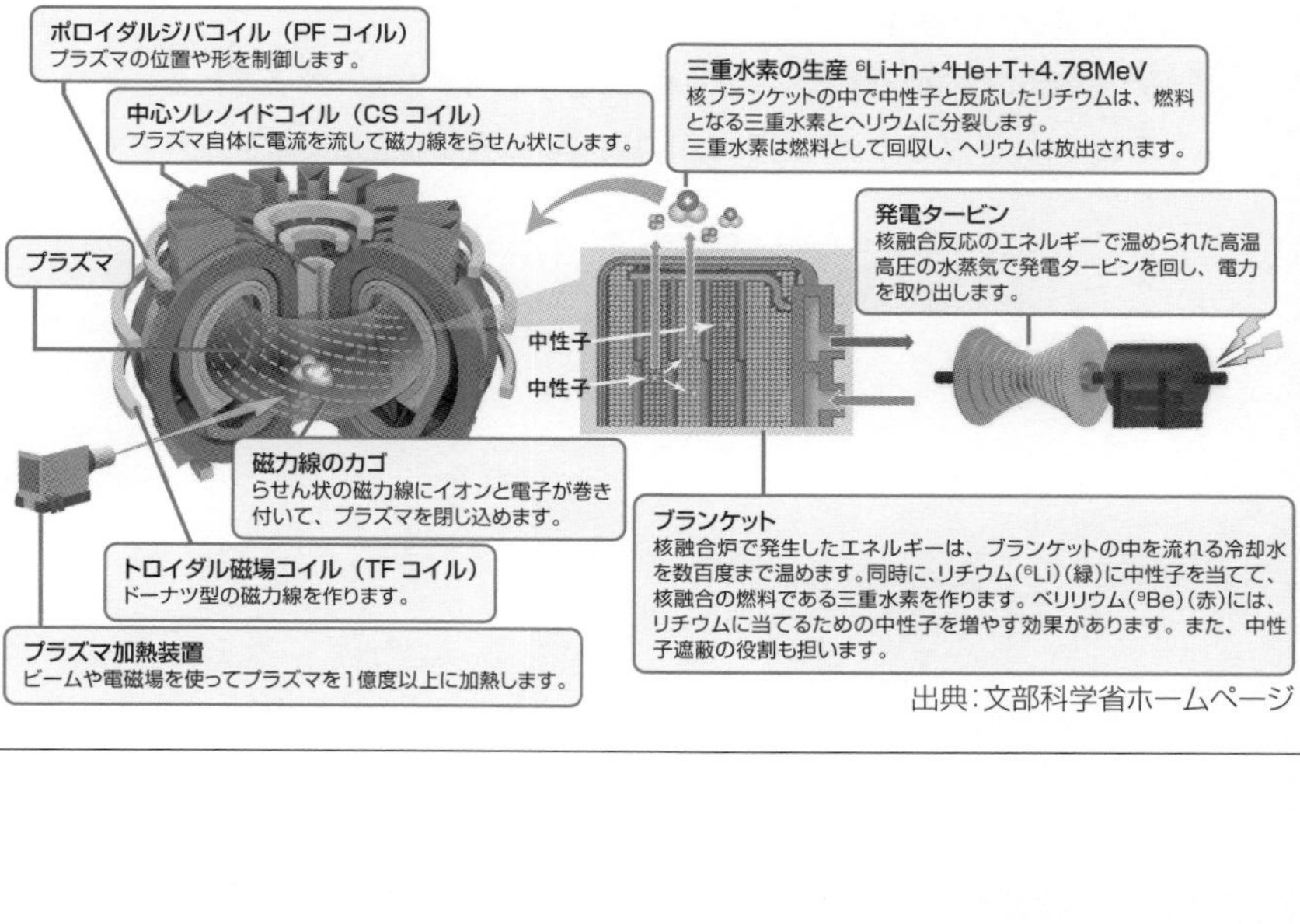
ポロイダルジバコイル（PFコイル）
プラズマの位置や形を制御します。
中心ソレノイドコイル（CSコイル）
プラズマ自体に電流を流して磁力線をらせん状にします。
プラズマ
三重水素の生産 ⁶Li+n→⁴He+T+4.78MeV
核ブランケットの中で中性子と反応したリチウムは、燃料となる三重水素とヘリウムに分裂します。
三重水素は燃料として回収し、ヘリウムは放出されます。
発電タービン
核融合反応のエネルギーで温められた高温高圧の水蒸気で発電タービンを回し、電力を取り出します。
中性子
中性子
磁力線のカゴ
らせん状の磁力線にイオンと電子が巻き付いて、プラズマを閉じ込めます。
ブランケット
核融合炉で発生したエネルギーは、ブランケットの中を流れる冷却水を数百度まで温めます。同時に、リチウム(⁶Li)(緑)に中性子を当てて、核融合の燃料である三重水素を作ります。ベリリウム(⁹Be)(赤)には、リチウムに当てるための中性子を増やす効果があります。また、中性子遮蔽の役割も担います。
トロイダル磁場コイル（TFコイル）
ドーナツ型の磁力線を作ります。
プラズマ加熱装置
ビームや電磁場を使ってプラズマを1億度以上に加熱します。

出典：文部科学省ホームページ

column

再処理と核武装

日本は、核兵器の非保有国です。第二次世界大戦では、広島と長崎に原爆が投下された被爆国でもあります。その後、太平洋で行われた核兵器実験に巻き込まれたマグロ漁船の第5福竜丸の乗組員が被爆するという事故も起きています。

地球を破壊しつくすことができるのが現在の核兵器です。国連では、核兵器を保有することができるのは、米国、中国、ロシア、英国、フランスの5か国だけと決められています。もっとも、核兵器禁止条約に加盟していない国には、核兵器を保有ないしその可能性がある国があります。しかし、いずれにせよ、核兵器がない世界の方がいいでしょう。

こうした中にあって、実は国際社会からは、日本は核兵器保有国のように見られています。もちろん、米国の核の傘（米国の核兵器で守られていることのたとえ）もありますが、再処理工場を建設すれば原爆の材料となるプルトニウムを生産することが可能になるということもあります。実は、核保有国以外で再処理工場を建設しているのは、日本だけなのです。

さらに、日本は核兵器禁止条約においても、核保有国の米国に追随してあまり積極的な姿勢を見せていません。

原発は原子力の平和利用であると同時に、必ずしもそのように見られるとは限りません。それだけに、原子力を利用する国の政府には真摯な態度が求められます。

第6章

化石燃料と再生可能エネルギー

2000年代は原油価格が市場の投機的な動きとピークオイル説によって高騰し、リーマンショック後も高値で安定していました。しかし、2010年代になると、非在来型の化石燃料であるシェールガス・オイルの採掘が米国で拡大し、市場を大きく変えました。そして近年は、2050年のカーボンニュートラルに向け、世界的に需要が減少していくでしょう。一方、二酸化炭素削減などで期待されている再生可能エネルギーの開発はかなり進んできています。

1

化石燃料

石油や天然ガスがどのようにしてできたのかは正確なことはわかっていません。一方、石炭は地下に埋まった植物が炭化してできたものということがわかっています。これらをまとめて、化石燃料と呼びます。化石燃料は、地質時代の生物由来の有機物だと考えられています。

化石燃料の起源

石油、石炭、天然ガスはいずれも**化石燃料**と呼ばれています。これは地質時代、すなわち大昔の生物の遺体が地下に埋まり、変化してできたものだからです。石炭の場合は、元になった植物の形状を残しているので、起源がわかっています。その点、石油と天然ガスについてはわかっていません。石油の場合、単細胞の藻類などの**微生物起源説**などが考えられています。また、天然ガスの場合、生物起源のものだけではなく、地球ができたときから存在していた**メタンガス**が地下に蓄えられた非化石型の資源もあるともいわれています。

化石燃料は生物起源ですが、元をただせば植物が光合成によって蓄えたエネルギーということになります。また、数億年前に光合成を行う微生物が登場するまでは、地球の大気の主要な成分は二酸化炭素でした。これが光合成によって炭素が固定されることで、現在の大気組成になったといわれています。

したがって、化石燃料を消費するということは、大気の組成を大昔に戻すことを意味します。

石油の消費のペース

ほぼ5億年から数千万年前にかけて、地層に蓄えられてきた化石燃料ですが、人類がこれを利用するペースは、1日あたり約2万年分という驚くべき速さです。こうしたペースで化石燃料を使い続けていくことには

用語解説

＊**非在来型資源**　タールサンド、オイルシェールなど、石油分を含んだ砂や岩石です。加熱によって石油分を取り出すことができますが、コストが高いことと生産にエネルギーを消費することから、生産に対する強い批判があります。

無理があります。石油や天然ガスの可採埋蔵量はそれぞれ50・7年、52・8年ともいわれています。もっとも、**非在来型資源***（オイルサンドやシェールオイル、シェールガスなど）や石炭の可採埋蔵量は100年以上あるともいわれています。

地球温暖化という制約

化石燃料を使うことの制約は、実際には**可採埋蔵量**はあまり関係ありません。むしろ、地球温暖化問題の制約の方が大きいでしょう。IPCCの第5次評価報告書によれば、2100年には、**CCS***（二酸化炭素回収貯留）の実用化がなければ、化石燃料の利用はほぼ不可能です。このまま使い続けていけば、大気中の二酸化炭素濃度は700ppmを超え、平均気温は4～6℃も上昇する可能性が高いということです。これは、生態系の崩壊や極端な異常気象が多発するレベルです。

石油ができる仮説

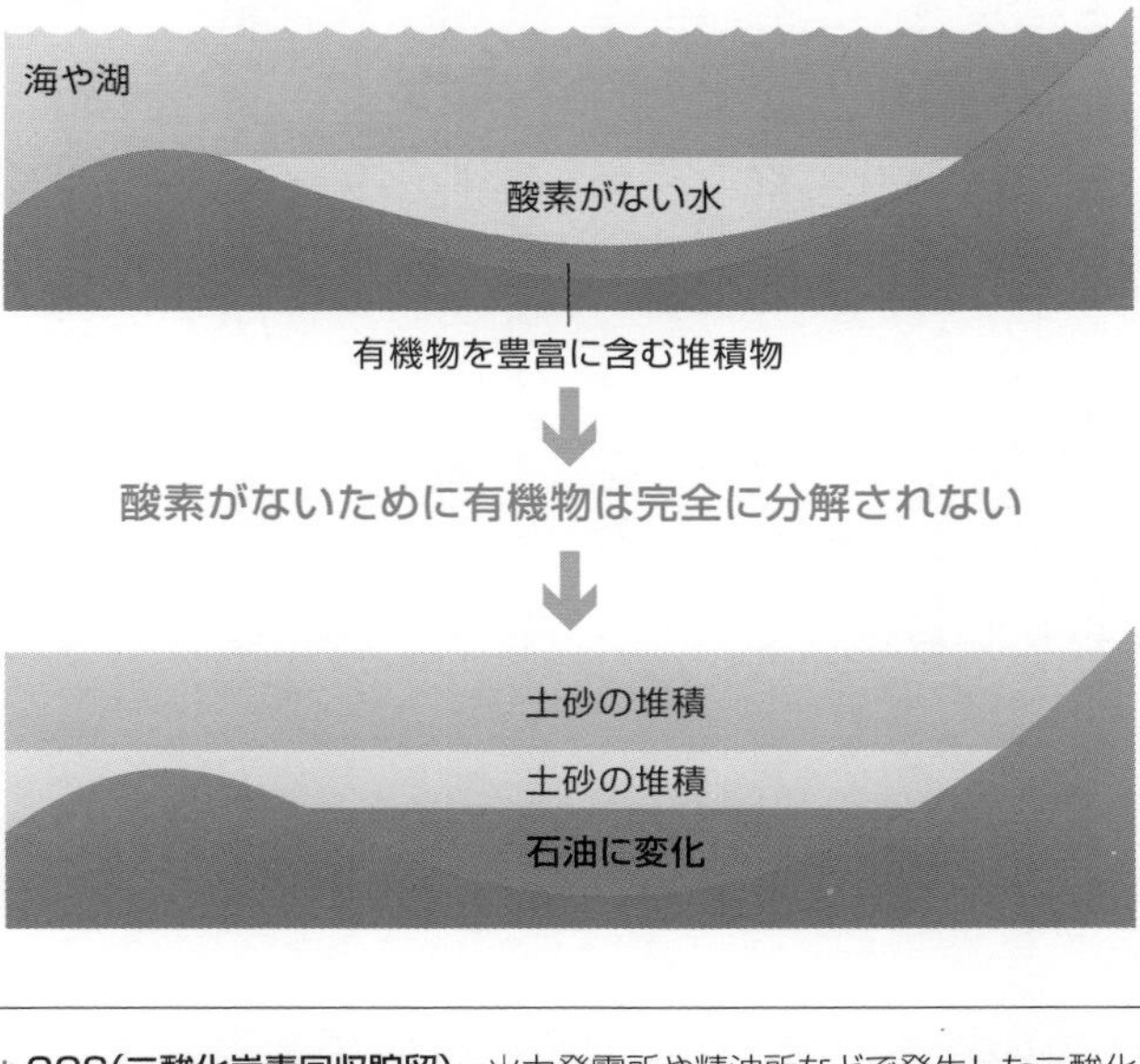

用語解説

***CCS（二酸化炭素回収貯留）**　火力発電所や精油所などで発生した二酸化炭素を回収し、地下に埋める技術。化石燃料の利用拡大につながるため、EUやオーストラリアでは大きく期待されていますが、二酸化炭素がもれ出す可能性など批判もあります。

2 原油価格の変遷

原油価格は、世界経済に大きな影響を与えてきました。ここではその変遷を振り返ってみましょう。

石油危機

1970年代、2度の**石油危機***がありました。**第1次石油危機**は、1973年の**第4次中東戦争**が契機となりました。もともと、**産油国**は中東という政治的に不安定な地域に集中していました。このとき、日本では、社会がパニック状態になりました。この石油危機の教訓から、とりわけ日本政府は**石油代替エネルギー**（石炭、天然ガス、原子力など）の開発や省エネの推進、原油備蓄の推進などを実施しました。

第2次石油危機は、1979年の**イラン革命**がきっかけでした。しかしこのときは、日本経済への影響は比較的小さなものでした。また、1990年に起きた**湾岸戦争**でも、原油価格は上昇しましたが、世界経済に大きな影響は与えませんでした。

原油価格低迷から高騰まで

1980年代後半から1990年代までは、原油価格が低迷する時代でした。中東の原油は1バレルが10ドル台でしたが、産油国は収入を確保するために原油を増産するしかないというのが実情でした。

原油価格が上昇に転じたのは、2000年頃です。米国経済が不況だった時期、投資先がなく、資金がだぶついていた時期がありました。その投資先として、たとえば低所得者向け住宅ローン（**サブプライムローン**）などの金融商品がつくられました。

同じように、米国の原油先物取引市場にもこうした資金が流入し、価格の指標ともなっている**WTI***（ウエスト・テキサス・インターミディエイト）原油が買われるようになり、価格高騰につながっています。また、

用語解説

＊**石油危機**　1973年に第4次中東戦争を契機にOPECが原油価格を値上げしたのが第一次石油ショックでした。また78年にはイラン革命によってイランからの原油の輸入が途絶えたのが第二次石油ショックです。その後、石油備蓄や代替エネルギーの開発が進み、90年の湾岸戦争時にはこうした混乱は起きませんでした。

その背景には、**ピークオイル論**、２００１年９月の米国での**同時多発テロ事件**と**第２次湾岸戦争**などの影響もあります。ＷＴＩ原油はピーク時には１バレルあたり１４７ドルまで上昇しました。

　ところで、ピークオイル論は、１９９０年代後半に登場した学説で、生産コストが低い原油の生産ピークは２０１０年代頃になるというものでした。とりわけ米国産原油生産はすでにピークを過ぎているということでした。

　２００８年秋には、米国の投資銀行リーマン・ブラザースの倒産に代表される**リーマンショック**の影響で、一転して原油価格が暴落しましたが、それでもアジア地域や新興国の堅調な需要があり、１バレルあたり40ドルを切った後、ゆっくりと回復し、さらに、２０１４年に高値安定となりましたが、２０２０年には、世界的な新型コロナウイルスの感染拡大により大幅に下落、ＷＴＩは一次マイナスの価格となりました。その後、ロシアーウクライナ情勢の影響で、２０２２年８月現在、90ドル台となっています。

国際原油価格の推移

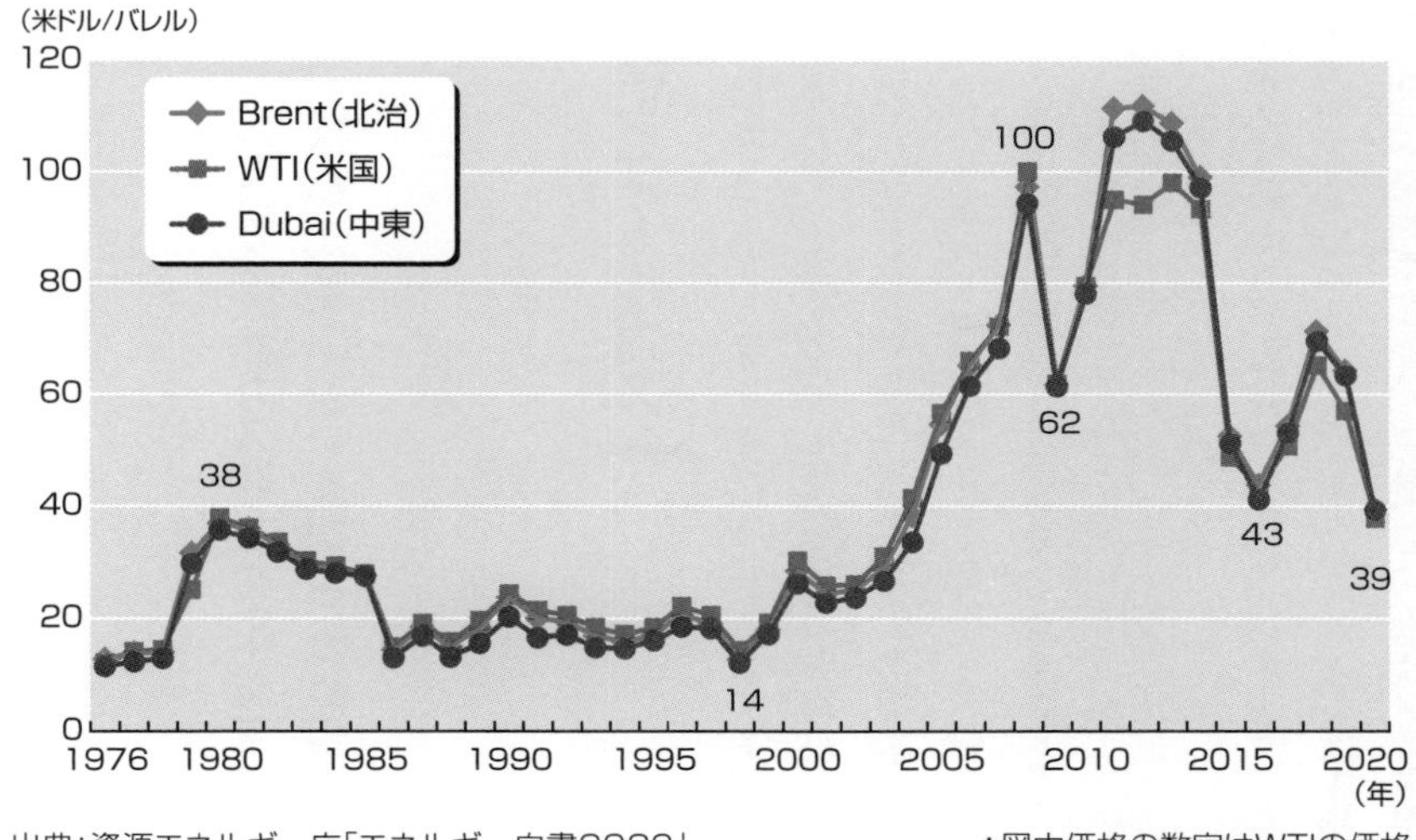

出典：資源エネルギー庁「エネルギー白書2022」　　＊図中価格の数字はWTIの価格

用語解説

＊**WTI**　ウエスト・テキサス・インターミディエイト、テキサス州を中心に生産される原油で、アメリカ産原油の6%程度。ニューヨーク商業取引所（NYMEX）ではWTI先物が主要な取引品となっている。高品質なため、他の指標原油より高め。

3 天然ガス

資源が中東に集中している石油と比較して、資源が各国に分散している天然ガスは、二酸化炭素排出量が少ないこともあり、世界的に需要が伸びています。貿易の主流はパイプラインですが、日本や韓国など東アジアを中心に、LNGでの貿易が増えています。

天然ガス市場

日本と欧米では、天然ガスの貿易のあり方が異なっています。欧米では1960年代に整備された**パイプライン**を通じて貿易しており、カナダ、ロシアなどが輸出国となっています。一方、日本や韓国はインドネシア、マレーシア、カタール、オーストラリアなどから**LNG**（液化天然ガス）として輸入しています。中東以外の国々からも輸入できるため、日本では**石油代替エネルギー**として輸入が拡大しました。

LNGの貿易は、石油の場合とは大きく異なり、開発プロジェクトのリスクを下げるためにスポットではなく、安定した**長期契約**とすることが主流となっています。

米国産シェールガス

現在、天然ガス市場を大きく変化させたのが、米国産**シェールガス**です。2014年4月の時点で、我が国が天然ガスを100万BTUあたり17ドル以上で購入していましたが、スポット価格は2017年は需要期の1月で9ドル台、非需要期の5月は5ドル台後半となっています。しかし、シェールガスはそれよりもさらに安く、2～3ドル台となっています。

日本が輸入するLNGと比較して、米国産シェールガスが圧倒的に安いのは、高値で取引される**シェールオイル**（石油）の余剰生産物であること、液化コストが

ワンポイントコラム

【シェールガスは安くならない?】 2017年頃から、日本にも米国市場価格に連動した価格でシェールガスを含む天然ガスが輸入される予定です。では、これらのガスは安い価格なのでしょうか。結論を言えば、2～3割程度安くなるだけです。LNG化のコストがかかることと、長期的に米国市場価格を含め、LNGの市場価格が収れんしていくからです。

かからないこと、などの理由によります。そこで、日本では天然ガスの価格を原油市場ではなく米国市場に連動させる契約などに取り組んでいます。

ロシア産天然ガス

米国のシェールガスの開発によって、大きな影響を受けた国の一つが、ロシアです。

ロシアは最大の産ガス国ですが、資源輸出に経済を依存しており、天然ガス価格の低下は大きな影響を受けます。また、欧州が再生可能エネルギーを拡大し、天然ガスのロシア依存度を下げていることもあり、ロシアは新たな買い手として、日本、韓国、中国など東アジア地域に目を向けていました。とはいえ、ロシア—ウクライナ情勢によってロシア産天然ガスの欧州への販売が激減し、現在は中国、インドへの販売を拡大させています。日本も主にサハリンから輸入していますが、今後どうなるのか気になるところです。

この他、オーストラリアの西側の海上ガス田開発も進んでいますが、東側でより安価な**炭層ガス**(コール・ベッド・メタン)の開発も進んでいます。

主要価格指標の推移(1991年－2020年)

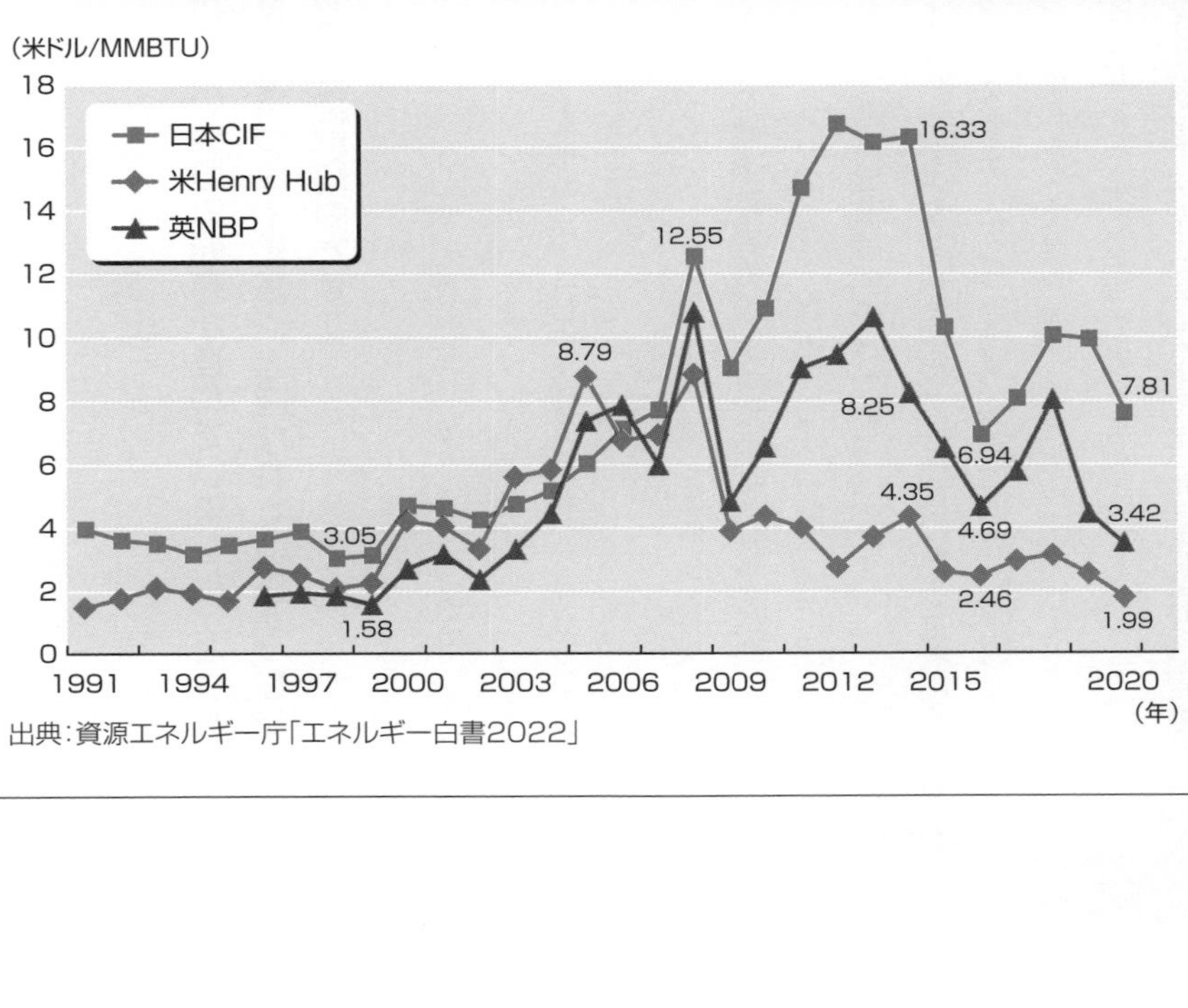

出典:資源エネルギー庁「エネルギー白書2022」

4

シェール革命

世界的に石油・天然ガスの需要が増加する一方で、非在来型の資源の開発が進んでいました。とりわけ、米国におけるシェールオイル、シェールガスの開発の進展は、シェール革命と呼ばれています。しかし、気候変動対策と水質汚染問題のため、新たな開発は長期的に縮小傾向です。

非在来型石油・天然ガス

これまで、石油・天然ガスのほとんどは、地層に石油やガスがたまっている、いわゆる在来型の油田・ガス田から採掘されていました。また、ガス田には、天然ガスのみを産出するガス田の他に、原油とともに産出する随伴ガスもありました。こうした在来型の油田・ガス田は採掘コストが低く、1坑あたりの生産量が多いことが特徴です。これに対して、これまで採掘が難しかったりコストがかかったりする石油・天然ガスは非在来型に分けられます。

シェールオイル・ガスは、**シェール**(頁岩《けつがん》)という堆積岩の微細な割れ目の中に閉じこめられた石油・ガスです。そのままでは取り出すことができませんが、高い水圧をかけることで岩石に人工的な割れ目をつくり、石油やガスを取り出す技術が確立され、2000年代に開発が進みました。

タイトガスは、タイトサンドガスとも呼ばれ、天然ガスを含んだ砂や砂岩の層から採掘されるものです。シェールガスと同じく、高圧の流体を砂の層に注入することで、ガスを生産しています。

コールベッドメタン(炭層ガス)は、炭鉱から産出する天然ガスです。かつては炭鉱爆発事故の原因ともなっていました。比較的浅い地層から産出します。このガス田でも水圧によってガスを生産しています。

オイルサンド(タールサンド)は、石油を含む砂岩で

ワンポイントコラム

【非在来型ガスの回収】 非在来型天然ガスの資源量は在来型天然ガスよりもはるかに大きなものです。ただし、在来型のガス田では埋蔵量の90%以上が回収できることに対し、シェールガスの回収は20%程度と低いものとなっています。

す。これに熱を加えて、石油分を析出させます。採掘にあたって加熱などのエネルギーを使うため、非効率な燃料だともいわれています。

この他、天然の**タール**（粘性の強い石油）や**NGL**（天然ガス液、大気圧中で気化する石油）などの化石燃料が資源として存在しています。

シェール革命

シェールオイル・ガスの開発が進んでいるのは、主に米国です。テキサス州近辺や北東部で開発が進められており、その産出量の増加は「**シェール革命**」と呼ばれていました。シェール革命によって、米国は資源大国となり、石油や天然ガスの純輸出国となりました。また、これにより、化石燃料の中東依存が緩和されました。しかし、シェール開発には問題もあります。一般の油田・ガス田よりも1坑あたりの生産量が低く、坑井をたくさん掘る必要があることや、水圧をかけるときに使う化学物質の混じった水による地下水汚染などです。短期的には、生産が拡大していますが、長期的には縮小するでしょう。

天然ガスの賦存（イメージ）

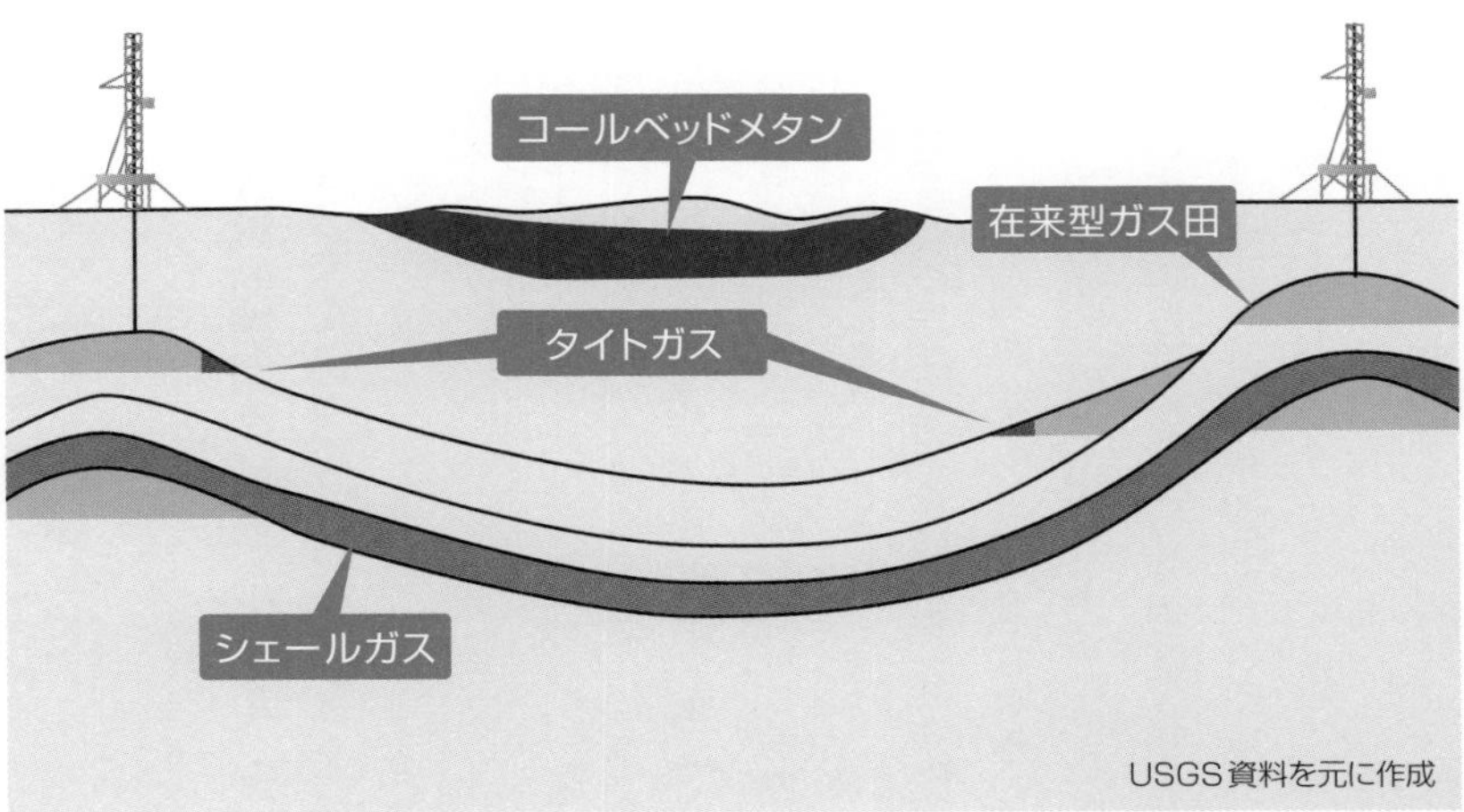

出典：JOGMEC HP

【米国以外のシェールガス】　シェールガスは米国以外にもあります。ただし、ほとんどは採掘の予定がありません。シェールガスの埋蔵量が最も多いのは中国です。当初は採掘に否定的でしたが、近年は開発が進められています。その一方、地震への不安などから反対運動も起きています。EUでは、地下水汚染などの懸念から、生産の予定はなさそうです。

ワンポイントコラム

5 石油・石炭・天然ガスの安定供給

日本は化石資源のほとんどを輸入に頼っており、その安定供給は政策的課題となっています。安定供給のための施策には、成功した政策もありますが、必ずしもすべてがうまくいっているということではありません。

石油危機と備蓄

１９７３年および１９７９年の２度の石油危機は、**OPEC**(石油輸出国機構)の石油輸出制限やイラン政変によるイランの石油輸出停止などの措置に端を発しています。それまで1バレルあたり3ドル程度だった原油が、第1次石油危機で10ドルを超え、第２次石油危機では30ドルを超えました。

当時から情勢の不安定な中東からの石油にエネルギーの大部分を依存することは、極めてリスクが高いという理由から、石油依存度の低下、中東依存度の低下、石油代替エネルギーの開発、**石油備蓄**の推進といった政策がとられてきました。とりわけ火力発電については、先進国(OECD／IEA)の合意で、他の資源で代替するという合意がなされました。そのため、天然ガス火力、石炭火力、原子力の開発が進み、現在の石油火力は夏の需要ピーク時などだけに稼働するピーク電源となっています。

備蓄は、政策としてほぼうまくいきました。民間と国とで１４０日分を備蓄しており、１９９０年の**湾岸戦争**時には第3次石油危機は起こりませんでした。

一方、石油の中東依存度はあまり変わっていません。とりわけ１９９０年代には価格が低迷し、中東依存度は上昇しました。

ワンポイントコラム

【素材としての石油】 石油にはエネルギーとしてだけではなく、化学工業の素材としての価値もあります。素材として利用された石油は焼却処分するまでは二酸化炭素排出とはなりませんし、素材として重要でありつづけるでしょう。ただし、素材として利用されている石油は全体の7%程度です。

自主開発原油

日本の資源確保の歴史は古く、第2次世界大戦に日本が突入した背景にも資源確保という課題がありました。

1967年には、国策として積極的な油田開発を目指して**石油開発公団**（後の**石油公団**）が発足しました。公団は潤沢な財政投融資から資金を調達し、積極的かつ安易な資源探査を行いました。しかしそのために設立された280社あまりの小規模な探鉱開発会社のほとんどが開発に失敗し、破たんしました。これにより、原油の自主開発は失敗したといえるでしょう。

石油公団は解散し、現在は**石油天然ガス・金属鉱物資源機構**として、一部の事業を引き継いでいます。

石炭と天然ガスの確保

石炭は、日本ではもともとは全国各地の炭鉱で生産されていました。北海道の**夕張炭鉱**、福島県の**常磐炭鉱**、福岡県の**三池炭鉱**などが有名です。しかし、露天掘りで生産される海外炭などとの競争に勝てず、現在は

石油・天然ガス・石炭の確認可採埋蔵量

	確認可採埋蔵量	可採年数
石　油	1.7兆バレル	50.7年
天然ガス	187兆立方メートル	52.8年
石　炭	8,609億トン	109年

（注）確認可採埋蔵量：存在が確認され、経済的にも生産され得ると推定されるもの
可採年数：確認可採埋蔵量をその年の生産量で除したもの。

出典：BP統計を基に作成／エネルギー白書2017

ほとんどが閉山し、坑道掘りでは研修施設を兼ねた**釧路コールマイン**のみ、および露天掘りではいくつかの小規模な炭鉱が残る程度となっています。

現在、石炭は主にオーストラリアなどから輸入されています。

石炭は燃焼時に有害な物質を発生させることや、二酸化炭素排出量が多いことから、さまざまな燃焼・発電技術や環境技術が開発され、日本の石炭火力は世界的にもクリーンなものとなっています。しかし、脱炭素社会に向けて石炭火力発電は縮小の方向にあります。

天然ガスは、化石燃料のうちでは比較的国内産が多いのですが、それでも国内消費量の4%です。千葉県で採掘されている**関東ガス田**などがあります。

天然ガスは世界各地に偏在しており、中東以外のオーストラリアやマレーシアなどからもLNGで輸入されています。

LNGの輸入にあたって、日本では**テイク・オア・ペイ**という長期契約が一般的です。これは、最低引き取り量や価格をあらかじめ決めておくことで、ガス田開発のリスクを減らすものです。日本にとっても、多少高くても安定供給につながるメリットがありました。

しかし、天然ガス価格は原油価格に連動しており、しばしば価格の高騰に悩まされていました。そのため、電力会社、ガス会社などは、シェールガスによって安価になった米国天然ガス市場の価格に連動させた取引契約や、シェールガスそのものの輸入に力を入れています。

また、ロシアからの輸入が課題となっています。日本は現在、サハリンからLNGを輸入しています。ロシアはヨーロッパへの輸出が減少しているため、シベリア産天然ガスの東アジア市場への供給拡大を目指していましたが、ウクライナ問題や東アジアの政治状況がこれを難しくしました。

短期的には、新しいガス田の開発が減り、価格のボラティリティが高くなりそうです。

石油代替エネルギー

石油危機以降、日本では石油代替エネルギーの開発が進められました。中でも太陽光発電や風力発電など再生可能エネルギーの開発や、省エネルギーの技術開

ワンポイントコラム

【パイプラインと半島統一】　日本は天然ガスをLNGで輸入していますが、韓国は一時ロシアから中国・北朝鮮を経由したガスパイプラインを検討しています。その理由の一つは、北朝鮮を経由することで、北朝鮮でも天然ガスを利用し、民主化と経済成長をうながして、将来の統一に備えるという考えでした。パイプラインだけではなく、送電線を通すことも検討材料となっています。

発などは、1980年に設立された**新エネルギー・産業技術総合開発機構（NEDO）**がその主体となりました。安定した財源として、「石炭並びに石油および石油代替エネルギー対策特別会計（**石特会計**）」と「電源開発促進対策特別会計（**電源特会**）」を持つ、旧石油公団と並ぶ経済産業省管轄の巨大な特殊法人です。石油公団と異なり、こちらは現在も独立行政法人として存続しています。

NEDOが推進した**サンシャイン計画**、**ムーンライト計画**、そして**ニューサンシャイン計画**はそれぞれ新エネ・省エネ技術開発と普及に一定の成果を上げました。また、経済産業省からNEDOを通じた研究開発や設備開発の補助金によって、太陽光発電や風力発電の開発も進みました。

原子力については、1974年に制定された**電源三法**（発電用施設周辺地域整備法、電源開発促進法、電源開発促進対策特別会計法）の整備によって、原発を受け入れる地域への手厚い交付が実現し、これが立地の後押しをしてきました。

新興国のエネルギー需要拡大

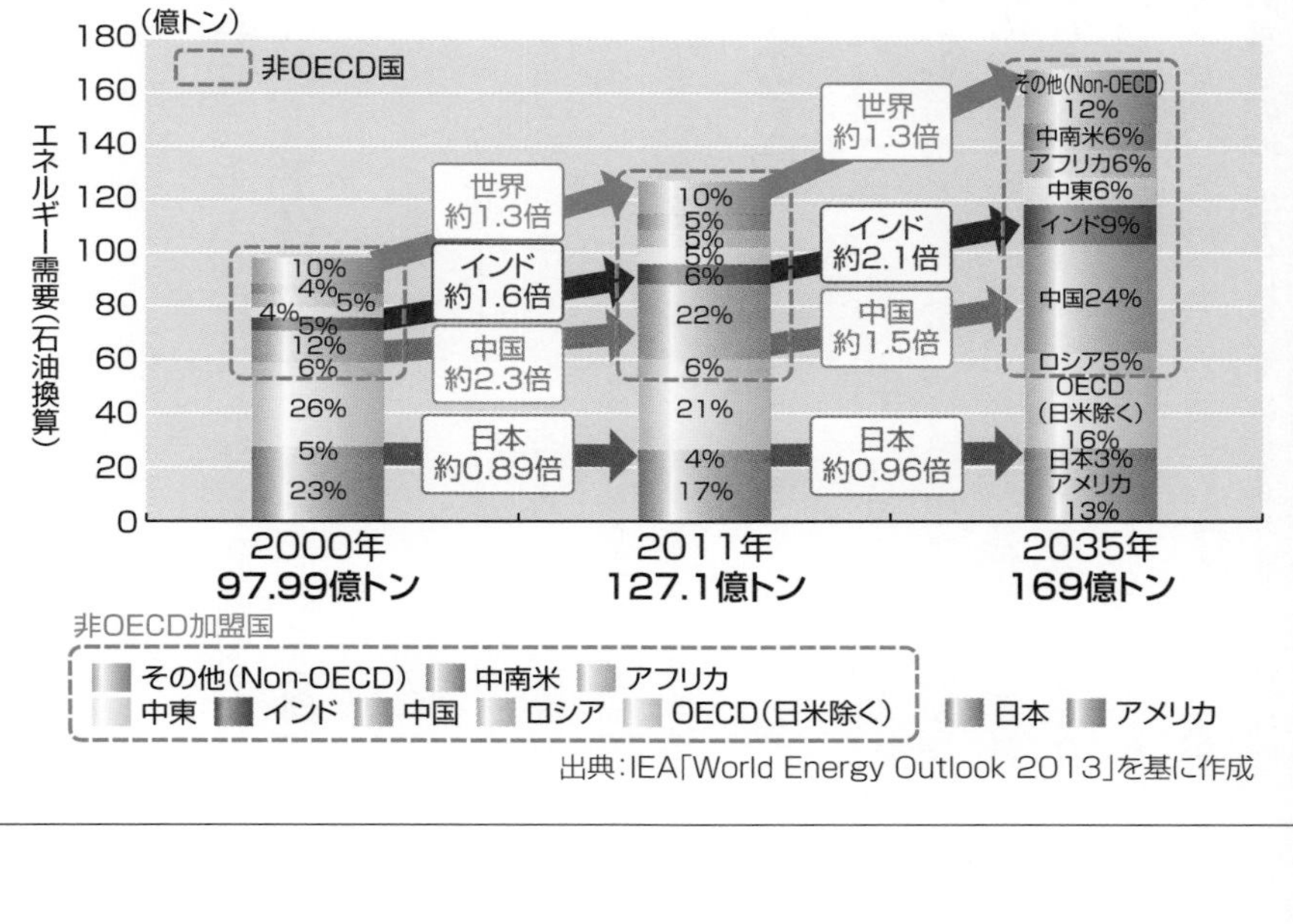

出典：IEA「World Energy Outlook 2013」を基に作成

6 石油会社の動向

かつて石油を支配してきたのは、セブンシスターズと呼ばれるメジャーでした。しかし、産油国の力が強くなり、メジャーは合従連衡によって生き残っています。また、日本の石油会社は、なかなか上流部門が確保できず、こちらも合併などで生き残っています。

メジャーと産油国

国際石油会社（メジャー）とよべる企業は、7社から現在は4社と新たにトタルエナジーズの5社に集約されています。かつては石油、さらには世界経済を支配するほどの力がありました。その競争力は、原油の生産から消費者への供給までの流れをすべて自社で完結させていることによりました。しかし、産油国における油田の国有化によって、立場が変化しました。また、製油所についても、産油国が設備を増強し、先進国の製油所には競争力がなくなっています。

現在は、産油国の国有企業として、サウジアラビアの**サウジアラムコ**やロシアの**ガスプロム**、中国の**ペトロチャイナ**などが市場で力を持っています。

もっともその一方で、メジャーは近年、気候変動対策として再エネやグリーン水素、合成燃料への投資を増やしており、再エネメジャーをめざしています。

日本の石油会社

日本の石油会社は、上流部門をあまり持たない上、製油所の競争力がなくなり、ガソリンなどの販売が頭打ちとなったことから、合併が進み、現在は**ENEOS**、2019年に昭和シェルと経営統合した**出光興産**、そして**コスモ石油**の3グループと、開発会社のINPEXに集約されています。いずれも脱石油炭素への事業転換に取り組んでいます。

国際石油市場の構造変化

●市場構造の変化

メジャーの時代
- 欧米の巨大石油企業（石油メジャー）が60%以上のシェアを保持。
- 「ガルフ・プラス方式」、「中東・プラス方式」により国際的に取引される原油価格を決定。
- 原油価格は1～2ドル/バレルと低水準で安定。

OPECの時代
- 73年の第4次中東戦争を契機にOPEC諸国が原油価格を一方的に大幅に引上げ。以降、OPECが原油価格を決定。
- OPECは石油産業を国有化。
- メジャーのシェアは15%に急落。

マーケットの時代
- 世界需要の減退、非OPECの生産拡大により需要が緩和。原油価格は10～20ドル／バレルで安定的に推移。
- 原油先物市場が開設。次第に先物価格にリンクして原油価格が決定される方式が定着。

構造変化の時代
- 中国・インドなどのエネルギー需要急増、OPECの供給余力の低下等による構造変化。
- 世界のエネルギー需要は構造的に逼迫し、価格が急騰。
- 一部の産油国では石油ガス事業の国営化や独占が進むなど、国家管理を強化。

●時代背景

- 産油国政府による石油利権契約見直しの動き、国有化の進展
- 石油需要の増大に伴う需要逼迫化
- 中東戦争勃発、アラブ諸国の対アラブ非友好国への禁輸宣言

- 非OPEC諸国の油田開発の進展
- オイルショックに伴う需要の減退
- 欧米における先物市場の創設、取引拡大

- 世界経済の成長
- OPECにおける余剰生産能力の低下
- 産油国における政情不安定化、国際的緊張の高まり
- 投機資金の流入

出典：資源エネルギー庁HP

メジャー各社の生産量の動き

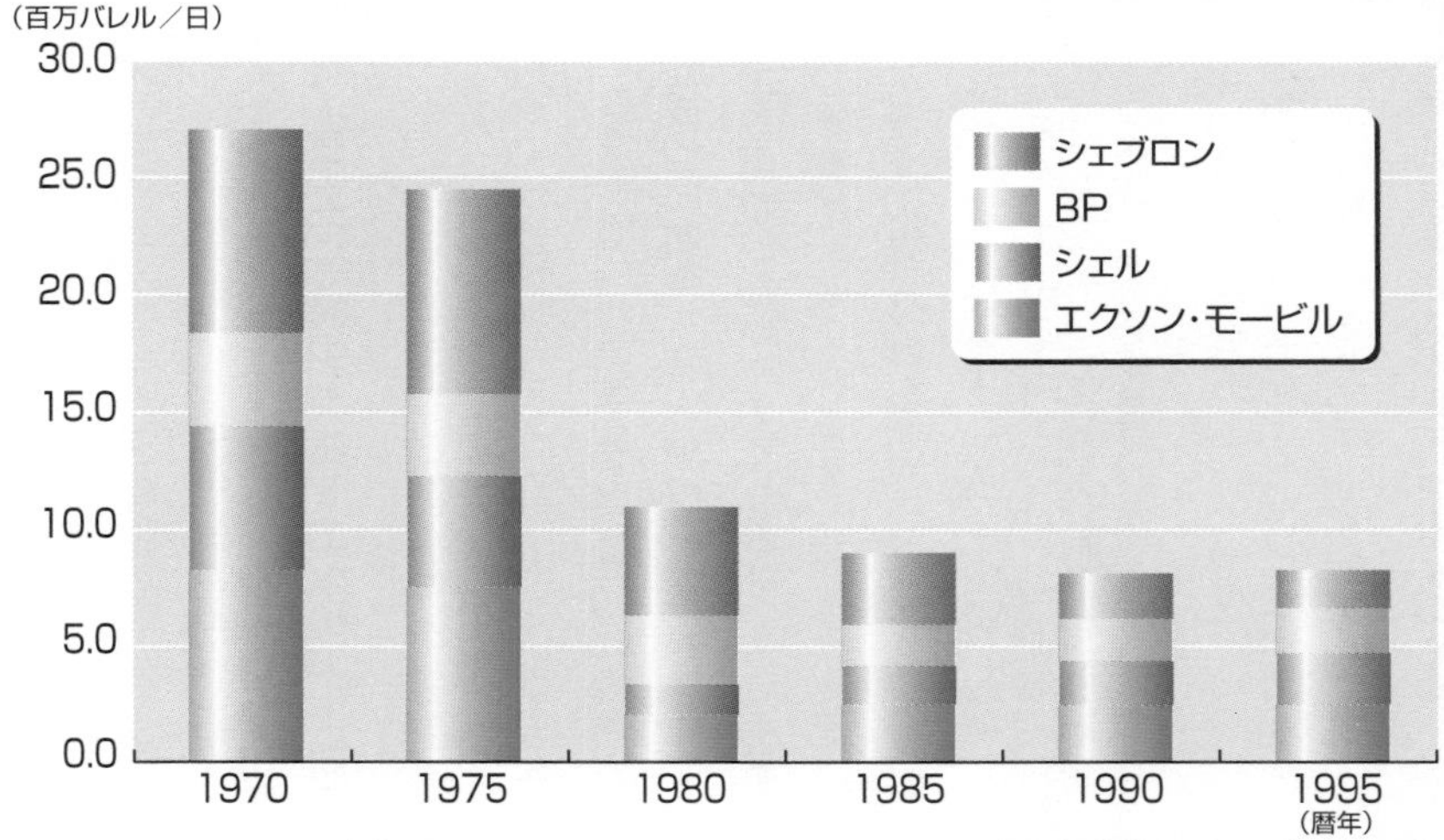

出典：OPEC Annual Statistical Bulletine 各年版（資源エネルギー庁HP）

7 脱化石燃料政策

地球温暖化問題への対応として、化石燃料依存をなくしていく必要があります。また、原発についても日本は依存度を低下させていく方針です。これを実現するため、省エネ・再生エネ・エネルギー効率化のさらなる技術開発が求められています。

省エネ・再エネ・効率化

クリーンエネルギーに関する取り組みとして、もっとも早く効果があり、経済的メリットも得やすいのが、**省エネルギー**です。省エネというと、こまめなスイッチオフのようなイメージがあります。しかし、オフィスビルでは空調や照明の運用だけで10～30％の省エネが可能です。また、日本の住宅の省エネ性能は、欧米よりも遅れており、断熱材や二重サッシの普及などで、大幅な省エネが可能です。さらに、**HEMS**や**BEMS**などの**エネルギーマネジメントシステム**も、省エネの重要な技術となっています。

太陽光発電や風力発電など、自然の力を使った**再生可能エネルギー**は、将来のエネルギーの主役になるといわれています。コストと安定した運用に課題がありますが、需要側の制御や蓄電池の導入、バイオマス発電などによる調整が行いやすくなれば、大きく普及していくでしょう。

できるかぎり、化石燃料を効率的に使う技術の開発や普及も進められています。その一つが、発電したときの排熱も熱として空調や給湯などに利用する**コージェネレーション**です。今後はバイオマスによるものが期待されています。

また、**未利用熱**を使った**ヒートポンプ**も、エネルギーの効率的な利用の一つです。熱利用を電化していくためには、世界的にも拡大が期待されています。

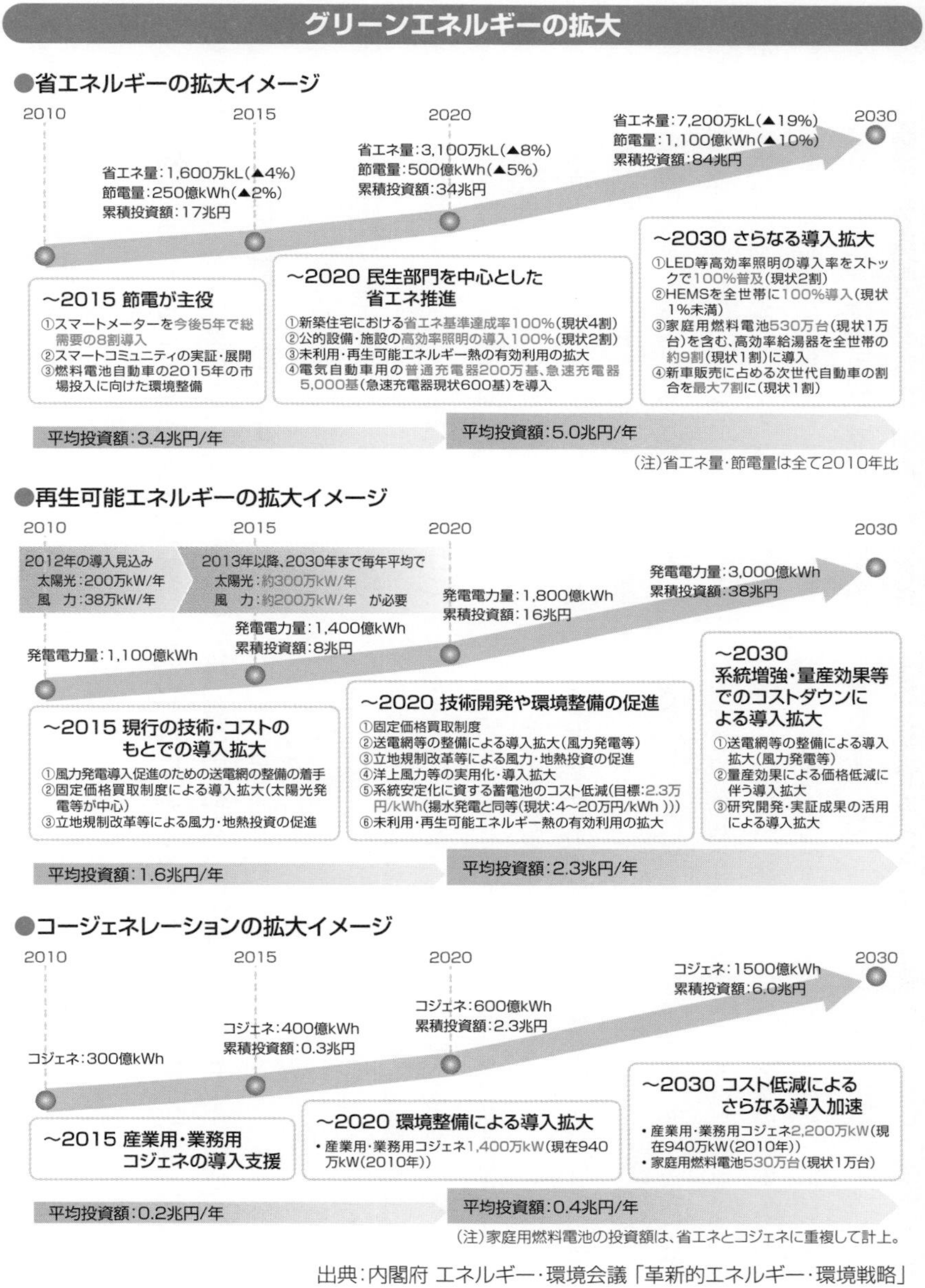

（注）省エネ量・節電量は全て2010年比

（注）家庭用燃料電池の投資額は、省エネとコジェネに重複して計上。

出典：内閣府 エネルギー・環境会議「革新的エネルギー・環境戦略」

8 太陽光発電

太陽光発電は、2012年7月の固定価格買取制度の施行によって、それまでの住宅用太陽光発電からメガソーラーなどの産業用に市場がシフトしました。急速に拡大した市場ですが、FIT制度がなくなった将来に向けた課題もあります。

国内の太陽光発電市場

1990年代後半から2000年代前半にかけて、日本の太陽光発電市場は、政府の**住宅用太陽光発電**に対する補助金が牽引しました。これにより、生産量、設置量ともに、当時は世界一でした。しかし、ドイツで導入された**固定価格買取制度**(**FIT**＝Feed in Tariff)などにより、生産量も設置量も海外が急伸します。また、日本企業も販売先を海外にシフトさせます。しかし、生産量も設置量もドイツやスペイン、中国などに追い抜かれます。

その後、2009年に住宅用太陽光発電の補助金が復活し、余剰電力買取制度もあって、国内市場は再び活性化しました。しかし、太陽光発電そのものの価格は中国製などが高い競争力を持ち、日本企業はシステムやソリューションの分野に軸足を移していきます。

2012年に施行された固定価格買取制度(FIT)は、産業用の分野で太陽光発電を拡大させました。**メガソーラー**など太陽光発電設備は開発にあたってのリードタイムが短いことも、急拡大の要因となりました。しかし、送電線と系統連係しやすい土地には限りがあり、新規の開発は難しくなりつつあります。今後は、小規模の発電所や住宅、事業所の屋根、あるいは駐車場に設置するものが主流になっていくと考えられます。また、農地に設置するソーラーシェアリングも拡大していくでしょう。

太陽光発電市場の今後

国内の太陽光発電市場ですが、事業用については、FITの買取価格が下がったことから、減速しています。しかし、二酸化炭素が排出削減のためには、普及を加速させる必要があります。こうした中にあって、再生可能エネルギーを必要とする事業所に電気を直接販売する**PPA**が増えそうです。屋根上や近接地で発電し、事業所に供給するしくみです。ただし、PPAの拡大には、送電線を利用したオフサイトPPAが導入しやすくなる必要がありますし、そのためには発電所から事業所への送電線の託送料金などを引き下げる必要があります。この他、完成した発電設備の売買を行う**セカンダリー市場**も増えています。

海外では、火力発電よりも安価な電源となっています。すでに発電単価は火力発電を下回っており、蓄電池を併設しているケースも増えています。

新技術としては、柔軟に設置できるペロブスカイト太陽電池や窓ガラスに使えるシースルー型太陽電池が注目されています。

太陽光発電の国内導入量とシステム価格の推移

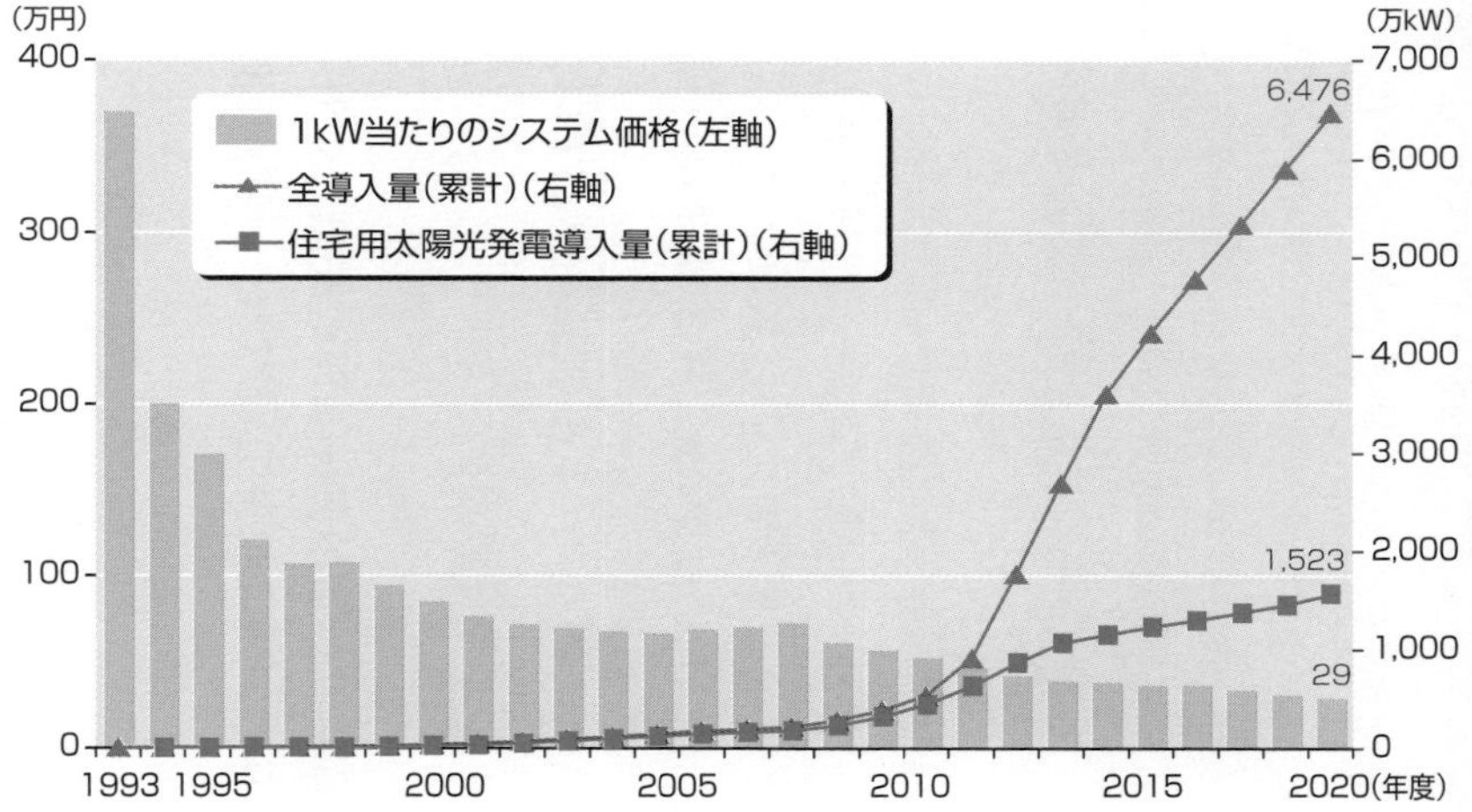

出典：資源エネルギー庁「エネルギー白書2022」　＊システム価格は住宅用(10kW未満)の平均値

風力発電

風力発電は再生可能エネルギーのなかでも、コストが安価な電源です。しかし、日本では導入量はヨーロッパや中国、米国などに大きく後れをとっています。近年は、より大型化した洋上風力発電が注目されています。

北欧で普及した風力発電

大型風力発電設備が最初に普及したのは、デンマークでした。北海道ほどの広さの国土に、2013年には477万kWが稼働していました。しかし、このデンマークを、**FIT**を導入したドイツやスペインが追い抜きます。さらに、2015年には広い国土を持つ中国が1億4536万kW、米国が7447万kWで、それぞれ導入量で世界第1位と第2位となっています。

メーカーは中国の**エンビジョン**、ドイツの**シーメンス・ガメサ**、デンマークの**ベスタス**、米国の**GE**など中国やヨーロッパ、米国が主体となっています。

日本の風力発電開発

大規模風力発電所、**ウインドファーム**が日本で建設されるようになったのは、2000年頃からです。トーメン（現**ユーラスエナジー**）と**Jパワー**が北海道苫前町に建設したのが最初です。以降、北海道、東北地方、九州地方をはじめ、各地で建設されました。この背景には、政府の補助金に加えて、電力会社による風力発電購入メニューの整備、および**RPS制度**の導入があります。こうした制度により、風力発電は電力会社と長期契約を結び、安定した事業となりました。

その後、FITの導入を前にして、開発が途絶えました。**環境アセスメント調査**に時間がかかるように

ワンポイントコラム

【市民ファンド】 市民出資によって、北海道浜頓別町に風力発電設備が建設されたのは、2001年のことです。以降、10基以上の市民風車が建設され、あるいは計画されています。必ずしも高い利回りではないのですが、国内に建設されることや地元とのつながりができることから、風車や他の再生可能エネルギーを対象にした市民ファンドは根強い人気を持っています。

なったことなどが原因です。

メガソーラーと異なり、ウインドファームの開発には資金や技術的ノウハウが必要なため、開発事業者は限られます。また、風力発電の適地は、北海道に集中しており、ポテンシャルは数百万ｋＷともいわれます。今後は、北海道で開発した風力発電の電気を本州に送電するスーパーグリッドが必要となります。

洋上風力発電

陸上以上に風力発電のポテンシャルが高いのが、洋上での開発です。安定した強い風が吹くため、適地では陸上のおよそ2倍の稼働率が期待できます。さらに、1基あたりの大型化（8000～1万2000ｋＷ程度）も可能です。また、遠浅な海が少ない日本では、浮体式の風力発電の研究開発も進んでいますが、コストが高いことが課題です。現在、日本では入札方式による開発が進められています。北海道や秋田県、千葉県、長崎県沖などで案件が進んでおり、2030年には約1000万ｋＷ、2040年には3000万～4500万ｋＷが導入目標です。

日本における風力発電導入の推移

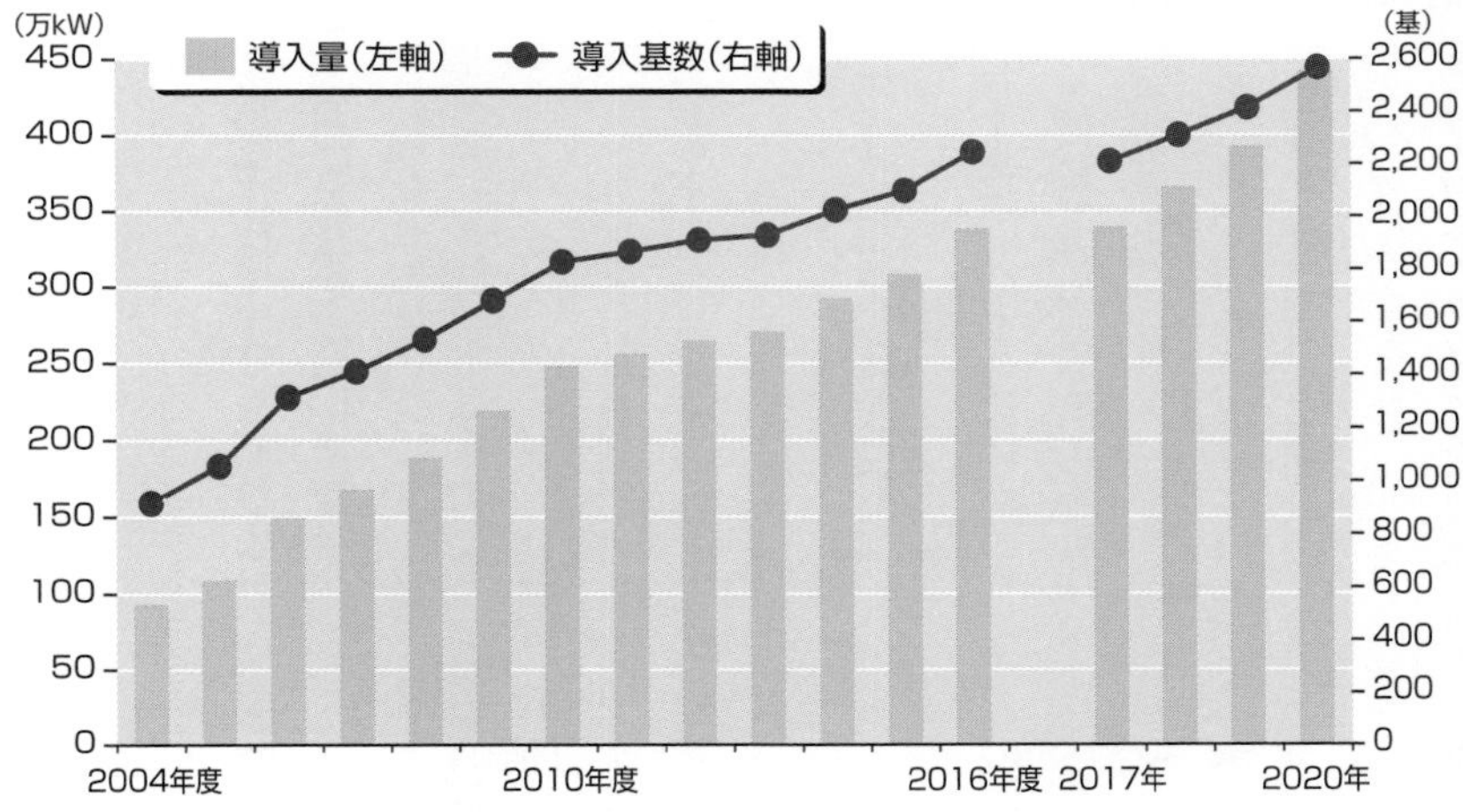

※2016年までは年度単位、2017年からは年単位の累計導入実績
出典：資源エネルギー庁「エネルギー白書2022」

10

地熱発電

日本は世界有数の火山国です。したがって、地熱資源のポテンシャルは小さくありません。また、近年は大規模な発電設備だけではなく、小規模な温泉発電などにも注目が集まっています。

フラッシュ型地熱発電

日本は火山が多く、全国にはたくさんの温泉があります。こうした地下の熱を利用した地熱発電の実用化が進められてきました。

主要な大型地熱発電のしくみは、地下から噴出する高温の蒸気を利用してタービンを回すというもので、法律上は火力発電の一種に位置付けられています。高温高圧の蒸気は、温泉とは異なる深い地層から取り出しています。

石油危機以降、**NEDO**が地熱調査を積極的に行い、東北地方や九州地方などで地熱発電の開発が進められてきました。しかし、発電コストと地元の合意形成が簡単ではなかったことなどの理由で、2000年代には開発はストップしました。また、**RPS制度**の対象にならなかったことや、国立公園内での開発が規制されていたということも理由となっています。

しかし、**FIT**の対象となったことや、規制緩和が進んだことから、再び開発が進み始めました。

バイナリー型地熱発電

バイナリー発電は、水蒸気のかわりに沸点の低いアンモニアや代替フロンなどの作動媒体を使ってタービンを回す発電です。百数十℃から70℃程度の温泉熱や工場などの排熱と、作動媒体を冷却する冷水などの冷熱という2つの熱を利用するため、バイナリー発電と呼ばれています。

海外では1万kWを超える設備が運転されていま

すが、日本では数千kWから数十kWクラスの設備が注目されています。小規模の地熱発電の場合、環境アセスメント調査が不要なことや、地元の合意形成が容易といったメリットがあります。

2020年の世界の地熱発電設備

国名	地熱資源量（万kW）	地熱発電設備容量（万kW）2020年予測
アメリカ合衆国	3,000	370
インドネシア	2,779	229
日本	2,347	61（2021年末時点）
ケニア	700	119
フィリピン	600	192
メキシコ	600	101
アイスランド	580	76
エチオピア	500	1
ニュージーランド	365	106
イタリア	327	92
ペルー	300	0

出典：エネルギー白書2022

日本の主な地熱発電所（2014年度運転状況）

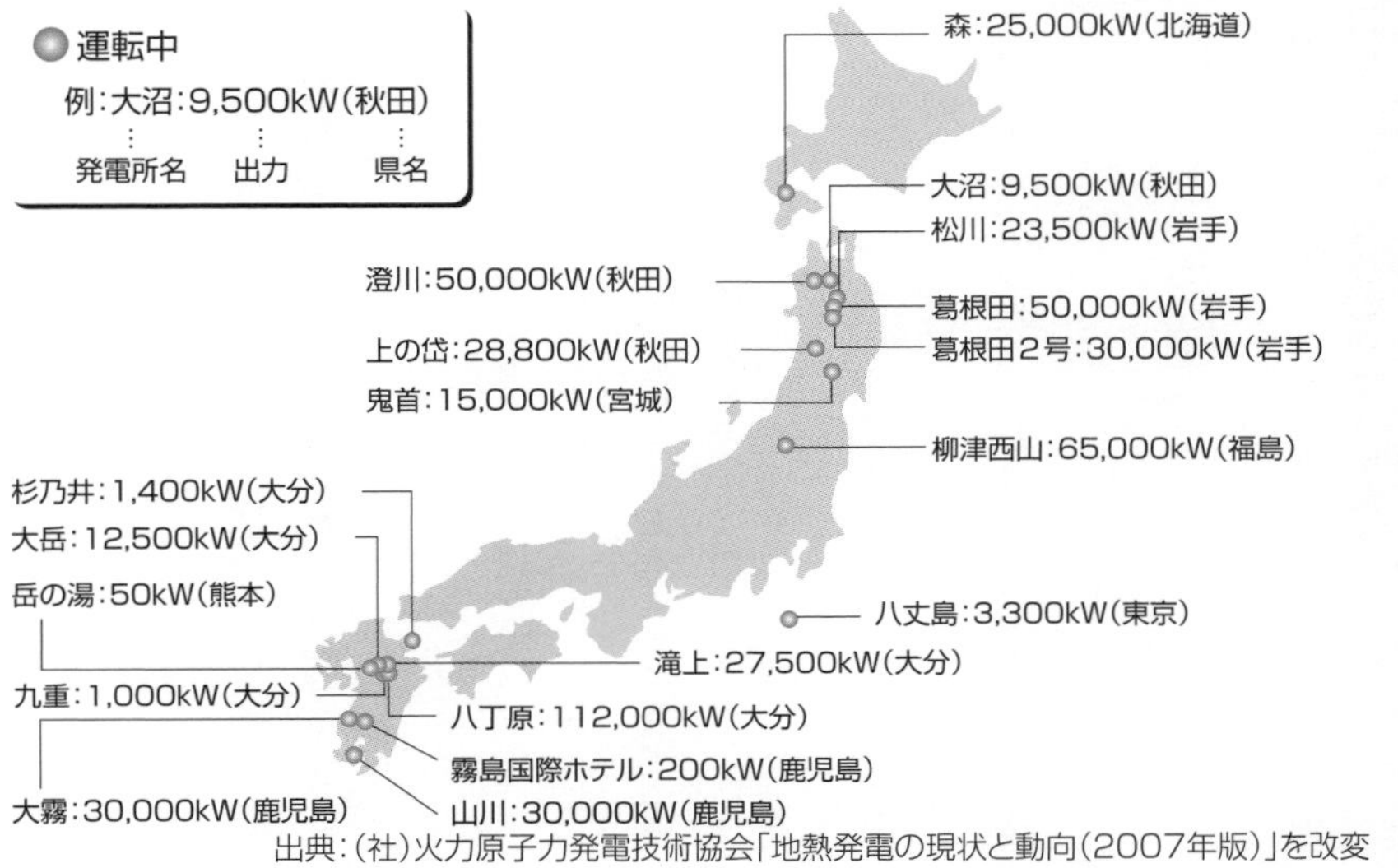

出典：（社）火力原子力発電技術協会「地熱発電の現状と動向（2007年版）」を改変

中小水力発電

日本の国土は急峻《きゅうしゅん》な山地が多く、降水量が多いために河川の流量も豊富です。そのため、水力発電に適しているといえます。ダムを伴う大型の水力発電の開発はほぼやりつくされていますが、ダムが不要の中小水力発電にはまだまだ高いポテンシャルがあります。

中小水力発電

水力発電は、河川を流れる水の落差を利用して発電するしくみです。再生可能エネルギーは環境にやさしいというイメージがありますが、大型水力発電に伴う**ダム**は自然環境破壊の象徴とも見られています。湖の底に沈む村や、遡上できなくなったサケ、アユなどの魚類は昔から話題となっています。米国ではダムを撤去する動きが始まっています。

こうした中にあって、注目されているのが、ダムを必要とせず、より環境負荷が少ない**中小水力発電**です。

日本ではFITの対象となる3万kW未満の水力発電を中小水力発電としていますが、とりわけ100 0kW以下の小水力発電設備が注目されています。

日本の国土は、山林が多く、降水量も多いため、開発のポテンシャルには大きなものがあります。また、河川だけではなく、農業用水の落差を利用するケースもあります。

イメージとしては、河川では100mの落差と毎秒0・2トンの流量、あるいは農業用水であれば20mの落差と毎秒1トンの流量があれば、およそ150kWの発電が可能です。

水利権などの課題

中小水力発電も、**FIT**の対象となっています。しかし、開発は急拡大とまではいきません。

理由としては、流量調査などに時間がかかること、水利権の調整や地元の合意が難しいことなどの理由があります。

河川には渇水期などがあり、年間で一定の水量が確保できるとは限りません。そこで、年間の調査を通じて、最適な発電容量の設備を導入することになります。

水利権は、河川の水を利用する権利です。農業やその他の産業、上水道、発電などに利用するための権利や漁業権などが設定されています。また、法律が制定される前からある水利権は**慣行水利権**と呼ばれており、権利関係がはっきりしないというケースもあります。こうした権利関係をはっきりさせ、発電に利用するための合意をとることは簡単ではありませんでした。

近年は、権利関係の調整にあたって、自治体や土地改良組合が前面に出るケースも増えています。また、規制緩和によって、権利がはっきりしないケースにも対応しやすくなりました。

現在は、年に80件程度が運転開始しています。

中小水力発電の導入ポテンシャル

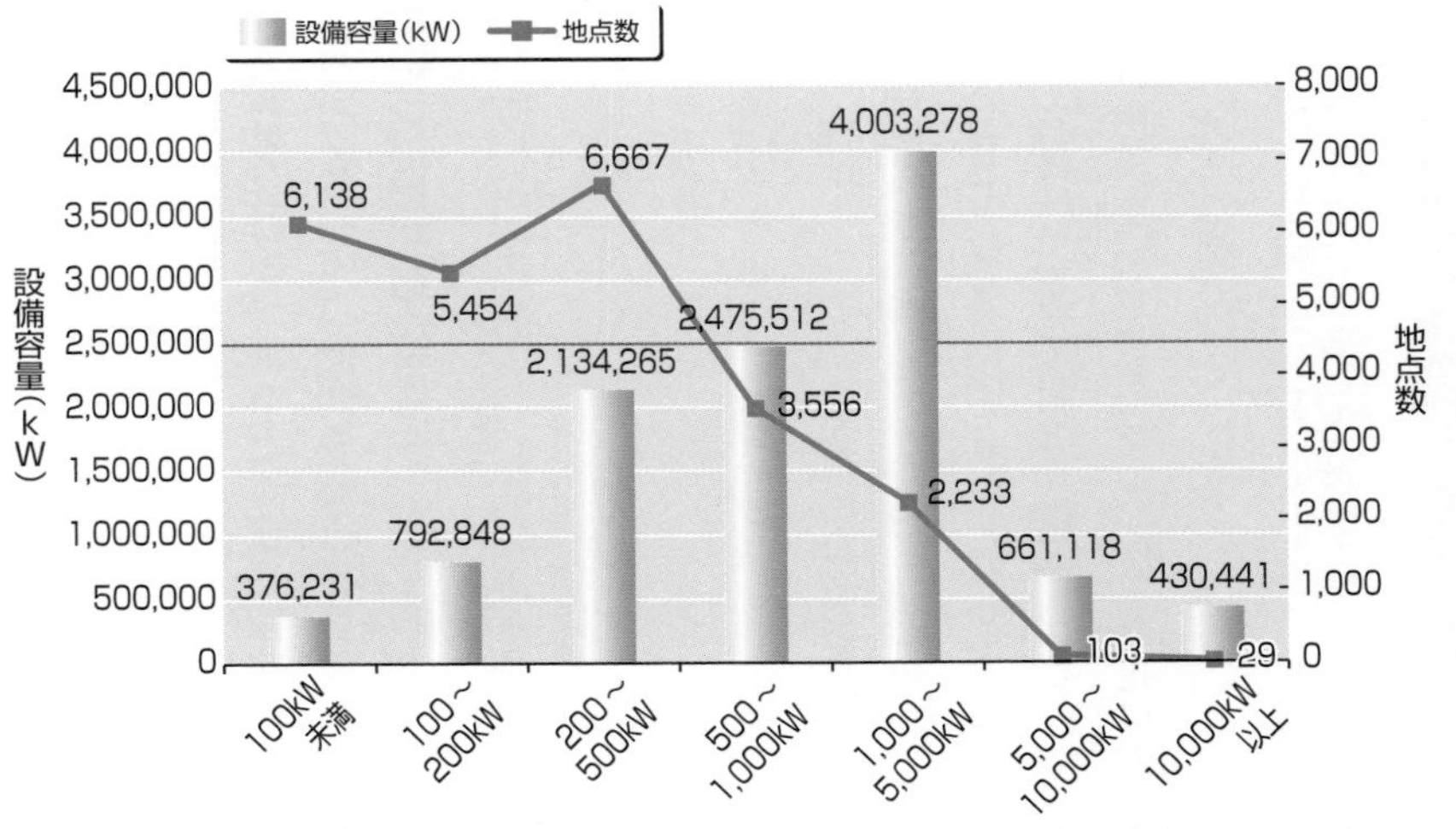

出典：環境省「平成23年度 再生可能エネルギーに関するゾーニング基礎情報整備報告書」

12 バイオマス利用

バイオマス発電には、森林の木質バイオマスや畜産・農業廃棄物、下水汚泥などさまざまな燃料が使われており、直接燃焼だけではなくガス化など、方法もさまざまです。ただ、燃料を集めるコストなどの課題があります。小規模な利用では、熱利用だけでも充分だという指摘もあります。

さまざまなバイオマス発電

バイオマスというのは、生物由来のエネルギー資源を意味します。森林からの**林地残材**や**間伐材**、**食品廃棄物**、**一般廃棄物**、**畜産・農業廃棄物**、**建材廃棄物**、**下水汚泥**など、さまざまな資源があります。技術としては、**直接燃焼**と**ガス化**を通じた燃焼があります。

自家用発電設備としては、製糖工場におけるサトウキビの搾りかす(バガス)、製材工場の廃棄物(木くず)、製紙工場の黒液(廃棄物)、下水処理場の汚泥を発酵させてつくるメタンガスなどが使われています。

FITでは、次の5つに分類されています。

❶ 下水汚泥・食品残さ・家畜糞尿由来の発酵メタンガス
❷ 間伐材等の木質バイオマス
❸ 製材端材、輸入材、やし殻、もみ殻
❹ 建築資材廃棄物
❺ 一般廃棄物その他のバイオマス

このうち発酵メタンガス発電の買取価格がもっとも優遇され、次いで間伐材による発電となっています。

この他、**RPF**(廃棄物固形燃料)の利用や、石炭火力における**木質バイオマス混焼**も幅広く行われています。この技術は、米国でも石炭火力の二酸化炭素排出削減の方法として利用されました。

バイオマス発電所の動向

大規模なバイオマス発電所としては、ヤシ殻などの

ワンポイントコラム

【輸入バイオマス問題】 ヤシ殻、木質バイオマス、パーム油など、輸入バイオマス燃料は、カーボンフリーとはいえないかもしれません。生産国の森林伐採、輸送、加工などで二酸化炭素が排出されているからです。バイオマスは生産国で使うのが、もっとも合理的でしょう。

輸入した燃料による５万ｋＷ級の発電所が建設されています。国産の木質燃料では、数千ｋＷ級～１万ｋＷ級の発電所が数か所で建設されています。建設廃材や間伐材を燃料としています。食品残さなどの廃棄物を利用したケースとしては、**バイオエナジー**が東京都大田区でガス化を行っており、発電に使われる他、都市ガスとしての供給も行っています。岩手県では十文字チキンカンパニーが鶏ふんによる６２５０ｋＷの発電所を建設しました。

ＦＩＴ施行後は、全国各地でさまざまな案件が進められています。日本には多くの森林があり、林業を活性化させるためにも、バイオマス発電に対して期待されています。特に数百～数千ｋＷ級では、**バイオマスガス化発電**が主流です。

ＦＩＴによる買い取りを別にすれば、バイオマスの専門家の間では、木質バイオマスについては、温室や熱供給、ストーブやボイラの燃料など、発電よりも小規模の熱利用の方が、コスト面でも効率面でも優れているという意見が強いようです。

バイオマス資源の分類及び主要なエネルギー利用形態

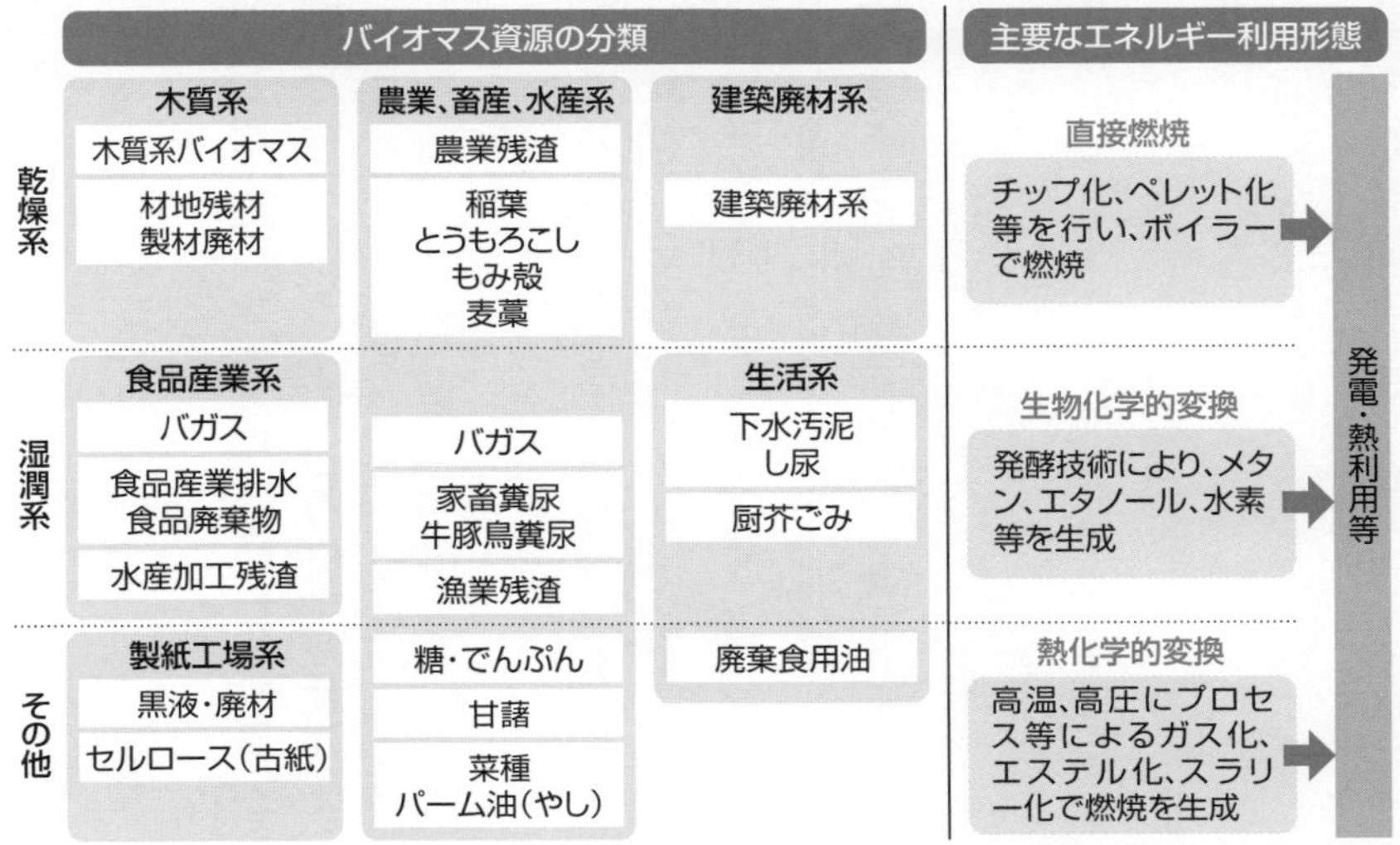

	バイオマス資源の分類			主要なエネルギー利用形態	
	木質系	農業、畜産、水産系	建築廃材系	直接燃焼	
乾燥系	木質系バイオマス	農業残渣	建築廃材系	チップ化、ペレット化等を行い、ボイラーで燃焼	発電・熱利用等
	材地残材 製材廃材	稲葉 とうもろこし もみ殻 麦藁			
	食品産業系		生活系	生物化学的変換	
湿潤系	バガス	バガス	下水汚泥 し尿	発酵技術により、メタン、エタノール、水素等を生成	
	食品産業排水 食品廃棄物	家畜糞尿 牛豚鳥糞尿	厨芥ごみ		
	水産加工残渣	漁業残渣			
	製紙工場系	糖・でんぷん	廃棄食用油	熱化学的変換	
その他	黒液・廃材	甘藷		高温、高圧にプロセス等によるガス化、エステル化、スラリー化で燃焼を生成	
	セルロース(古紙)	菜種 パーム油(やし)			

出典：資源エネルギー庁HP

13

ソーラーシェアリング

太陽光発電の新しいスタイルとして、ソーラーシェアリング（営農型太陽光発電）が注目されています。これは農地に太陽光発電を設置し、農業と発電事業を同時に行うというものです。日本が発祥ですが、海外にも広がっています。

ソーラーシェアリングとは何か

農地に太陽光発電を設置し、農業と発電事業を同時に行う、**ソーラーシェアリング**（営農型太陽光発電）が少しずつ増えています。

農地に太陽光発電を設置すると、農地が影になってしまいます。そのため、ソーラーシェアリングの場合、大きく隙間をあけて、太陽光発電パネルを設置しています。隙間の割合は、生産する作物にもよります。比較的日光が少なくてすむミョウガや榊、お茶、アシタバなどの栽培では隙間は少なくなっています。一方、隙間を広くとれば、たいていの作物を育てることは可能です。トウモロコシやサトウキビなどを除くほとんどの植物は、一定以上の日光が不要という性質があり、少しくらい日かげになっても、十分育ちますし、作物によっては日かげがあった方がいいという場合もあります。

日本の農地の4割でソーラーシェアリングをすると、日本の消費電力のかなりの部分が担えるという試算もあります。業界団体などでは、2050年までに農地のおよそ5％程度、7000万kW程度を目標としています。

なお、海外でもソーラーシェアリングは注目されています。韓国では適した作物の試験などを行っています。また台湾では農業だけではなく、魚の養殖などでもソーラーシェアリングを導入しています。

最近では、牧場に東西にパネルを向けて垂直に設置したソーラーシェアリングも登場しています。朝と夕方の電力が不足しがちな時間帯に発電します。

ソーラーシェアリングの課題

ソーラーシェアリングには、元々は、農地を利用することで、土地の固定資産税を少なくするといった目的がありました。また、農作物の生産量の減少についても、2割以下にしなくてはいけないというきまりがあります。とはいえ、現在は、森林開発などによる大規模太陽光発電の建設が難しくなりつつあり、平地も少ないため、農地を利用したソーラーシェアリングは太陽光発電の拡大の不可欠な方法となっています。また、高齢化や人口減少という問題を抱えた農村地域にとって、新たな収入となるということも見逃せません。

課題も少なくありません。架台についても、野立ての太陽光発電と異なり、まだまだ研究の余地があります。どのような作物が適しているかも、同様です。そして、農家の理解をもっと進めなくてはいけないことも課題です。また、農家が太陽光発電事業者と一緒に取り組むことで、資金調達がしやすくなります。

下部農地での栽培作物割合と農地転用許可件数

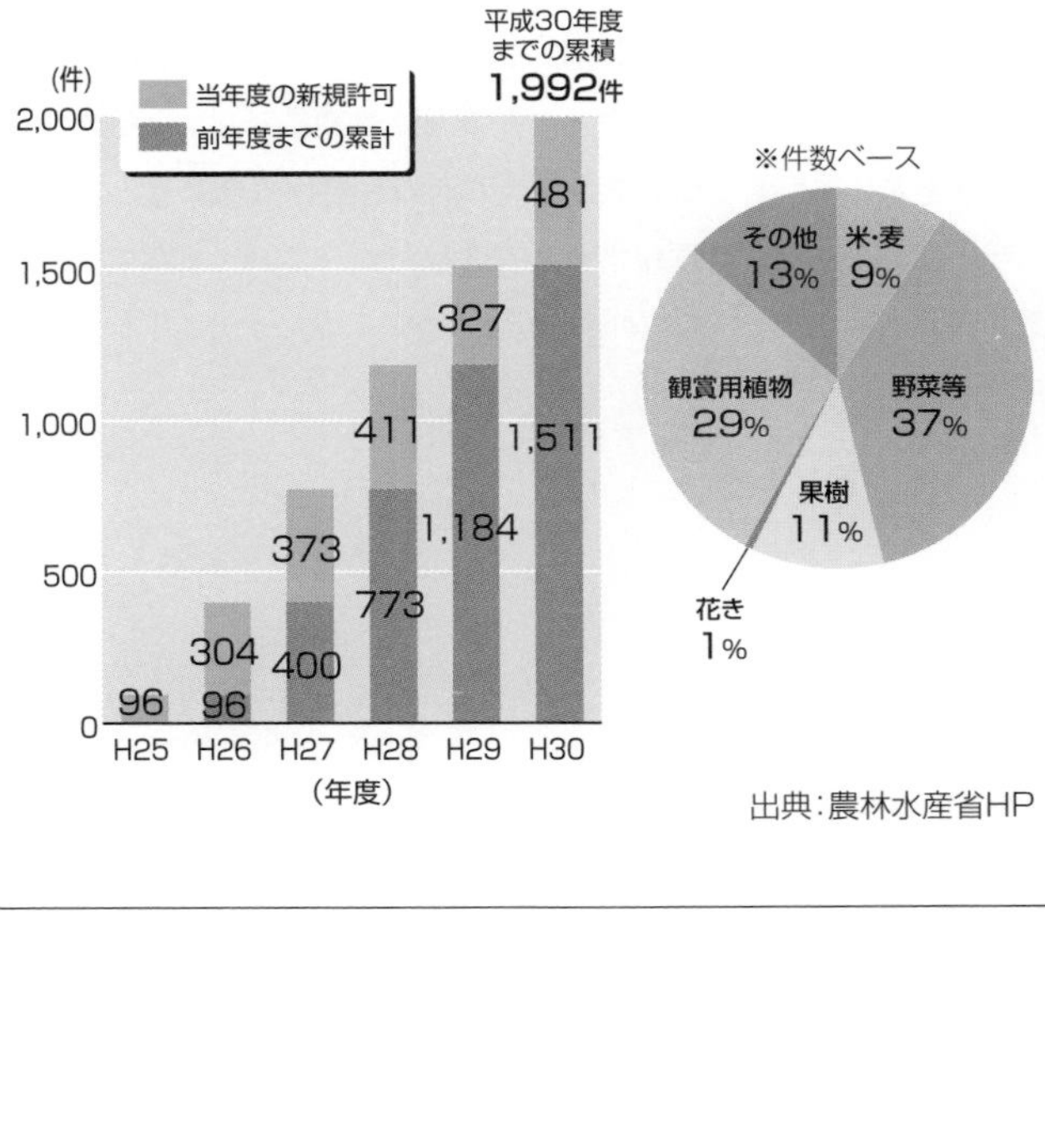

出典：農林水産省HP

column

忘れられたピークオイルと地球温暖化

ほんの数年前までは、ピークオイル論が石油業界の話題となっていました。実際に、米国での在来型の原油生産はピークを過ぎているという指摘は、間違っていませんでした。また、安価な石油がなくなりつつあるということも、間違っていません。ところが、シェール革命によって、ある程度のコストをかけることで、米国内で多量の原油や天然ガスが採掘できることがわかり、実際に開発が進められました。米国にとってシェールオイルやガスは輸入のコストを支払わないですむ資源です。輸出も少しずつ拡大させていくということでした。

また、リーマンショック以降、経済と同時にエネルギー消費も落ち込んだため、地球温暖化への関心も低下しました。省エネや節電に対する関心はありますが、温室効果ガスを削減するモチベーションは低下しました。

その後、ロシアーウクライナ情勢によって、世界的に天然ガスが不足したため、開発リードタイムの短いシェールガスの掘削が増加しましたが、それでも全盛期には及びません。

こうした中、冷静に考えれば、日本にとって化石燃料の市場価格が高いという状況は変わりませんし、地球温暖化も進んでいます。長期的には、化石燃料の利用は高いコストになりますし、大幅な温室効果ガスの削減も避けられません。こうしたことを、私たちは今一度、思い出す必要があります。したがってパリ協定について、私たちはもっと正面から考えるべきではないでしょうか。

第7章

電力・ガス各社のポジションと戦略

電力小売り全面自由化が始まり、大手電力会社は一般家庭など一部の顧客が離脱しましたが、経営効率化や原発再稼動で、大口のお客様では巻き返しつつあります。一方、都市ガス会社も、電気事業を拡大させています。競争は激化していますが、しかし、より重要なことは、電力・ガスシステム改革を通じて、どのような会社に体質を変化させ、新しい時代の公益事業者となるのか、そのための戦略をどのように考えるのか、ということです。その前提として、ここでは各社のポジションを見ていきたいと思います。

1

北海道電力

北海道電力は、売上げでは業界8位という規模です。しかも、東京電力パワーグリッドの2倍ほどの供給区域に約10分の1の需要しかありません。風力発電の適地が多く、開発にあたって、本州との間で、送電線の増強が検討されています。

北海道電力の現状と特色

北海道電力は北海道エリアに、本州とはほぼ独立した送電系統を持つ電力会社です。送電網は**北海道電力ネットワーク**という子会社となっています。設備構成は石炭火力を主体に、ベースロードの原子力や水力、地熱、ミドルロードのＬＮＧ火力、ピークロードの石油火力などを保有しています。販売電力量は商業用と家庭用が多く、大口産業用が少ないという構成です。

原子力は泊1号機～3号機があります。再稼動が、収支改善のカギとなっていますが、安全審査が進んでいません。泊原子力が稼働していないことから、電気料金が割高となり、電力小売り全面自由化以降、切り替え率が高くなる傾向がありました。しかし、2019年度から順次、ＬＮＧ火力である石狩湾新港発電所が運開し、柔軟性を持った電力供給が可能となっていくでしょう。

今後の展開と課題

北海道はかつて産炭地だったこともあり、電源構成の中では石炭火力が多くなっています。しかし2050年にはカーボンゼロにしていく必要があるため、再生可能エネルギーのさらなる拡大が求められます。電力市場自由化への対応としては、価格以外として、地元の経済活性化につながるサービスの開発が必要です。

大きな課題の1つは、風力発電をはじめとする再エネの送電網への受け入れです。陸上風力発電だけでも、600万kWにもおよぶ適地がありますが、送電網や需要・調整電源の制約により、東京電力パワーグリッドの受け入れ分20万kWを含めて、56万kWに制約しています。**北本連系線**は90万kWに拡大されましたが、今後はさらなる拡大が必要となっています。特に洋上風力発電の開発が期待されており、そのためには大規模な海底送電線を整備することになります。

北海道電力にとっては、自社の発電所ではない再エネ発電設備の増加は、自社の火力発電などの稼働率を下げることなどもあり、積極的な対応は避けたいかもしれませんが、北海道地域の発展という視点に立てば、クリーンな再エネをブランド化し、データセンターなどの事業を誘致することなども検討するべきではないでしょうか。また、地熱発電への取組も再開しており、JFEなどとともに、バイナリー地熱発電所の開発を進めています。

ロシアのサハリンとも近く、国際送電線の整備ということも将来的にはあるかもしれません。

北海道電力エリアの供給計画

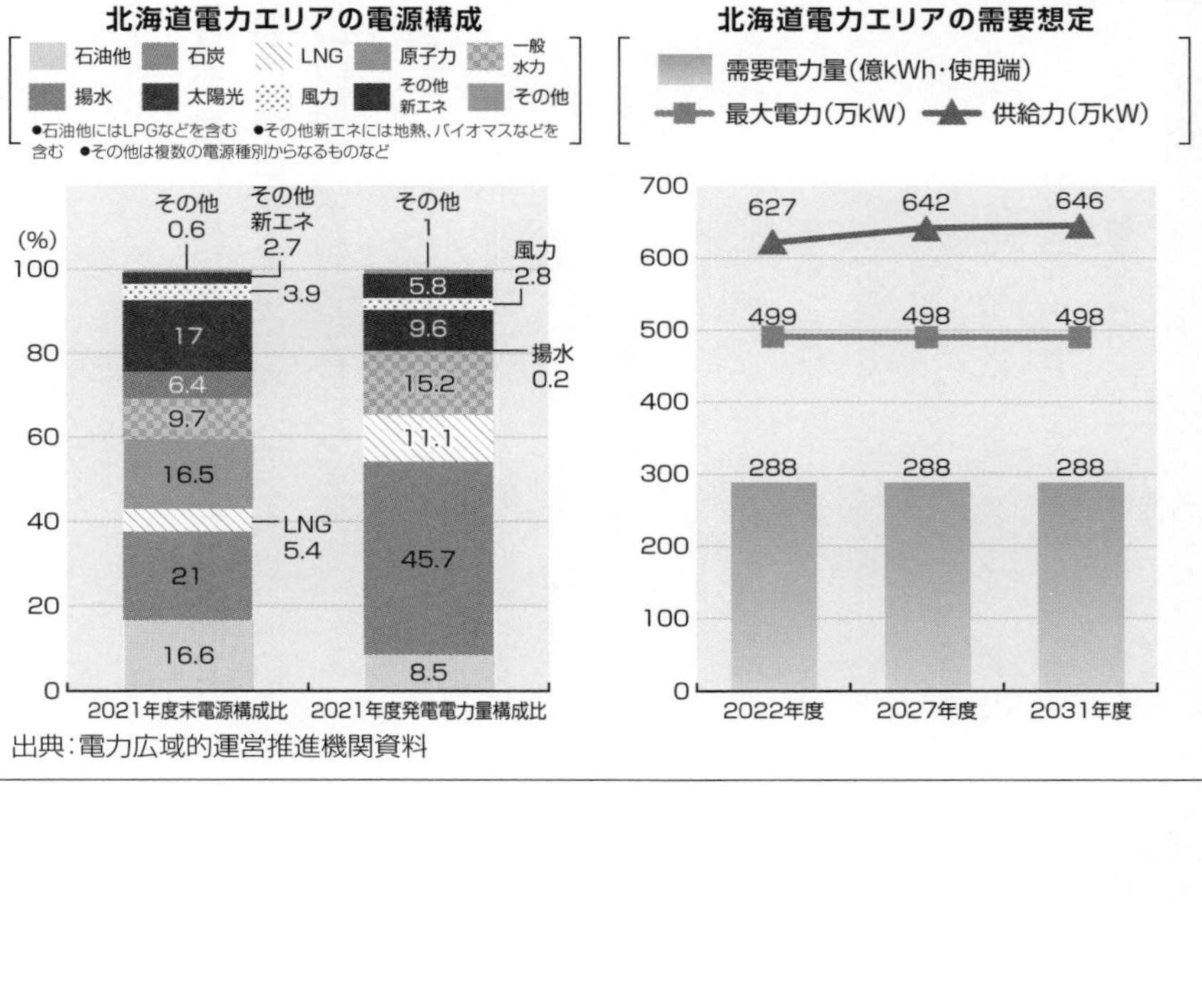

出典：電力広域的運営推進機関資料

2 東北電力

国内では最大の供給エリアを持つ電力会社です。新潟県を含む各県に独自色があり、中央集権的ではないユニークな事業を展開する可能性を持っています。とはいえ、東日本大震災の被災地であり、供給エリアには福島第一原発事故や六ケ所村再処理工場など自社以外の原子力の課題が存在します。

東北電力の現状と特色

東北電力の販売量は業界第5位、供給エリアは東北6県＋新潟県という電力会社です。設備は原子力、石炭火力、ＬＮＧ火力、石油火力、水力などをバランス良く保有しています。女川原子力2号機については、原子力規制委員会の新規制基準審査に合格しており、２０２４年２月に再稼働する予定です。送配電事業は、**東北電力ネットワーク**として子会社化しました。

販売電力量は２０００年代まではほぼ順調に増加しましたが、その後、震災によって大幅に落ち込みましたが、現在は少しずつ回復しています。とはいえ、地方経済の落ち込みと、人口・世帯減によって、供給エリア内での需要が大きく拡大することは難しいかもしれません。供給エリア外では、東京ガスと合弁で設立した**シナジアパワー**を設立しましたが、現在は撤退しています。また、新電力の**東急パワーサプライ**に出資しています。

地理的な特色は、北海道とならぶ風力発電の集積地であるということです。将来は２５１万ｋＷまで受け入れが可能だとしていましたが、送電線の運用や増強によって拡大していくことでしょう。太陽光発電についても、九州電力に次ぐ系統連系量となっており、出力抑制が行われる可能性が高まっています。この他にも水力や地熱など、豊富な再エネ資源があります。また、主に日本海側に洋上風力の適地があります。

ワンポイントコラム
【供給区域内に他社の原子力】　東北電力の供給区域である新潟県と福島県には、自社の原子力はまだありませんが、東京電力の原子力が存在しています。皮肉なことに、東北電力は新潟県旧巻町では住民投票を受けて建設を断念しており、福島県の浪江・小高原発も、震災の影響を受けて計画を断念しました。

原子力産業の集積する青森県、事故を起こした福島第一原子力はいずれも供給エリア内です。自社以外の原子力問題の存在も、この会社の課題です。

今後の展開と課題

電源開発の面では、石炭火力を減らし、洋上風力の発電に取り組んでいくことになるでしょう。再生可能エネルギーの系統連系量を考えると、供給力には問題はなく、出力制御が課題となってきそうです。

また、再生可能エネルギーはそれぞれの県に分散しています。これらを地元のために活用することができれば、経済の活性化にもつながります。とりわけ地熱発電は、九州電力の供給エリアと共に有望な地点が多く、今後も開発が進められるのではないでしょうか。

東北電力の企業文化として優れた点は、7県それぞれが独自の文化を持ち、それを大切にしていることです。これが地域貢献への強い意識につながっています。

電力自由化によって、小売会社の進出が目立つようになってきました。これに対しては、供給エリア外への供給がこれからの課題といえるでしょう。

東北電力エリアの供給計画

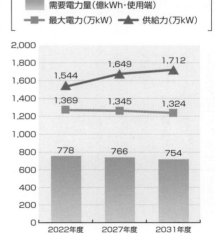

出典：電力広域的運営推進機関資料

3 東京電力ホールディングス

東京電力ホールディングス（HD）は、日本最大の電力会社ですが、福島第一原発事故の処理のために公的資金が導入され、公的管理下に置かれています。廃炉や賠償のための必要な金額はおよそ22兆円とされています。その一方で、他社にさきがけて、電力システム改革を先取りする取り組みも行っています。

東京電力HDの現状と特色

東京電力グループは、関東地方と山梨県、および静岡県の伊豆地方を供給エリアとする電力会社です。

発電設備はLNG火力と原子力を中心に、ピーク用として揚水式水力などを保有しています。ただし原子力の再稼働の見通しは立っていません。また、近年は老朽化した火力を休廃止したため、猛暑や厳寒時に需給がひっ迫する可能性が指摘されています。

需要は家庭用と商業用がやや多く、大口産業用がやや少ないという構成です。

震災前から、景気の停滞や新電力による需要離脱などで需要の伸びは鈍化していましたが、震災後はさらに需要が落ち込んでいます。節電の定着もあり、需要が大きく回復することはないでしょう。また、電力小売り全面自由化以降は、一般家庭の離脱がかなり増えています。

今後の展開と課題

東京電力グループの今後は、定期的に改訂される総合特別事業計画で決められています。そこでは福島の賠償・復興や廃炉に加えて、発電・送配電・小売り事業の収益性を改善する取組みが盛り込まれています。

火力は中部電力と統合し、**JERA**という合弁会社の下で運転されています。一方、再エネの開発では、**東京電力リニューアブルパワー**（RP）が期待されています。

収支改善のカギとなっているのは、柏崎刈羽原子力の再稼働です。すでに6号機と7号機は規制委員会の新規制基準審査に合格しているのですが、職員の不正なＩＤ使用などさまざまな問題が発覚し、原子力規制委員会からは運転禁止命令が出ています。そのため、再稼働の見通しが立っていません。

東京電力パワーグリッド（ＰＧ）が所管する送配電事業は、他電力との統合によって効率化を目指すべきだという意見がありますが、他電力会社にとってはメリットがなく、火力のようにはいかないでしょう。統合すると原発事故の賠償に巻き込まれるのではないかという警戒もあるようです。

東京電力エナジーパートナー（ＥＰ）が所管する小売り事業も課題は多く、２０２１年には代理店による強引な電話勧誘が消費者庁から指摘を受け、業務停止命令が出ています。これは、東京電力ＥＰに十分な小売りの能力がないことが理由の１つでしょう。首都圏が魅力的な市場であるため、需要離脱は増えています。

都市ガスの販売やソリューションサービスで巻き返していますが、今後も厳しい競争が続くでしょう。

東京電力エリアの供給計画

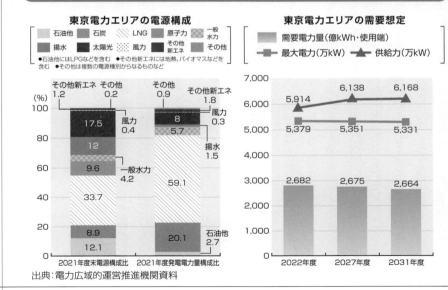

出典：電力広域的運営推進機関資料

4 中部電力

トヨタグループの膝元にあり、大口需要家が多いのが特徴です。元々火力依存度が高い上、再エネの適地も限られていることから、脱炭素化がこれからの課題でしょう。小売事業は中部電力ミライズとして子会社化しました。また、東海地震が予想される静岡県にある浜岡原子力は、再稼働が難しいでしょう。

中部電力の現状と特色

中部電力は、新潟県と山梨県、および静岡県の伊豆地方、北陸地方を除く中部地方に三重県を加えた供給エリアを持つ、全国で第3位の電力会社です。発電設備はLNG火力を主体に、石炭火力、原子力、豊富な水力を抱えています。このうち火力は東京電力フュエル&パワーとともに合弁会社の**JERA**を設立・経営統合して展開しています。また、送配電事業は**中部電力パワーグリッド**として、小売り事業は**中部電力ミライズ**として、それぞれ子会社化しています。

東日本大震災以降、浜岡原子力は防潮堤など震災・津波対策を進めていますが、東海地震など大規模地震が想定されている地域であるため、再稼働は難しいと見られます。また、耐震工事の採算が合わないとして、浜岡1号機と2号機はすでに廃炉となっています。

今後の展開と課題

電力システム改革においては、中部電力はもっとも自由度の高いプレーヤーになったと見られます。まず、料金については安定した電源を確保しており、競争力があります。また、JERAで首都圏向けの発電所の建設を進めており、買収した新電力の**ダイヤモンドパワー**や、大阪ガスと設立した**CDエナジーダイレクト**、およびサイサンとの合弁会社の**エネワンでんき**を通じてエリア外の供給も実施しやすい体制になっています。

都市ガス事業にも参入していますが、東邦ガスとの体力差は大きく、熾烈な競争は起きていません。

総合エネルギーサービスについては、事業所を対象としたソリューションサービスを行う**シーエナジー**という子会社があります。また、一般家庭に対しては、**カテエネ**という会員制サイトを運営するほか、様々な生活支援サービスを提供するe-暮らしという会社をサンヨーホームズと、宅内IoTサービスの**necolico**をIIJと、それぞれ合弁で設立しています。また、新電力の**Looop**と資本提携し、サイサンとの提携でLPガスも扱っています。

課題の1つは、一般家庭への営業力です。2000年代に営業拠点を縮小してきたため、お客様から遠い存在になりました。小売り事業を子会社化したことで、どこまでリカバリーできるかがカギです。もう1つは、再エネです。既設の水力を除くと、再エネの適地に乏しく、域外からの調達が必要となってきます。

中部電力は他の旧一般電気事業者よりも比較的アグレッシブな文化を持っており、東京電力と関西電力との間で合理的な経営判断がしやすくなっています。

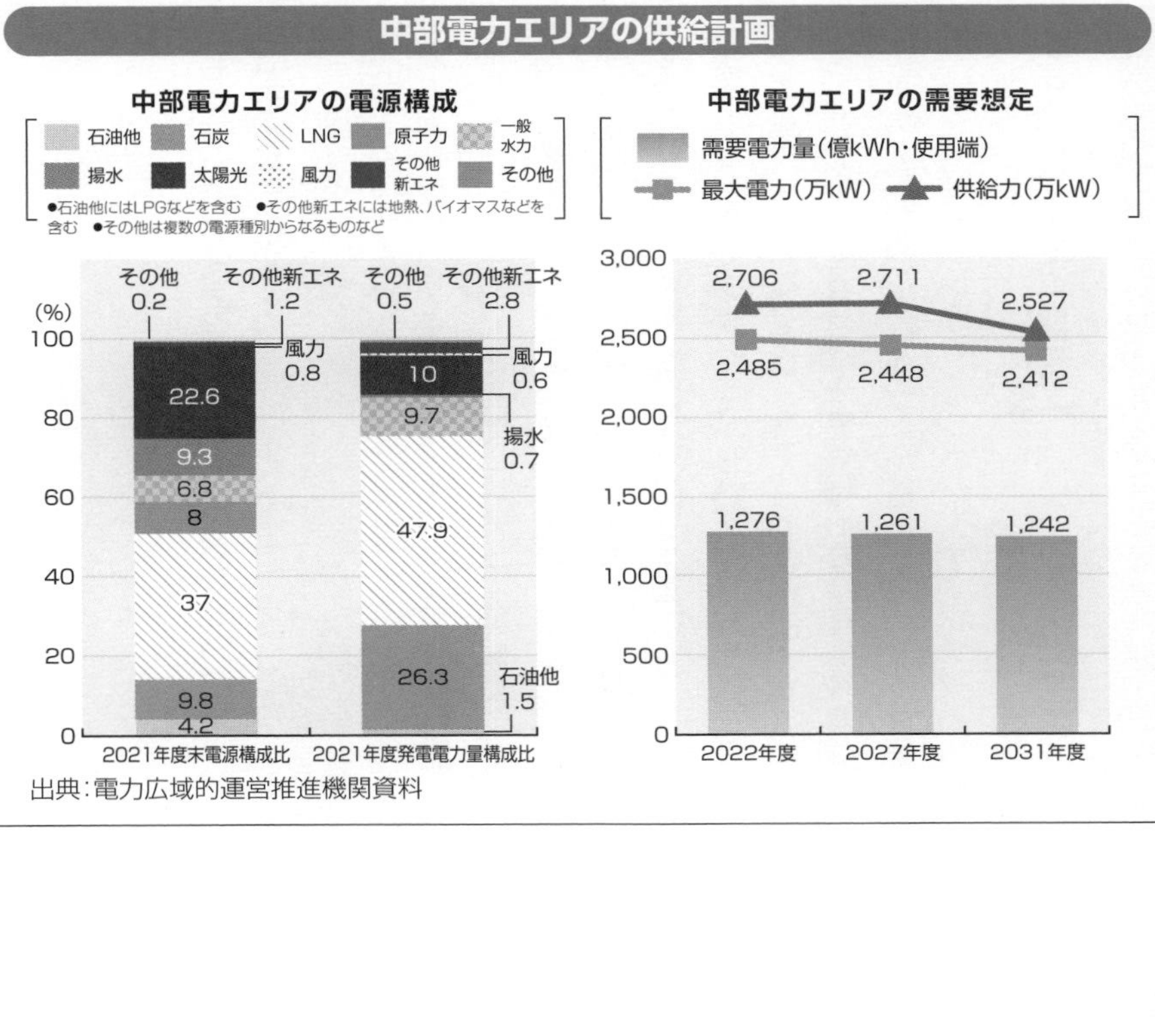

出典：電力広域的運営推進機関資料

5 北陸電力

豊富な水力発電を抱え、事業展開によっては「小さくともキラリと光る会社」になれる潜在能力を持っています。問題は、こうした経営資源を活かせる経営者がいるかどうかです。

北陸電力の現状と特色

北陸電力は販売電力量が第9位、供給エリアは福井県の一部を除く北陸3県という小さな電力会社です。しかし、歴史ある水力発電を豊富に所有しているため、発電コストが低く抑えられてきました。ただし、石炭火力も抱えており、カーボンニュートラルに向けた課題となっています。送配電事業は、**北陸電力送配電**という子会社になっています。

志賀原子力は、敷地内に活断層があるとされており、再稼働は難しい状況ですが、供給力という点では、元々関西電力への売電の割合が高い設備であるため、自社における供給力への影響は少ないといっていいでしょう。

電源構成からいくと、水力と石炭火力というベース電源の割合が高いことが特徴です。そのため、夏の需要期に、一般家庭に対しても電力の使用を抑制してもらう、デマンドレスポンスの契約も先行しました。

水力以外では、風力発電の適地もあり、小規模な水力を合わせて再エネ開発の期待ができます。

電気料金は低い水準にあり、供給エリアに参入する事業者は少なく、契約を切り替える割合が低くなっています。しかし、火力の修繕費や原子力の安全対策の費用がかかるため、大口やオール電化など一部の料金については値上げしました。

今後の展開と課題

北陸電力の社員には、定年を迎えるころには会社が買収されているのではないかと感じる人もいるようです。過去に米国エネルギー会社のエンロンが買収を検討したことがあります。エンロンはその後経営破綻しましたが、エンロンが買収しなかった理由は原子力をリスクと評価したからだといわれています。今後も、電力・ガス業界の再編に飲み込まれる可能性がないとはいえないでしょう。

北陸電力の持つ、安価で二酸化炭素排出量が少ない水力発電は、多くの電力会社にとって魅力的な資源です。こうした電源を活用し、データセンターの誘致などで地域活性化を進めれば、北陸地方の経済発展にもつながることでしょう。

近年は北陸新幹線が開通し、首都圏との交通の便が良くなったので、積極的な企業誘致がしやすくなっています。さらに住環境が優れているともいわれます。

小売に力を入れるのではなく、安価な電気を小売り事業者に販売していく、発電事業者としての役割を経営の軸としていく考え方もないわけではないでしょう。

水力発電が多い会社らしく、２００８年度からは、森林保全活動を積極的に行っています。

北陸電力エリアの供給計画

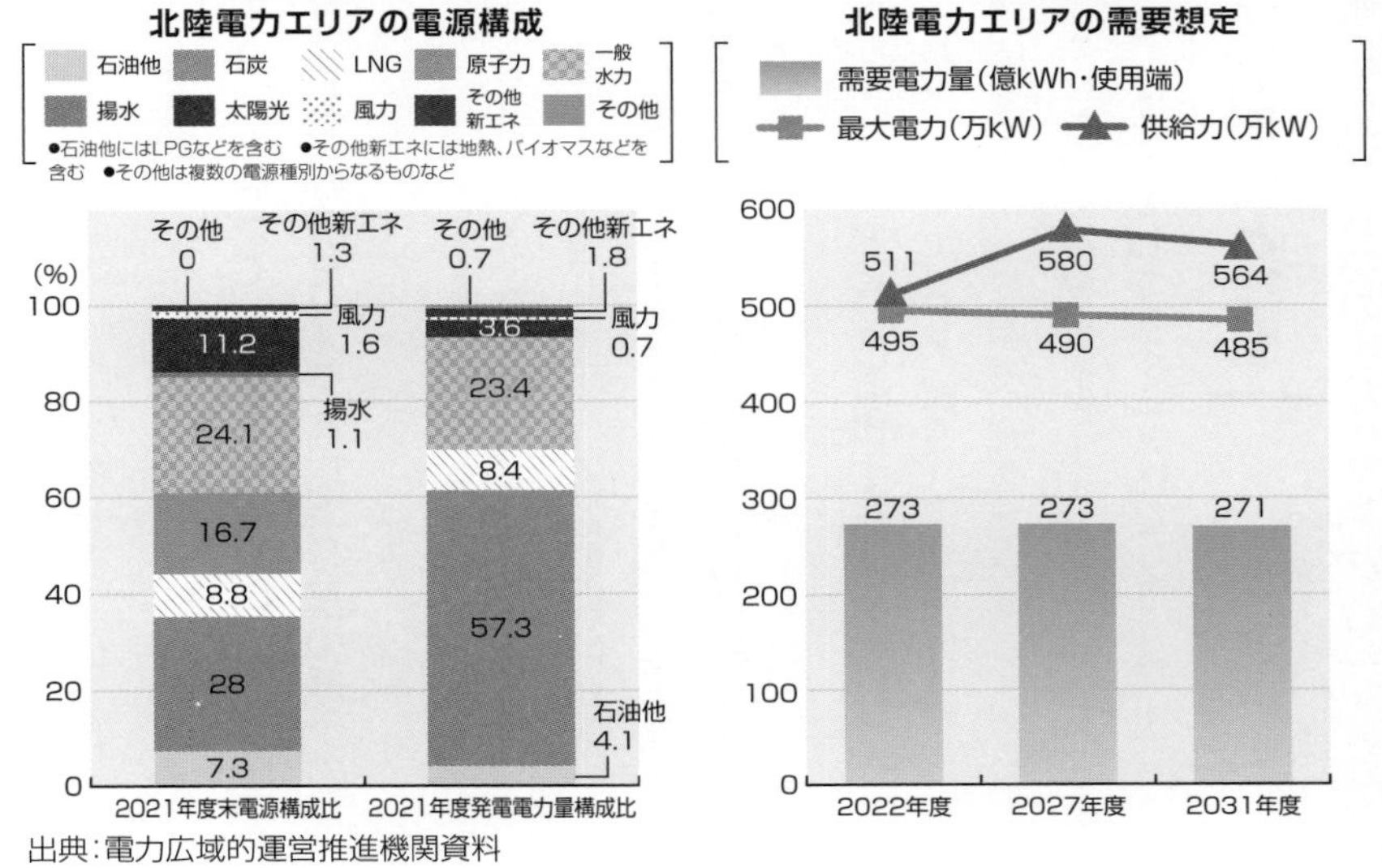

出典：電力広域的運営推進機関資料

6

関西電力

東京電力が国の管理下にあるため、電力業界の中心にある会社となっています。発電設備のうち原子力が占める割合が高いため、一時期は苦しい経営状態が続きましたが、2017年以降5基の原子力が再稼働し、供給力の改善と料金の値下を実現させせました。

関西電力の現状と特色

関西電力は規模の点では東京電力に次ぐ電力会社です。しかし、原発依存度が高いにもかかわらず、再稼働が遅れたことから、料金面でメリットが出せず、2016年には販売電力量で中部電力に抜かれたことがあります。現在は再稼働が進み、競争力を向上させています。送配電事業は、**関西電力送配電**として子会社化しています。

電力・ガス小売り全面自由化に対しては、当初は苦戦してきましたが、主婦と地域にターゲットを絞ったサービスなどを展開し、小売りについては新たな事業を模索しています。また、都市ガス事業にも積極的に参入しており、関西圏で多くの顧客を獲得しています。

供給エリアは三重県を除く近畿地方と福井県の一部です。発電設備の主体は若狭湾に並ぶ原子力です。原子力以外では、火力の他、他社からの供給も比較的多くなっています。

需要面では、家庭用、商業用、大口産業用のバランスがとれています。ただし、関西経済の回復は鈍く、需要は横ばいです。

再エネについては適地が少なく、エリア外での洋上風力などに力を入れていくことになりそうです。

今後の展開と課題

課題の1つは、今後の成長性です。供給エリア外へ

ワンポイントコラム

【黒部第四ダム】 一般に黒部ダムとよばれている。建設工事は「黒部の太陽」という小説・映画・ドラマになっている。黒部第四発電所は最大出力33万5000kW、日本第4位のダム式水力発電所。

の進出や新規事業、海外事業などが必要となってきます。水力発電については、フィリピンやインドネシア、ラオスでの事業に参画しており、英国においては洋上風力にも参画しています。

もう1つの課題は、ガバナンスです。2019年に、原発立地地域の元助役から、関西電力の20名におよぶ会長・社長を含む幹部が金品を受け取っていた問題が発覚しました。この問題によって、会長・社長らは辞任しましたが、企業としての信頼を大きく損ないました。信頼回復は何よりも優先されることでしょう。

その一方で、原子力は時間はかかったものの、美浜原子力3号機、高浜原子力3号機・4号機、大飯原子力3号機・4号機が再稼働しており、今後も高浜原子力1号機・2号機が再稼働する見通しです。

小売り事業においては、一般家庭向けとして、**はぴeみる電**という会員制サイトを運営しています。また、**KDDI**との業務提携においては、電気+都市ガス+通信というセットで営業力を発揮しています。

新電力の**アイ・グリッド・ソリューションズ**に出資し、業務用ソリューションにも取り組んでいます。

関西電力エリアの供給計画

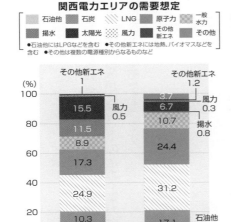

出典:電力広域的運営推進機関資料

ワンポイントコラム

【万博とカジノ】 大阪経済の回復に期待されているのが、2025年に夢洲での開催が予定されている大阪万博とその跡地にできるIR(統合型リゾート)です。しかし万博は一過性ですし、IRのメインは大規模な国際的カンファレンス・展示会ができる施設であってカジノはおまけなのですが……。

中国電力

原子力の依存度が低いため、震災後は料金の値上げをせず、もっとも料金水準の低い電力会社となっていました。瀬戸内工業地域には、大口需要家がいますが、自家発の割合が高く、そのため、電力供給にこだわるのではなく、総合エネルギーサービスとしての展開に将来性がありそうです。

中国電力の現状と特色

中国電力は販売電力量が第6位、中国地方を供給エリアとする会社です。発電設備は石炭をはじめとする火力が中心です。原子力は島根原子力2号機の新規制基準審査が終了しており、2023年春以降に再稼働が見込まれています。また、島根3号機はほぼ完成しており、新規制基準にあわせた工事を行っている段階です。山口県では上関原子力1号機・2号機の建設準備が進められています。送配電事業は**中国電力ネットワーク**という子会社です。

需要の特徴は、大口産業用が多いことです。これは主に瀬戸内工業地域の工場などです。しかし自家発電設備を持つ工場も多く、中国電力供給エリアの発電電力量のかなりの量が自家発となっています。

今後、主に石炭火力の廃止が進められていくことになりますが、自社だけではなく自家発電の設備も含め、対応が必要となってきます。瀬戸内海側の太陽光発電の開発や日本海側の風力発電の開発などが進めば、これらをまかなうことができるでしょう。

この他、供給エリア内に公営を含む中小水力が残っていることも、特色となっています。

今後の展開と課題

原子力に関しては、島根3号機の稼働にまだ時間がかかりそうです。一方、上関原子力の開発を進める方

ワンポイントコラム

【中国電力と公営水力】 中国電力の供給区域内には、多数の小規模な公営水力があります。かつてはこうした水力は全国にあったのですが、ほとんどの電力会社では、大規模な電源開発と引き換えに、つぶしてきたという過去があります。今となっては、残しておくべき設備だったということです。

針でいますが、不要な設備で原子力新設への逆風も大きいため、撤退を検討するべきです。

開発中の大型電源としては、三隅火力2号機が完成し、2022年11月には営業運転を開始する予定です。

発電電力量に対する二酸化炭素排出原単位が大きいことが、中国電力の問題です。これを、エネルギーの効率的利用と再生可能エネルギーの拡大でいかにカバーしていくのかが、これから問われてくるでしょう。

電力小売り自由化にあたっては、徐々に競争は進んでいます。

電力料金メニューとしては「カープ応援メニュー」という、電力会社とプロ野球球団とのコラボレーションが注目されます。野球の試合の結果と連動したサービスがとり入れられており、首都圏のカープファンも加入しているということです。

今のところ、一般家庭向け都市ガス事業には参入していませんが、大口需要家や地方都市ガス会社に向けてガスを供給しています。地域の都市ガス会社との協調で地域振興を進めるのがいいのではないでしょうか。

中国電力エリアの供給計画

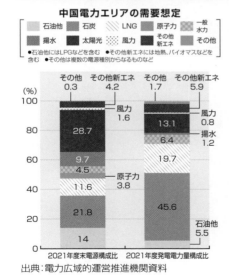

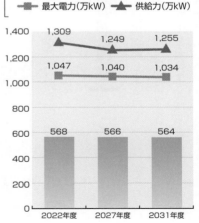

出典：電力広域的運営推進機関資料

8 四国電力

設備投資が一段落し、安定した経営を行なえる状態にあります。また、伊方原子力3号機が再稼働しており、電源の面でも十分です。課題は電源のカーボンニュートラル化と、急速に増えた太陽光発電の活用、そして地域経済の活性化への寄与です。

四国電力の現状と特色

四国電力は販売電力量では第7位の規模です。2000年に橘湾火力が運開し、坂出火力のリプレイスによるＬＮＧ化も完了したため、再稼働した伊方原子力3号機とあわせて、十分な電源があります。また、伊方原子力1号機と2号機は廃炉が決まっています。送配電事業は**四国電力送配電**という子会社です。

需要はやや商業用が多いのですが、近年は大口産業用も伸びています。地元の製紙会社が電気事業に参入したことがありましたが、大きな影響を受けませんでした。近年は技術サポートをはじめとしたソリューションサービスや、ガスの販売など、総合エネルギー企業としての変化も見られます。

また、太陽光発電が急速に拡大したため、現在は自社の電源を調整しながら、これを受け入れています。

規模は北海道電力と同程度ですが、4つの県に分かれており、それぞれが独自の文化を持っていることから、4県に対して平等に対応していく傾向が見られます。

今後の展開と課題

伊方3号機は再稼働しましたが、課題は残されています。佐多岬半島の付け根に立地しているため、半島の住人の避難計画を適切なものにできるかどうかということです。

【橋によって衰退した地方経済】　電力とは直接関係ありませんが、本州と四国を結ぶ3本の橋は、四国経済を衰退させたと言われています。筆者自身、徳島に行ったときに、鳴門大橋ができることで大阪への交通が便利となり、地元の人が徳島ではなく大阪まで買物にでかけるようになったという話を地元の人から聞きました。

電源としては、風力発電や森林バイオマス利用など再生可能エネルギーのポテンシャルが高く、これらを上手に利用していくことが求められます。

電力・ガス小売り全面自由化に対しても、大きな影響はありませんでした。これは価格もさることながら、本州と陸続きになっていないという立地条件、電源の確保などもあるでしょう。

都市ガス事業についても、自ら家庭向けで参入することは予定していませんが、大口需要家への販売や都市ガス会社への卸供給は行っています。

守りに入れば強い会社だと考えられますが、地域外への進出は難しいかもしれません。また、四国地域の経済発展がなければ、需要が大きく伸びることも期待できません。

こうしたことから、成長していくためには、新規事業、海外事業、地域経済発展の3つの方向のうち、地域経済の発展にもっとも力を入れるべきではないでしょうか。地域のリーディングカンパニーとしてどのようにコミットしていくのかが、問われてきます。

四国電力エリアの供給計画

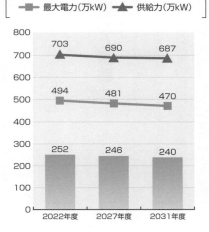

出典：電力広域的運営推進機関資料

九州電力

震災後、しばらくは原子力が運転できない状況が続いていましたが、現在は川内原子力1号機、2号機と玄海原子力3号機、4号機が再稼働しています。太陽光発電が急速に拡大したため、しばしば再エネの出力抑制が行われています。洋上風力発電の計画もあり、域外への送電がこれからの課題です。

九州電力の現状と特色

九州電力は、販売電力量は第4位の電力会社で、規模は東北電力とほぼ同じです。原子力を中心に、石炭・LNG火力を保有しており、バランスのとれた電源構成となっています。送配電事業は**九州電力送配電**、また**九電みらいエナジー**という独自の展開をする小売会社もあります。

国内最大の地熱発電所である八丁原地熱をはじめ、風力発電所などの適地も多く、再生可能エネルギーが豊富です。しかし、太陽光発電については再エネ事業者による開発が大幅に進んだため、受け入れが難しくなっています。特に春や秋の休日などは、太陽光発電の発電量が多い一方で需要が少なくなり、電力系統の運用が難しくなることから、再エネの出力抑制を行っています。

九州経済は比較的好調ですが、新規参入者も多く、電気事業の競争は厳しいものになっています。都市ガス事業にも参入していますが、競合する西部ガスは規模が小さく、激しい競争にはなっていません。

今後の展開と課題

現状では、十分な電源を確保しているため、安定した事業運営ができる環境にあります。課題は、大量に導入された太陽光発電の活用です。脱炭素社会に向け、送電線の運用方法の見直しや将来のエリア間を連

ワンポイントコラム

【すべての発電所がある鹿児島県】 鹿児島県の薩摩川内市を流れる川内川河口付近では、川内原子力と川内火力という2種類の発電所が川をはさんで立地しています。また、山川地熱発電所をはじめ、大隅半島にはウインドファームもあり、多くの水力発電所もあることから、1つの県でさまざまな発電所が見られるということになります。

係する送電線の増強、長崎県沖での洋上風力の開発などで、再エネはさらに導入されていくでしょう。その一方で、非効率な石炭火力の廃止も行われていきます。このように電源構成が変化していくなかで、どのように設備を運用していくのかは、大きな課題です。

原子力は順調に再稼働させることができましたが、長期的には運転期間の再延長と廃炉のいずれを選択するのか、迫られることになります。また、150万kW級の川内原子力3号機という構想もありますが、現状では建設は難しいでしょう。

将来の経営環境を大きく変える要素としては、韓国・中国との間での国際送電線の整備です。これにより、日本の電力供給の安定性は高まりますし、余剰となった太陽光発電の電気を輸出することができます。その一方で、海外から安価な電力を輸入することもできるようになります。

電力供給のコストがかかる離島の対策も、課題の1つです。対策としては、再エネを導入すると同時にマイクログリッドやVPPなどの技術を応用し、先進的な地域づくりをしていくといいでしょう。

九州電力エリアの供給計画

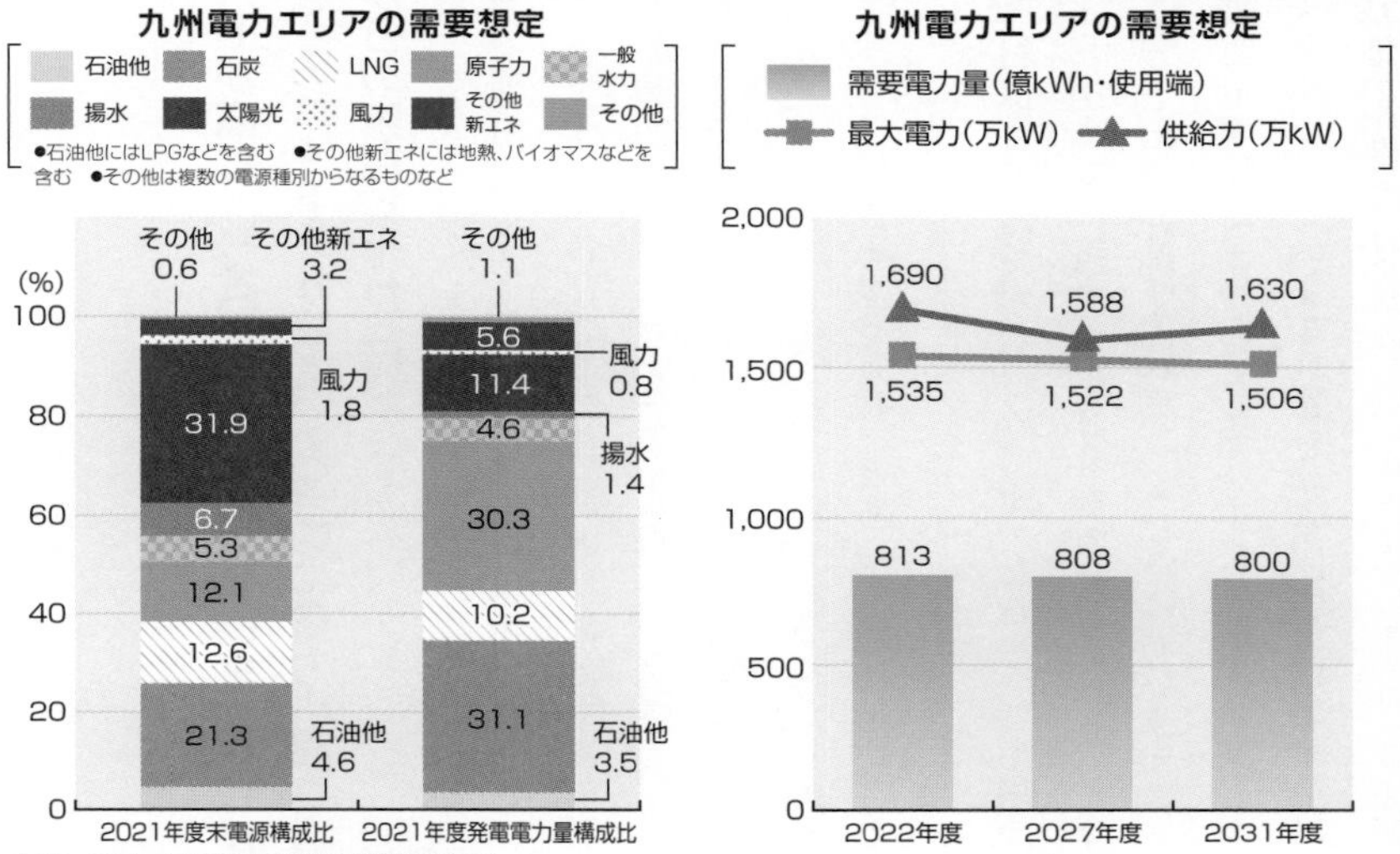

出典：電力広域的運営推進機関資料

沖縄電力

十電力の中で最小の会社です。離島が多いため、発電コストが高く、料金が割高となっています。しかし、他のエリアとは送電線がつながっていないため、新規参入のハードルが高く、実質的に電力小売り自由化は進んでいません。主力の電源となっている石炭火力からの脱炭素化が課題です。

沖縄電力の現状と特色

沖縄電力は供給区域が沖縄県に限られているため、販売電力量は十電力中第10位という小さな会社です。主に石炭、ＬＮＧ、石油火力が電源となっています。

九州電力と同様に、離島が多いことも、発電コストを押し上げています。

電力系統が独立しているため、電源確保の難しさから、新規参入者は限られており、特に家庭用については事実上競争がない状態です。また、送配電事業は分離されていません。

一方、再生可能エネルギーについてはポテンシャルが高く、太陽光発電の導入も進んでいます。問題は太陽光発電の出力に応じて火力発電を調節する必要があることです。場合によっては、ベース電源である石炭火力の調節が必要になることもあるようです。

他方で、米国ハワイ州とともに、風力発電など再エネを含めたマイクログリッドの技術開発も進められています。その背景としては、どちらも離島ということだけではなく、米軍基地の存在があります。米軍の化石燃料依存の低減がねらいです。なお、ハワイ州は２０４５年までに再エネ１００％を目指していますが、沖縄県も同じ目標を設定してもいいでしょう。

需要は商業用が多いのですが、中でも観光産業の需要が大きくなっています。また、大口産業用の半分は米軍基地の需要です。

ワンポイントコラム

【沖縄電力の歴史】 沖縄電力の前身は、アメリカ軍占領下に設置された琉球電力公社でした。沖縄の日本への返還をきっかけに、1972年5月に沖縄電力が特殊法人として設立されました。民営化されたのは1988年で、さらに電気事業連合会に加入したのは2000年。他の電力会社とは異なる歴史を持っています。

今後の展開と課題

今のところ、電力小売り自由化の影響はほとんどありません。今後の課題は、離島の高コストの解消と、脱炭素に向けた再エネの受け入れです。

自家用発電設備やコージェネレーション、エネルギーソリューションを担うグループ会社に**プログレッシブエナジー**があります。こうした会社を通じて、電力供給にとどまらないサービスへの拡大は必要でしょう。同社には可倒式風力発電というユニークな商材もあります。再エネを含めたこうしたエネルギーサービスが、沖縄県全体の二酸化炭素排出量の削減につながるでしょう。

今後は、一般家庭に対しても、他電力と同様に暮らし丸ごとサービスを展開していくことが求められます。

沖縄県は人口の増加が最も大きい県なので、需要増が期待できます。その一方で、米軍が将来、基地を縮小ないし撤退させれば大幅な需要減となります。もちろんその方が平和な社会として望ましいのですが。

沖縄電力エリアの供給計画

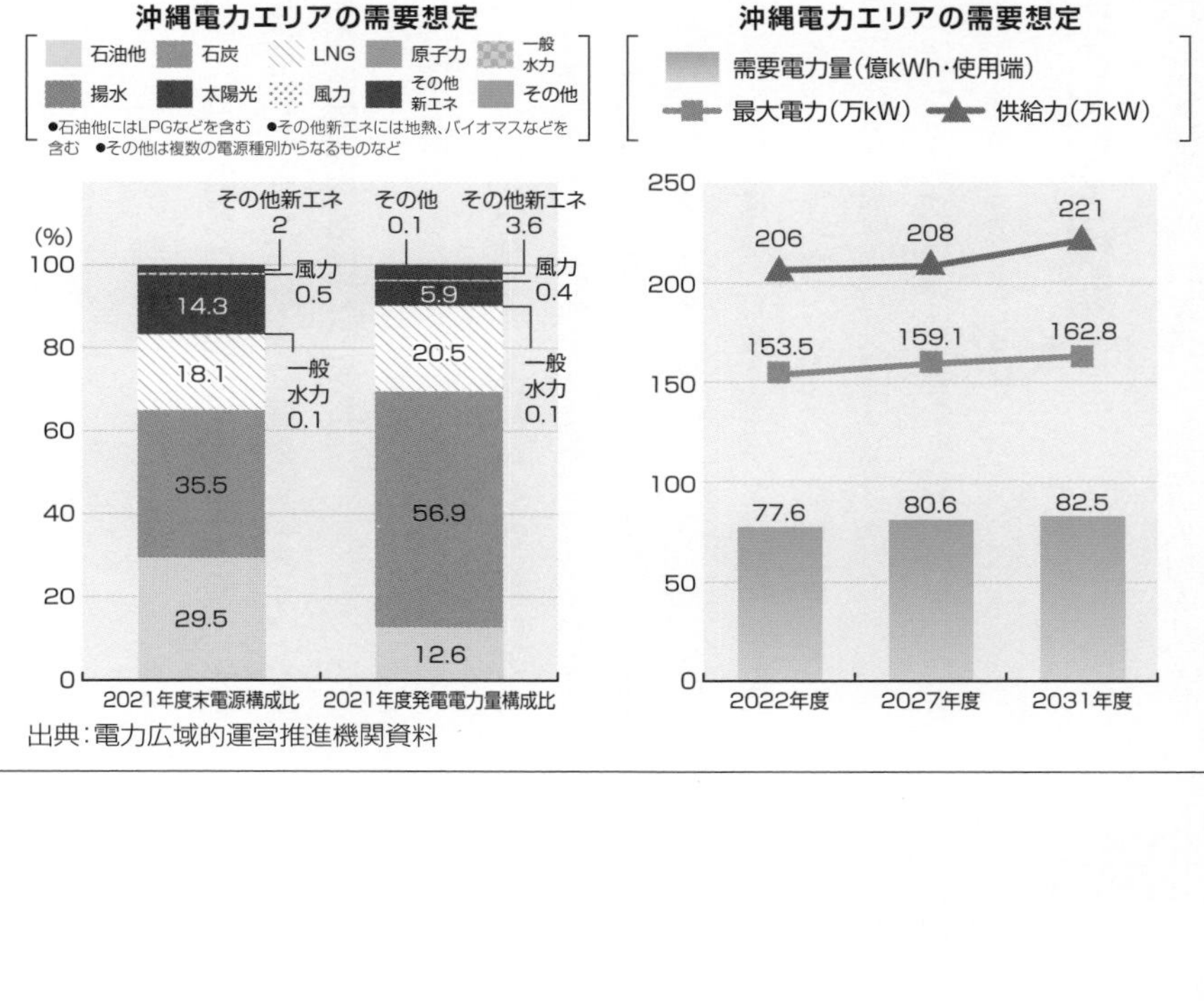

出典：電力広域的運営推進機関資料

電源開発（Jパワー）

かつて特殊法人だった電源開発（Jパワー）は、水力・石炭火力の開発と電力卸という事業モデルから脱却し、大間原子力・環境事業・海外事業の3つを新たな柱として事業の拡大を進めています。しかし、大間原子力の先行きは不透明です。その点、海外事業は順調に成果をあげています。

Jパワーの現状と特色

電源開発（Jパワー）は特殊法人として1952年に設立され、民間企業では負担が大きい大型水力や国内炭用の石炭火力、海底送電線などの整備を行ってきました。当時の株主は政府と九電力会社です。

しかし電源の開発が一段落し、国内での炭坑が閉鎖されてしまうと、国策会社としての意義が薄れてきます。特殊法人の整理という社会の動きと重なり、Jパワーは民営化され、2004年に一部上場しました。

発電設備の多くは、電力会社との長期契約によって安定した経営基盤となっています。しかし電力自由化によって、今後は電力の販売契約は市場競争に基づいて価格を決めることになっていきます。

Jパワーは国策会社としての使命を完全に終えたわけではありません。青森県大間町でフルMOX－ABWRという、プルサーマルのための特殊な原発である大間原子力の建設が進められています。しかし対岸にある北海道函館市が事故を懸念し、建設中止を求めています。プルトニウムそのものの利用の見通しが立たないため、建設中止の可能性もあります。

新たな事業としては、環境事業である国内での風力発電事業や海外事業があります。

今後の展開と課題

国内の電源開発については、古い石炭火力のリプレ

ワンポイントコラム

【Jパワーの原子力】 Jパワーは発足当時から、国策として原子力を手がける計画で、採用も行ってきました。しかし国の関与を嫌った電力会社は日本原電を立ち上げ、Jパワーの原子力開発は先送りされます。現在、ようやく建設中の段階までできましたが、JパワーOBには自社の原子力を見ることがないまま定年退職をしたエンジニアが多数います。

イスを進めてきましたが、脱炭素社会に向けて、石炭火力そのものの廃止が現実的なものとなっています。今後、水素やアンモニアなど燃料の転換や、ＣＣＵＳ（二酸化炭素回収・利用・貯留）などに取り組むことが必要となってきます。

また、電気の販売先として、旧一般電気事業者だけではなく、今後は電力卸取引所への供給が期待されています。**ＫＤＤＩ**とともに、**エナリス**に資本参加したことで、小売りへの参入も開けてきました。

環境事業においては、風力発電が国内で第2位の44万ｋＷを超える設備を保有しています。その他にも地熱発電、中小水力発電にも取り組んでいます。最近では秋田県湯沢市の山葵沢地熱発電所を運開させた他、宮城県大崎市の鬼首地熱発電所の設備更新も進められています。

海外事業も伸びており、２０２１年5月末現在で、33件、出力持分約６５３万ｋＷとなっており、10地点でプロジェクトを進めています。

そのほかにも、水環境事業をはじめとする環境ソリューション事業などにも取り組んでいます。

電源開発の事業の状況

再生可能エネルギー開発プロジェクト（風力）

陸上、洋上（港湾区域）

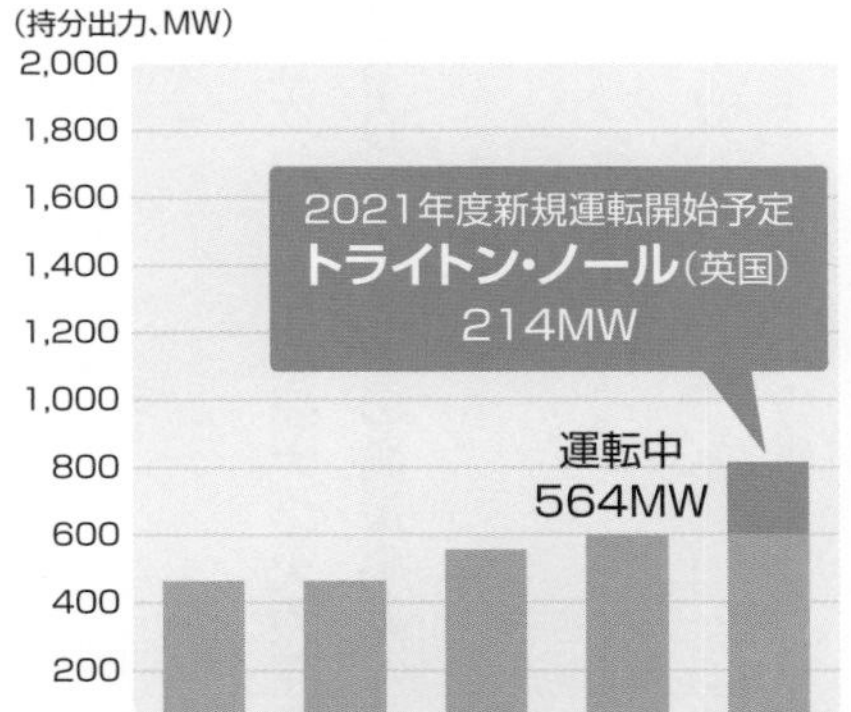

＊126MWは建設中・建設準備中、最大1000MWは計画・調査中

発電資産の構成

J-POWER運転中の発電設備内訳

2021年3月末時点持分出力

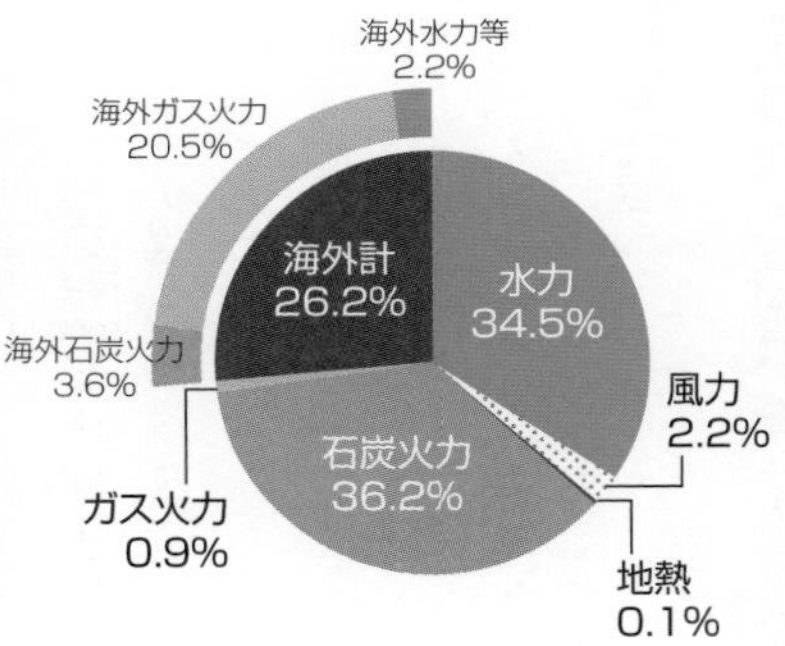

出典：Jパワー HP

12 JERA

JERAは、2015年に当時の東京電力と中部電力によって設立された、日本最大の火力発電会社です。国内で約7000万kWの火力発電を運転する他、海外でも900万kWの発電事業を展開しています。今後の課題は脱炭素化となっています。

JERAの現状と特色

JERAは、2015年4月に、当時の東京電力と中部電力によって設立されました。最初は、燃料調達部門の共通化としてスタートしました。LNGや石炭を共同で調達すれば効率化できるということです。その後、2019年に火力発電部門も統合しました。国内第1位と第3位の電力会社の発電部門が統合されることで、日本最大の火力発電会社となりました。現在の株主構成は、**東京電力ホールディングス**の子会社である**東京電力フュエル&パワー**と**中部電力**が50%ずつとなっています。

国内の火力発電所7000万kWの他、海外事業で900万kWの発電所の持分があり、取り扱うLNGは3600万トンと日本の輸入量のおよそ半分におよんでいます。また、総資産4兆円、年間売上3・3兆円という規模で事業展開しています。

電力の供給先は、主に**東京電力エナジーパートナー**と**中部電力ミライズ**ですが、その他にも卸電力取引所や相対での供給も行っています。

海外事業については、発電容量では火力発電所が多いのですが、英国や台湾での洋上風力発電にも参画しており、再エネだけで110万kWとなっています。

今後の展開と課題

JERAの今後の最大の課題は、言うまでもなく脱

【セ・リーグのスポンサー】 JERAは一般にはなじみのない会社ですが、プロ野球ファンならロゴを目にしているはずです。知名度を上げるため、プロ野球セントラルリーグのスポンサーとなっています。

炭素です。２０５０年カーボンニュートラルを目指していくにあたって、火力発電から排出される二酸化炭素をいかに抑制していくのか、そこに向けた取組みということになります。

ＪＥＲＡではカーボンニュートラルについて、３本柱で考えています。

第一に、洋上風力発電です。英国や台湾で事業に参画した経験から、日本でも洋上風力発電事業に参画する方針で、日本各地のプロジェクトに取り組んでいます。ＪＥＲＡにとってもポテンシャルの高い分野だといえます。

第二に、石炭火力の燃料のアンモニア化です。アンモニアは燃焼したときに二酸化炭素を排出しません。20％の混焼からはじめて、２０５０年まではアンモニア１００％の発電所にしていく予定です。

第三に、ＬＮＧ火力の燃料の水素化です。水素もまた燃焼したときに二酸化炭素を出しません。ＬＮＧ火力の場合、ガスタービンを利用して発電しているのですが、これを水素用のものにしていきます。いずれも、供給やコストなどの点で課題があります。

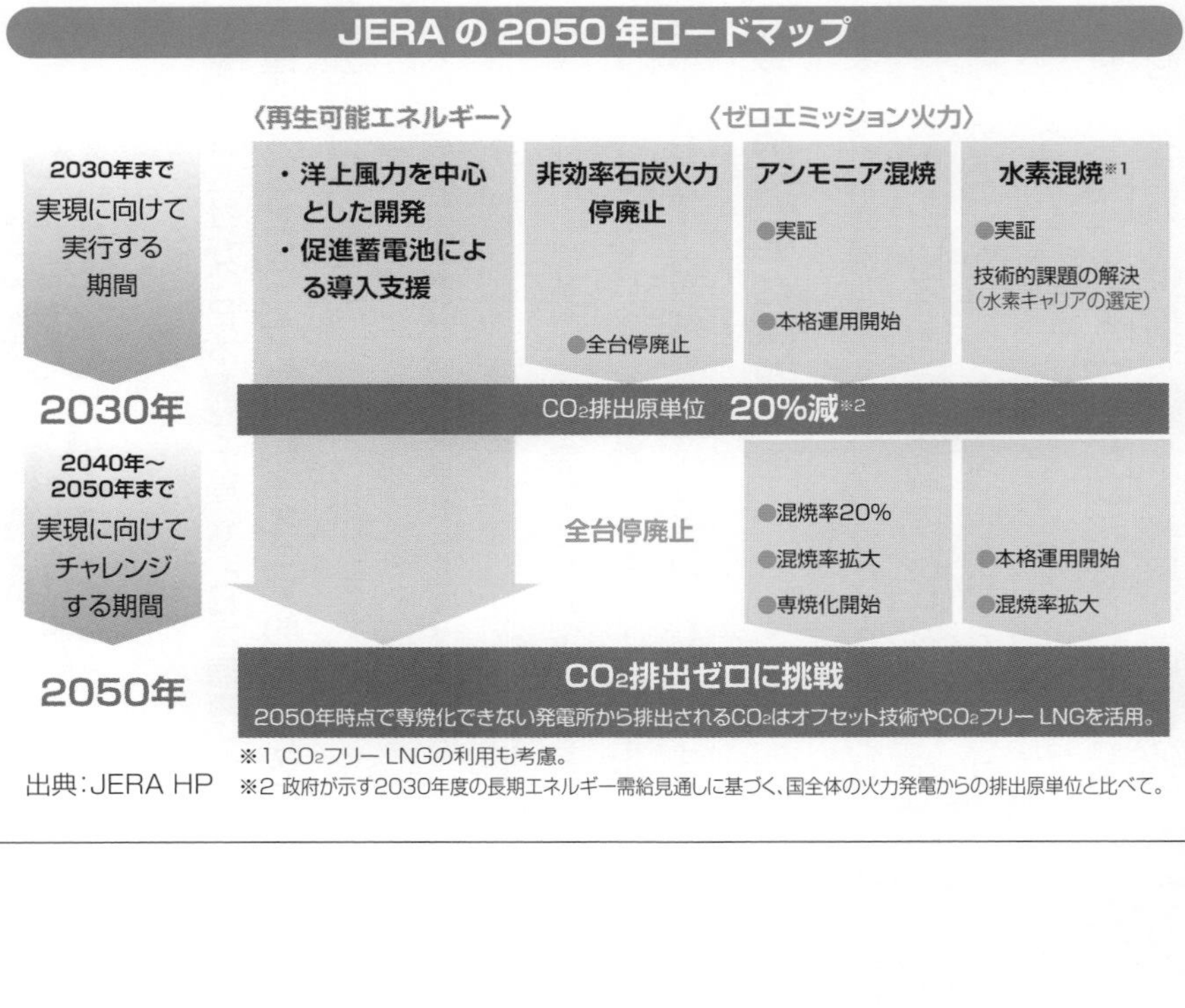

※1 CO_2フリーLNGの利用も考慮。
※2 政府が示す2030年度の長期エネルギー需給見通しに基づく、国全体の火力発電からの排出原単位と比べて。

出典：JERA HP

13 日本原子力発電とその他の卸電力

九電力などの出資によって設立された、原子力専門の電力卸会社が、日本原子力発電（日本原電）です。日本最初の商業用原子力発電所である東海発電所を運開させるなど、業界のパイオニア的な存在でした。しかし、東日本大震災以降、所有する発電所の運転ができていません。

日本原電の現状と特色

日本原子力発電（日本原電）は、1957年に九電力などの出資によって設立された、原子力発電専門の電力卸会社です。日本最初の商業用原子力発電所の東海原子力をはじめ、最初のBWRである敦賀原子力1号機、最初の大型BWRである東海第二原子力、最初の大型PWRである敦賀原子力2号機を建設・運転してきました。このうち東海原子力は1998年に運転が終了し、廃炉作業が進められています。

新たな原子力の新増設としては、敦賀3号機、4号機が準備されています。これは最初の改良型PWR（APWR）ですが、建設の見通しは立っていません。

2022年9月末現在、敦賀原子力1号機は廃炉となっており、残り2基は再稼働の見通しが立っていません。東海第二原子力は運転開始から40年を超えています。また敦賀原子力2号機の建屋直下では活断層の存在が原子力規制委員会より指摘されています。

今後の展開と課題

原子力が再稼働しなくても、電力会社からは基本料金を受け取る契約となっているので、経営がすぐに行き詰る状況にはなっていません。しかし、それがいつまでも続くというわけにはいかないでしょう。

再稼働はできませんが、廃炉についてはパイオニアとして、自社の発電所のみならず、福島第一原子力の

ワンポイントコラム

【東海発電所の停止】 筆者はたまたま、東海発電所の停止を取材する機会がありました。さすがに運転管理員の方々に話を聞くと、「さびしいねえ」という言葉が返ってきました。けれども東海村の一般の方は、「そういえばそうね」という反応。裏をかえせば、東海村では原子力は空気のような存在だったのかもしれません。

支援も行っています。また、海外事業としては、英国でエクセロンと合弁会社をつくり、建設予定の発電所のアドバイザリー業務を担っています。

共同火力

共同火力とは、複数の電力会社、あるいは電力会社と他の事業者が共同で発電会社を設立して設置した火力発電所です。石炭や石油の他、製鉄所の副生ガスを燃料とした発電所もあります。

東北電力と中部電力は上越共同火力を設立し、発電所を建設する計画でしたが、建設は繰り延べされた後に、1号機と2号機をＪＥＲＡが建設しました。３号機は東北電力が建設し、２０２２年12月に営業運転開始予定です。

電力自由化を通じて、旧一般電気事業者が供給区域外のでの供給も行うことなどを視野に入れ、複数の電力会社が共同で燃料調達を含めた発電所の共同建設が増えています。

主な卸電力の発電所

会社名	発電所名	出力（万kW）
日本原子力発電	東海第二発電所	110
	敦賀発電所	116
酒田共同火力	酒田共同発電所	70
相馬共同火力	新地発電所	200
常磐共同火力	勿来発電所	187.5
君津共同火力	君津共同発電所	115.29
鹿島共同火力	鹿島共同発電所	100
和歌山共同火力	和歌山共同発電所	30.6
瀬戸内共同火力	福山発電所	84.4
	倉敷発電所	61.3
戸畑共同火力	戸畑共同発電所	89.1
大分共同火力	大分共同発電所	51

14 東京ガス

近年は工場などの燃料転換によって、産業用の需要をのばしてきました。また、北関東エリアでパイプラインを整備し、新たな需要獲得にもつなげています。英国オクトパスエナジーと合弁会社ＴＧオクトパスを設立し、グリーン電力の普及にも力を入れています。

東京ガスの現状と特色

東京ガスは日本最大の都市ガス会社で、東京都市部を中心に、関東圏の都市部の一部にも供給しています。導管事業は分社化され、**東京ガスネットワーク**という子会社になっています。

ガス販売量としては発電用と工業用が多いのですが、工業用は燃料転換とコージェネレーションの普及でのばしてきました。また、発電用としては、東京電力に供給している他、扇島パワーなど自社系列の発電所や神戸製鋼所の真岡発電所にも供給しています。

需要拡大については、茨城県日立市にＬＮＧ基地を建設し、北関東にガス導管を敷設し、この地域の工業団地にガスを供給しています。

地域熱供給事業も、日本最大の西新宿区域をはじめ積極的に展開しており、スマートエネルギーネットワークとして港区の田町再開発にも参画しました。また、江東区豊洲地区の再開発も進められています。

家庭用需要では、地域密着型の関係会社として**東京ガスライフバル**を各地に設立し、ガスだけではなく電気の販売も拡大させ、２０２０年８月28日時点で約２５０万世帯に電気を供給しています。また、関東圏の都市ガス会社、ＬＰガス会社とも連携しています。

今後の展開と課題

首都圏１００ｋｍ圏内だけでも90億㎥の工業用・商

業用の潜在需要があるとされており、そのためのインフラ整備が進んでいます。

一方、家庭用は横ばいで推移してきました。都市ガス小売自由化以降、2018年12月末で65万世帯を超える世帯が東京ガスから変更しています。しかし、東京ガスも料金メニューで対抗し、ニチガス系の都市ガス会社の供給区域への販売も開始しました。

LNGの調達は、韓国ガス公社や関西電力との共同調達によって価格競争力を持つようになりました。

今後の課題は、1つは本格的なガス&パワーの会社になっていくことや、家庭向けの生活関連サービスの充実、およびその窓口となるライフバルの強化です。もう1つは、長期的な脱炭素化です。二酸化炭素排出削減のため、カーボンニュートラル天然ガス（クレジットで二酸化炭素をオフセット）の導入や、グリーン水素と二酸化炭素を反応させてメタンをつくるメタネーションの技術開発などが進められています。

TGオクトパスは、日本の電気事業にデジタル化とグリーン化をもたらし、脱炭素ビジネスを大きく変化させるかもしれません。

東京ガスの都市ガス販売量と将来像

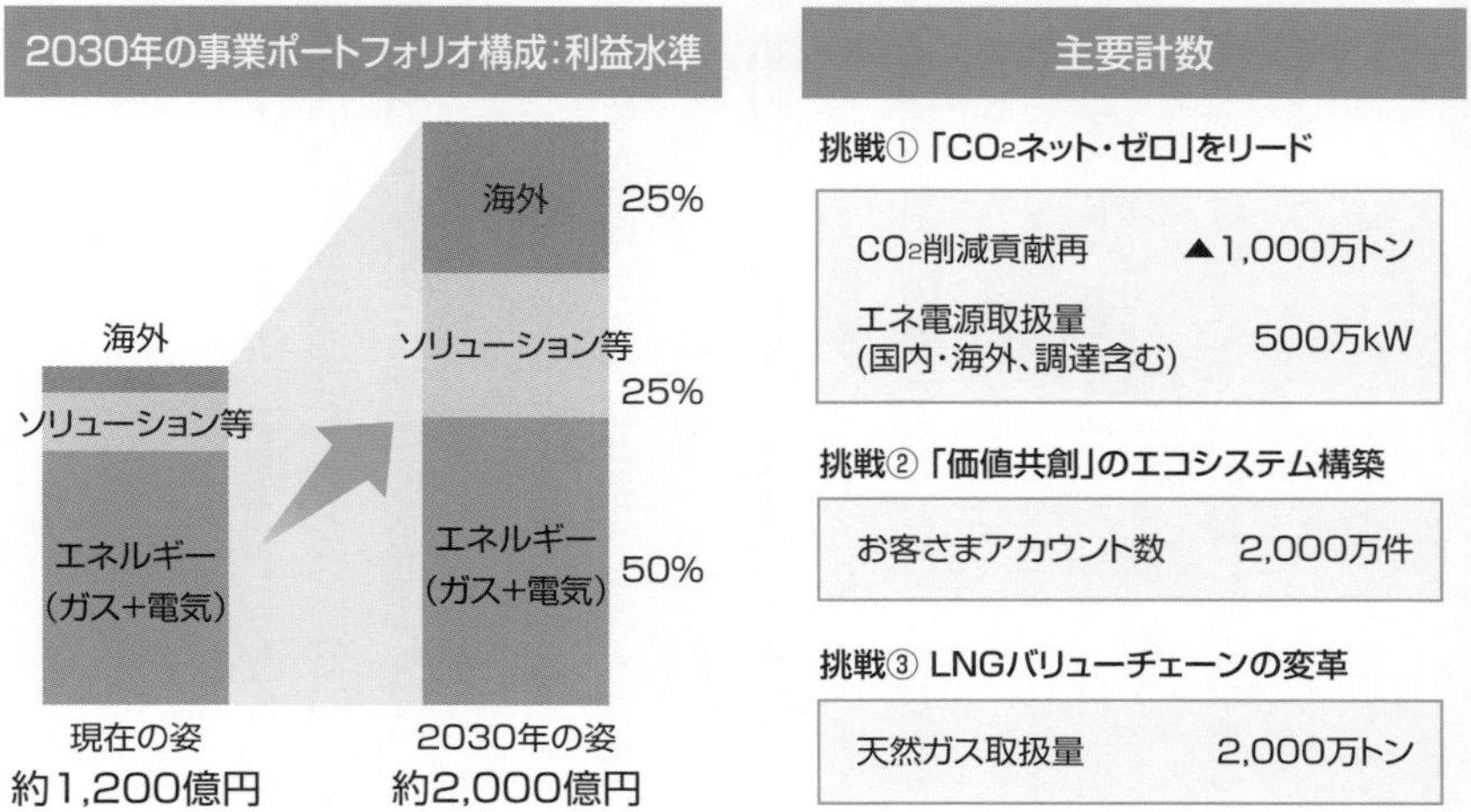

出典：東京ガスHP

15 大阪ガス

関西電力と大阪ガスは、需要獲得をめぐって激しい競争を展開してきました。需要が伸び悩む上でのパイの奪い合いともいえます。小売り全面自由化を通じて、競争はいっそう熾烈なものとなっています。その一方で、積極的な海外展開や多角化も進めてきました。中部電力とともに首都圏にも進出しています。

大阪ガスの現状と特色

大阪ガスは東京ガスに次ぐ、販売量では第2位の都市ガス会社です。東京ガスよりも工業用の割合が高くなっており、2014年には姫路−岡山間のガス導管の完成で、この地域の新たな需要を獲得しています。しかし、将来的にはエリアの需要は伸び悩むことから、海外事業と新規事業に力を入れています。また、導管事業は分社化され、**大阪ガスネットワーク**として子会社化されています。

関西電力とは、激しい競争を展開しています。これまでは地域熱供給事業や大口需要家をめぐって、獲得競争をしてきました。そして電力・ガス小売り全面自由化によって、2018年10月末で80万世帯の電気のお客様を得れば、関西電力は都市ガスのお客様を80万世帯獲得するといった状況です。

関西電力は原子力再稼働で電気料金を値下げしてからは、競争はさらに厳しいものとなっています。

また、中部電力との合弁会社、**CDエナジーダイレクト**を通じて、首都圏にも参入しています。

今後の展開と課題

供給エリアだけの事業では、成長に限界があるため、事業ポートフォリオ経営を推進しています。具体的には、これまでの「国内エネルギー事業」に加え、「海外エネルギー事業」そして都市開発や情報事業を扱う「ラ

【中部電力との関係】 関西地域のエネットの顧客のバックアップ電力を、あえて中部電力にしたことがありました。また、共同で琵琶湖東岸から四日市までパイプラインを敷設しています。

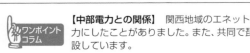

イフ&ビジネスソリューション事業」の3つの柱にしました。そのため、各分野でM&Aをはじめとする積極的な投資を行い、大きく成長させていく方針です。

国内事業では大口需要家や卸供給の広域化を進める一方、海外事業では北米を中心とした案件への参画の拡大、ベトナムやシンガポールなど東南アジアへの展開を進めています。

多角化については、IT事業の**オージス総研**や先端材料事業の**大阪ガスケミカル**など定評あるグループ会社があり、その拡大を進める一方、IoTやAI関係の事業についても積極的に取り組んでいます。

将来に向けた最大の課題は、脱炭素化です。短期的には二酸化炭素排出量の少ない天然ガスへの切り替えやコージェネレーション、カーボンニュートラル天然ガスの推進ですが、2050年カーボンゼロに向けては、メタネーション技術の確立と商用化が大きなカギとなってくるでしょう。電気事業については、再エネ利用拡大とセットで重要な脱炭素対策となります。その点では、**ウエストホールディングス**と展開しているオフサイト低圧のPPA事業が注目されます。

大阪ガスの現状と将来像

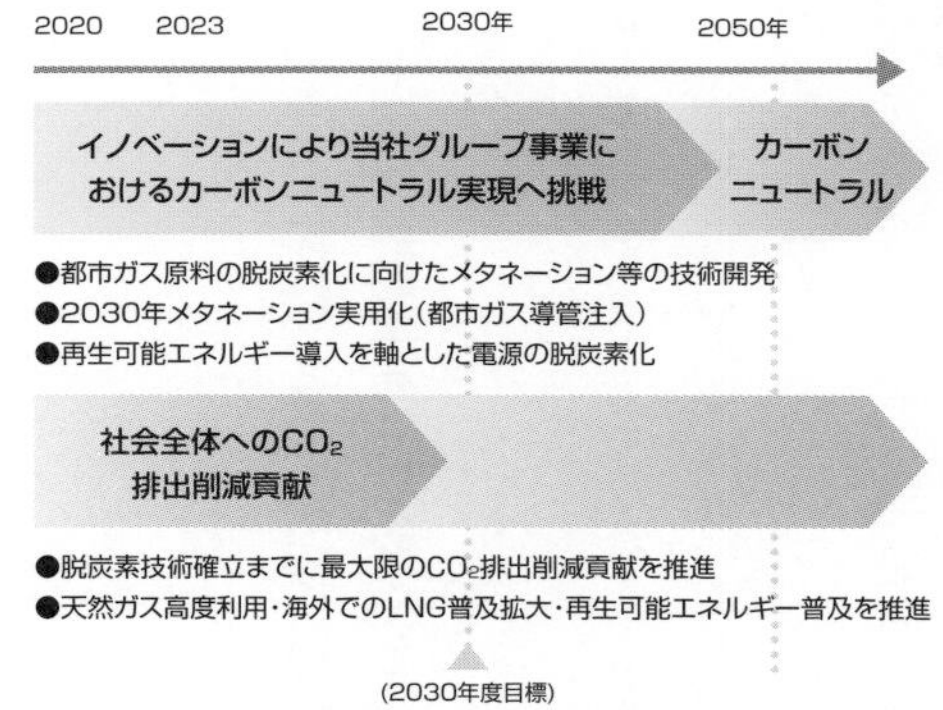

再生能ギ及献可エネルー普貢	500万kW
国内電力事業の再生可能エネルギー比率	50%程度
CO_2排出削減貢献	1,000万トン

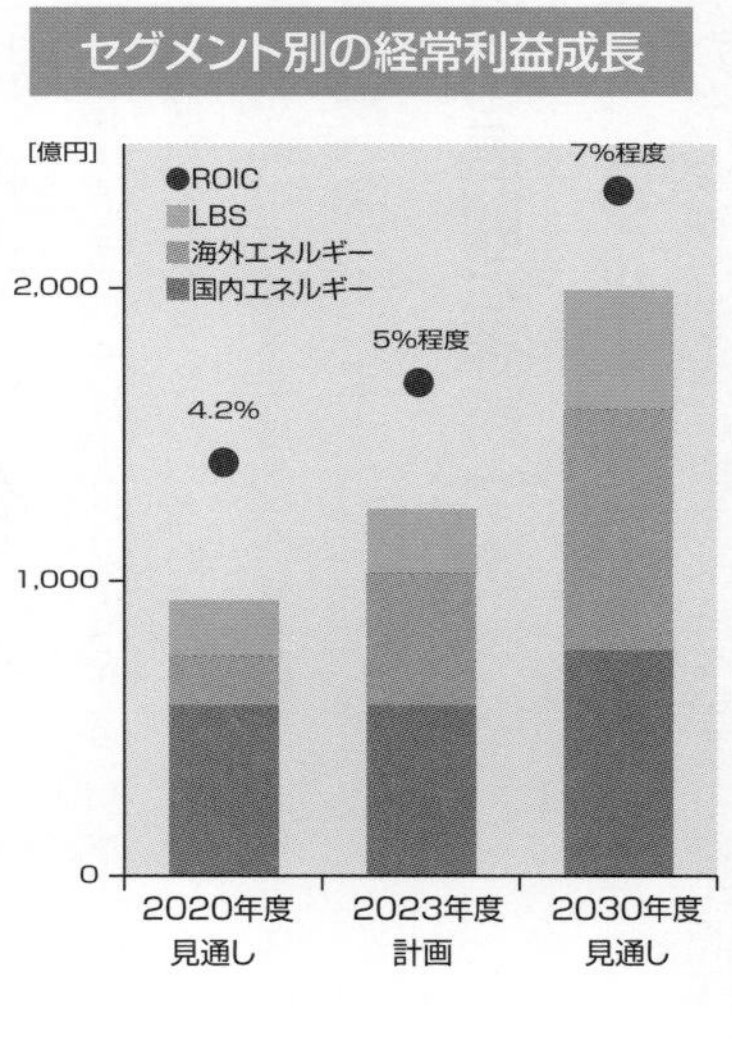

出典：大阪ガスHP

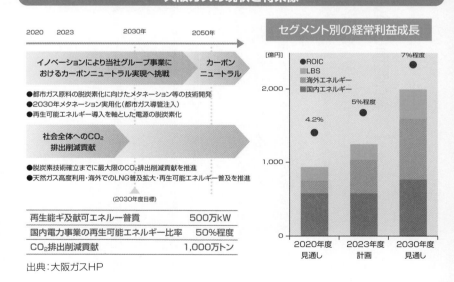

16

東邦ガス

東邦ガスは業界第3位の都市ガス会社ですが、東京ガス・大阪ガスと比較すると規模はかなり小さく、中部電力とは競争するよりも協調する戦略の方が合理的です。トヨタ自動車をはじめとする工業用の需要が圧倒的に多く、中京圏の産業を支えています。

東邦ガスの現状と特色

東邦ガスはガス販売量が第3位の都市ガス会社です。供給エリアの中心は名古屋市ですが、２００３年には岐阜ガス、岡崎ガス、三重県の合同ガスを吸収合併し、供給エリアを拡大しています。それでも、都市ガス上位2社と比較すると規模は小さく、中部電力と正面から競争する体力はありません。むしろ電力会社ではカバーできないエネルギー需要に対応してきた都市ガス会社といえるでしょう。導管事業は分社化され、**東邦ガスネットワーク**として子会社化されています。

需要は工業用が6割を超えており、中部エリアの工業地域の重要なエネルギーサプライヤーです。

ＬＰガス事業にも力を入れており、中部エリアでは最大です。今後も周辺の販売店の買収や卸営業などを通じて、顧客の拡大を進めていくということです。

電気事業の参入にあたって、当初は住友商事系のサミットエナジーから供給を受けていましたが、現在は調達先を拡大しています。２０２2年3月末で30万世帯のお客様を獲得するというのが目標です。しかし、中部電力が都市ガス事業に参入しており、東邦ガスにとって脅威となっています。

今後の展開と課題

今までは、産業用を中心に販売量を順調に伸ばしてきましたが、今後の拡大は簡単ではないことが予想されます。そうした中で取り組むべき課題がいくつかあります。

ひとつは、LNGの調達の分散と共同調達です。前者については米国産シェールガスの調達に取り組むなど、積極的な対応をしています。あとは交渉力をつけるために、共同調達をどこまで広げるかでしょう。

需要拡大にあたって、導管の延伸を進めています。これにより、産業用・家庭用のお客様の数を増やすことがねらいです。また、商圏についても拡大を進めています。この他、スマートタウン「みなとアクルス」を2018年にオープンさせていますし、リフォームなどを含めた住宅ソリューション事業にも注力しています。

中部電力との協調路線は、カルテルさえ行わなければ、魅力的な取組みになります。中部国際空港のエネルギーシステムを担う会社は、中部電力と東邦ガスのそれぞれ出資し、ガスの効率的利用と系統電力の便利さを兼ね備えた設備となっています。こうしたケースを増やすことも必要でしょう。

東邦ガスの現状と将来像

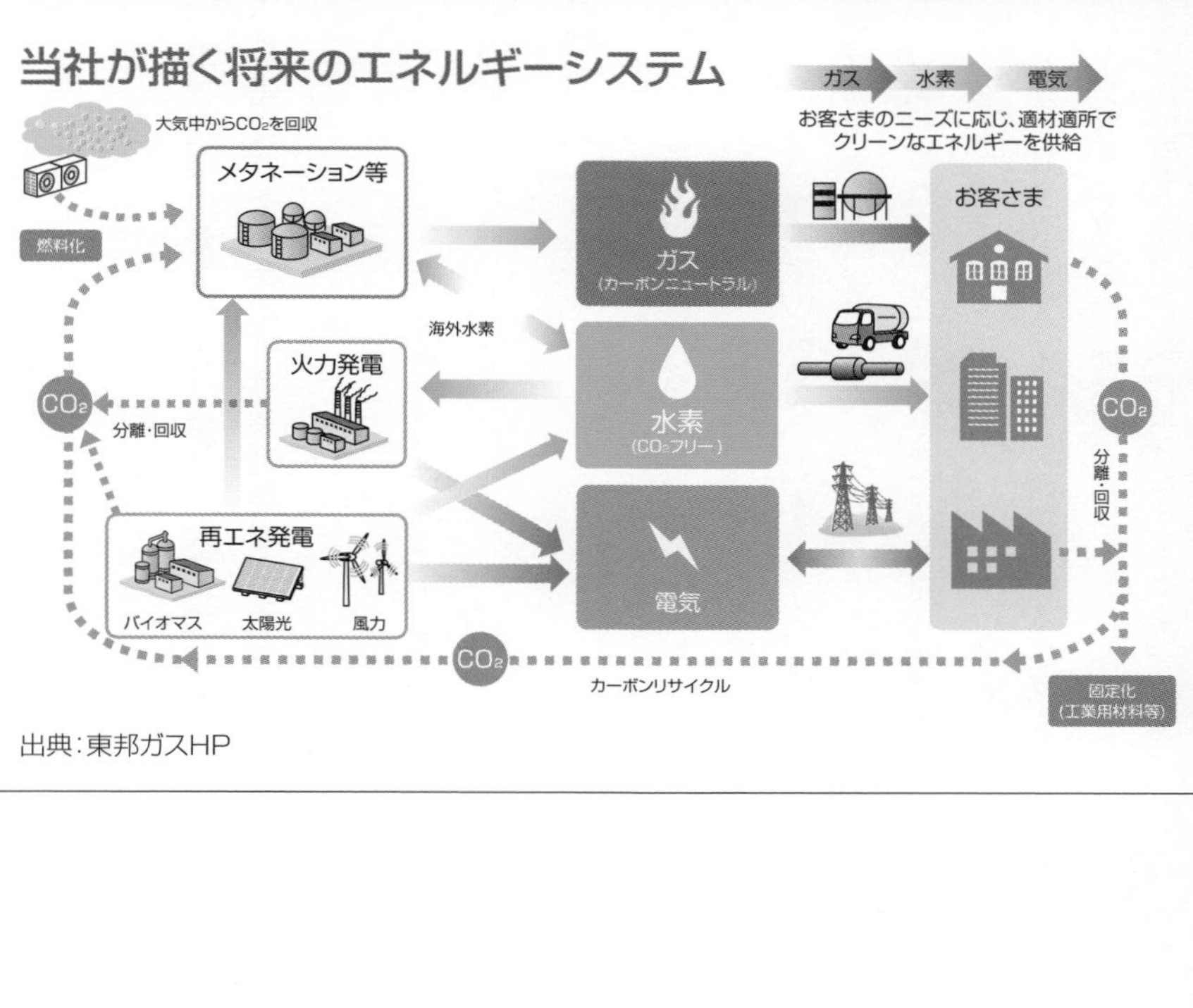

出典：東邦ガスHP

17 地方都市ガス会社

地方都市ガス会社の多くは、小売り全面自由化を契機に、電気事業に参入しています。大企業ではなく、中堅企業といったクラスの都市ガス事業者にとっては、自由化はあらためて事業戦略を考えなくてはならない機会です。

北海道ガス

北海道ガスは北海道札幌市を中心に、小樽市、千歳市、函館市、北見市の都市部が供給区域です。

北海道では暖房に大量の灯油を使うため、電気よりもこちらが競争相手になっていました。相対的に高い都市ガスの普及はなかなか進まなかったのですが、クリーンなエネルギーとして認知されつつあります。一方、業務用・産業用では燃料転換によって需要が伸びています。

電気事業にも参入しており、こちらは価格優位性を持って、北海道電力からの切り替えを増やしています。

今後は、寒冷地対応型のＨＥＭＳを含めたエネルギーマネジメントシステムを中心としたソリューション事業の拡大を目指しています。

京葉ガス

京葉ガスは需要家件数では第5位、首都圏地域では東京ガスに次ぐ都市ガス会社です。千葉県西部を供給区域としており、需要家の97％が一般家庭ですが、販売量の半分は業務用・産業用です。

ガスの調達は東京ガス、ＪＥＲＡと千葉県産天然ガスです。また、大多喜ガスとともに、ＪＥＲＡ富津ＬＮＧ基地と姉崎火力をつなぐ、なのはなパイプラインという会社を設立しています。

今後は、地域を重視した総合エネルギー事業者とし

ワンポイントコラム

【地方ガス会社の再編】　地方ガス会社の将来を考える上では、吸収合併による事業者数の減少は重要なテーマです。地方ガス会社は減少傾向にはありますが、思ったほど進んでいません。まだまだ各社とも供給区域に守られているといったところでしょうか。ですが、電力会社に負けずに生き残っていくためにはやはり、スケールメリットを獲得していくことが必要ではないでしょうか。

ての地位を確立していく方針です。

大多喜ガス

中堅都市ガス会社のうちでも、**大多喜ガス**はユニークな存在です。一つは、千葉県産天然ガスの開発を行う関東天然瓦斯開発と経営統合し、**K&Oエナジーグループ**傘下の会社となったこと。地元産天然ガスを安く供給できるため、ガス料金は国内で最も安い会社の一つとなっています。

また、市原市周辺については、JERAからガスの供給を受け、京葉工業地帯に供給しています。これにより、ガス販売量を大きく伸ばしました。

仙台市ガス局

ガス事業者のなかには、水道事業のように公営で行っているところもあります。そのなかでも最大事業者が、宮城県にある**仙台市ガス局**です。

大部分が家庭用の供給となっています。また、近年は東北電力のグループ会社である東北天然ガスからも調達を行っています。

中堅都市ガス会社の販売量（2016年）

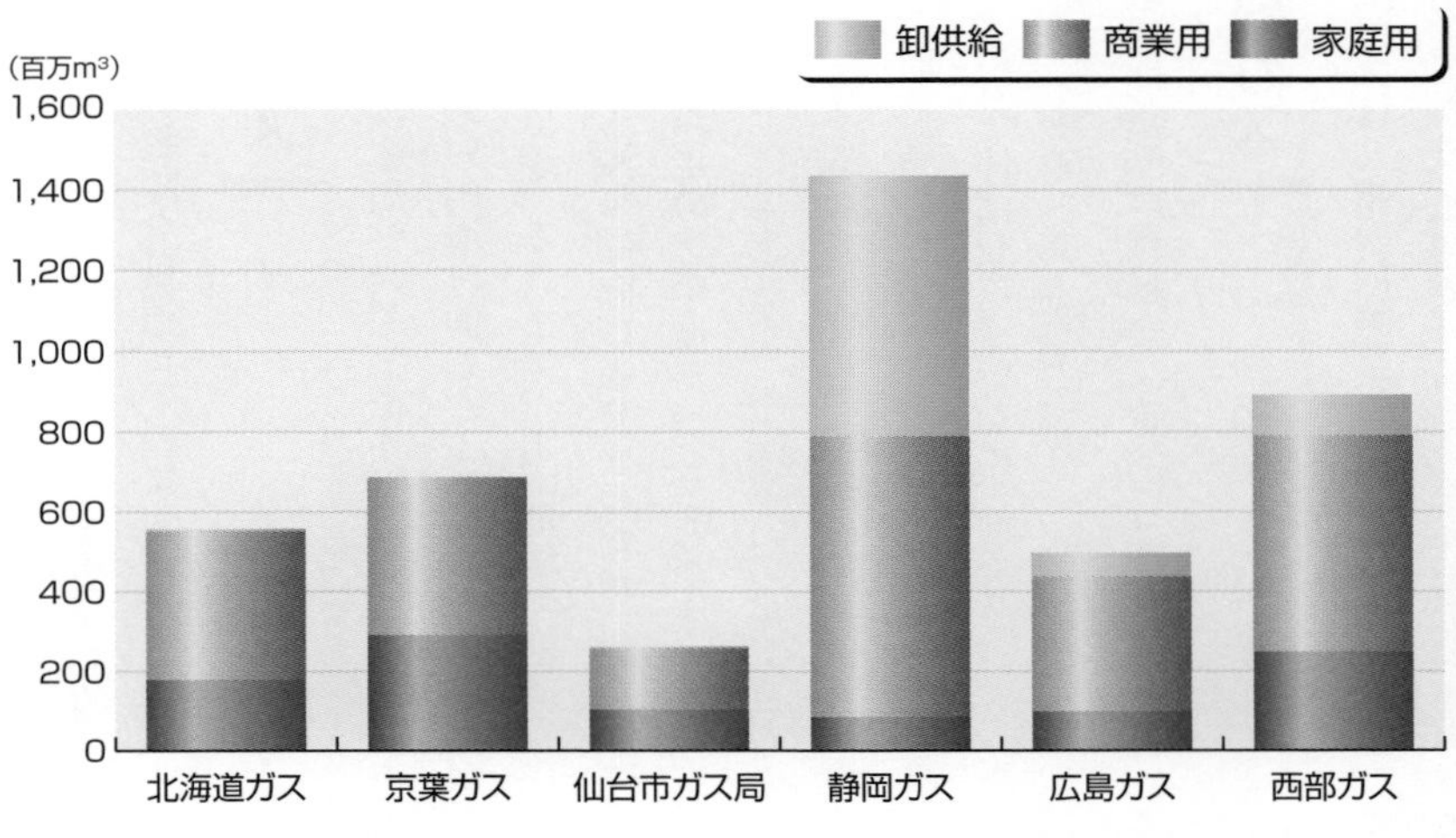

出典：各社HPを参考に著者作成　　※仙台市ガス局は2015年度

２００７年に、民営化が検討され、東北電力と東京ガスが共同で買収する計画が立てられましたが、その後、リーマンショックなどの影響で民営化が白紙となり、現在に至っています。その後、公営事業とはいえ、事業は黒字化していますが、現在あらためて民営化の方針を打ち出しています。

また、電気事業への参入は行っていません。

静岡ガス

静岡ガスは２０００年代には、産業用の需要開拓と広域パイプラインを通じた卸供給で急成長しました。しかし近年は伸びが鈍化しています。

供給区域は静岡市から、東に向かって富士市、沼津市、三島市、清水市にいたる沿岸部で、いずれも工業都市です。

ＬＮＧ基地やガス導管などのインフラを整備しながら、工場の燃料転換を行ってきました。

電力自由化にあたっては、**静岡ガス&パワー**というグループ会社をいち早く設立し、地域内の大口需要家への電力の供給を行い、一般家庭に対しては、静岡ガスが窓口となって同社の電気を供給しています。今後、電気事業をもう一つの経営の柱として育て、「ガス一本足打法」からの脱却を目指しています。

広島ガス

広島ガスは広島県内の7市4町に供給する都市ガス会社です。瀬戸内海に面した工業地帯への供給が多いことが特徴です。これまで、中国地域の経済の停滞でガス販売量も減少傾向にありましたが、新たな需要開拓でこれに歯止めをかけたいところです。

電気事業には参入せず、中国電力の電気とのセットプランをつくるなど、地元のエネルギー企業どうしで協力し、他地域からの参入を防いでいます。近隣に都市ガス導管を伸ばしにくいため、他ガス会社の参入は難しいでしょう。

地域活性化への貢献が、成長のカギとなりそうです。

西部ガス

西部ガスは九州の福岡県、長崎県、熊本県で都市ガスを供給しており、需要家件数では第4位の都市ガス会社です。比較的家庭用の需要が多いことが特徴です。

近年は、家庭用も産業用も伸び悩んできました。しかし、２０１４年にひびきＬＮＧ基地が完成し、さらにＬＮＧ火力発電所の建設も計画しています。これにあわせ、今後は、エネルギーソリューションサービスの拡大や、家庭向けの暮らしのサービスの展開、そして電気事業の拡大を目指しています。２０２６年には売上の半分をガス事業以外から得るという目標を立てています。

課題は、体力で勝る九州電力に対して、どのような点でお客様に選ばれていくのかということでしょう。

地方都市ガス会社の今後の展開と課題

地方都市ガス会社のうちおよそ9割は、お客様が10万件未満です。こうした小規模な会社が、正面から電力会社と競争するのは厳しいでしょう。しかし、お客様との関係の近さという点では、優位性があります。

また、多くは大手・中堅都市ガス会社ないし電力会社からガスの卸供給を受けています。電気についても、同じように卸供給を受けるか、代理店となることで、お客様に電気とガスのセット販売を行っていくことでしょう。少なくとも、お客様からの電気の相談にのれるようにすることが必要です。

こうした中、福島県の**須賀川ガス**は、地域新電力としても成果を出しており、注目されます。

とはいえ、大手電力・ガス会社の小売りを担う会社というのが、一つの方向だと思います。

他方で、リスクをとらずに**導管事業者**として事業を守っていくという方法もあります。他社が供給区域で都市ガスを供給すれば、自社には託送料金が入ってきます。その結果、都市ガス需要が拡大すれば、営業コストをかけずとも、一定の収入は得られます。

大手電力会社が都市ガス事業に参入していない地域では、併存していくという形もあることでしょう。その上で、成長するためには、どの会社も総合生活サービス事業の展開を目指す必要があると考えられます。

脱炭素も大きなテーマです。ＰＰＡのような再生可能エネルギー事業を提案していくことも必要となってくるでしょう。同様に家庭向けの脱炭素ソリューションも不可欠です。

18

ENEOS

電力・ガス小売り自由化においては、石油会社は重要なプレーヤーです。中でも国内最大の石油会社、ENEOSについて、とりあげたいと思います。ガソリンの販売が長期的に落ち込み、脱炭素化が進む中で、電気事業は新たな経営の柱の1つとなっています。

ENEOSの現状と特色

ENEOSの歴史は、日本の石油産業の合併の歴史ともいえます。日本の石油産業は、バブル経済崩壊以降の需要は減少の一途をたどっています。また、油田など上流部門を持たない弱さも指摘されています。

こうした背景から、1999年に日本石油とベトナム沖で油田開発を行っていた三菱石油が合併し、日石三菱となり、その後2002年に社名を新日本石油と変更しました。さらに2010年に新日鉱ホールディングスと経営統合し、JXホールディングスの下でJX日鉱日石エネルギー（後のJXエネルギー）となります。そして2017年には東燃ゼネラルと合併し、JXTGホールディングスの下、JXTGエネルギーとなります。現在、エネルギー事業は本社の事業となり、社名も現在のENEOSとなりました。

ガソリンの販売量の低迷は続いていますが、電気のお客様は増加しており、2020年12月現在で76万世帯に供給しています。

今後の展開と課題

今後、電気自動車の普及などが予想されており、ガソリンの需要は減少の一途をたどるでしょう。また、会社としても2050年カーボンゼロが目標となってくるので、新しい事業を展開することが必要です。その点では、ガソリンスタンド（SS）という資産をどのように活用するかが重要です。

　SSについては、**昭和シェル**と合併した**出光興産**は、電気自動車のシェアリングのプラットフォームにすることを進めています。ENEOSは地域のエネルギーサービスの拠点として、**VPP**など多様なサービスを提供する方向で検討しています。

　電気事業については、すでに全国で発電事業を展開しており、一定の供給力になっています。また、メガソーラーなど再エネへの取組みも進めており、洋上風力発電への参画も進んでいます。小売り電気事業においては、一般家庭との接点が少ないことが弱点ですが、傘下のLPガス会社を通じて拡大していくことができるでしょう。

　石油そのものの取り扱いが減少する一方、化学原料としての需要は見込んでおり、二酸化炭素を排出しない水素やアンモニアの供給を含めて、新しい事業として展開していくことも、重要な課題です。特に水素の場合、ガス田で生産し、二酸化炭素を地中に戻すCCSを活用したカーボンニュートラルなブルー水素の生産がカギになりそうです。

ENEOSのSSを起点とした将来のサービス

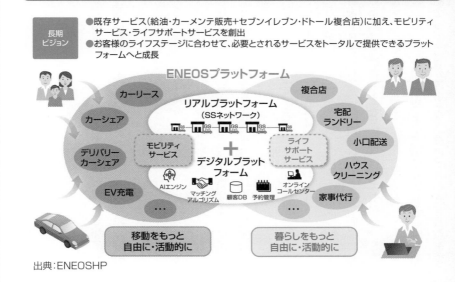

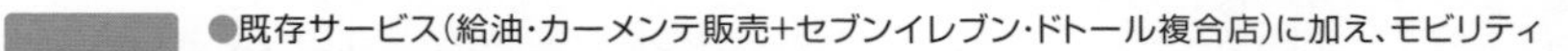

出典：ENEOSHP

19

LPガス会社

LPガス事業は、都市ガス事業と異なり、公益事業ではありませんが、お客様の立場から見れば都市ガスと変わらない「ガス事業」です。ただし、流通段階で、元売、卸売、小売と分かれており、LPガス販売店の数はおよそ2万社となっています。

LPガス事業の現状と特色

LPガスの流通は、**元売業者→卸売業者→小売業者**（販売店）という形になっています。

元売業者は石油会社、商社などです。輸入・生産を行い、卸売り業者にLPガスを供給しています。10数事業者がありますが、LPガスの需要低迷により、近年は合併などの再編も進んでいます。

卸売業者は、元売業者から受け取ったガスをボンベ（シリンダー）に充填し、小売業者に販売しています。全国におよそ1200社あります。

小売業者は全国に約2万事業者があり、お客様にLPガスを供給しています。後継者問題などから、廃業する事業者も少なくありません。そのため、事業者数は減る傾向にあります。廃業したLPガス会社のお客様は、卸売業者が引き継いで直売することが多く、これは卸売業者にとって売り上げ増につながっています。

一般家庭でLPガスを利用している世帯数は、約2400万世帯です。これは都市ガスの2900万世帯よりわずかに少ないレベルです。

都市ガスと同じく、家庭用は減っており、同様にLPG車向けも燃費向上などの理由で需要が減少しています。

この他、LPガスを特定の地域にガス導管を使って供給する旧簡易ガス事業は、都市ガスと同じ公益事業です。都市ガスとともに自由化されました。

今後の展開と課題

ＬＰガス事業が直面している課題はいくつかあります。一つは、需要が伸びないことです。そのため、家電やリフォームなどあらたな商材の拡大で売上げ増を狙っています。ＬＰガス販売店は元々は薪炭販売店や米穀販売店などでしたから、多様な商材を扱うことになれています。

もう一つは料金の透明化です。都市ガス自由化でＬＰガスが割高であることが可視化されましたが、あわせて**液石法**（液化石油ガスの保安の確保及び取引の適正化に関する法律）改正によって、料金メニューの公表が必要となってきました。

さらに、長期的には脱炭素という大きな課題があり、プロパネーションが期待されています。

今後は、業界再編で小売業者数は減少するでしょうが、残った小売業者は電気をはじめ多様な生活サービスの窓口としてエネルギー業界の重要なプレーヤーとなっていくでしょう。

LPガスの需要の推移

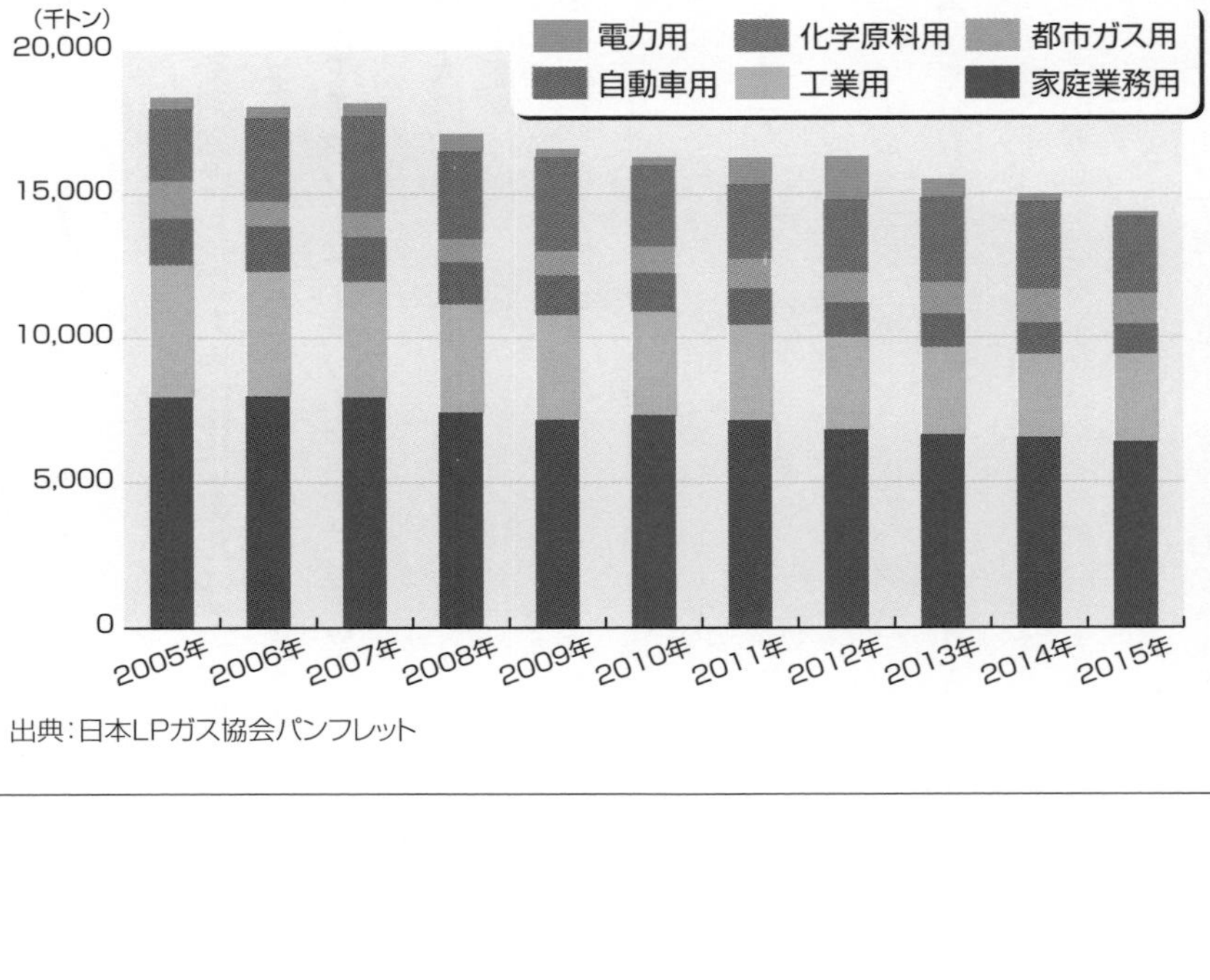

出典：日本LPガス協会パンフレット

20 日本電信電話(NTT)ホールディングス

日本電信電話（NTT）グループは、2000年の大口需要家を対象とした電力自由化にあたって、電気事業者としてエネットを設立し、電気事業を展開してきました。そして2019年には多様なエネルギーサービスを統合するため、グループを再編し、その中核としてNTTアノードエナジーを設立しました。

NTTアノードエナジーの現状と特色

日本電信電話（NTT）グループの電気事業のスタートは、子会社である**NTTファシリティーズ**、東京ガス、大阪ガスの3社で設立した**エネット**になります。2000年に設立され、大口需要家を対象に電気の供給を拡大してきました。NTTファシリティーズの省エネ・節電サービスと東京ガス・大阪ガスの発電所からの電気の供給の組み合わせが強みでした。電気の使い方の異なるお客様を組み合わせて、発電所の稼働率を上げることで、発電コストを抑制したことが料金の優位性となっています。

また、NTTファシリティーズではメガソーラーなどの再エネ開発やPPA、浜松新電力、やまがた新電力など地域エネルギー事業にも参画しました。

しかし、脱炭素化や再エネ拡大にともなうデジタル化への要請など、エネルギー事業がより幅広く複雑化してきたことから、2019年にエネルギー事業を再編し、**NTTアノードエナジー**を設立しました。エネットや太陽光発電監視装置のエコめがねを販売するNTTスマイルエナジーを子会社化し、地域エネルギー事業やPPAもここに集約しました。PPAでは千葉県に建設したメガソーラーからセブンイレブンやイトーヨーカドーに電気を供給する事例があります。

NTTグループではこの他に、東京電力ホールディングスとの合弁会社の**TNクロス**があります。こちらはそれぞれの会社の蓄電池や配電網などインフラを活用した災害対策型の地域エネルギー事業を展開しています。

今後の課題と展開

NTTグループのエネルギー戦略は、一言でいうとインフラの活用です。これまでは大口需要家への供給や事業所向けのPPA、地域エネルギー事業が中心でした。

これまでは一般世帯向けは積極的ではなかったのですが、エネルギー事業の再編と同時期にNTTドコモを子会社化しており、NTTアノードエナジーから供給を受けて、docomoでんきの販売を開始しています。

今後の課題は、NTTグループのICTを活用した、**VPP**など再エネを効率的に利用していく技術の開発と商用化でしょう。また、エネットの小売り事業や**PPA**の拡大も期待されています。

NTTアノードエナジーの展開する事業

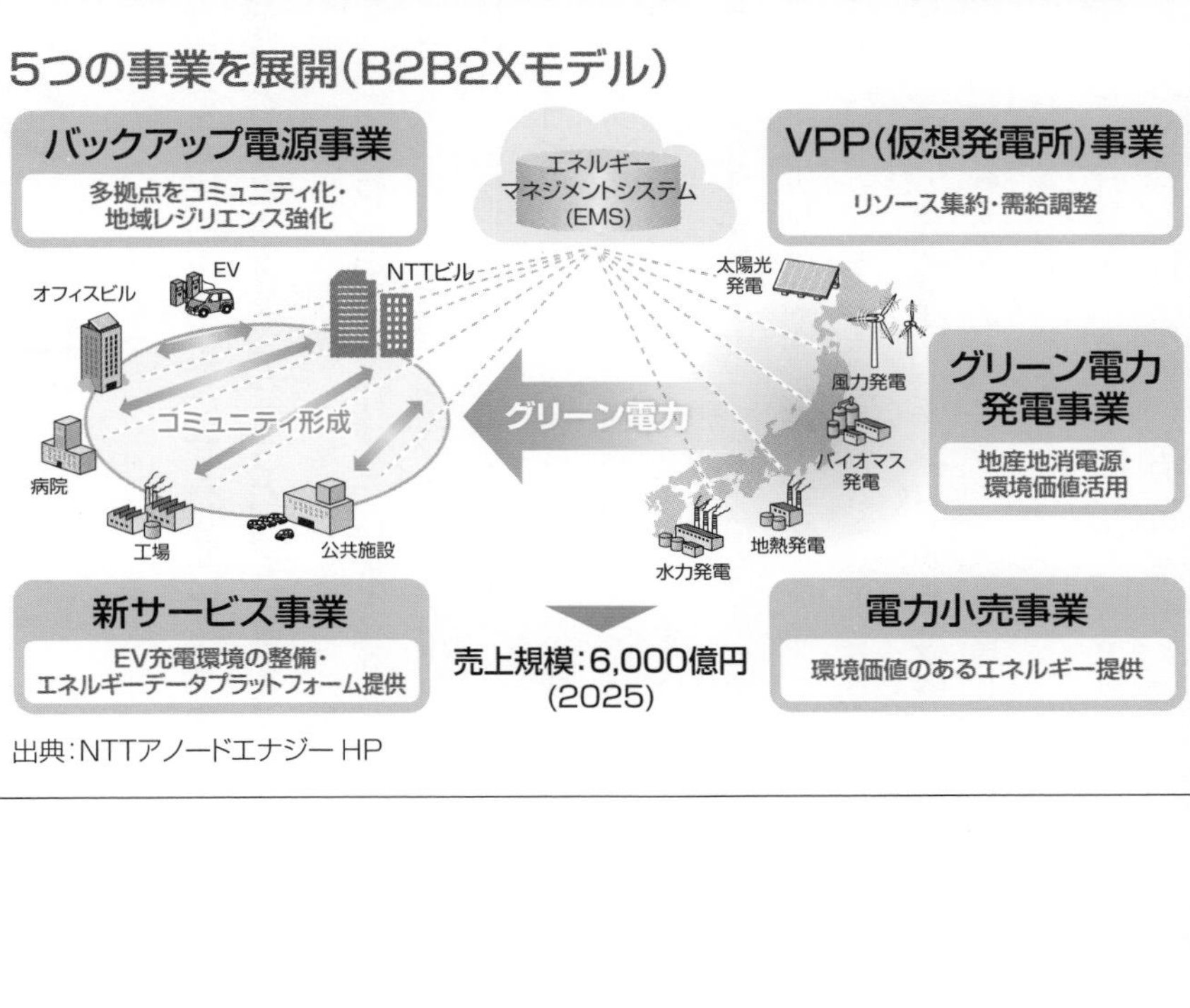

出典:NTTアノードエナジー HP

21 KDDI、ソフトバンク、楽天

NTTグループと同じ通信会社であるKDDIとソフトバンク、楽天も電気事業に参入しています。同じ公益事業としての経験と、既存顧客への新たなサービスの提供という優位性を活かそうとしています。

通信会社のエネルギー事業

通信の自由化は電気事業の自由化のモデルになっているともいわれています。自由化初期は、電話代の価格競争でしたが、その後、携帯電話やインターネット通信などサービスが多様化し、一人当たりの通信料金は自由化前より高くなっています。

NTTグループ以外の通信事業者は、お客様との接点があることから、一般世帯を対象とした小売り電気事業に参入しています。

KDDIは**auでんき**のブランドで電気を供給しています。大手電力会社と提携して展開をしていますが、価格やセット販売に加えて、毎日の使用電力量がわかるスマホアプリなどもあります。コマーシャルの影響もあって比較的顧客数を伸ばしています。暮らし丸ごとサービスとしては、宅内IoTを活用したauHOMEなどもあります。KDDIのグループ会社である**ジュピターテレコム**(J:COM)も電気事業に参入しており、ケーブルテレビ事業を通じてお客様を獲得しています。

ソフトバンクは、**SBエナジー**という子会社を通じて、東日本大震災以降、メガソーラー事業を展開し、その後**SBパワー**という子会社を通じて小売電気事業に参入しました。東京電力の取次店という形でスタートし、最初は苦戦しましたが、携帯ショップを通じて順調にお客様を増やしています。

楽天グループは住宅用太陽光発電の販売や、丸紅新電力からの電気を大口需要家に供給してきましたが、後に子会社の**楽天モバイル**を通じて一般世帯向けの小売電気事業に参入しています。後発なので苦戦している点もありますが、今後どのようなサービスを展開するか、注目されます。

今後の展開と課題

通信事業も電気・ガス事業と同じく公益事業です。今後、電気・ガス・通信のセット販売が一般化していく可能性もあります。お客様からすればまとめて面倒をみてくれる便利さがあります。

携帯電話の契約窓口は、お客様との結びつきがさほど強くないので、その点もこれからの課題です。その点では、ケーブルテレビ会社の方が、お客様に近い存在として、営業力を発揮していくでしょう。鳥取県米子市の中海テレビが中心となって設立された**ローカルエナジー**は地域で安定した経営をしています。

また、通信事業はICT事業でもあります。VPPなどエネルギーのデジタル化には強みを発揮するでしょう。その点、KDDIは子会社の**エナリス**を通じて新たな展開を模索しています。

KDDIの事業領域の拡大

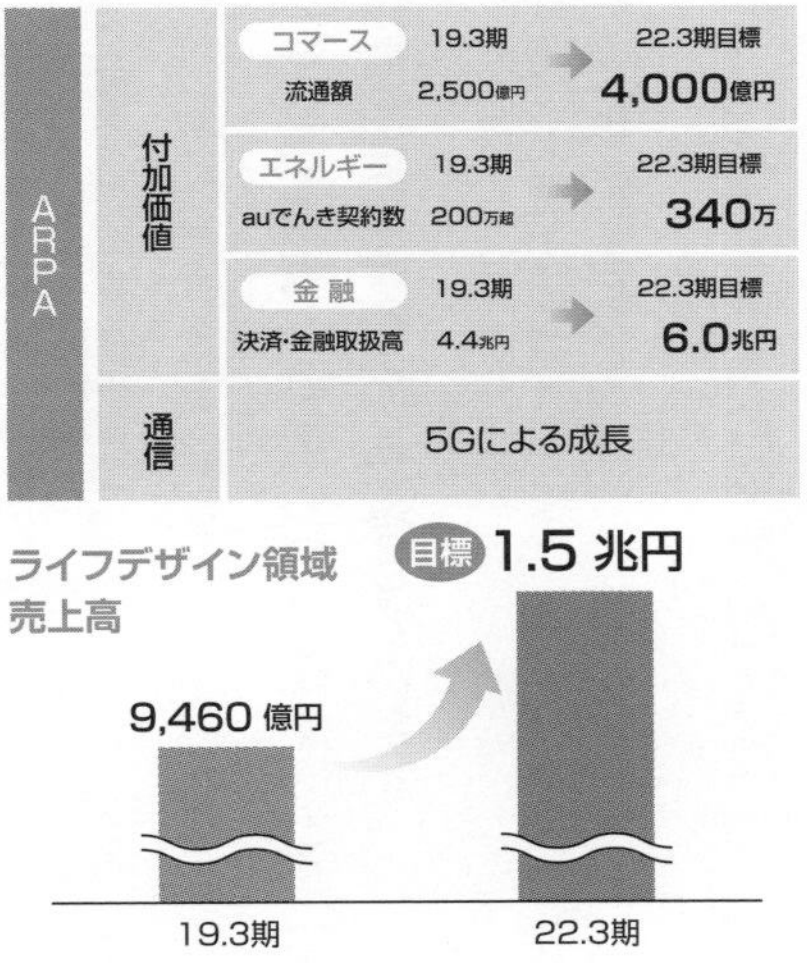

出典：KDDIHP

ソフトバンクでんきの契約数

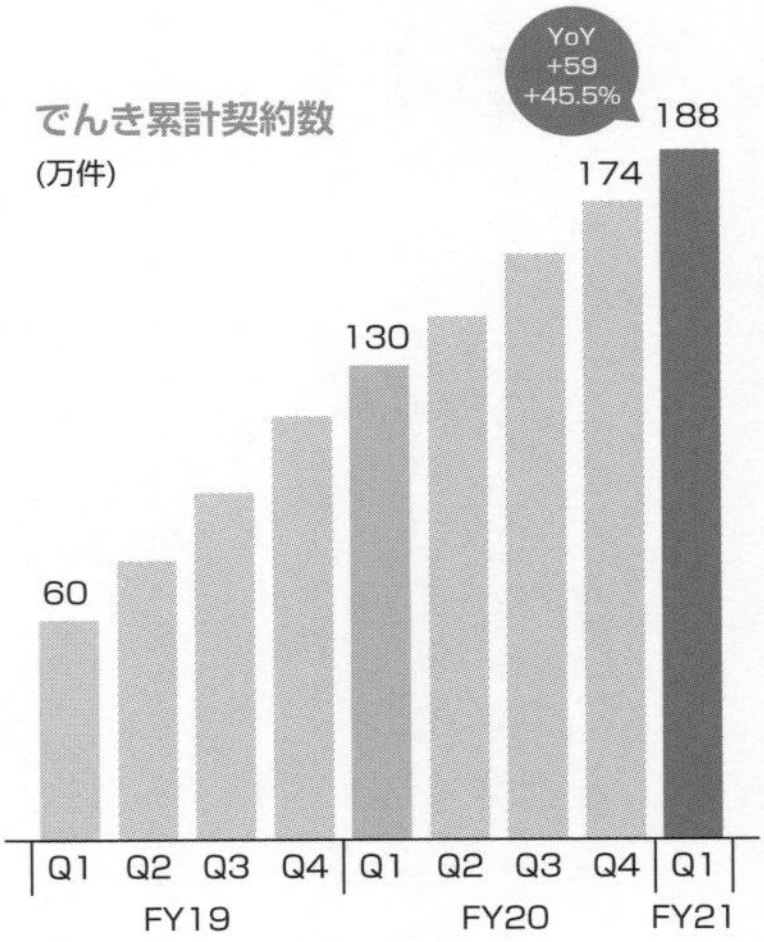

出典：ソフトバンクグループHP

22 その他の新規参入の電力会社

2000年に電力自由化がスタートして以降、さまざまな事業者が参入しています。とりわけ2016年の全面自由化以降、現在まで700社以上が小売電気事業者として登録しています。

商社系電力会社

商社は石油などの貿易を取り扱うだけではなく、海外で発電事業に参画するなど、エネルギー関連事業も手掛けています。

日本で最初に新規参入したのが、三菱商事系の**ダイヤモンドパワー**でした。海外での電気事業の経験をもとに設立しました。現在は中部電力の子会社となっています。

住友商事系の**サミットエナジー**は、電源として石炭火力とバイオマスがあり、大口需要家には直接、一般家庭にはパートナーの小売事業者を通じて供給しています。

丸紅グループの**丸紅新電力**は、三峰川水力発電所の取得とともに2000年に参入。風力発電など再エネにも取り組んでいます。

太陽光発電事業者系電力会社

固定価格買取制度ができたことで、多くの事業者が太陽光発電事業に参入しました。そうした事業者の中には、次の新規事業として小売電気事業に参入するケースが少なくありません。

Looopをはじめ、しろくま電力のブランドを展開する**afterFIT**などがあります。また、発電所を選べるサービスを提供しているみんな電力を提供する**UPDATER**も、再エネ系の電力会社といえるでしょう。その一方、小売りから撤退した会社もあります。

その他の新規参入電力会社

事業所の省エネや自家発電などを支援するのが、エネルギーサービス事業です。こうしたサービスの一環として小売電気事業に参入した会社もあります。

日本最初のＥＳＣＯ（省エネサービス会社）であるファーストエスコ（現**エフオン**）が母体となって発足したのがＦ－Ｐｏｗｅｒですが、残念ながら経営が破綻し、**ＦＰＳ**が事業を引き継いでいます。その他、**日本テクノ**や洸陽電気が設立した**シンエナジー**、**テスエンジニアリング**も電気設備の管理や節電サービスなどの事業を拡大する中で、小売電気事業に参入しています。

イーレックスは、日本短資（現セントラル短資）が電力取引に参入することを前提に設立された会社です。大口への販売で実績を上げてきましたが、電源としてヤシ殻バイオマスを整備しています。最近では東京電力ＥＰとエバーグリーンマーケティングを設立し、新たな展開をしています。

生活協同組合でも小売電気事業に参入し、再エネ中心の電気を供給しています。

各エリアで事業を行う小売電気事業者の数

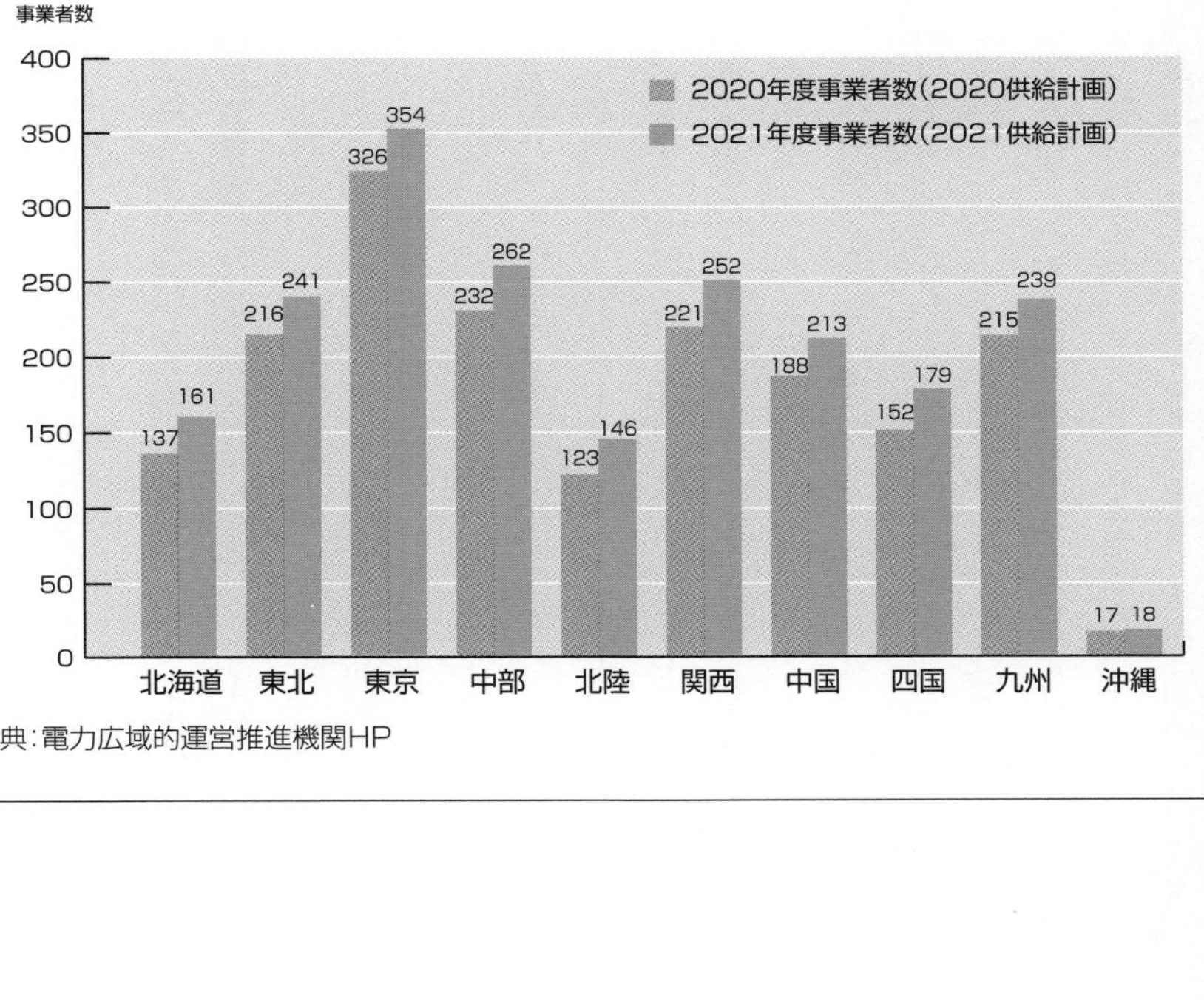

出典：電力広域的運営推進機関HP

23 地域エネルギー事業

エネルギーの地産地消や地域経済の活性化をめざして、地域エネルギー事業が全国で展開されています。モデルとなるのは、ドイツのシュタットベルケです。事業が成立するには地域の実情に応じたサービスの組み合わせが必要ですが、期待も大きくなっています。

地域エネルギー事業の現状と特色

地域エネルギー事業は、再エネの地産地消を目指して、全国で取組みが進められています。特に電気事業については地域新電力ともよばれています。

もっともシンプルな事業としては、地域の再生可能エネルギーの電気を自治体施設に供給するというものです。小さな電気事業なので、複数の電力会社で集まって**バランシンググループ**＊をつくり、供給を行っています。群馬県の**中之条電力**などは、こうした大口のお客様向けの供給で事業の足場を固めています。

先駆的に一般家庭に供給してきた事例として、福岡県みやま市で展開している**みやまスマートエネルギー**があります。地元の太陽光発電やバイオマス発電などを供給しています。新電力が地域に取り組むケースでは、**長野電力**などがあります。また、地域の都市ガス会社が中心になって取り組むケースとして、**湘南電力**、**とっとり市民電力**などがあります。

鳥取県米子市の**ローカルエナジー**は、米子市の廃棄物発電やメガソーラーの電気を活用し、ベースはほぼ全量が地元の電気となっています。

地域エネルギー事業では、必ずしも電気事業が必要なわけではありません。コンサルティング会社の**サステナジー**が取り組んだ岩手県紫波町の**紫波グリーンエネルギー**の事業の中心はバイオマスによる熱供給事業で、地元の間伐材を有効活用しています。また、岡山

用語解説

＊**バランシンググループ**　小さな電力会社が集まって需給予測や調整、電力取引を行うしくみ。

県西粟倉村のＳＯＮＲＡＫＵはバイオマス燃料を温泉に使うことから事業をスタートさせました。

今後の展開と課題

地域新電力は、地元のエネルギーを使うだけではなく、地元で雇用が創出されることも魅力の一つです。

とはいえ、電気事業だけで事業を成り立たせるのは難しく、ドイツの**シュタットベルケ**のように多様な公共サービスを展開することも必要でしょう。**地域丸ごとサービス**を目指すことになります。また、地元のＰＰＡによる電力供給には、エネルギーの地産地消の可能性があります。

一方、大手のエネルギー会社では対応できない地方のきめ細やかなサービスが期待されるほか、送電系統の負担を軽くするために、地域内での電力需給を調整するという取組みも期待されており、大手エネルギー会社が支援するというケースもあります。

地域経済を豊かにするという点では、大きく期待されている事業だといえるでしょう。

出典：パシフィックコンサルタンツHP

column

系列化する電力会社

電力業界と都市ガス業界の構造は、今後、大きく変化していきそうです。

まず、2020年の送配電分離があります。これは、旧一般電気事業者の送配電部門を分社化し、どの会社も公平にアクセスできるようにするということです。同様に、2022年には都市ガス会社の導管分離があります。東京ガス、大阪ガス、東邦ガスの3社は、ガス導管事業を分社化するということです。

しかし、それだけではなく、より大胆な業界再編も予想されます。

参考になるのが、ドイツの事例です。ドイツでは電力自由化前は、7大電力会社が市場を支配していましたが、自由化後は4大電力会社に集約されました。しかも、配電部門は小規模な地域事業者がシュタットベルケの事業の一環として担い、小売電気事業者は数百社となっています。4大電力会社の発電事業は再生可能エネルギーの拡大のため、収支が悪化し、E.onは送配電と小売に集中する一方、RWEはE.onから再エネ事業を受け継ぐといったさらなる再編が起きています。

日本では、短期的には発電所を独占している旧一般電気事業者の支配力が強いのですが、旧一般電気事業者に大手都市ガス会社を含めた経営統合などによって、競争力を高め、大手事業者どうしの競争に生き残りをはかる可能性は十分にあります。発電部門は東京電力FPと中部電力によるJERAがあります。一方、長期的にはドイツと同様に旧一般電気事業者は火力発電所の稼働率低下による収支悪化が予測される一方、一般消費者に対する営業力の弱さを補うため、そしてデジタル化に対応するため、新規参入者を積極的に取り込んでいくかもしれません。すでに、アイグリッドソリューションズには関西電力が、Looopには中部電力が、東急パワーサプライには東北電力が資本参加しています。また、中部電力と大阪ガスによる小売会社のCDエナジーダイレクト、東京電力EPとニチガスの東京エナジーアライアンス、中部電力ミライズとサイサンによるエネワンでんきなども設立されています。

今後、上流部門は大手事業者を中心に再編・集約される一方、小売事業者は多数の会社がサービスを競うという構図になっていくのではないでしょうか。

第8章

2050年に向けたシナリオ

最後に、将来の電力・ガス事業、公益事業を考えるにあたって、2050年には日本がどのような状況になっているのか、そこで何を目指すべきなのか、こうした点を考えてみたいと思います。たとえば、二酸化炭素排出量はゼロにすることが目標となっています。人口減少と高齢化も進んでいることでしょう。ライフスタイルの変化も受け入れる必要があります。

1 地球温暖化対策のシナリオ

地球温暖化は確実に進行しています。今後、大幅な二酸化炭素などの温室効果ガスの排出削減を実現し、地球の平均気温上昇を1・5℃未満にしようというのが、国際社会の合意です。したがって、電力・ガス会社は、脱炭素社会に対応していくことが急務となっています。

顕在化する地球温暖化

2050年の日本の温室効果ガスの排出量は、ゼロにするというのが、政府の目標となっています。同じように2050年以前にゼロにすることを目指す国は欧米を中心に増えています。

少し前であれば、2050年の日本の温室効果ガスの排出削減目標はおよそ80%となっていました。他の国もそこまで急激に温室効果ガスを削減することは考えていませんでした。しかし、年を追うごとに、地球温暖化に起因するのではないかという現象が増えています。日本では、大型台風や豪雨などの異常気象が増加しましたが、海外では猛暑にみまわれ、山火事が発生するようなことも起きています。また、2014年には熱帯地方で蚊が媒介する伝染病のデング熱の国内での感染が起きています。

こうした現象が増加してきたことで、温室効果ガスの排出削減が猶予のないものになったといえます。

2050年のエネルギー

2030年の電源構成はどうなっているでしょうか。さまざまな予測がなされていますが、政府のエネルギー基本計画とは異なり、およそ「原子力10%、火力40%、再エネ50%」が現実的でしょうか。再エネをここまで増やすのは難しいかもしれません。

では2050年はどうなっているのでしょうか。再エネ１００％ということも考えられますし、再エネを60％として、火力はＣＣＵＳないしはアンモニアや水素を使うといった可能性もあります。原子力は10％程度ではないでしょうか。もっとも、水素は発電ではなく、製鉄や化学工業の原料としての利用が優先されていると思います。そうすると、再エネをさらに拡大し、蓄電池の導入が増えているかもしれません。海外では発電所規模の蓄電池の設置が始まっています。

電気が使われる場面は増えていると考えられます。調理や給湯にガスが使われることは少なくなっているでしょうし、ほとんどが電気自動車になっていると思われます。同時に電気を無駄遣いしないように、省エネや効率的エネルギー利用が拡大し、エネルギー消費を抑制するライフスタイルに変革しているでしょう。実際にＩＰＣＣのレポートでは、３ｋｍ以内の移動であれば、徒歩か自転車が推奨されています。

牧草地を森林に戻して、二酸化炭素の吸収と牛が排出するメタンの抑制を同時に行うことも、真面目に考えられています。牛肉が食卓から消える可能性もあります。

2090～2100年の年平均気温の変化の予測

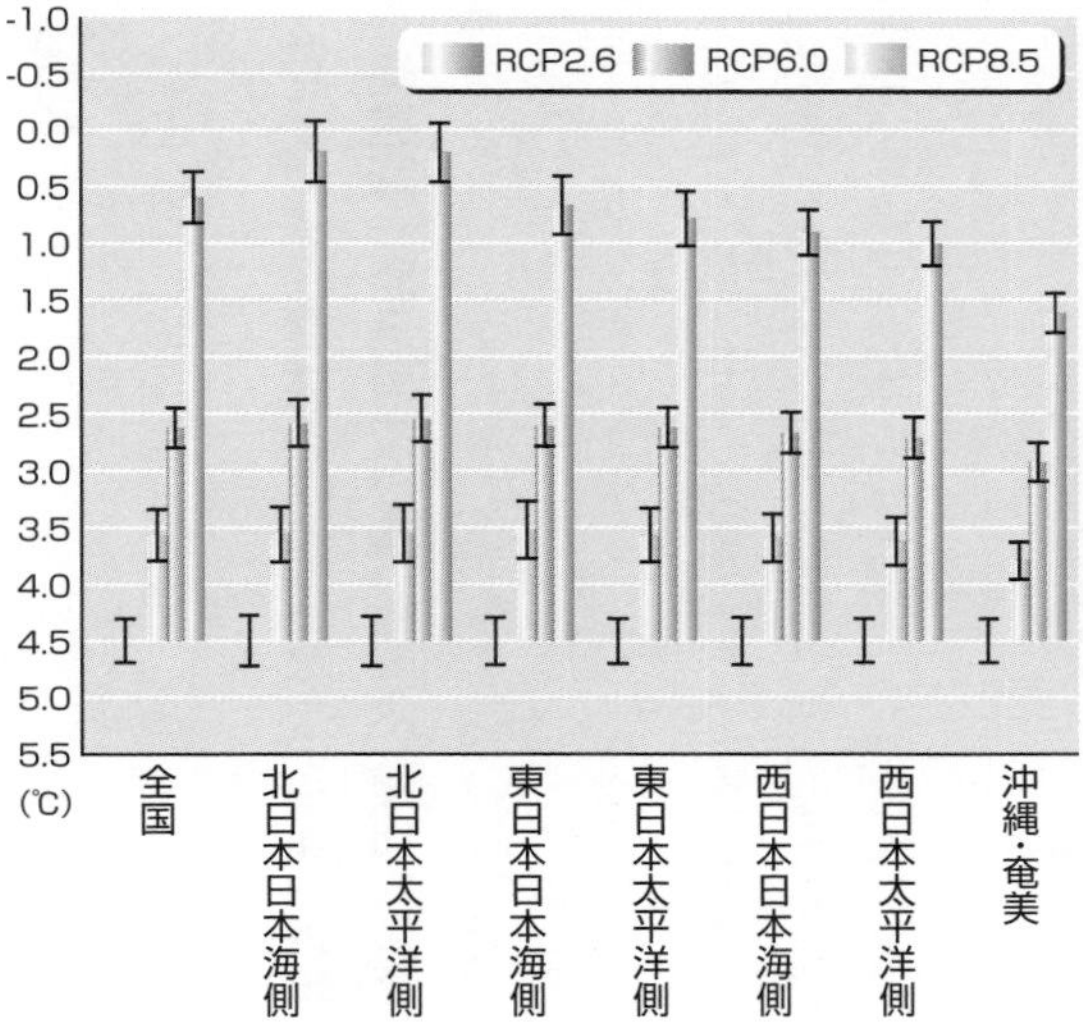

棒グラフ：現在機構との差

RCP2.6：2100年までに温暖化の効果がピークを迎えその後減少する

RCP6.0：2100年以降に温暖化の効果が安定化する

RCP8.5：2100年以降も温暖化の効果の上昇が続く

出典：環境省HP

2 脱原発依存のシナリオ

日本では、自民党政権ですら、原発の新増設は否定しないにせよ、依存度は下げるとしています。近年は政府が新増設にも言及していますが、簡単ではありません。福島第一原発事故以降、原発の運転や新設はコスト増やリスクに対する国民の警戒などがその要因です。

福島第一原発の廃炉作業

2050年の時点でも、おそらく**福島第一原発**の廃炉作業は続いていると考えられます。

一般的に、原発の**廃炉**には時間がかかります。1998年に運転を終了した日本原電東海原発は、全燃料取出しまでおよそ3年がかかっており、その後の解体作業は2025年まで続く予定となっています。一般的な建物の解体と異なり、放射能で汚染された設備であるため、安全対策などにより時間がかかります。

事故を起こした福島第一原発の場合、内部のようすがまったくわかっていないため、廃炉の作業がどうなるのか、見通しが立っていません。同じく事故を起こした米国の**スリーマイル島原発**は、事故後40年以上が経過してもなお、廃炉作業は進んでいません。また、同じく事故を起こしたウクライナ(旧ソ連)の**チェルノブイリ原発**は、解体ではなくコンクリートの石棺に閉じこめられています。

一大産業となるバックエンド*

廃炉作業が続くのは、福島第一原発だけではありません。2050年までに、現在運転中の国内の原発すべてが運転開始後40年を経過しており、廃炉となっていると考えられます。50基を超える原発の廃炉作業が全国で続くとすれば、まさに一つの大きな産業ができることになります。

用語解説

＊**バックエンド**　原子力において、発電が終わったあとの使用済燃料の処理・再処理など。

さらに、原発がなくなれば、青森県六ヶ所村の使用済み核燃料再処理工場などの原発関連施設も不要となり、こちらも解体することになりますが、その作業は原発以上に困難となる可能性があります。

廃炉などで、もっとも問題なのは、放射性廃棄物の処分です。適切な処分地がなければ、解体が進まない、あるいは発電所敷地内に保管することになります。

脱原発の行方

日本は原発依存度を下げる方向ですが、ではどのように依存度が下がっていくのでしょうか。

短期的には、**PWR**を中心に、厳しい**安全基準**をクリアした**原発の再稼働**が進んでいます。一方、**BWR**の再稼働は、遅れています。老朽化した原発、活断層上にあるなど、強い地震の被害が予想される原発は、再稼働ができないでしょう。

稼働する原発については、問題がない限りは、安定した電源として稼働していくことが期待されます。

問題は、原発の廃炉です。2021年7月時点では、廃炉作業の積立金は大きく不足しています。

2028年に半減する原発

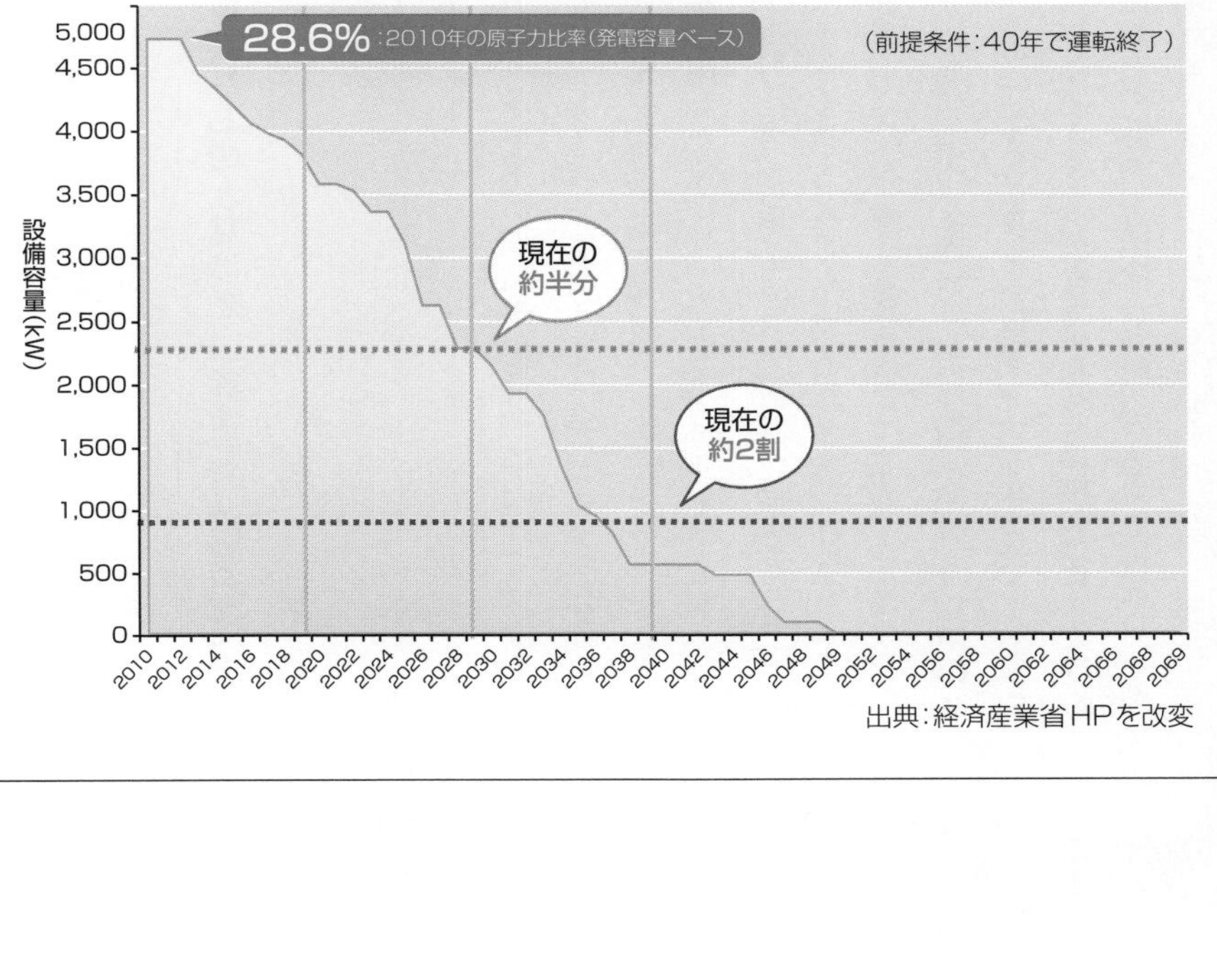

出典：経済産業省HPを改変

3 高齢化社会

公益事業の将来を考える上では、将来の人口や高齢化は重要なものとなっていきます。需要の減少が予測される一方、新たなサービスの創出が必要でしょう。

高齢化社会と公益事業

日本は現在、急速に**超高齢化社会**に向かっており、労働人口も総人口も減少しています。総務省の予測では、2055年には2・5年に1人が65歳以上、4人に1人が75歳以上になるということです。とりわけ**団塊の世代**が75歳以上となる2025年をどのように乗り越えていくのかは、大きな課題となっています。

超高齢化社会を乗り切るためには、社会保障制度の整備・構築が求められると同時に、高い生産力を維持するために、高齢者や女性の労働力化、移民などが議論されています。住民どうしが助け合う基盤となる地域づくりも進められています。

公益事業においては、こうした社会の変化が需要に大きく影響すると同時に、新しいサービスの創出にもつながります。

電力・ガス事業が超高齢化社会に向けて提供するサービスとしては、IHクッキングヒーターに代表される、高齢者向け機器の提供や、生活支援サービス、IoTを活用した見守り・ヘルスケアサービスなどが考えられます。また、総合エネルギーサービスの中には、リフォーム事業も含まれますが、当然バリアフリーへのリフォームのニーズも高いでしょう。

神奈川県藤沢市で開発された総戸数1000戸のスマートシティ「**Fujisawaサスティナブル・スマートタウン**」では、エネルギーだけではなく、地域包括ケア(地域内で高齢者の介護予防から介護・看護まで行うしくみ)を考えたまちづくりとなっています。

ワンポイントコラム

【より深刻な途上国の高齢化】 高齢化は今後、韓国や中国などアジア諸国では日本以上に急激に進行します。こうしたとき、高齢者にやさしい低炭素なまちづくりは、日本がアジアに貢献できるコンテンツの一つともなっていくでしょう。

独居高齢者見守りシステム

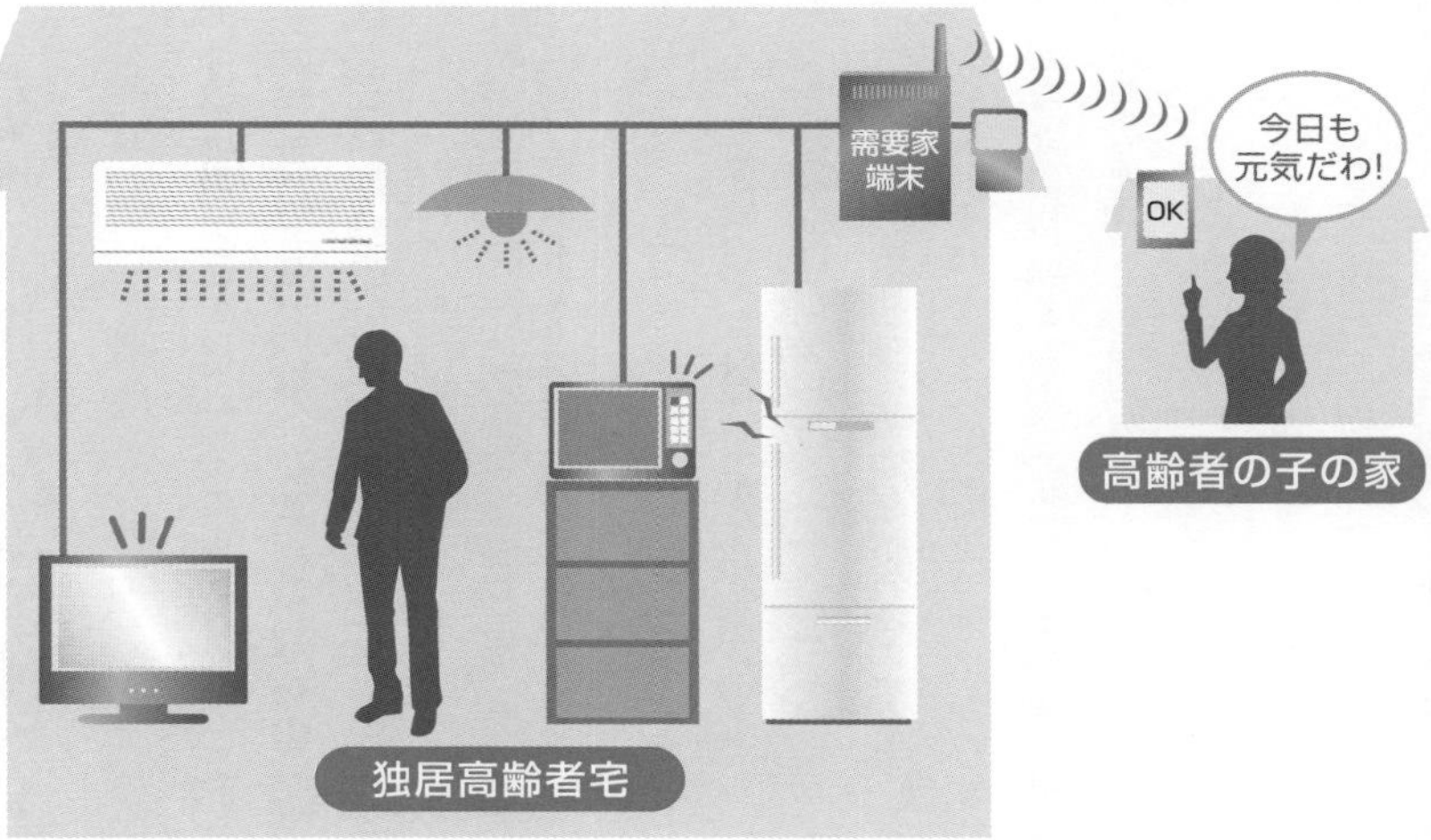

出典：電力中央研究所資料

高齢化の推移と将来推計

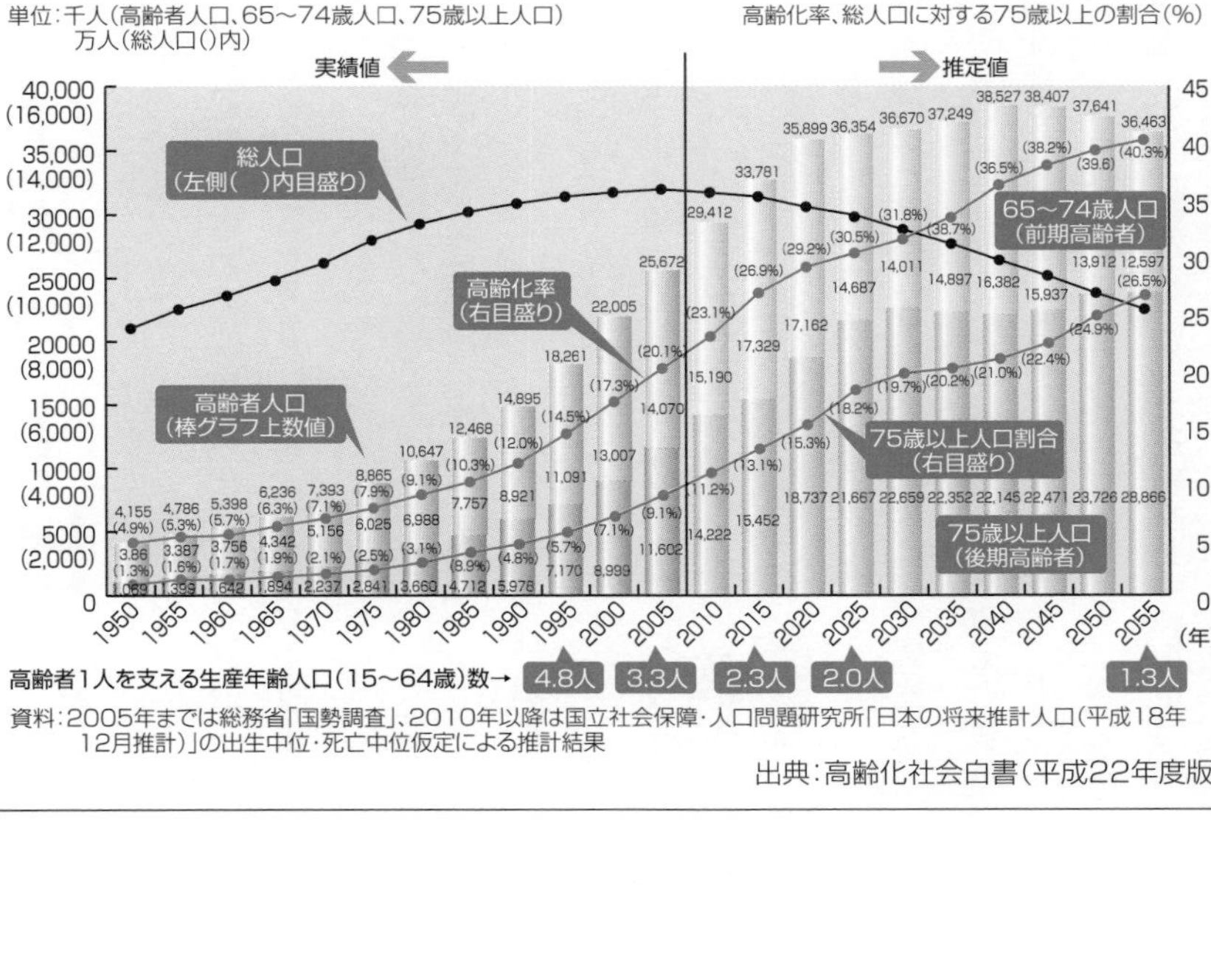

資料：2005年までは総務省「国勢調査」、2010年以降は国立社会保障・人口問題研究所「日本の将来推計人口（平成18年12月推計）」の出生中位・死亡中位仮定による推計結果

出典：高齢化社会白書（平成22年度版）

4 IoTと生活・ヘルスケアサービス

IoT（Internet of Things）が、次の時代のデバイスとして期待されています。モノのインターネットが可能にするのは、さまざまなものを情報化し、管理するということです。特に、宅内IoTサービスは、これからの公益事業となっていく可能性があります。

IoTとは何か

IoTは、モノのインターネットという言葉そのままです。これまでは、パソコンやスマートフォンなどがインターネットにつながるものでしたが、IoTにおいては、さまざまなものがつながっています。HEMSもIoTの1つで、インターネットにつながることで電力などの情報を管理したり家電の操作が可能になったりします。これ以外にも、温度、湿度、照度、加速度などのセンサーやカメラなどもIoTとして開発されています。各種センサーを通じて、部屋の換気をうながすことや、冷蔵庫の開け閉めなどを通じて暮らしを見守るといったことができます。カメラは防犯やペットの見守りなどに使われています。スマートロックのように、インターネットを通じて施錠・開錠ができるものもあります。

ヘルスケアの分野でも、IoTが使われています。スマートウォッチなどのウェアラブルでは、歩数や運動量、心拍数、睡眠時間などを管理することができます。また、体重計や血圧計のIoTもあります。

スマート家電とよばれるものも、IoTになります。米国では電気代が安い時間帯に稼働する衣類乾燥機や食器洗浄乾燥機などが実用化されています。また、日本でもエコキュートや蓄電池がIoTとなって、太陽光発電の発電状況に対応した運転などの制御ができる製品・サービスが開発されています。

また、ＩｏＴは数多く導入されることで、クラウド側にビッグデータをもたらします。これを分析すると、例えば血圧と歩数の相関関係がわかり、それに適した食事や薬などをＡＩ（人工知能）が選んでくれる、といったこともあるでしょう。

宅内ＩｏＴサービスと公益事業

宅内ＩｏＴサービスは、通信事業だけではなく、電気事業やガス事業とも相性がいいと考えられます。

第一に、**スマートメーター**というＩｏＴがすでに提供されているので、同じＩｏＴのサービスとして親和性があるでしょう。

第二に、電気事業・ガス事業がエネルギーを提供する事業から、暮らし丸ごとサービスへと進化していく上で、住宅をスマート化する宅内ＩｏＴはその有力なコンテンツとなります。

とはいえ、現状は消費者のニーズに合っていない機器・サービスが多く、普及は進んでいません。今後は、消費者の安全・安心や健康を低コストで提供するサービスの開発が必要でしょう。

宅内IoTの概念

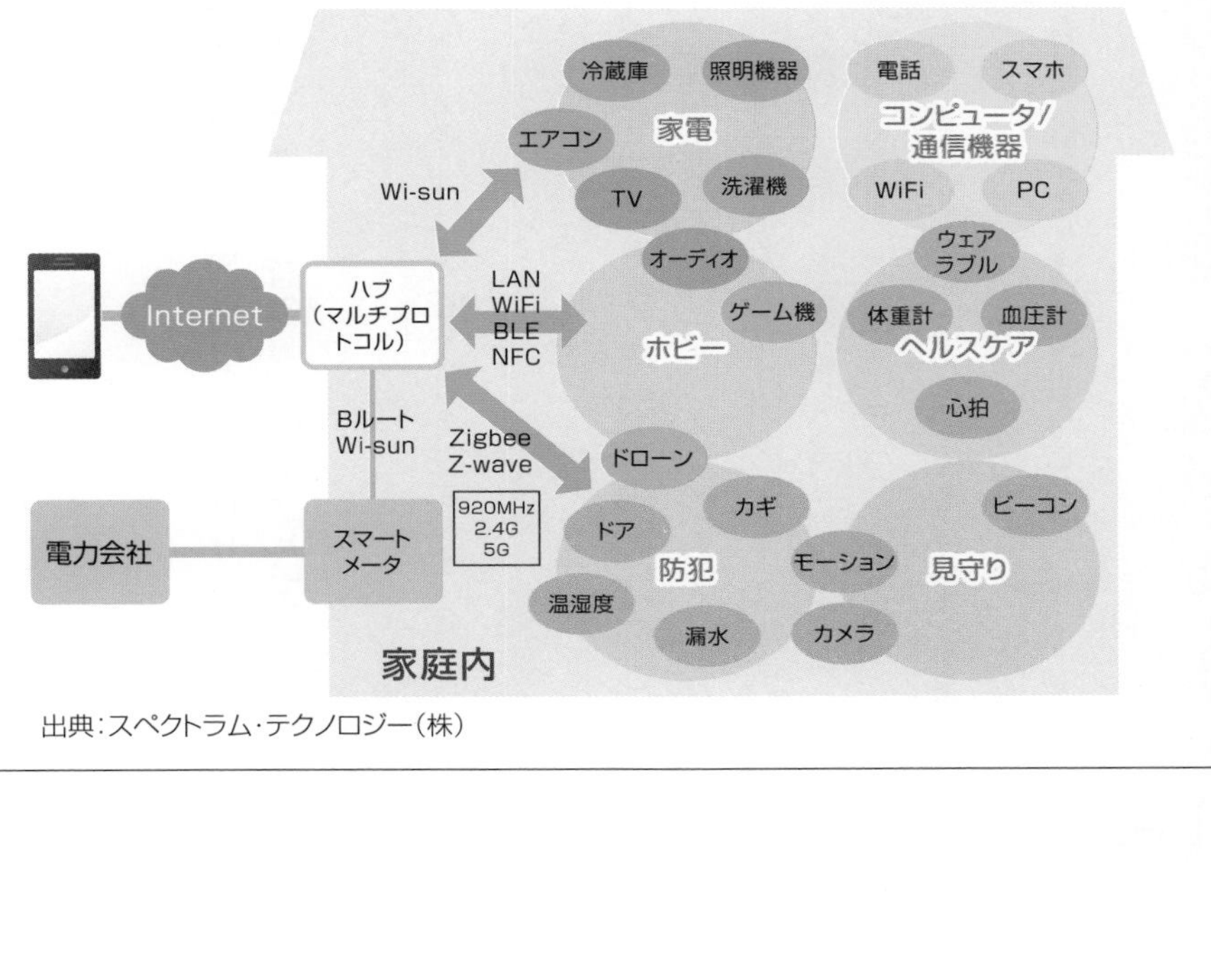

出典：スペクトラム・テクノロジー（株）

5 ビッグデータとAI

近年、AIは急速に発達しています。将棋や囲碁でプロに勝つというだけではなく、最適なサービスを提供するための判断をしてくれるようになってきています。そして、その判断のもとになっているのが、ビッグデータです。

身の回りにあるビッグデータ

ビッグデータというと、特別なもののようですが、実は身の回りにあります。かつて、JR東日本のICカードの乗降客のデータの提供をめぐって問題になったことがありました。現在では、個人情報保護に関するガイドラインがまとめられ、匿名であることを条件に、鉄道の乗降データやスマートメーター、HEMSのデータなどの提供が可能となっています。

実は、この他にもビッグデータはたくさんあります。アマゾンなどのEコマースのサイトでの購買履歴、ポイントカードの履歴、クレジットカードの履歴、スマートフォンのGPSの履歴などがそうです。

私たちの行動がデータ化されることで、ビッグデータとして分析することが可能になります。プライバシーという問題を別にすれば、ビッグデータの解析によって、本当にニーズがある商品の開発などのマーケティングや、事故を未然に防ぐリスクマネジメントなどを効率化することができます。

こうしたビッグデータを解析し、多くの事業者などの主体が使えるようにした、ビッグデータプラットフォームは、多様なサービスの基盤ともなります。ポイントサービスやEコマースの購買履歴を通じた、おすすめ商品の紹介などは、その一例です。

ワンポイントコラム

【データセンターを北海道に】 英国はすでに、データセンターの集約化と効率化が進められています。日本でも、データセンターを北海道に置き、風力発電を活用して電力を供給するようなことが、現実的かもしれません。

AIとデータマイニング

実は、ビッグデータ解析の精度や有効性には、まだまだ課題があります。

例えば、電気事業で導入が進められているスマートメーターですが、これがもたらすビッグデータは、いまだに有効に使われていません。これは、ビッグデータを分析する技術、いわゆる**データマイニング**という技術が、十分に開発されていないからです。特に日本企業はそのノウハウが少なく、アマゾンやグーグルなどに後れをとっているといえるでしょう。

ところで、このデータマイニングには、**AI**を適用することができます。大量のデータを学習し、自ら分析していくことができれば、効率的なデータマイニングができると考えられます。

宅内IoTやその他のビッグデータを解析できれば、それぞれの世帯、それぞれの個人に合ったサービスや商品が提供しやすくなりますし、エネルギーの効率的利用にもつながります。

ビッグデータを構成する各種データ

ソーシャルメディアデータ
ソーシャルメディアにおいて参加者が書き込むプロフィール、コメント等
マルチメディアデータ
ウェブ上の配信サイト等において提供等される音声、動画等
ウェブサイトデータ
ECサイトやブログ等において蓄積等される購入履歴、ブログエントリー等
BLOG
カスタマーデータ
CRMシステムにおいて管理等されるDM等販促データ、会員カードデータ等
ビッグデータ
ICT(情報通信技術)の進展により生成・収集・蓄積等が可能・容易になる多種多量のデータ(ビッグデータ)を活用することにより、異変の察知や近未来の予測等を通じ、利用者個々のニーズに即したサービスの提供、業務運営の効率化や新産業の創出等が可能。
センサーデータ
GPS、ICカードやRFID等において検知等される位置、乗車履歴、温度、加速度等
CARD
オフィスデータ
オフィスのPC等において作成等されるオフィス文書、Eメール等
ログデータ
ウェブサーバ等において自動的に生成等されるアクセスログ、エラーログ等
オペレーションデータ
販売管理等の業務システムにおいて生成等されるPOSデータ、取引明細データ等

出典：総務省HP

6 シェアエコノミー

近年の経済活動のうちでも、大きな流れとなっているのが、シェアエコノミーです。これは、モノを所有しないでシェアするということです。言い方を変えると、モノではなく機能だけを提供としているということです。モノの浪費を防ぐという点では、悪くない考え方です。

「モノ」を所有しないこと

商品には、「モノ」という側面と「コト」という側面があります。最近の若者は自動車を買わないということが言われています。自動車という「モノ」を必要とせず、移動という「コト」だけがあればいい、ということでしょう。

さらに顕著なのは、CDが売れなくなっているということです。これも音楽はダウンロードすればいいということです。

趣味的な何らかのコレクションのように、所有することそのものに価値がある場合を除けば、価値は「コト」の方にあります。そうであれば、特に近年の日本のように所得が下がっているような社会では、「モノ」ではなく「コト」に対する支出に集中することになるでしょう。

大量生産・大量消費・大量廃棄ということが、かつて問題となりましたが、その点では、「コト」に集中していくのは、悪いことではないと思います。当然、「モノ」に対する支出が減った分、経済は縮小します。それでも、豊かさは縮小しないかもしれません。

シェア

音楽や電子書籍のように、情報だけのものは、「モノ」がなくて「コト」だけですむかもしれません。しかし、移動や住まいなどは、「モノ」が必要です。そこで、

ワンポイントコラム

【半農半X】 デジタル社会が進み、SOHOが普及すると、通勤の必要が減るかもしれません。すると都市部に住む必要がなくなるので、農村部に住み、副業で農業を行うことが可能になります。これを半農半Xといいます。これは食糧自給率の向上にもつながります。

「モノ」を所有するのではなく、共有することで、これに対応することができます。これが**シェア**という考え方です。すでに、自動車ではカーシェアリングというサービスが定着しています。特に、価格は高く、燃料代が安い電気自動車は、カーシェアリングに向いているといえるでしょう。さらに、運転できる人の空き時間とともに自動車を共有するUberというサービスが海外で拡大しています。また、宿泊施設を貸し出すairbnbもあります。懸念はプラットフォーマーの独占による弊害です。

「コト」にフォーカスするビジネス

今後も、さまざまな事業において、「モノ」売りから「コト」の提供が重視されるようになるでしょう。製造業にとっては、苦しい時代になるかもしれません。

電気やガスも同様で、エネルギーそのものを売るのではなく「暖かい部屋」や「おいしい料理」という「コト」を売ることが重要になってくるでしょう。しかし、資源の制約を考えると、これは当然の流れだといえます。

シェアリング・エコノミー型サービスの例

事例名称	実施主体	概要
Airbnb	Airbnb(米国)	保有する住宅や物件を宿泊施設として登録、貸出できるプラットフォームを提供するWEBサービス。190カ国超の34,000超の都市で100万超の宿が登録されている。
Uber	Uber(米国)	スマートフォンやGPSなどのICT技術を活用し、移動ニーズのある利用者とドライバーをマッチングさせるサービス。高級ハイヤーを配車するUber、低価格タクシーを配車するuberX、既存のタクシーを配車するUberTAXIなどのサービスを提供。
Lyft	Lyft(米国)	スマートフォンアプリによって移動希望者とドライバーをマッチングするサービス。Facebookのアカウントか電話番号でログインして利用する。移動希望者とドライバーがお互いに評価を確認してから、乗車が成立する。
DogVacay	DogVacay(米国)	ペットホテルの代替となるペットシッターの登録・利用が可能なプラットフォームを提供するWEBサービス。
RelayRides	RelayRides(米国)	使用されていない車を、オーナーからスマートフォンアプリを通じて借りることができるサービス。米国内の2100以上の都市及び300以上の空港で利用できる。
TaskRabbit	TaskRabbit(米国)	家事や日曜大工等の作業をアウトソーシングするためのウェブサービス。
Prove Trust	Prove Trust(米国)	シェアリング・エコノミーにおける貸主と借主の信頼関係を一括で管理できるウェブサービス。

出典:総務省HP

フリー（無料）と情報

7

無料で提供されるサービスというものはたくさんあります。例えば、スマートフォンやPCのアプリケーションには、フリーソフトがたくさんあります。無料でも事業が成り立つしくみはさまざまですが、そのしくみの一つとして、お金のかわりに情報を支払うということがあります。

無料サービスのしくみ

無料（**フリー**）で提供されるサービスは、最近登場したというわけではありません。

代表的なものが、民放のテレビやラジオの放送です。私たちはＮＨＫ（日本放送協会）以外の地上波放送には受信料を支払っていません。民放で放送が成り立つのは、番組にスポンサーがつき、広告料を支払っているからです。広告モデルは、フリーペーパーや、Facebookなどのの SNSでも導入されています。

フリーミアムというモデルもあります。代表的なものはオンラインゲームです。無料でプレイできますが、特別なアイテムを手に入れるためには課金が必要になる、といったものです。

この他にも、付属する「無料サービス」や特定のものだけを無料にするといったサービスがあります。カリフォルニア州では電気自動車の充電のための電気代を無料にするサービスがあるそうですが、これは過剰な太陽光発電の発電量を活用すると同時に、二酸化炭素排出削減のコストとみなされています。

アンケートに答えるとポイントや試供品がもらえるサービスもあります。この場合は、アンケートの回答という情報の対価としてポイントや試供品が提供されるということです。そして、**ビッグデータ**の活用が盛んになれば、こういった情報の価値が高まることでしょう。情報の対価としての無料というものは、増え

ワンポイントコラム

【GAFA】 GAFAとよばれるITプラットフォーマーは、多くの情報を扱っています。その独占が市場を支配しています。こうしたプラットフォームは、電気事業と同じ公益事業として規制されるべきだと思うのですが、いかがでしょうか。

ていくのではないでしょうか。

情報という通貨

現在でも、クレジットカードや交通系ICカード、さまざまな会員カード、金融系などのアプリケーション、電気やガスのスマートメーターを通じて、ビッグデータが集まっています。さらにデジタル通貨や**IoT**の普及はこれを加速させるでしょう。ビッグデータはマーケティングのためのデータなどに使われ、新しいサービスやお客様ごとの推奨する商品の紹介などに使われます。そのために、**AI**が使われるでしょう。

一方、人々がWeb上に残すレビューなどもまた、貴重な情報として扱われ、分析されていきます。

こうした社会では、個人が残す情報もまた、匿名性を条件として、通貨のように価値があるものとして取引されるようになるでしょう。その結果、便利な商品やサービスにアクセスしやすくなると考えられます。

しかし、匿名であっても個人の情報が流通することは、プライバシーの問題ともなります。そのため、欧米では**スマートメーター**を拒否する運動も起きています。

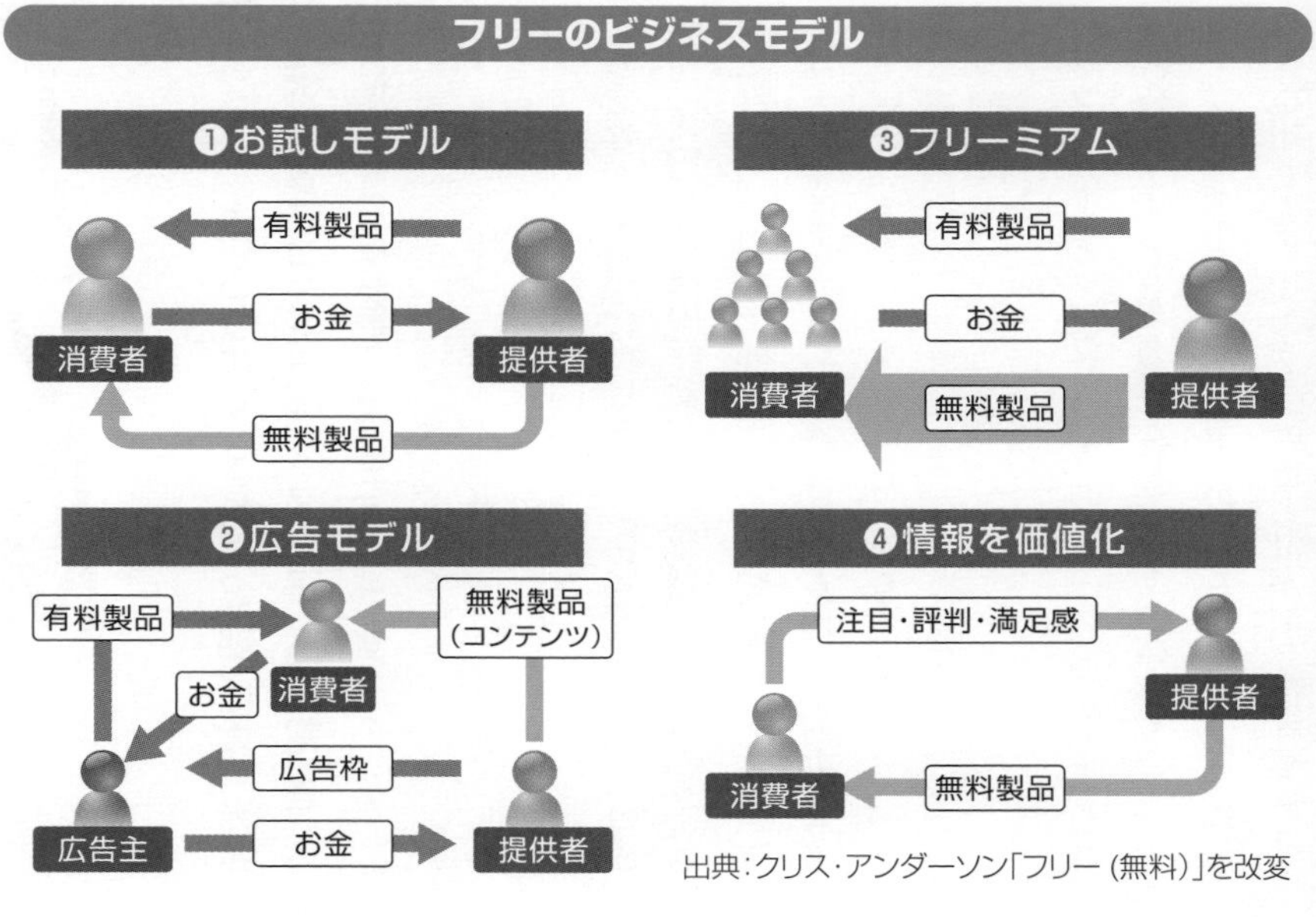

出典：クリス・アンダーソン「フリー（無料）」を改変

8 コミュニティソーラーとVNM

これから普及しそうな太陽光発電事業に、コミュニティソーラーがあります。これは、地域に太陽光発電所をつくり、住民が共同で利用するというものです。電気料金はコミュニティソーラーの発電量から差し引かれたものとなりますが、その計算のしくみがVNM（Virtual Net Metering）です。

コミュニティソーラー

米国の電力会社には、**コミュニティソーラー**というサービスを提供している会社があります。これはどのようなものかというと、大規模な太陽光発電所をつくり、その一部をお客様に買ってもらうというものです。例えば、1000kWの太陽光発電所を、5kWずつ200世帯で買ってもらう、というイメージでしょうか。そして、そこで発電した電気は自分の家で使用し、余った電気は電力会社が買い取ります。

日本では住宅用太陽光発電が普及してきましたが、どのような住宅でも屋根に太陽光発電を設置できるわけではありません。集合住宅や古い住宅は不可能です。そうしたお客様にも太陽光発電を使ってもらおうというのが、コミュニティソーラーのしくみになります。

残念ながら、日本ではこうした取組みはまだありません。送電線の使用料である託送料金が高いことや、料金計算のしくみの問題など、課題があります。米国では大手企業がサプライチェーンを担う企業を対象に太陽光発電をシェアしたPPAもあります。

VNM

ネットメータリングというのは、いくつかの電力計を統合し、1つの電力計として扱うというものです。例えば、住宅用太陽光発電を設置した世帯では、以前は買電用と売電用の2つの電力計が取り付けてあり、それぞれの数値を合わせて料金を請求してきました。

また、自家用の再エネ発電設備から送電線を経由して電気を供給する場合も、電力計が2つ必要になります。

コミュニティソーラーの場合は、1000kWのコミュニティソーラーを200世帯で共有しても、電力計は1台となります。その数値と、各世帯の電力計の数値を合わせるときは、1台の電力計の数値を200世帯で分けるので、単なるネットメータリングではなく、仮想のネットメータリングになります。余剰電力の売電収入なども計算する必要があり、各世帯の使用電力量も異なっているので、まとめることは簡単ではありません。さらに、今後は蓄電池なども併設することになっていくでしょう。そうなると、**ヴァーチャルネットメータリング**（VNM）はどのようにすれば、公平な料金計算ができるのか、そうした点も含めて、方法を検討していく必要があります。

それでも、住宅用太陽光発電を設置できない世帯にとっては、リアルな太陽光発電を利用するしくみとして、魅力的なものにしていくことができるでしょう。日本でも将来の導入が期待されます。

コミュニティソーラーのしくみ

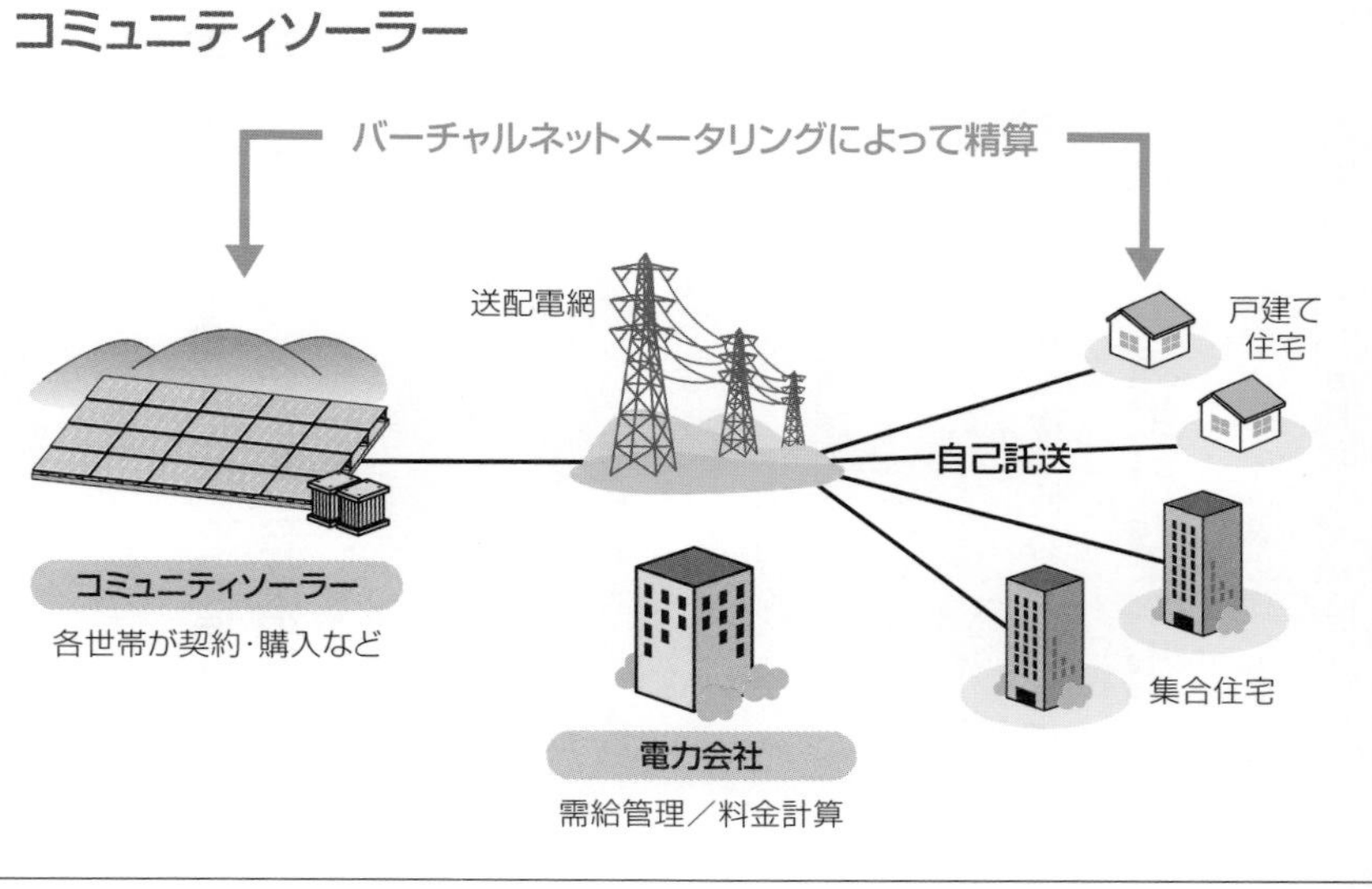

9

スーパーグリッド

将来の送電の技術として、期待されているのが、高圧直流送電線と超電導送電線です。このうち、高圧直流送電線による送電網（スーパーグリッド）は欧米や中国で整備が進められています。日本の送電網も将来の連係が必要になると予想されます。

スーパーグリッドの技術

将来の送電技術として期待されているものの一つは、**超電導送電線**です。一般の送電線には抵抗の小さい金属が使われていますが、それでも送電によって電気の損失があります。超電導とは、抵抗がゼロになる現象です。したがって、超電導送電線を使えば、長い距離を送電しても電気の損失はありません。しかし、超電導現象は超低温で起こるため、送電線に加工する技術はまだ先でしょう。

高圧直流送電線は、電気の損失が少ない送電技術です。電気の損失は、電圧が高いほど少なく、交流よりは直流の方が少なくなっています。この性質を利用し、大容量の高圧直流送電線による長距離の送電網を整備し、遠く離れた場所からの送電に使おうというのが、**スーパーグリッド**です。送電線の本数も交流の3分の1ですむという長所もあります。

高圧直流送電線にも短所はあります。交流の電気は変電所や変圧器で簡単に電圧を変えることができますが、直流はこれが苦手です。交流と直流の変換には大規模な設備が必要となります。それでも、日本では海底送電線などで直流送電線が使われています。

スーパーグリッドと再生可能エネルギー

スーパーグリッドが期待される背景には、再生可能エネルギーの効率的な利用が関係しています。

風力発電などの再生可能エネルギーの場合、発電の適地と電気の需要地は遠く離れています。米国では、風力発電の適地として中西部がありますが、ここで発電した電気を需要地に送るために、スーパーグリッドが適していました。また、米国は東西に長く、電気の需要のピークが異なるので、東西で融通ができれば、効率的な利用になるということです。

アジアでも、モンゴルなどで風力発電を整備し、スーパーグリッドで大都市に送電するという構想があります。東南アジアを含めた国際送電網である、**アジアスーパーグリッド構想**です。ロシアのサハリンや東南アジアの産ガス国での天然ガス火力発電所も含め、広域的なスーパーグリッドを整備し、日本もそこに参加すれば、再生可能エネルギーの導入拡大や電気の安定供給に大きく寄与すると考えられます。しかし、国際送電網の整備には、各国政府の思惑もからんでおり、進めていくには時間がかかるでしょう。一方、日本国内においても、再エネの多い北海道、東北、九州から首都圏、関西圏への海底送電線が検討されています。

アジアスーパーグリッド構想

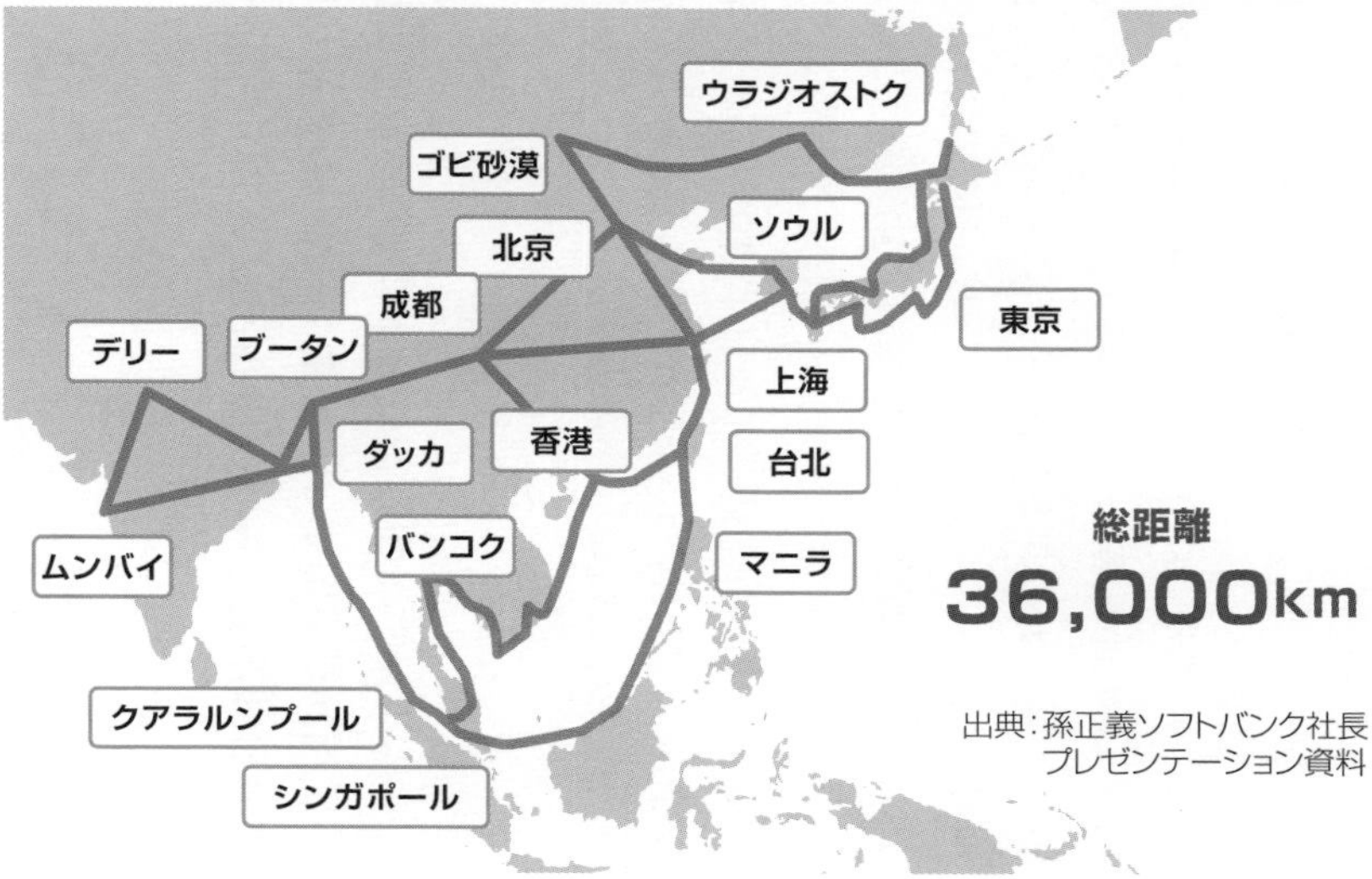

出典：孫正義ソフトバンク社長
プレゼンテーション資料

10

エコ・ブランド・エクイティ

環境保全というのは、消費社会において新たな価値として認められつつあるものです。消費者の中には、多少価格が高くても環境に良いものを買う人（グリーンコンシューマー）がおり、今後は増えていくでしょう。こうした要望に企業が応えていくことが、今後一層強く求められるようになるでしょう。

環境とブランド

ブランドという概念は、日本ではなかなか理解が進んでいないものの一つです。企業のブランド価値という話題についても、なかなか通じないか、あるいは誤解されていることがほとんどです。

ブランドは、企業のみに属するものではありません。むしろ、消費者と共有する価値です。また、**ブランド・エクイティ**は、企業の価値だけではなく、消費者と共有するという意味において、エクイティという言葉が使われています。

ブランド品は、消費者がそれを支持することによって成り立っていますし、所有することそのものが、消費者にとって価値として認識されています。

環境保全はブランドに似ています。なぜならば、企業が環境保全に取り組むということは、企業の活動を消費者が支持することによってはじめて成り立つものだからです。消費者がその企業の製品やサービスを選ぶことが、環境保全活動の共有につながります。したがって、環境保全活動はブランド化することができます。こうしたブランドを、**エコ・ブランド**と呼んでもよいでしょう。また、このブランド価値を、**エコ・ブランド・エクイティ**と呼んでもよいと考えます。

CSVとESG投資

CSR（社会的責任）ということが、日本でも企業に

ワンポイントコラム

【電力・ガスとブランド】 自由化が進むことで、電力・ガス会社もブランドを意識するようになってきました。新規事業の背景には、電力会社だから安心してもらえるのではないか、といった自社ブランドへの信頼がありました。実際にはそこまで信頼されるブランド力を築いていなかったようですが、少しずつ「顧客に支持される会社」になるという考えは広まっています。

求められるようになっています。国際規格として、ISO26000も決められています。企業は株主だけではなく、従業員や消費者のものでもあり、社会のものでもあります。企業が市民社会の一員であるためには、社会的責任を果たす必要があります。環境保全に取り組むことも、その一つです。最近はさらに、事業活動そのものが社会に貢献する**CSV**（共通価値創造）へと経営がシフトしています。

企業にとってCSR・CSVが重要になってきた背景には、**ESG**（環境・社会・ガバナンス）投資があります。欧米では、とりわけ年金基金など株式を長期保有する機関投資家は、持続可能な事業を展開する企業を選んで投資しています。したがって、環境保全し、社会的貢献に取り組み、法令を遵守する企業が強く支持されることになります。また、こうした企業に投資することで、年金基金の顧客は次世代により良い社会を残すことができます。

市場自由化後の電力・ガス事業者が、どのように市場から支持され、投資を集めるのか。これはあらためて考えておくべきテーマでもあります。

環境（エコ）ブランディングとは？

環境ブランディングとは？…
「環境保全」というビジョンを、顧客・消費者と共有する「価値」として提供していくものです。

【コンプライアンスとブランド】 電力会社のブランド力はありそうでなかったわけですが、その背景には原子力発電所におけるデータ改ざんなどの問題があります。また、今後は下請け・孫請け依存の発電所の定期点検の労働環境なども、コンプライアンスの対象として注目されるようになるでしょう。こうした取り組みがこれからは求められていきます。

11 SDGs

近年、よく話題にされるのが、SDGs（持続可能な開発目標）です。これは、2015年の国連サミットで採択された国際目標で、世界が持続可能であるための取組みがしめされています。企業や自治体などは、この目標に合致した取組みが求められています。

SDGsとは何か

SDGsは、2015年9月に開催された国連サミットで採択されました。2001年には同じ国連でMDGs（ミレニアム開発目標）が策定されましたが、これを引き継ぐものとなります。2030年の目標達成が想定されています。

SDGsは、17のゴールと169のターゲットで構成されています。MDGsでは、途上国の開発を想定したものとなっていましたが、SDGsでは先進国も取り組むべき、普遍的な内容となっています。豊かさを追求しながら、地球を守ることは、途上国だけの問題ではないからです。

エネルギー事業にとっては、SDGsは重要なテーマです。17のゴールには、「7. エネルギーをみんなに、そしてクリーンに」「13. 気候変動に具体的な対策を」といった内容も含まれているからです。気候変動対策ともなる、クリーンなエネルギーを供給するのは、他でもないエネルギー事業者です。さらに、「12. つくる責任、つかう責任」はエネルギーにもあてはまりますし、「11. 住み続けられるまちづくりを」は、スマートシティの開発ともつながってくるテーマです。

エネルギーと環境だけではない

企業がSDGsに取り組むにあたって、ポイントとなるのは、17のゴールすべてに取組む必要はないということと、ただしゴールに反することはしない、ということです。日本では、どうしても気候変動問題が注目されがちですが、他のゴールにももっと目を向けるべきでしょう。

「1．貧困をなくそう」ですが、先進国の日本ですら、相対貧困率はOECD諸国の中でも高い方で、7人に1人が貧困だといわれています。また、「5．ジェンダー平等を実現しよう」も日本ではあまり進んでいません。企業としては、適切な報酬や女性差別をしないといったことは、当然行うべきことでしょう。「10．人や国の不平等をなくそう」は、今後さらに拡大する外国人労働者の雇用・労働環境にかかわってきます。また、これらは「8．働きがいも経済成長も」にもつながっています。

かつて、社会的に問題ある企業が、環境問題に取り組んでイメージをよく見せようとすることは、「グリーンウォッシュ」とよばれていました。同じように、気候変動問題だけに取組み、その他の環境問題や、貧困・平等など他の社会問題に反する行動をしていては、「SDGsウォッシュ」とよばれかねません。

SDGsの17のゴール

出典：環境省HP

12

国際社会と人権問題

企業が持続可能な事業を営んでいくためには、環境問題への取組みだけではなく、人権問題への取組みも必要です。電気事業やガス事業においても、こうした点を意識しておくことが求められています。

ビジネスと人権

ESGのSは「社会」ですが、これはそのまま「人権問題」だと考えてもいいでしょう。人権問題にはさまざまな問題があります。ビジネスに関わるものとしては、児童労働、女性差別、強制労働などがあります。発電所建設における地域住民の権利の侵害も、人権問題です。人権問題を引き起こしている事業は、持続可能であるとはいえません。そのため、ESG投資の対象から除外されることになります。

人権問題にはさまざまな分類がありますが、ここでは身体的人権、精神的人権、社会的人権という3つの分類で考えてみましょう。

身体的人権

強制労働や児童労働などが、ここに分類されます。途上国での児童労働については、かつてナイキが関わっていたことが良く知られています。ナイキはこれを是正しましたが、現在でもコンゴにおけるコバルトの採鉱など、児童労働がうかがわれるケースがあります。また、強制労働としては、東南アジアの漁業会社が漁船で作業員を休みなく働かせていたというケースが知られています。サービス残業もここに含まれるでしょう。

精神的人権

ハラスメントや差別が、ここに分類されています。

職場におけるパワーハラスメントやセクシャルハラスメントは根絶させるべき問題ですし、こうしたことを認めない企業文化の醸成も必要です。

社会的人権

日本国憲法にも規定されている、健康で文化的な生活を送ることに反するような人権問題がここに含まれています。日本の外国人技能実習生制度は、十分な賃金を支払わずに外国人を働かせているケースが少なくないことから、身体的人権問題かつ社会的人権問題であると指摘されています。こうしたケースに限らず、不十分な賃金、長時間労働なども人権問題だといえます。

また、地域住民に被害を及ぼすことや、顧客への被害を秘匿すること、マイノリティへの配慮など、人権問題はさまざまなものがあります。こうした問題に配慮することは、電気・ガス事業にとどまらず、すべての事業者が取り組むべきことです。

ESG 投資にかかわる、企業のサステナビリティ課題

	環境課題 自然資本				社会問題 人的資本 社会関係資本		
	CO_2・気候変動	水	資源・廃棄物	生物多様性	身体的人権	精神的人権	社会的人権
	温室効果ガスの排出により温暖化、気候変動を促進	排水による水質汚濁や大量の取水・消費による水不足が発生	包装容器や、リサイクル可能な資源が再利用されず、大量に廃棄	事業活動を通じた農地・土地の開発による生態系破壊が深刻化	強制労働・児童労働などにより、人的資源が物理的に毀損	ハラスメントや差別などにより、人的資源が精神的に毀損	人間が健康で文化的な最低限度の生活を行うにあたって必要とされる権利が侵害
	気候変動	水質汚濁	包装容器	生態系破壊	強制・児童労働	ハラスメント	アクセス権
	災害・洪水	渇水	プラスチック	森林破壊	虐待	ダイバーシティ&インクルージョン	貧困
段階	Wave1	Wave2		Wave3	社会の前提	進化し続ける	
経済インパクト	ネットゼロの切迫（財務へダイレクトインパクト）	リスク／機会両面でインパクト	リスク／機会両面でインパクト	CO_2の次の大きなリスクウェーブ	事業停止／大規模な経営リスク	マーケットが細分化・新たな市場獲得機会	新興国マーケットの市場獲得機会

出典:PwC資料

第8章　2050年に向けたシナリオ

13

日本版シュタットベルケ

エネルギーの地産地消を目指した日本の地域エネルギー事業は、しばしばシュタットベルケとよばれています。しかし、日本の事業はシュタットベルケではなく同じドイツの地域電力組合に近いものです。とはいえ、地方創生というニーズを考えると、日本なりの役割があるでしょう。

シュタットベルケ

ドイツの**シュタットベルケ**は地域の総合公益事業会社といった事業体です。電気事業だけではなく、運輸、水道、熱供給など、さまざまな事業を営んでおり、利益を出している配電事業から、地域に必要な交通事業の赤字に補てんしているといったことも行われています。また、大手電力会社が出資するケースも少なくありません。大手電力会社にとっても、直接の窓口になるよりも、住民に近いところで総合的なサービスを提供した方が効率的ということかもしれません。

しかし、同じことを日本でやるのは難しいでしょう。水道事業は公営ですし、運輸は民営だが自治体から支援を受けていることも多く、ガス事業も多くは民営と、それぞれ独立しています。これをまとめていくことは難しいでしょう。

とはいえ、日本の地域には地域ごとの課題があるます。その課題に取り組む事業体が、日本版シュタットベルケということになるのではないでしょうか。

地域エネルギー事業と地方創生

地域の電力会社に限らず、公益事業者は地域と密着した事業を展開しています。そのため、地域貢献に積極的に取り組んでいます。地域が豊かにならなければ、自社の収益が増えないという構造になっているからです。

地域のエネルギー事業者が、日本版シュタットベルケを目指すのであれば、エネルギーにこだわることなく、「地域にとって必要な事業は何か」と「地域にはどのような資源があるか」をそれぞれ考え、地域を活性化する事業体を構築することでしょう。

地域にはそれぞれ、地域活性化のためのテーマがあります。農業の6次産業化、インバウンド、事業承継、生涯教育、医療・福祉、企業誘致などさまざまな課題を解決する事業を、横の連携をとりつつ、アナログな経験とITの両方を使って推進していく事業体が、今の日本に必要なシュタットベルケではないでしょうか。地域エネルギー事業者がとるべき戦略は、こうした地域の課題にコミットしていくことであり、エネルギーはその1つとして位置付けておけばいいのかもしれません。この点では、高齢者福祉・介護の分野において自治体と地域包括支援センターが中心となって、地域の医療や福祉施設をはじめ、商工会や町内会、学校までを地域の資源としてまとめる**地域包括ケア**が進められており、これが参考になるでしょう。

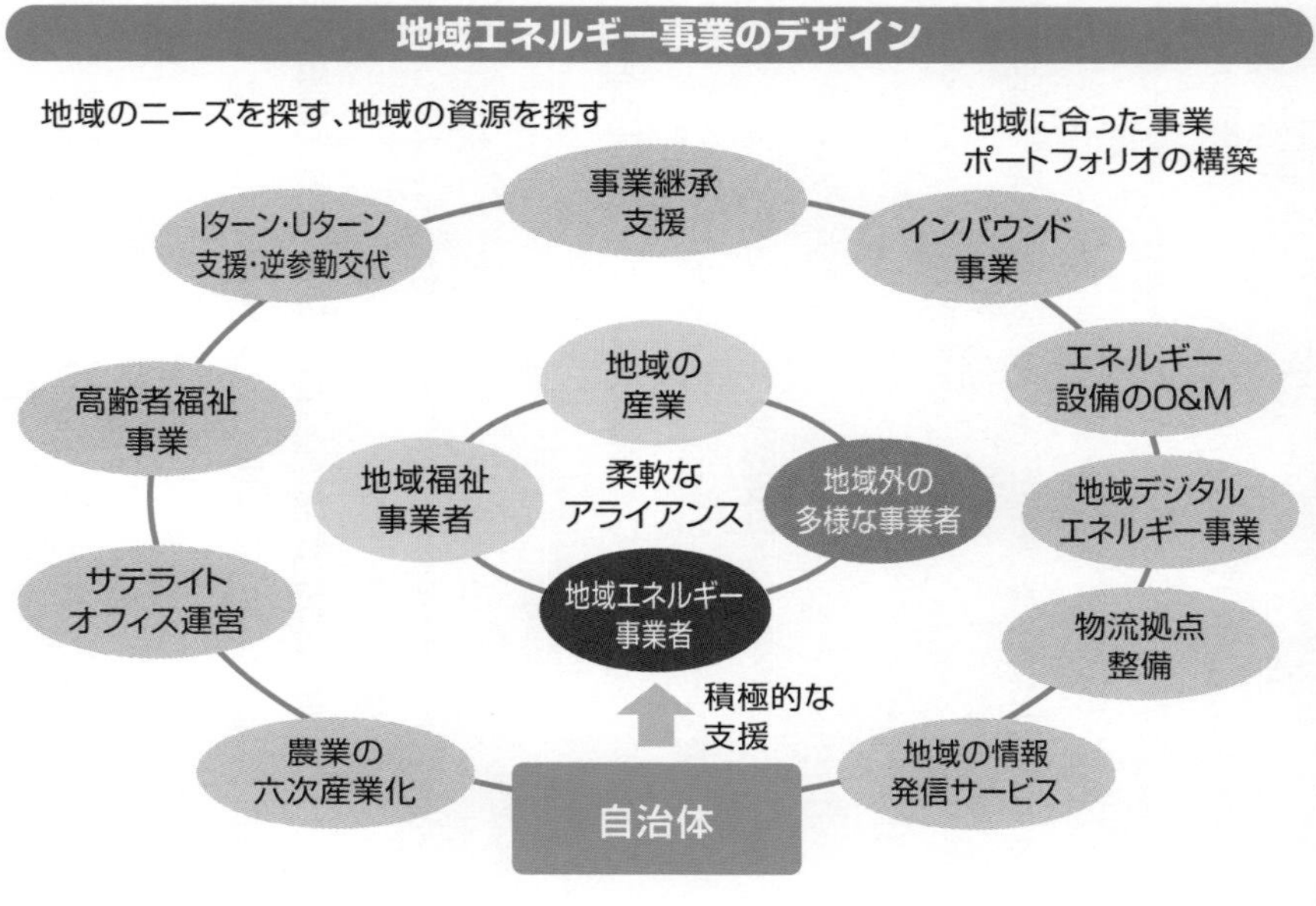

14 スローライフとベーシック・インカム

低炭素社会の実現のためには、ライフスタイルの変化も必要です。電力・ガス会社は、生活産業でもあります。スローで豊かな生活の提案も、電力・ガス会社の重要な役割になっていくかもしれません。

スローライフ

スローフード運動はイタリアで発祥した、伝統的な食生活を守ろうという運動です。多少値段が高くても、安全でおいしい食べ物を選ぶということは、食糧自給率が低い日本にとっては、ことさら重要です。

さらに、食べ物だけではなく、生活全体にわたって、安全や健康、ゆとりなどが提案されるようになってきました。これに対応したものが、**スローライフ**です。

低炭素社会とスローライフには、大きな関係があります。グローバル化によって世界中から食糧が輸入されるということは、食の安全保障だけではなく輸送エネルギーが浪費されることでもあります。その点、国内産の方が環境負荷は小さくなります。これを示す指標として、**フードマイレージ**という考え方があります。ヴィーガンなど菜食主義にも、こうした考えが含まれています。

生活産業であり、地域貢献も行っている公益事業にとって、地域の食を見直す事業や家庭での調理・食生活を支援する事業は、社会的貢献としてふさわしい事業になるでしょう。

交通の分野もスローライフにつながります。自家用車ではなく公共交通機関を利用するだけで、二酸化炭素排出削減になります。そのため、**パーク・アンド・ライド**という方式で、都市部では自家用車に乗らないようにすることも考えられています。また、省エネの公共交通機関として、低床型路面電車の整備なども注目されています。

ワンポイントコラム

【反グローバリゼーション】 グローバリゼーションは市場に一定の効率化をもたらしました。安い食糧の調達などです。ですが、それは時に地域の文化を破壊するなど、計算不可能なコストを支払ってきました。脅かされる食の安全もその一つです。エネルギーにおける環境コストと良く似た外部不経済の事例といえるでしょう。

ベーシック・インカム

最後に、スローな社会の延長線上にあるものとして、**ベーシック・インカム**についてふれておきます。

近年、新たな福祉政策の可能性として、全国民に基本的所得を与える制度であるベーシック・インカムが注目されています。高い税率と引き換えに、働けない人も市場化されにくい仕事をしている人も、健康で文化的な生活が保障されることになります。

「働かざるもの食うべからず」ということわざがありますが、ベーシック・インカムでは働くことと食べることが切り離されています。見方を変えると、社会に無駄な消費を求めるような仕事をするよりは、社会を豊かにする芸術活動やボランティア活動の方が有意義ですし、それを社会で支援するということにもなります。

さて、ベーシック・インカムが現実のものとなった時代では、公益事業はどのような役割を担うのでしょうか。これは十分考えるに値することです。

田舎暮らしについての調査結果

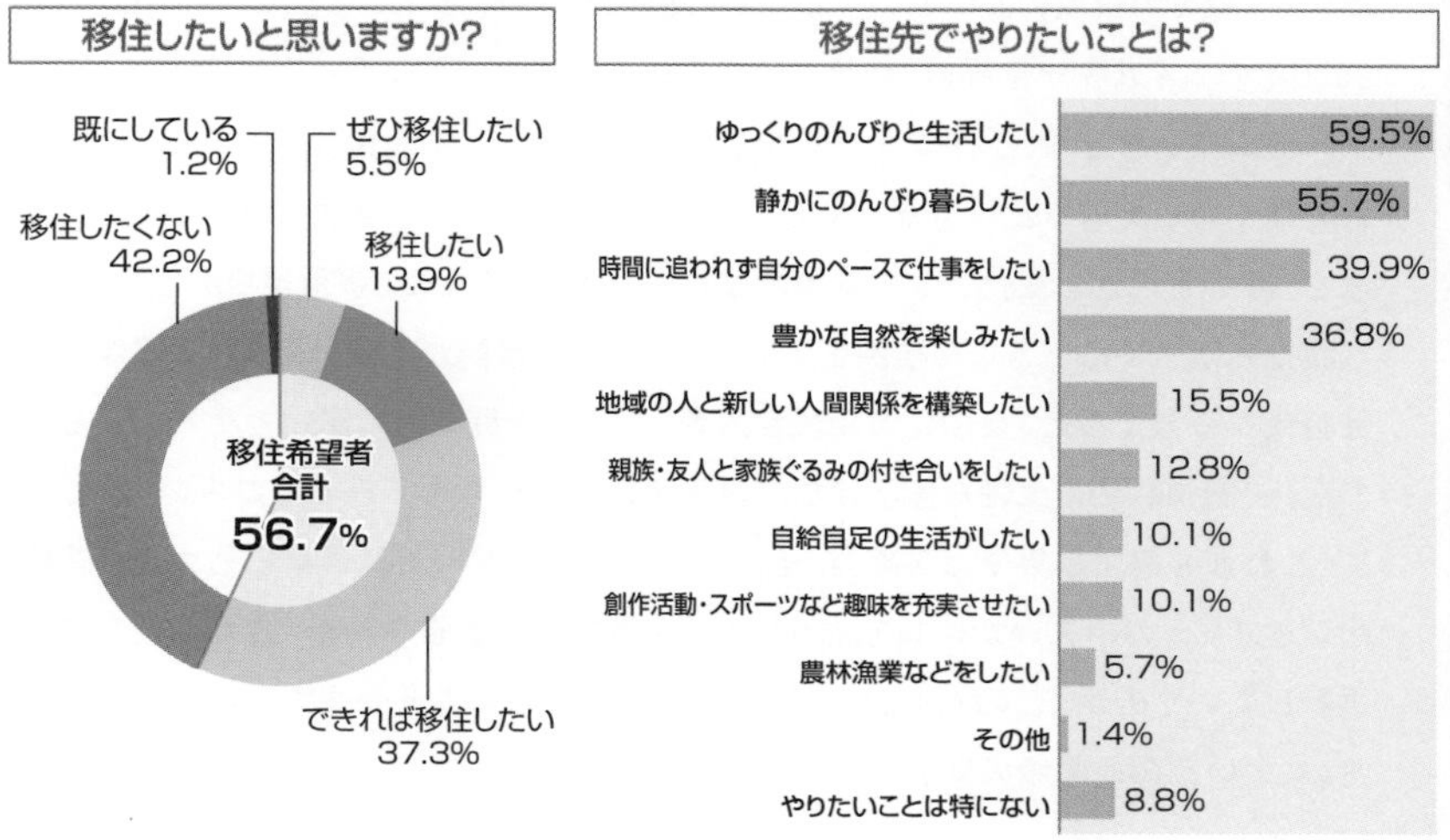

出典:ニッポン移住交流ナビHP

ワンポイントコラム

【高齢化社会とスローな社会】 高齢者にとって暮らしやすい社会を考えていくと、スローな社会に近づいていくのではないでしょうか。自家用車がなくても買物ができたり、小規模な暮らしやすい都市になっていたり。こうした暮らしをいかにサポートしていくのか、そこにおける公益事業の役割を考えることも必要でしょう。

column

2050年の電力・ガス・エネルギーサービス

この本を読んだ方の多くは、2050年頃にはキャリアのピークに達しているのではないでしょうか。社長や重役になっている方もいるでしょう。本書を通じて感じ取って欲しいこと、考えていただきたいことは、そうした未来までも見すえた業界の姿なのです。

企業で仕事をすることは、実はその企業を通じて自己実現するということにもつながっています。では、何をもって自己実現するのでしょうか。

2050年の社会がどのように変化しているのかということを考えたとき、そこに公益事業は大きくかかわっていることはまちがいありません。そして、その社会をよりよいものに導いた上で、安心して定年を迎えているのであればいいとも思います。

筆者は、価値の高い仕事をしていく上でもっとも大切な能力は、想像力だと思っています。小売り全面自由化後は、顧客の視点に立ったサービスの競争となるでしょう。ですが、顧客の視点に立つということも、想像力がなくてはできません。同じように、2050年のエネルギー業界は、昨日の延長ではあり得ないということは明白です。社会システムはもちろん、ライフスタイルも何もかもが大きく変化しているはずです。本書ではくわしく取り上げませんでしたが、人口高齢化や外国人労働者・移民の流入なども、社会を大きく変化させる要素ですし、そのこともまた、事業環境を左右します。

私たちはすでにそうした事例を見ています。通信事業がその一例です。電信電話公社時代から考えると、自由化と新規参入者、そして通信技術の変化とそれによる需要の変化、通信料金の大幅な値下げなどが起きたことを考えてみてください。同じように、これから電気事業やガス事業、そしてエネルギーサービス事業にも大きな変化が起ります。その中をいかにして生き残り、仕事の付加価値を高め、豊かな社会作りに貢献していくのか。この本を読んだ皆さんには、そこにこそ想像力を使っていただきたい、というのが筆者の願いです。

参考文献

■書籍

木舟辰平「電力システムの基本と仕組み」秀和システム
公益事業学会変「まるわかり電力システムキーワード360」日本電気協会新聞部
西村陽「電力改革の構図と戦略」エネルギーフォーラム
本橋恵一「スマートグリッドがわかる」日本経済新聞出版
本橋恵一、チェ・ジョンウン「電力・ガス自由化の衝撃」毎日新聞出版
本橋恵一、船津寛和「太陽光発電の「卒FIT」入門」オーム社
諸富徹、鮎川ゆりか「脱炭素社会と排出量取引」日本評論社

■白書

環境省「環境・生物多様性・循環型社会白書」
資源エネルギー庁「エネルギー白書」

■ホームページ

環境省HP
経済産業省HP
厚生労働省HP
国土交通省HP
農林水産省HP
文部科学省HP
外務省HP
総務省HP
資源エネルギー庁HP
電力・ガス取引監視等委員会HP
電力広域的運営推進機関HP
内閣府HP
原子力規制委員会HP
原子力委員会HP
新エネルギー・産業技術総合開発機構HP
石油天然ガス・金属鉱物資源機構HP
電気事業連合会HP
日本ガス協会HP
日本LPガス協会HP
電力・ガス・エネルギーサービス各社HP

■その他

Energy Shift
筆者取材

索　引

INDEX

アルファベット

か行

あ行

さ行

た行

や行

ら行

わ行

ま行

memo

●著者紹介

本橋　恵一（もとはし　けいいち）

Energy　Shift編集マネージャー／afterFIT研究所・シニアリサーチャー

1962年生、東京都出身、茨城大学理学部生物学科卒。

1994年より、株式会社エネルギーフォーラムにて、エネルギー専門誌「月刊エネルギーフォーラム」取材記者として、電力自由化、気候変動問題、原子力問題などを取材。

2004年より、フリージャーナリスト、エネルギー戦略コンサルタント。

2016年〜2017年、エネルギーIoTスタートアップのENCORED株式会社でマーケティング本部長。

2019年〜、株式会社afterFITで現職。

主な著書は、「スマートグリッドがわかる」（日本経済新聞出版）、「電力・ガス自由化の衝撃」（共著、毎日新聞出版）、「太陽光発電の「卒FIT」入門」（共著、オーム社）。

主な執筆媒体は、「週刊エコノミスト」「MIT　Technology　Review」「中央公論」「ガスエネルギー新聞」「プロパン産業新聞」「電気と工事」「リベラルタイム」「経営者会報」「法務AtoZ」他。

ツイッターは@tenshinokuma

図《ず》解《かい》入門《にゅうもん》業界《ぎょうかい》研究《けんきゅう》
最新《さいしん》電力《でんりょく》・ガス業界《ぎょうかい》の
動向《どうこう》とカラクリがよ〜くわかる本《ほん》[第《だい》7版《はん》]

発行日　2022年 11月 20日　第1版第1刷

著　者　本橋《もとはし》　恵一《けいいち》

発行者　斉藤　和邦
発行所　株式会社　秀和システム
〒135-0016
東京都江東区東陽2-4-2　新宮ビル2F
Tel 03-6264-3105（販売）　Fax 03-6264-3094
印刷所　三松堂印刷株式会社　Printed in Japan

ISBN978-4-7980-6869-5 C0033